EVEREST PUNTO

DICCIONARIO
Inglés - Español
Spanish - English
DICTIONARY

© EDITORIAL EVEREST, S. A.

EDITORIAL EVEREST, S. A.

MADRID • LEON • BARCELONA • SEVILLA • GRANADA • VALENCIA
ZARAGOZA • LAS PALMAS DE GRAN CANARIA • LA CORUÑA
PALMA DE MALLORCA • ALICANTE – MEXICO • BUENOS AIRES

VIGÉSIMO PRIMERA EDICIÓN

© EDITORIAL EVEREST, S. A.
Carretera León-La Coruña, km 5 - LEÓN
ISBN: 84-241-1210-5
Depósito legal: LE. 792-1994
Printed in Spain - Impreso en España

EDITORIAL EVERGRÁFICAS, S. L.
Carretera León-La Coruña, km 5
LEÓN (España)

LISTA DE SÍMBOLOS FONÉTICOS

VOCÁLICOS

Anterior   Central   Posterior

Cerrada

Medio cerrada

Medio abierta

PRONUNCIACIÓN FIGURADA

Para la representación gráfica de los distintos fonemas —el fonema se escribe entre / /—, hemos seguido en este diccionario el albafeto de la Asociación Fonética Internacional, por ser un sistema reconocido internacionalmente y por creerlo el único deseable.

No hemos seguido una interpretación «estrecha» de este sistema, tal como siguen I. C. Ward, A. C. Gimson y otros, a pesar de que la consideramos más científica, ya que supondría dificultades que no compensan, por lo que hemos seguido la interpretación «amplia» de D. Jones, aunque menos exacta, habiendo desechado sistemas «más amplios» como el de P. A. D. MacCarthy.

La transcripción fonética es idéntica con la usada por Daniel Jones en su *English Pronouncing Dictionary*, edición revisada por A. C. Gimson, excepto el diptongo /əu/ que lo hemos transcrito por /ou/.

LISTA DE SÍMBOLOS FONÉTICOS

VOCÁLICOS

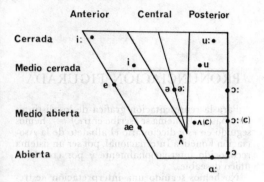

1. /i:/ **bead** [bi:d]
2. /i/ **bid** [bid]
3. /e/ **bed** [bed]
4. /æ/ **bad** [bæd]
5. /ʌ/ **bud** [bʌd]
6. /ɑ:/ **bar** [bɑ:*]
7. /ɔ/ **bog** [bɔg]
8. /ɔ:/ **bore** [bɔ:*]
9. /u/ **book** [buk]
10. /u:/ **boot** [bu:t]
11. /ə:/ **bird** [bə:d]
12. /ə/ **but** [bət]
(en posición átona)

El signo : indica que el tiempo de emisión del sonido es doble. Su emisión correcta es importante **ship** [ʃip] **sheep** [ʃi:p].

1. Pronúnciese como **i** española dándole doble tiempo.

2. Pronúnciese entre **e** e **i** españolas.

3. Pronúnciese como **e** española.

4. En español no existe este fonema. Pronúnciese entre **a** y **e** españolas.

5. En español no existe este fonema. Se articula con una separación considerable de las mandíbulas y labios neutralmente abiertos. El centro de la lengua se eleva un poco por encima de la posición completamente abierta, sin hacer contacto con las muelas superiores. La posición no es muy distante de la **a** española.

6. Pronúnciese como **a** española con dirección posterior y dándole doble tiempo. La **a** española de **barco** con doble tiempo es semejante.

7. Pronúnciese entre **a** y **o** española.

8. Pronúnciese como **o** española dándole doble tiempo.

9. Pronúnciese entre **o** y **u** española.

10. Pronúnciese como **u** española dándole doble tiempo.

11. Pronúnciese como el número 12 dándole doble tiempo.

12. No existe en español. Es un sonido indeterminado, sonido intermedio entre **e** y **o**. Con los músculos bucales relajados exprese el aire produciendo sonido y se originará el sonido deseado. Este sonido es el más usado en inglés sustituyendo a otros sonidos vocálicos sobre todo e, a, o, u, cuando éstos están en posición átona. La frecuencia de /ə/ es del 10,74 % seguido de /i/ 8,33 % y de /n/ 7,58 %.

DIPTONGOS

15. /ɔi/ **oil** [ɔil]	13. /ei/ **ale** [eil]
16. /ou/ **old** [ould]	14. /ai/ **aisle** [ail]
19. /θə/ **pear** [pθə*]	17. /au/ **owl** [aul]
20. /uə/ **poor** [puə*]	18. /iə/ **pier** [piə*]

El acento y cantidad del diptongo en inglés recae sobre el primer elemento.

Para hablantes de español los diptongos 13 (peine), 14 (vaina), 15 (boina), 16 (bou) y 17 (causa) no ofrecen dificultades.

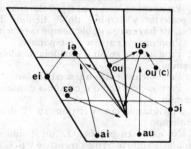

Pronúnciese los números 18, 19 y 20 con un primer elemento como el descrito en las vocales anteriormente y el segundo elemento con el sonido indeterminado.

Procúrese centralizar el diptongo 16 hasta pronunciar el primer elemento como /ə/ que es

la pronunciación actual más generalizada siendo
/ou/ una actitud conservadora.

CONSONÁNTICOS

21. /p/ **pin** [pin] 1 + 2 *(estos núme-*
ros se corres-
ponden con
los señala-
dos en el dia-
grama si-
guiente).

22. /b/ **bin** [bin] 1 + 2
23. /t/ **tin** [tin] 6a + 5
24. /d/ **din** [din] 6a + 5

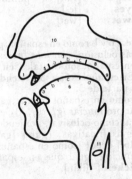

25.	/k/	**came**	[keim]	6d + 8
26.	/g/	**game**	[geim]	6d + 8
27.	/tʃ/	**chin**	[tʃin]	6a y b + 5 y 7a
28.	/dʒ/	**gin**	[dʒin]	6a y b + 5 y 7a
29.	/f/	**fame**	[feim]	2 + 3
30.	/v/	**vain**	[vein]	2 + 3
31.	/θ/	**thigh**	[θai]	6a + 3
32.	/ð/	**thy**	[ðai]	6a + 3
33.	/s/	**rice**	[rais]	6a + 5
34.	/z/	**rise**	[raiz]	6a + 5
35.	/ʃ/	**shop**	[ʃɔp]	6a y b + 5 y 7a
36.	/ʒ/	**pleasure**	[ˈpleʒə*]	6a y b + 5 y 7a
37.	/h/	**hill**	[hil]	
38.	/m/	**meat**	[mi:t]	1 + 2
39.	/n/	**neat**	[ni:t]	6a + 5
40.	/ŋ/	**sing**	[siŋ]	6d + 8
41.	/l/	**light**	[lait]	6a + 5
42.	/r/	**righ**	[rait]	6a + punto entre 5 y 7a
43.	/j/	**yes**	[jes]	
44.	/w/	**wet**	[wet]	

Pronúnciese p y b como en español (paso, vaso) pero con más oclusión, con más fuerza.

23 y 24 en español son dentales, en inglés son alveolares. En español es 6a + 3 haciendo también contacto en parte de 5.

25 y 26 como en español (cama, gama). Hay que procurar pronunciar /g/, /b/, /d/, en posición intervocálica, como oclusivas, poniendo atención en no hacerlas fricativas: (**gago** [gaɣo] **bebo** [ˈbeβo] **dedo** [ˈdeðo] (como en español).

27. Pronúnciese igual que en español **chico** [ˈtʃiko]; **chicken** [ˈtʃikin].

28. Igual al anterior, pero sonoro. En español **conyuge** [ˈkondʒuɣe].

29. Igual que en español (fama).

Póngase cuidado en la correcta pronunciación de 30 y no se pronuncie [b], /v/ se pronuncia igual que /f/ pero sonora.

31. Pronúnciese como en español **cima** [ˈθima]; **theme** [θiːm].

32. Como la anterior pero sonora: **dedo** [ˈdeðo]; **they** [ðei]. Para pronunciar ð pronúnciese d española sin llegar a tocar los incisivos superiores.

33. Lo mismo que en español **si** [si]; **see** [siː].

34. Lo mismo que la anterior pero sonora. En español no existe como fonema pero sí como alófono de s, **mismo** [ˈmizmo]. Existe en francés *maison* y en catalán *rosa*.

35 y 36. No existen en español. Se forma haciendo un ligero contacto de 6a y b con 5 y 7a al mismo tiempo que 6c se eleva hacia 7b. Al expulsar el aire y formar el roce con los órganos descritos se produce el sonido del fonema /ʃ/ y si además las cuerdas bucales vibran se forma /ʒ/. /ʃ/ es similar al sonido que producimos cuando queremos imponer silencio.

37. No existe en español. No se confunda con /x/ pues /h/ es una fricativa mucho más suave siendo sólo una expiración del aire, **jardín** [xarˈdin]; **Harding** [ˈhɑːdiŋ].

38 y 39. Igual que en español.

/ŋ/. Existe en español no como fonema sino como alófono de /n/ ante k, g, j, **cinco** [ˈθiŋko]. Dispónganse los órganos fonadores como para k y g pero ábrase 9 dando paso al aire hacia la cavidad nasal.

/l/. Tiene el inglés dos tipos, uno claro, igual que en español y otro oscuro que se pronuncia, además de 6a + 5, con un movimiento de 6d hacia 8. /l/ es clara en posición inicial e intervocálica.

42. Pronúnciese como la española en **aire** pero en inglés el lugar de articulación es posterior. En español es 6a + 5; en inglés 6a + punto entre 5 y 7a. En inglés el ápice de la lengua (6a) no toca los alvéolos (5 y 7a).

43 y 44. Son semivocales. /j/ la tenemos en español en **hierba** ['jerβa]. Póngase cuidado en no pronunciar /j/ como oclusiva palatal.

44. /w/ existe en español en hueso ['γweso]. Procúrese pronunciar evitando la [γ].

PRONUNCIACIÓN
DE LAS LETRAS INGLESAS

a [ei], b [bi:], c [si:], d [di:], e [i:], f [ef], g [dʒi:], h [eitʃ], i [ai], j [dʒei], k [kei], l [el], m [em], n [en], [o [ou], p [pi:], q [kju:], r [ɑ:*], s [es], t [ti], u [ju:], v [vi:], w ['dʌblju:], x [eks], y [wai], z [zed].

Téngase en cuenta que en inglés existe la costumbre, sobre todo en palabras difíciles, raras, o bien porque no se sabe cómo se escriben, de deletrear las palabras. **Poor** se deletrearía [pi:/ ,dəbl 'ou/ ɑ:].

NOTAS

—El signo ' significa que la palabra siguiente es la que lleva el acento. Si en la misma palabra o grupo fonético ocurre el signo ˌ significa que lleva un acento secundario.

—El signo * indica que se puede, y generalmente se pronuncia, la r final de la palabra que lleva el asterisco, cuando la palabra siguiente comienza por sonido vocálico. Así **car** [kɑ:*] en [la combinación **car and bus** [ˈkɑːrəndˈbʌs].

—La pronunciación dada aquí **NO** es la única que existe aunque sí la más frecuente. Así en **direct** [diˈrekt] también es normal escuchar [daiˈrekt] y [dəˈrekt]. Lo mismo que en esta palabra ocurre en muchas otras. En algunos casos **am** [æm, əm, m], **but** [bʌt, bət] han sido incluidas.

—En la gran mayoría de las palabras que empiezan por **wh-** como **whale, wheel,** etc., también es muy frecuente además de la pronunciación dada [weil], [wiːl] la pronunciación [hweil], [hwiːl].

MODO DE ARTICULACION		LUGAR DE ARTICULACION							
		Bilabiales	Labiodentales	Dentales	Alveolares	Palatoalveolares	Palatales	Velares	Gutural
CONSONANTES	Oclusivas	p b		t d				k g	
	Africadas					tʃ dʒ			
	Nasales	m			n			ŋ	
	Vibrante				r				
	Lateral				l				
	Fricativa		f v	θ ð	s z	ʃ ʒ			h
	Semivocal	w					j		

MODO DE ARTICULACION		Anterior	Central	Posterior
VOCALES	Cerrada	i: i		u: u
	Medio cerrada	e	ə: ə	
	Medio abierta	æ	ʌ	ɔ: ɔ
	Abierta			ɑ:

Nota: las consonantes situadas a la derecha dentro de cada grupo son sonoras (b, m, d, ʒ, etc.). Las otras son sordas.

NUMERALS   NÚMEROS

1 one [wʌn]	uno
2 two [tu:]	dos
3 three [θri:]	tres
4 four [fɔ:*]	cuatro
5 five [faiv]	cinco
6 six [siks]	seis
7 seven [sevn]	siete
8 eight [eit]	ocho
9 nine [nain]	nueve
10 ten [ten]	diez
11 eleven [i'levn]	once
12 twelve [twelv]	doce
13 thirteen ['θə:'ti:n]	trece
14 fourteen ['fɔ:'ti:n]	catorce
15 fifteen ['fif'ti:n]	quince
16 sixteen ['siks'ti:n]	dieciséis
17 seventeen ['sevn'ti:n]	diecisiete
18 eighteen ['ei'ti:n]	dieciocho
19 nineteen ['nain'ti:n]	diecinueve
20 twenty [twenti]	veinte
21 twenty-one ['twenti'wʌn]	veintiuno
30 thirty ['θə:ti]	treinta
31 thirty-one ['θə:ti'wʌn]	treinta y uno
40 fourty ['fɔ:ti]	cuarenta
50 fifty ['fifti]	cincuenta
60 sixty ['siksti]	sesenta
70 seventy ['sevnti]	setenta
80 eighty ['eiti]	ochenta
90 ninety ['nainti]	noventa
100 one hundred ['wʌn hʌndrid]	ciento, cien

101	one hundred and one	ciento uno
200	two hundred	doscientos
500	five hundred	quinientos
700	seven hundred	setecientos (1)
900	nine hundred	novecientos (1)
1.000	one thousand ['wʌn θauzənd]	mil
1.100	eleven hundred	mil cien
2.000	two thousand	dos mil
100.000	one hundred thousand	cien mil
1.000.000	a million ['miljən]	un millón
1.000.000.000	a thousand millions (Inglaterra) a billion ['biljən] (Estados Unidos)	mil millones
1.000.000.000.000	a billion (Inglaterra) a trillionlllll a trillion (Estados Unidos)	un billón

(1) *Im popular language, the regular pronunciation of* **setecientos** *and* **nuevecientos** *also occurs.*

SPANISH IRREGULAR VERBS

Each number applies to the following tense:
(1) present indicative
(2) imperfect indicative
(3) preterite
(4) future indicative
(5) conditional
(6) present subjunctive
(7) imperfect sunjuntive
(8) future subjunctive
(9) imperative
(10) present participle
(11) past participle

Only the irregularities within the tenses are stated. Those persons not stated follow the regular course.

When at the end of the first person there is an etc., that means that the irregularities are all through the tense.

aborrecer (1) aborrezco; (6) aborrezca, etc.

acertar (1) acierto, aciertas, acierta, aciertan; (6) acierte, aciertes, acierte, acierten; (9) acierta.

acordar (1) acuerdo, acuerdas, acuerda, acuerdan; (6) acuerde, acuerdes, acuerde, acuerden; (9) acuerda.

adquirir (1) adquiero, adquieres, adquiere, adquieren; (6) adquiera, adquieras, adquiera, adquieran; (9) adquiera. All the verbs ending in -irir follow the above model.

andar (3) anduve, anduviste, anduvo, etc.; (7) anduviera o anduviese, etc.; (8) anduviere, etc.

caber (1) quepo; (3) cupe, cupiste, cupo, etc; (4) cabré, etc.; (5) cabría, etc.; (6) quepa, etc.; (7) cupiera o cupiese, etc.; (8) cupiere, etc.

caer (1) caigo; (3) cayó, cayeron; (6) caiga, etc.; (7) cayera o cayese, etc.; (8) cayere, etc.; (10) cayendo.

ceñir (1) ciño, ciñes, ciñe, ciñen; (3) ciñó, ciñeron; (6) ciña, etc.; (7) ciñera o ciñese, etc.; (8) ciñere, etc.; (9) ciñe; (10) ciñendo.

conducir (1) conduzco; (3) conduje, condujiste, condujo, condujimos, condujisteis, condujeron; (6) conduzca, etc.; (7) condujera o condujese, etcétera; (8) condujere, etc.

dar (1) doy; (3) di, diste, dio, dimos, disteis, dieron; (7) diera o diese, etc.; (8) diere.

decir (1) digo, dices, dice, dicen; (3) dije, dijiste, dijo, dijimos, dijisteis, dijeron; (4) diré, etcétera; (5) diría, etc.; (6) diga, etc.; (7) dijera o dijese, etc.; (8) dijere, etc.; (9) di; (10) diciendo; (11) dicho.

dormir (1) duermo, duermes, duerme, duermen; (3) durmió, durmieron; (6) duerma, duermas, duerma, durmamos, durmáis, duerman; (7) durmiera o durmiese, etc.; (8) durmiere, etc.; (9) duerme; (10) durmiendo.

entender (1) entiendo, entiendes, entiende, entienden; (6) entienda, entiendas, entienda, entiendan; (9) entiende.

estar (1) estoy, estás, está, están; (3) estuve, estuviste, estuvo, estuvimos, estuvisteis, estuvieron; (6) esté, etc.; (7) estuviera o estuviese, etcétera; (8) estuviere, etc.; (9) está.

gemir (1) gimo, gimes, gime, gimen; (3) gimió, gimieron; (6) gima, etc.; (7) gimiera o gimiese, etc.; (8) gimiere, etc.; (9) gime; (10) gimiendo.

haber (1) he, has, ha (hay) hemos, habéis, han; (3) hube, hubiste, hubo, etc.; (4) habré, etc.; (5) habría, etc.; (6) haya, etc.; (7) hubiera o hubiese, etc.; (8) hubiere, etc.; (9) he.

hacer (1) hago; (3) hice, hiciste, hizo, hicimos, hicisteis, hicieron; (4) haré, etc.; (5) haría, etc.; (6) haga, etc.; (7) hiciera o hiciese, etc.; (8) hiciere, etc.; (9) haz; (11) hecho.

huir (1) huyo, huyes, huye, huyen; (3) huyó, huyeron; (6) huya, etc.; (7) huyera o huyese, etcétera; (8) huyere, etc.; (9) huye; (10) huyendo.

ir (1) voy, vas, va, vamos, váis, van; (2) iba, ibas, iba, íbamos, ibais, iban; (3) fui, fuiste, fue, fuimos, fuisteis, fueron; (6) vaya, etc.; (7) fuera o fuese, etc.; (8) fuere, etc.; (9) ve; (10) yendo.

jugar (1) juego, juegas, juega, juegan; (6) juegue, juegues, juegue, juguemos, juguéis, jueguen.

leer (3) leyó, leyeron; (7) leyera o leyese, etc.; (8) leyere, etc.; (10) leyendo.

lucir (1) luzco; (6) luzca, etc.

llover (1) llueve; (6) llueva.

morir (1) muero, mueres, muere, mueren;
(3) murió, murieron; (6) muera, etc.; (7) muriera o muriese, etc.; (8) muriere, etc.; (9)
muere; (10) muriendo; (11) muerto.

mover (1) muevo, mueves, mueve, mueven;
(6) mueva, muevas, mueva, muevan; (9) mueva.

nacer (1) nazco; (6) nazca, etc.

nevar (1) nieva; (6) nieve.

oír (1) oigo, oyes, oye, oyen; (3) oyó, oyeron; (6)
oiga, etc.; (7) oyera u oyese, etc.; (8) oyere,
etcétera; (9) oye; (10) oyendo.

oler (1) huelo, hueles, huele, huelen; (6) huela,
huelas, huela, huelan; (9) huele.

poder (1) puedo, puedes, puede, pueden; (3)
puede, pudiste, pudo, etc.; (4) podré, etc.;
(5) podría, etc.; (6) pueda, etc.; (7) pudiera
o pudiese, etc.; (8) pudiere, etc.; (9) puede;
(10) pudiendo.

poner (1) pongo; (3) puse, pusiste, puso, etc.;
(4) pondré, etc.; (5) pondría, etc.; (6) ponga,
etcétera; (7) pusiera o pusiese, etc.; (8) pusiere, etc.; (9) pon; (10) poniendo; (11) puesto.

querer (1) quiero, quieres, quiere, quieren;
(3) quise, quisiste, quiso, etc.; (4) querré, etc.;
(5) querría, etc.; (6) quiera, etc.; (7) quisiera
o quisiese, etc.; (8) quisiere, etc.; (9) quiere.

saber (1) sé; (3) supe, supiste, supo, etc.; (4)
sabré, etc.; (5) sabría, etc.; (6) sepa, etc.;
(7) supiera o supiese, etc.; (8) supiere, etc.;
(9) sepa.

salir (1) salgo; (4) saldré, etc.; (5) saldría, etc.;
(6) salga, etc.; (9) sal.

sentir (1) siento, sientes, siente, sienten; (3)
sintió, sintieron; (6) sienta, etc.; (7) sintiera o
sintiese, etc.; (8) sintiere, etc.; (9) siente;
(10) sintiendo.

ser (1) soy, eres, es, somos, sois, son; (2) era,
eras, era, éramos, erais, eran; (3) fui, fuiste,
fue, fuimos, fuisteis, fueron; (6) sea, etc.;
(7) fuera o fuese, etc.; (8) fuere, etc.

tener (1) tengo, tienes, tiene, tienen; (3) tuve,
tuviste, tuvo, etc.; (4) tendré, etc.; (5) ten-
dría, etc.; (6) tenga, etc.; (7) tuviera o tuviese,
etcétera; (8) tuviere, etc.; (9) ten.

traer (1) traigo; (3) traje, trajiste, trajo, trajimos,
trajisteis, trajeron; (6) traiga, etc.; (7) trajera
o trajese, etc.; (8) trajere, etc.; (10) tra-
yendo.

valer (1) valgo; (4) valdré, etc.; (5) valdría, etc.;
(6) valga, etc.; (7) valiera o valiese, etc.;
(8) valiere, etc.; (9) vale; (10) valiendo.

venir (1) vengo, vienes, viene, vienen; (3) vine,
viniste, vino, etc.; (4) vendré, etc.; (5) ven-
dría, etc.; (6) venga, etc.; (7) viniera o vi-
niese, etc.; (8) viniere, etc.; (9) ven; (10
viniendo.

ver (1) veo; (2) veía, etc.; (6) vea, etc.; (11)
visto.

vestir (1) visto, vistes, viste, visten; (3) vistió,
vistieron; (6) vista, etc.; (7) vistiera o vistiese,
etcétera.; (8) vistiere; (9) viste; (10) vistiendo.

ABREVIATURAS

a.	adjetivo	*imp.*	imperativo
adj.	adjetivo	*in.*	verbo
adv.	adverbio		intransitivo
(Agr.)	Agricultura	*indef.*	indefinido
Am.	América	*inf.*	infinitivo
(An.)	Anatomía	(Ingl.)	Inglaterra
(Arq.)	Arquitectura	*int.*	interrogativo
(Aut.)	Automóvil	*intr.*	intransitivo
aux.	auxiliar	(Irl.)	Irlanda
art.	artículo	*m.*	masculino
(Av.)	Aviación	(Mat.)	Matemáticas
(Biol.)	Biología	(Mec.)	Mecánica
(Bot.)	Botánica	(Med.)	Medicina
cnj.	conjunción	(Mil.)	Milicia
(Com.)	Comercio	(Min.)	Mineralogía
comp.	comparativo	(Mit.)	Mitología
dem.	demostrativo	(Mús.)	Música
(Der.)	Derecho	(Náut.)	Náutica
(dial.)	dialecto, dialectal	(Pat.)	Patología
		pl.	plural
(Ecl.)	Eclesiástico	*pers.*	personal
(Elec.)	Electricidad	*poss.*	posesivo
f.	femenino	*pp.*	participio pasado
(fam.)	familiar		
(Far.)	Farmacia	*pret.*	pretérito
(fig.)	figurado	*prep.*	preposición
(Fil.)	Filosofía	*pron.*	pronombre

21

(Fís.)	Física	(Qm.)	Química
(Fon.	Fonética	*ref.*	reflexivo
(Fot.)	Fotografía	*s.*	sustantivo
(Fsl.)	Fisiología	*super.*	superlativo
(Geom.)	Geometría	*tr.*	verbo
(Gram.)	Gramática		transitivo
(Hist.)	Historia	(Tt.)	Teatro
(Hort.)	Horticultura	(var.)	variación
		(vulg.)	vulgar
		(Zool.)	Zoología

INGLÉS-ESPAÑOL

a

a [ei, ə] *art. indef.* un, una.

aback [ə'bæk] *adv.* detrás, atrás.

abandon [ə'bændən] *tr.* abandonar.

abandonement [ə'bændənmən] *s.* abandono.

abase [ə'beis] *tr.* humillar, degradar.

abash [ə'bæʃ] *tr.* avergonzar.

abate [ə'beit] *tr.* disminuir, reducir.

abbes ['æbis] *s.* abadesa.

abbey ['æbi] *s.* abadía, monasterio.

abbot ['æbət] *s.* abad, prior.

abbreviate [ə'bri:vieit] *tr.* abreviar, abreviatura.

abdicate ['æbdikeit] *tr.* e *in.* renunciar.

abdomen ['æbdəmen, ɑeb'doumen] *s.* abdomen; vientre.

abduct [æb'dʌkt] *tr.* raptar, secuestrar, abducir; *Am.* plagiar.

abed [ə'bed] *adv.* en cama.

abeyance [ə'beiəns] *s.* suspensión; vacante.

abhor [əb'hɔ:*] *tr.* aborrecer.

ability [ə'biliti] *s.* (*pl:* **-ties**) habilidad.

ablative ['æblətiv] *adj.* ablativo.

ablaze [ə'bleiz] *adj.* brillante

able ['eibl] *adj.* hábil, capaz.

ablution [ə'blu:ʃən] *s.* ablución, lavado.

abode [ə'boud] *s.* domicilio, hogar.

abolish [ə'bɔliʃ] *tr.* abolir, anular.

aboriginal [,æbə'ridʒənl] *adj.* & *s.* nativo.

abort [ə'bɔ:t] *tr.* e *in.* abortar.

abound [ə'baund] *in.* abundar.

about [ə'baut] *adv.* alrededor de; *prep.* y *adv.* sobre.

above [ə'bʌv] *adj.* & *s.* antedicho, *prep.* sobre; *adv.* arriba.

abreast [ə'brest] *adv.* al lado (*uno de otro*), de frente.

abridge [ə'bridʒ] *tr.* abreviar; simplificar.

abrogate ['æbrəgeit] *tr.* abrogar.

abrupt [ə'brʌpt] *adj.* abrupto.

abscond [əb'skɔnd] *in.* evadirse.

absence ['æbsəns] *s.* ausencia.

absent ['æbsənt] *adj.* ausente.

absolution [,æbsə'lu:ʃən] *s.* absolución.

absolve [əb'zɔlv] *tr.* perdonar.

absorb [əb'sɔ:b] *tr.* absorber.

abstrain [əb'stein] *in.* abstenerse.

abstract ['æbstrækt] *adj.* abstracto.

abstract [æb'strækt] *tr.* resumir.

absurd [əb'sə:d] *adj.* absurdo.

abundant [ə'bʌndənt] *adj.* abundante

abuse [ə'bju:z] *tr.* maltratar; abusar de.

abutment [ə'bʌtmənt] *s.* linde, confín.

abysm [ə'bizəm] *s.* abismo.

academy [ə'kædəmi] *s.* (*pl*: **-mies**) academia, colegio.

accede [æk'si:d] *intr.* acceder.

accelerate [æk'seləreit] *tr.* acelerar.

accent ['æksənt] *s.* acento; [æk'sent] *tr.* acentuar; **-uate** [æk'sentjueit] *tr.* acentuar.

accept [ək'sept] *tr.* aceptar.

access ['ækses] *s.* acceso. **-ible** [ək'sesəbl] *a.* accesible.

accessory [æk'sesəri] *a.* accesorio.

accident ['æksidənt] *s.* accidente.

acclamation [,æklə'meiʃən] *s.* aclamación.

acclivity [ə'kliviti] *s.* (*pl*: **-ties**) rampa.

accommodate [ə'kɔmədeit] *tr.* acomodar; **-tion** [ə,kɔmə'deiʃən] *s.* acomodación.

accompany [ə'kʌmpəni] *tr.* (*pret. y pp.* **-nied**) acompañar.

accomplish [ə'kɔmpliʃ] *tr.* realizar.

—ed [ə'kɔmplist] *a.* realizado.

—ment [ə'kɔmpliʃmənt] *s.* realización.

accord [ə'kɔ:d] *s.* acuerdo; *tr.* concordar.

according [ə'kɔ:diŋ] *a.* acorde.

account [ə'kaunt] *s.* cuenta.

accountant [ə'kauntənt] s. contable.

accumulate [ə'kju:mjuleit] tr. acumular;

—ion [ə,kju:mju'leiʃən] s. acumulación.

—ive [ə'kju:mjulətiv] a. acumulativo.

—or [ə'kju:mjuleitə*] s. acumulador.

accuracy ['ækjurəsi] s. (pl: **-cies**), precisión.

accusation [,ækju(:)'zeiʃən] s. acusación.

accustom [ə'kʌstəm] tr. acostumbrar.

ace [eis] s. as, uno, unidad.

ache [eik] s. dolor continuo.

achieve [ə'tʃi:v] tr. acabar.

—ment [ə'tʃi:vmənt] s. realización.

acid ['æsid] a. ácido.

acolyte ['ækəlait] s. acólito.

acorn ['eikɔ:n] s. (Bot.) bellota.

acquaint [ə'kweint] tr. informar.

acquiesce [,ækwi'es] int. asentir.

acquiescence [ækwi'esns] s. consentimiento.

acquire [ə'kwaiə*] tr. adquirir;

—ment [ə'kwaiə*mənt] s. adquisición.

—ion [,ækwi'ziʃən] s. adquisición.

acrobat ['ækrɔbæt] s. acróbata, sonámbulo.

across [ə'krɔs] adv. a través.

act [ækt] s. acto, acción.

acting ['æktŋ] adj. interino.

actively ['æktivli] adv. activamente.

actress ['æktris] s. actriz.

actual ['æktʃuəl] adj. verdadero.

acute [ə'kju:t] adj. agudo, perspicaz.

ad [æd] s. anuncio.

adamant ['ædəmənt] s. diamante.

adapt [ə'dæpt] tr. adaptar.

adaptability [ə,dæptə'biliti] s. (pl: **-ties**) adaptabilidad, facilidad.

add [æd] tr. añadir.

adder ['ædə*] s. víbora,

addicted [ə'diktid] adj. aficionado a.

addle ['ædl] tr. e intr. vaciar.

address [ə'dres] s. dirección.

adept ['ædept] adj. experto.

adequate ['ædikwit] adj. suficiente.

adhere [əd'hiə*] intr. adherir (se).

adieu [ə'djue] (*pl* : **adieus** o **adieux**) *s*. adiós.

adjective ['ædʒiktiv] *adj*. y *s*. adjetivo.

adjudge [ə'dʒʌdʒ] *tr*. decretar.

adjunct ['ædʒʌŋkt] *adj*. adjunto.

adjure [ə'dʒuə*] *tr*. implorar.

adjust [ə'dʒʌst] *tr*. ajustar.

adjustable [ə'dʒʌstəbl] *adj*. adaptable.

administer [əd'ministə*] *tr*. administrar.

admirable ['ædmərəbl] *adj*. admirable.

admiral ['ædmərəl] *s*. almirante.

admire [əd'maiə*] *tr*. admirar.

admissible [əd'misəbl] *adj*. admisible.

admittance [əd'mitəns] *s*. admisión.

admixture [əd'mikstʃə*] *s*. mezcla.

admonish [əd'moniʃ] *tr*. advertir.

ado [ə'du:] *s*. ruido.

adolescente [,ædə'lesns] *s*. adolescencia.

adore [ə*'dɔ:*] *tr*. adorar, idolatrar.

adorn [ə'dɔ:n] *tr*. adornar.

adrift [ə'drift] *adv*. a la deriva.

adroit [ə'drɔit] *adj*. hábil, diestro.

adult ['ædʌlt] *adj*. y *s*. adulto.

advance [əd'ʌɑ:ns] *s*. adelanto.

advance [əd'vɑ:ns] *tr*. adelantar.

advancing [əd'vɑ:nsiŋ] *adj*. progresivo.

adventure [əd'ventʃə*] *s*. aventura; *tr*. aventurar, *int*. aventurarse.

adversary ['ædvəsəri] *s*. (*pl* : **-ies**) adversario.

adverse ['ædvə:s] *adj*. adverso, contrario (*viento*).

advert [əd'və:t] *intr*. aludir.

advice [əd'vais] *s*. consejo, aviso.

advise [əd'vaiz] *tr*. aconsejar.

aerate ['eiəreit] *tr*. airear, ventilar.

aerial ['eəriəl] *adj*. aéreo.

afar [ə'fɑ:*] *adv*. lejos.

affair [ə'feə*] *s*. asunto, aventura.

affect [ə'fekt] *tr*. impresionar.

affiliate [ə'filieit] *tr*. afiliar, adoptar.

affinity [ə'finiti] *s*. (*pl* : **-ties**) parentesco.

affirm [ə'fə:m] *tr*. afirmar; *intr*. afirmarse.

afflict [ə'flikt] *tr*. afligir.

affluence [ˈæfluəns] s. afluencia.

afford [əˈfɔːd] tr. tener (dinero, etc.).

affranchise [æˈfræntʃaiz] tr. emancipar.

affright [əˈfrait] tr. aterrar.

afoot [əˈfut] adv. a pie, en marcha.

afraid [əˈfreid] adj. espantado, asustado.

afresh [əˈfreʃ] adv. otra vez, de nuevo.

after [ˈɑːftə*] adj. siguiente; adv. después; prep. después de; según; cnj. después que.

afternoon [ˈɑːftəˈnuːn] s. tarde (refiriéndose a la tarde).

again [əˈgein] adv. de nuevo, otra vez, aún; además, por otra parte; **again and —** repetidas veces; **now and —** de vez en cuando; **never —** nunca más. Con frecuencia equivale al prefijo re- del castellano: **to send —** reenviar, volver a enviar.

against [əˈgeinst] prep. contra; cerca de; en contraste con.

age [eidʒ] s. edad.

agency [ˈeidʒənsi] s. (pl: **-cies**) agencia; medio.

aggrandise [ˈægrəndaiz] tr. agrandar, engrandecer.

aggravate [ˈægrəveit] tr. agravar; (fam.).

aggrieve [əˈgriːv] tr. afligir.

aghast [əˈgɑːst] adj. horrorizado.

agile [ˈædʒail] adj. ágil, hábil.

agitate [ˈædʒiteit] tr. agitar; intr. agitar, hacer campaña.

aglow [əˈglou] adj. y adv. fulgurante; encendido.

ago [əˈgou] adv. hace, ha, pasado; **long time —** hace mucho tiempo.

agog [əˈgɔg] adj. ansioso.

agony [ˈægəni] s. (pl: **-nies**) agonía, angustia.

agrarian [əˈgreəriən] adj. agrario.

agree [əˈgriː] intr. concordar, ponerse de acuerdo.

agreeable [əˈgriəbl] adj. agradable.

agreed [əˈgriːd] pp. y adj. convenido.

agreement [əˈgriːmənt] s. acuerdo.

aground [əˈgraund] adj. y adv. varado, encallado.

ague [ˈeigjuː] s. escalofrío.

ah [ɑː] inj. ¡ah!

aha [ɑ(ː)ˈhɑː] inj. ¡ajá!

ahead |ə'hed] *adv.* delante, al frente.

aid [eid] *s.* ayuda, auxilio; **in — of** a beneficio de; **first —** botiquín. *tr.* e *intr.* ayudar.

ail [eil] *tr.* inquietar; *int.* sufrir.

ailing ['eiliŋ] *adj.* enfermizo, achacoso.

ailment ['eilmənt] *s.* enfermedad, achaque.

aim [eim] *s.* puntería.

ain't [eint] (Conv.) contracción de **am** y **not**, equivalente a **am not, is not, are not.**

air [ɛə*] *s.* aire; ambiente.

airing ['ɛəriŋ] *s.* ventilación; paseo para tomar el aire. **to take an —** dar una vuelta.

airless ['ɛəlis] *adj.* sin aire.

air-line ['ɛəlain] *s.* línea aérea.

air-mail ['ɛə-meil] *s.* correo aéreo; **— letter** *s.* carta por avión.

airplane ['ɛəplein] *s.* avión.

airport ['ɛəpɔ:t] *s.* aeropuerto.

airstrip ['ɛəstrip] *s.* pista *(de despegue o aterrizaje).*

airtight ['ɛətait] *adj.* hermético.

aisle [ail] *s.* pasillo.

ajar [ə'dʒɑ:*] *adj.* entreabierto, entornado; en desacuerdo.

akin [ə'kin] *adj.* emparentado; semejante.

alas [ə'læs] *inj.* ¡ay!, ¡ay de mí!

albeit [ɔ:l'bi:it] *conj.* aunque, bien que.

alderman ['ɔ:ldəmən] *s.* *(pl:* **-men**) concejal.

ale [eil] *s.* cerveza inglesa.

alight (**alighted** o **alit**), apearse, bajar.

alike [ə'laik] *adj.* semejante, parecido, igual.

aliment ['ælimənt] *s.* alimento; *tr.* alimentar.

alive [ə'laiv] *adj.* vivo, activo.

all [ɔ:l] *adj. indef.* todo, todos; todo el, todos los; *pron. indef.* todo; todos, todo el mundo; **not at —** nada, no hay de qué; **once and for —** de una vez para siempre; **— right** está bien; **— the better** tanto mejor; **— the worse** tanto peor; **in —** en resumidas cuentas.

allay [ə'lei] *tr.* aliviar, calmar, mitigar.

allegiance [ə'li:dʒəns] *s.* lealtad, fidelidad.

allergy ['ælədʒi] *s.* *(pl:* **-gies**) alergia.

alleviate [ə'li:vieit] *tr.* aliviar.

alley ['æli] *s.* callejuela.

allocate ['æləkeit] *tr.* asignar, colocar.

allot [ə'lɔt] *tr.* (*pret. y pp.:* **alloted;** *ger.:* **alloting**) asignar, distribuir, adjudicar, fijar.

allow [ə'lau] *tr.* permitir; asignar, conceder.

alloy [ə'lɔi] *tr.* alear, ligar; mezclar, adulterar.

allude [ə'lu:d] *intr.* aludir, referirse a.

allure [ə'ljuə*] *tr.* seducir, atraer.

almighty [ɔ:l'maiti] *adj.* todopoderoso.

almost ['ɔ:lmoust] *adv.* casi; —**at any moment** de un momento a otro.

alms ['ɑ:mz] *s.* limosna.

aloft [ə'lɔft] *adv.* arriba, en alto.

alone [ə'lound] *adj.* solo, a solas.

along [ə'lɔŋ] *prep.* a lo largo de; *adv.* a lo largo; adelante; conmigo, consigo.

alongside [ə'lɔŋ'said] *prep.* junto a, a lo largo de.

aloof [ə'lu:f] *adj.* apartado; reservado; *adv.* lejos, a distancia.

aloud [ə'laud] *adv.* alto, con voz alta.

already [ɔ:l'redi] *adv.* ya.

also ['ɔ:lsou] *adv.* también, además.

alter ['ɔ:ltə*] *tr.* alterar; *intr.* alterarse.

although [ɔ:l'ðou] *cnj.* aunque, a pesar de que.

altogether [,ɔ:ltə'geðə*] *adv.* enteramente, por completo; en conjunto.

always ['ɔ:lweiz] *adv.* siempre, en todo tiempo.

amain [ə'mein] *adv.* con fuerza, con violencia.

amaze [ə'meiz] *tr.* asombrar, pasmar.

amelioration [ə,mi:liə'reiʃən] *s.* mejora, reforma.

amend [ə'mend] *tr.* enmendar, corregir; *intr.* enmendarse.

amid [ə'mid] *prep.* en medio de, rodeado por.

amidst [ə'midst] *prep.* en medio de.

amiss [ə'mis] *adv.* erradamente, impropiamente, de más.

ammunition [,æmju'niʃən] *s.* munición; *tr.* amunicionar.

among [ə'mʌŋ] *prep.* entre, en el número de.

amongst [ə'mʌŋst] *prep.* entre, en medio de.

amount [ə'maunt] *s.* cantidad, suma total; *intr.*

ascender *(a cierta canti-dad)*, **to — to** ascender a, subir a.

ampleness ['æmplnis] *s.* amplitud.

amplitude ['æmplitju:d] *s.* amplitud.

amply ['æmpli] *adv.* ampliamente, abundantemente.

amputate ['æmpjuteit] *tr.* amputar, cortar.

amuse [ə'mju:z] *tr.* divertir, entretener.

amusing [ə'mju:ziŋ] *adj.* divertido, entretenido.

an [æn,ən,n] *art. indef.* var. de *adj. (ante sonido precedido de vocal)*, un, una.

ancestral [æn'sestrəl] *adj.* ancestral, de los antepasados, hereditario; **—home** casa solariega.

and [ənd, ən, nd, n,ŋ] *cnj.* y, e; **— so on, — so forth** y así sucesivamente; *(fam.)* **bread — butter** pan con mantequilla; a, de *(con ciertos infinitivos)*.

anew [ə'nju:] *adv.* nuevamente, de nuevo.

anger ['æŋgə*] *s.* ira, cólera, furia; *tr.* airar, enfurecer, irritar.

angle ['æŋgl] *s.* ángulo; (fig.) punto de vista, anzuelo, caña de pescar;

intr. pescar con caña; (fig.) intrigar; **to — for** echar el anzuelo a, intrigar por conseguir.

angler ['æŋglə*] *s.* pescador de caña; (fig.) intrigante.

angrily ['æŋgrili] *adv.* airadamente.

angry ['æŋgri] *adj. (comp.* **-ier;** *superl.* **-iest)**; enojado; **to become — with** enojarse con o contra.

anguish ['æŋgwiʃ] *s.* angustia, congoja, tormento, ansia.

animadvert [,ænimæd'və:t] *tr.* advertir, observar; *intr.* advertir; **to — on** o **upon** censurar.

animosity [,æni'mɔsiti] *s.* *(pl:* **-ties)** animosidad, ansia.

ankle ['æŋkl] *s.* tobillo, talón.

annihilate [ə'naiəleit] *tr.* aniquilar, destruir.

announce [ə'nauns] *tr.* anunciar, avisar, pregonar.

annoy [ə'nɔi] *tr.* molestar, fastidiar.

annoying [ə'nɔiiŋ] *adj.* molesto, enojoroso.

annual ['ænjuəl] *adj.* anual; publicación anual.

annul [ə'nʌl] *tr. (pret. y pp.*

-nulled; *ger.* **-nulling**)
anular, invalidar.

anoint [ə'nɔint] *tr.* consagrar.

anon [ə'nɔn] *prep.* pronto.

another [ə'nʌðə*] *adj.* y
pron. indef. otro, uno más;
one — uno a otro.

answer ['ɑ:nsə*] *s.* respuesta; explicación, solución.

ant [ænt] *s.* hormiga.

ant-bear ['ænt'bɛə*] *s.*
oso hormiguero.

antecedente [,ænti'si:-
dəns] *s.* antecedente.

antelope ['æntiloup] *s.*
(Zool.) antílope, gacela.

antenna [æn'tenə] *s.* (*pl*:
-nae) antena; (*pl*: **-nas**)
antena.

anthem ['ænθəm] *s.* himno; (Ecl.) antífona.

anthropoid ['ænθrəpɔid]
adj. antropoide; (Zool.)
antropoideo.

antibody [,ænti'bɔdi] *s.*
(*pl*: **-dies**) anticuerpo.

antic ['æntik] *adj.* extraño,

anticipation [æn,tisi'pei-
ʃən] *s.* previsión, anticipación.

anti-freeze ['ænti-'fri:z]
s. anticongelante.

antipathetic [,æn,tipə'θe-
tik] *adj.* antipático.

antipoison [ænti'pɔizn] *s.*
contravenena.

antique [æn'ti:k] *adj.* antiguo; anticuado.

anti-Semitism [,ænti'se-
mitizəm] *s.* antisemitismo.

antler ['æntlə*] *s.* cornamenta.

anus ['einəs] *s.* (An.) ano.

any ['eni] *adj. indef.* algún,
cualquiera; — **place** en
cualquier parte; **any
time** alguna vez; **at** —
rate pase lo que pase;
pron. indef. alguno, cualquiera; *adv.* algo.

anybody ['enibɔdi] *pron.
indef.* alguno, alguien,
cualquiera, quienquiera; **not** — ninguno, nadie.

anyhow ['enihau] *adv.* de
cualquier modo.

anyone ['eniwʌn] *pron.
indef.* alguno.

anything ['eniθiŋ] *pron.
indef.* algo, alguna cosa;
—— **but** todo menos.

anyway ['eniwei] *adv.* de
cualquier modo.

anywhere ['eniwɛə*] *adv.*
dondequiera.

anywise ['eniwaiz] *adv.* de
cualquier modo.

apace [ə'peis] *adv.* aprisa.

apartment [ə'pɑ:tmənt]
s. apartamento, piso.

ape [eip] *s.* (Zool.) mono;

(fig.) mona *(persona que imita a otras)*.

aperient [ə'piəriənt] *adj.* y *s.* laxante.

apiece [ə'pi:s] *adv.* cada uno, por cabeza.

apogee ['æpədʒi:] *s.* apogeo.

apologetic [ə,pɔlə'dʒetik] *adj.* apologético, lleno de excusas.

apoplexy ['æpəpleksi] *s.* (*pl:* **-xies**) (Med.) apoplejía.

apostasy [ə'pɔstəsi] *s.* (*pl:* **-sies**) — apostasia.

apostle [ə'pɔsl] *s.* apóstol.

apostrophe [ə'pɔstrəfi] *s.* apóstrofe.

apothecary [ə'pɔθikəri] *s.* (*pl:* **-ies**) boticario, droguero. **—'s shop** botica.

appalling [ə'pɔ:liŋ] *adj.* espantoso.

apparatus [,æpə'reitəs] *s.* (*pl:* **-tus** o **-tuses**) aparato.

apparel [ə'pærəl] *s.* ropa, atavío; (Náut.) aparejo; *tr.* (*pret.* y *pp.* **-eled** o **-elled**) vestir, ataviar.

apparent [ə'pærənt] *adj.* aparente.

apparition [,æpə'riʃən] *s.* aparición.

appeal [ə'pi:l] *s.* súplica.

appeal [ə'pi:l] *intr.* ser atrayente.

appear [ə'piə*] *intr.* aparecer.

appease [e'pi:z] *tr.* apaciguar.

append [ə'pend] *tr.* añadir.

appendage [ə'pendidʒ] *s.* dependencia.

appertain [,æpə'tein] *intr.* pertenecer.

applaud [ə'plɔ:d] *tr.* e *intr.* aplaudir.

apple ['æpl] *s.* (Bot.) manzana, niña, pupila *(del ojo)*; **-tree** ['æpl-tri:] *s.* manzano. **-sauce** ['æplsɔ:s] *s.* salsa de manzana.

appliance [ə'plaiəns] *s.* instrumento.

applicant ['æplikənt] *s.* candidato.

applied [ə'plaid] *adj.* aplicado.

apply [ə'plai] *tr. intr.* (*pret.* y *pp.* **-plied**) dirigirse a, concernir, aplicar.

appoint [ə'pɔint] *tr.* nombrar, amueblar.

apposite ['æpəzit] *adj.* oportuno.

appraise [ə'preiz] *tr.* tasar.

appreciation [ə,pri:ʃi'eiʃən] *s.* apreciación, agradecimiento.

apprehend [,æpri'hend] *tr.* aprehender.

apprentice [ə'prentis] s. aprendiz.

apprise [ə'praiz] tr. informar.

approach [ə'proutʃ] s. acercamiento, entrada.

approaching [ə'proutʃiŋ] adj. próximo.

approval [ə'pru:və] s. aprobación.

approve [ə'pru:v] tr. aprobar.

approximate [ə'prɔksimeit] tr. aproximar; intr. aproximarse.

appurtenance [ə'pə:tinəns] s. pertenencia.

apricot ['eiprikɔt]; albaricoque; — **tree** albaricoquero.

April ['eiprəl] s. abril.

apron ['eiprən] s. delantal.

apse [æps] s. (Arq.) ábside.

apt [æpt] adj. apto.

aqualung ['ækwəlʌŋ] s. cilindro de oxígeno que se ajusta a la espalda de una persona para bucear.

Arab ['ærəb] adj. árabe; s. árabe.

arable ['ærəbl] adj. arable — **land** campiña.

arc [ɑ:k] s. arco — **ade** [ɑ:'keid] s. (Arq.) arcada.

arch [ɑ:tʃ] adj. astuto; travieso.

archaic [ɑ:'keiik] adj. arcaico.

archbishop ['ɑ:tʃ'biʃəp] s. arzobispo.

arched ['ɑ:tʃt] ad. abovedado.

architect ['ɑ:kitekt] s. arquitecto.

archlike ['ɑ:tʃlaik] adj. en forma de arco.

archpriest ['ɑ:tʃ'pri:st] s. arcipreste.

archway ['ɑ:tʃwei] s. (Arq.) arcada, pasaje abovedado.

ardent ['ɑ:dənt] adj. ardiente.

are [ɑ:*, ə*, r] segunda persona del singular y 1.ª, 2.ª y 3.ª del plural del presente de indicativo de **to be**.

arena [ə'ri:nə] s. ruedo.

argue ['ɑ:gju:] tr. debatir.

argument ['ɑ:gjumənt] s. argumento.

arise [ə'raiz] intr. (pret. **arose; pp. arisen**) levantarse; alzarse, sublevarse.

arithmetic [ə'riθmətik] s. aritmética.

ark [ɑ:k] s. arca.

arm [ɑ:m] s. brazo; arma; **child in — s** niño de pecho; **to — s** a las armas!;

to be the right — of ser el brazo derecho de.

armament ['ɑ:məmənt] s. armamento; fuerzas militares.

armature ['ɑ:mətjuə*] s. armadura; (Zool.) coraza.

armless ['ɑ:mlis] adj. manco.

armorial [ɑ:'mɔ:riəl] adj. heráldico.

arms [ɑ:ms] s. pl. armas, milicia.

army ['ɑ:mi] s. (pl.: **-mies**) ejército; adj. militar, castrense, del ejército.

around [ə'raund] adv. alrededor.

arouse [ə'rauz] tr. despertar; mover.

arraign [ə'rein] tr. acusar.

arrange [ə'reindʒ] tr. disponer.

array [ə'rei] s. orden; batalla; adorno.

arrears [ə'riəz] s. pl. atraso; dinero por ganar.

arrest [ə'rest] s. prisión.

arrive [ə'raiv] intr. llegar; tener éxito.

arrogate ['ærəgeit] tr. arrogarse.

arrow ['ærou] s. flecha.

arson ['ɑ:sn] s. incendio premeditado; provocado.

art ['ɑ:t] s. arte; habilidad; **fine — s** bellas artes; **— s and crafts** artes y oficios.

artesian [ɑ:'ti:zjən] s. pozo artesiano.

artful ['ɑ:tful] adj. mañoso, artificial.

artificiality [,ɑ:tifiʃi'æliti] s. (pl: **-ties**) falta de naturalidad.

artisan [,ɑ:ti'zæn] s. artesano.

artist ['ɑ:tist] s. artista.

artless ['ɑ:tlis] adj. sencillo.

as [æz, əz, z] conj. como, a semejanza de, según.

asbestos [æz'bestɔz] s. uralita.

ascend [ə'send] tr. subir; **to — the throne** subir al trono.

ascent [ə'sent] s. ascensión, promoción.

ascertain [,æsə'tein] tr. averiguar.

ash [æʃ] s. ceniza; **— tray** cenicero.

ashamed [ə'ʃeimd] adj. avergonzado; **to be — to** tener vergüenza de.

ashman ['æʃ,mæn] s. (pl: **-men**) basurero.

ashore [ə'ʃɔ:*] adv. en tierra, a tierra.

aside [ə'said] adv. aparte; **to draw —** descorrer;

to step — hacerse a un lado; — **from** además de; **to lay** — despreciar; **to set** — dejar a un lado.

asparagus [əs'pærəgəs] s. (Bot.) espárrago.

aspect ['æspekt] s. aspecto.

asphalt ['æsfælt] s. asfalto.

aspiration ['æspə'reiʃən] s. aspiración, anhelo.

aspire [əs'paiə*] intr. aspirar, pretender.

aspirin ['æspərin] s. aspirina.

assail [ə'seil] tr. asaltar.

assassin [ə'sæsin] s. asesino.

assault [ə'sɔ:lt] s. asalto.

assay [ə'sei] s. ensayo.

assemblage [ə'semblidʒ] s. asamblea.

assembly [ə'sembli] s. (pl: **-blies**) asamblea; — **plant** fábrica de montaje; — **room** sala de reunión; taller de montaje.

assert [ə'sə:t] tr. afirmar;

assess [ə'ses] tr. gravar.

assessment [ə'sesmənt] s. gravamen.

assign [ə'sain] tr. asignar.

assist [ə'sist] tr. asistir.

assizes [ə'saiziz] s. pl. sesión del tribunal de justicia.

associate [ə'souʃieit] tr. asociar; intr. asociarse.

assort [ə'sɔ:t] tr. ordenar.

assuage [ə'sweidʒ] tr. aliviar.

assume [ə'sju:m] tr. asumir; adoptar; intr. imaginarse, dar por sentado.

assuming [ə'sju:miŋ] adj. presumido.

assurance [ə'ʃuərəns] s. aseguramiento.

assure [ə'ʃuə*] tr. asegurar, garantizar.

astern [əs'tə:n] adv. (Náut.) a popa.

astir [ə'stə:*] adv. en movimiento.

astonish [əs'tɔniʃ] tr. asombrar.

astonishing [əs'tɔniʃiŋ] adj. asombroso.

astound [əs'taund] tr. pasmar.

astray [əs'trei] adv. por mal camino.

astuteness [əs'tju:tnis] s. astucia.

asunder [ə'sʌndə*] adv. a pedazos; **to tear** — despedazar.

asylum [ə'sailəm] s. asilo; **to give** — dar acogida a.

at [æt] [ət] prep. en; cerca; delante de; — **the theatre** en el teatro; **to arrive** — **a place** llegar a un lugar; — **first** al principio; **to laugh — a person** reírse de una persona.

athwart [ə'θwɔːt] *adv.* de través; *prep.* contra.

atom ['ætəm] *s.* átomo.

atone [ə'toun] *intr.* expiar; dar reparación.

atonement [ə'tounmənt] *s.* expiación.

attach [ə'tætʃ] *tr.* atar; pegar.

attack [ə'tæk] *s.* ataque, **—of fever** acceso de fiebre.

attain [ə'tein] *tr.* lograr.

attainder [ə'teində*] *s.* muerte civil.

attempt [ə'tempt] *s.* tentativa; atentado.

attend [ə'tend] *tr.* atender; asistir.

attenuate [ə'tenjueit] *tr.* atenuar.

attest [ə'test] *tr.* atestiguar

attestor [ə'testə*] *s.* testigo. ·

attic ['ætik] *adj.* y *s.* ático.

attire [ə'taiə*] *s.* atavío; *tr.* ataviar.

attorney [ə'təːni] *s.* procurador; abogado.

attrat [ə'trækt] *tr.* atraer; ganarse.

attune [ə'tjuːn] *tr.* afinar.

auburn ['ɔːbən] *adj.* pardo, rojizo.

audience ['ɔːdjəns] *s.* audiencia; auditorio.

audit ['ɔːdit] *s.* (Com.) intervención; *tr.* intervenir.

auditor ['ɔːditə*] *s.* oyente.

aught [ɔːt] *pron. indef.* nada; *adv.* absolutamente.

augment ['ɔːg'mənt] *tr.* aumentar.

August ['ɔːgəst] *s.* agosto.

aunt [ɑːnt] *s.* tía.

auntie ['ɑːnti] *s.* tía, tiíta; (U. S.) negra vieja.

auspice ['ɔːspis] *s.* auspicio; **under the — s of** bajo el patrocinio de.

austere [ɔːs'tiə*] *adj.* austero.

authenticate [ɔː'θentikeit] *tr.* autorizar, autenticar, legalizar.

authority [ɔː'θɔriti] (*pl:* **-ties**) autoridad; autorización.

autobiography [,ɔːtəbaiˈɔgrəfi] autobiografía.

autonomous [ɔː'tɔnəməs] *adj.* autónomo.

autonomy [ɔː'tɔnəmi] *s.* (*pl:* **-mies**) autonomía.

autopsy ['ɔːtəpsi] *s.* (*pl:* **-sies**) autopsia; *tr.* (*pret.* y *pp.* **-sied**) hacer la autopsia.

autumn ['ɔːtəm] *s.* otoño.

avail [ə'veil] *s.* provecho;
tr. beneficiar; *intr.* aprovechar.

available [ə'veiləbl] *adj.*
disponible, útil.

available assets ['æsets]
s. activo disponible.

avenge [ə'vendʒ] *tr.* vengar.

avenue ['ævinju:] *s.* ave-
nida, alameda.

aver [ə'və*] *tr.* (*pret.* y *pp.*
averred) afirmar.

averse [ə'və:s] *adj.* adverso, contrario.

avert [ə'və:t] *tr.* desviar,
impedir.

aviary ['eivjəri] *s.* (*pl.*
-ries) pajarera.

avid ['ævid] *adj.* ávido.

avoid [ə'vɔid] *tr.* evitar.

avoidable [ə'vɔidəbl] *adj.*
evitable.

avow [ə'vau] *tr.* admitir,
declarar.

await [ə'weit] *tr.* aguardar, esperar.

awake [ə'weik] *adj.* des-
pierto; *tr.* e *intr.* (*pret.* y
pp. **awoke** o **awaked**)

despertar; **to stay** —
velar.

awaken [ə'weikən] *tr.* e
intr. despertar.

awakening [ə'weikəniŋ]
adj. despertador, *s.* despertar.

award [ə'wɔ:d] *s.* sentencia, concesión, recom-
pensa; adjudicación; *tr.*
conceder; adjudicar,
otorgar.

awareness [ə'weənis] *s.*
conocimiento, concien-
cia.

away [ə'wei] *adj.* ausente.

awe [ɔ:] *s.* miedo.

awesome ['ɔ:səm] *adj.* imponente.

awhile [ə'wail] *adv.* algún
tiempo.

awn [ɔ:n] *s.* (Bot.) arista.

ax(e) [æks] *s.* hacha.

axis ['æksis] *s.* (*pl.*: **-axes**)
eje.

axle ['æksl] *s.* eje.

ay [ai, ei, e] *adv.* y *s.* sí; *adv.*
siempre; *inj.* ¡ay!.

azure ['æʒə] *s.* azul.

b

babble ['bæbl] s. charla, murmullo; *intr.* hablar por los codos.

babe ['beib] s. nene, criatura.

baby ['beibi] s. (*pl:* **-bies**) nene, bebé; *adj.* infantil.

babyish ['beibiiʃ] *a.* infantil, pueril.

back [bæk] *adv.* atrás, detrás; s. espalda, respaldo; **on one's** — postrado en cama; **full** — defensa *(fútbol)*; **with one's-to the wall** entre la espada y la pared; **to be** — estar de vuelta; **to go** — **and forth** ir y venir; — **in** allá por; *tr.* e *intr.* mover o moverse hacia atrás; encuadernar.

backbite ['bækbait] (*pret:* **-bit;** *pp:* **-bit** o **-bitten**) *tr.* a, calumniar; *intr.* murmurar.

back-door ['bæk'dɔ:*] s. puerta falsa.

background ['bækgraund] s. fondo.

backing ['bækiŋ] s. apoyo, sostén.

backshop ['bækʃop] s. trastienda.

back street ['bækstri:t] s. callejón.

backward ['bækwəd] *adj.* atrasado; *adv.* atrás; cada vez peor.

backwardness ['bækwədnis] s. atraso, timidez.

bacon ['beikən] s. tocino con jamón.

bad ['bæd] *adj.* malo, falso.

badge [bædʒ] s. insignia, divisa.

badminton ['bædmintən] s. juego de raqueta y pelota con plumas.

baffle ['bæfl] s. confusión, pantalla acústica; *tr.* frustrar; *intr.* luchar en vano.

bag [bæg] s. saco; rodillera *(del pantalón)*; *tr.* (*pret.* y *pp.* **bagged**), embolsar.

baggage ['bægidʒ] s. equipaje.

bagpipe ['bæg,paip] s. gaita.

bail [beil] s. fianza; *tr.* (Der.) dar fianza *(por uno)*.

bailiff ['beɪlif] s. alguacil, corchete.

bait [beɪt] s. cebo, carnada.

baize [beiz] s. bayeta.

bake [beik] tr. cocer (al horno).

baker ['beikə*] s. panadero.

balancing ['bælənsiŋ] s. equilibrio.

balcony ['bælkəni] s. (pl. **-nies**) balcón; paraíso.

bald [bɔ:ld] adj. calvo, desnudo.

bale [beil] tr. embalar, empaquetar.

balk [bɔ:k] s. lomo entre surcos; tr. evitar.

ball [bɔ:l] s. bola; baile; tr. **fancy —** baile de máscaras.

ballad ['bæləd] s. (Mús.) balada.

ballot ['bælət] s. papeleta, cédula para botar; — **box** urna; intr. votar.

balm [bɑ:m] s. bálsamos.

ban [bæn] s. prohibición; maldición.

banana [bə'nɑ:nə] s. (Bot.) plátano (árbol y fruto).

band [bænd] s. banda; cuadrilla (de ladrones); anillo (de puro); banda (de música).

bandage ['bændidʒ] s. venda.

bandit ['bændit] s. (pl. **-dits** o **ditti**) bandido.

bane [bein] s. azote, castigo.

bang [bæŋ] s. detonación, golpazo; adv. de repente.

bangle ['bæŋgl] s. ajorca, pulsera.

banish ['bæniʃ] tr. desterrar.

bank [bæŋk] s. banco, banca.

banknote ['bæŋknout] s. billete de banco.

bankrupt ['bæŋkrʌpt] adj y s. insolvente.

banner ['bænə*] s. bandera.

bantam ['bæntəm] adj. pequeño.

baptism ['bæptizm] s. bautismo.

bar [bɑ:*] s. barra, reja; bar.

barbarian [bɑ:'beəriən] adj. y s. bárbaro.

barbed ['bɑ:bd] adj. armado de púas, punzante.

barber ['bɑ:bə*] s. barbero.

bare [ɛə*] adj. desnudo; raído.

barefoot ['bɛəfut] adj. descalzo.

bareness ['bɛənis] s. desnudez.

bargain ['bɑːgin] s. negocio, trato.

bark [bɑːk] s. corteza;
ladrido; tos.

barker [bɑːkə*] s. labrador; descortezador.

barley [bɑːli] s. (Bot.) cebada.

barm [bɑːm] s. levadura
(de cerveza).

barmaid ['bɑːmeid] s. camarera.

barman ['bɑːmən] s. *(pl:
-men)* camarero.

barn [bɑːn] s. granero,
pajar.

barrage ['bærɑːʒ] s. presa
de embalse.

barrel ['bærəl] s. barril,
tonel; cañón.

barren ['bærən] adj. estéril, árido, seco.

barring ['bɑːriŋ] prep. excepto, salvo.

barrister ['bæristə*] s.
abogado.

barter ['bɑːtə*] s. cambio, trueque; tr. trocar,
cambiar.

baseless ['beislis] adj. in-
fundado, sin base.

bashful ['bæʃful] adj. vergonzoso, tímido.

basin ['beinn] s. palangana, vasija.

basis ['beisis] s. *(pl: ba-
ses)* base, fundamento.

bask [bɑːsk] tr. asolear,
calentar.

bass [beis] s. (Mús.) bajo;
adj. (Mús.) bajo; (ict.)

bastion ['bæstiən] s. bas-
tión, baluarte.

bat [bæt] s. palo, raqueta.

batch [bætʃ] s. cochu-
ra, hornada; colección;
lote; (fam.) soltero.

bath [bɑːθ] s. baño.

bath-room ['bɑːθrum] s.
cuarto de baño.

bath-tub ['bɑːθtʌb] s. bañera.

bathe [beið] tr. bañar;
intr. bañarse.

bathing ['beiðiŋ] s. baño.

bathing-dress ['beiðiŋ-
dres] s. bañador.

bathing-place ['beiðiŋ-
pleis] s. balneario.

bathing gown ['beiðiŋ
gaun] s. albornoz, bata
de baño.

battalion [bə'tæljən] s.
batallón; s. pl. — s tro-
pas.

batten ['bætn] s. tabla; tr.
enlistonar; engordar;
intr. engordar.

battery ['bætəri] s. (pl:
-ries) batería.

battle ['bætl] s. batalla;
tr. batallar con; intr. batallar, luchar.

bawdy ['bɔːdi] adj. (comp.

-ier; *superl.* **-iest)** obsceno.

bawl [bɔ:l] *s.* voces; *tr.* vocear; *intr.* gritar.

bay [bei] *s.* bahía; ladrido; pajar; trance; apuro; (Bot.) laurel.

be [bi:] *in.* ser, estar *(pres.* **am, are is;** *pret.* **was, were;** *pp.* **been) it is possible** es posible; existir, vivir; tener *(una edad)*; estar, hallarse, encontrarse, verse; **I am tired** estoy cansado; **to — hot** estar caliente, tener calor; **to — hungry** tener hambre; **to — in a hurry** tener prisa; **to — for** ir para, con destino a; **it is not for me to say** no me atañe decir, no soy yo quien ha de decir; **to — off** partir, irse; **to — on** durar, continuar; **what is the matter?** ¿qué hay?, ¿qué pasa?; *imper.* hacer, haber; **it is cold** hace frío; **it is now a year** hace un año; **it is me** soy yo; **it is to — regretted** es de sentir, es de lamentar; *aux.* Forma la voz pasiva con un participio pasivo; **she is loved by everybory** es

amada por todo el mundo; **he is gone** ha ido.

beach [bi:tʃ] *s.* playa, costa.

bead [bi:d] *s.* cuenta; perla; *s. pl.*

beam [bi:m] *s.* viga; rayo. *tr.* emitir; *intr.* brillar; sonreír con alegría.

bean [bi:n] *s.* haba, judía.

bear [bɛə*] *tr.* (*pret:* **bore;** *pp:* **borne**) cargar; sentir; permitir; parir, relatar.

bearings ['bɛəriŋs] *s. pl.* armas.

beast [bi:st] *s.* bestia; animal.

beat [bi:t] (*pret:* **beat;** *pp:* **beaten** o **beat**) *tr.* golpear; *intr.* latir.

beatificacion [bi,ætifi'keiʃən] beatificación.

beating ['bi:tiŋ] *s.* paliza.

beauteous ['bju:tjəs] *adj.* bello.

beautiful ['bju:təful] *adj.* hermoso.

beautify ['bju:tifai] (*pret. y pp.* **-fied**) *tr.* embellecer, hermosear.

becalm [bi'kɑ:m] *tr.* serenar, calmar; *intr.* calmarse.

because [bi'kɔ:z] *cnj.* porque; a causa de.

beckon ['bekən] *tr.* e *intr.* hacer señas; *s.* seña.

become [bi'kʌm] (*pret.* **became;** *pp.* **become**) *tr.* convenir; *intr.* cambiarse; *convertirse en.*

bed [bed] *s.* cama, lecho.

bedeck [bi'dek] *tr.* adornar.

bedew [bi'dju:] *tr.* rociar.

bedim [bi'dim] (*pret. y pp:* **bedimmed**) *tr.* oscurecer, deslumbrar.

bedizen [bi'daizn] *tr.* adornar, aderezar.

bedlam ['bedləm] *s.* confusión, manicomio.

bedroom ['bedrum] *s.* dormitorio.

bedside table ['bedsaid'-teibl] *s.* mesita de noche.

bedspread ['bedspred] *s.* sobrecama.

bee [bi:] *s.* abeja.

beef [bi:f] *s.* (*pl.:* **beeves** o **beefs**) carne vacuna.

beer [biə] *s.* cerveza.

beet [bi:t] *s.* (Bot.) remolacha.

beetle ['bi:tl] *s.* escarabajo.

befall [bi'fɔ:l] (*pret.* **-fell;** *pp.* **-fallen**) *tr.* acontecer a; *intr.* suceder.

befit [bi'fit] (*pret. y pp:* **-f.t.—d;** *ger.* **-fitting**) *tr.* convenir, venir bien.

befog [bi'fɔg] (*prett. y pp:* **-fogged;** *ger.* **-fogging**) *tr.* oscurecer, confundir.

befool [bi'fu:l] *tr.* engañar.

before [bi'fɔ:*] *prep.* delante de; *adv.* antes.

befriend [bi'frend] *tr.* amparar.

beg [beg] (*pret. y pp:* **begged;** *ger.* **begging**) *tr.* rogar.

beget [bi'get] (*pret.* **-got;** *pp:* **-gotten** o **got;** *ger.* **-getting**) *tr.* engendrar.

beggar ['begə*] *s.* mendigo.

begging ['begiŋ] *adj.* mendicante.

begin [bi'gin] (*pret.* **-gan;** *pp.* **-gun;** *ger.* **-ginning**) *tr.* empezar.

beginner [bi'ginə*] *s.* principiante.

beginning [bi'giniŋ] *s.* principio.

begrudge [bi'grʌdʒ] *tr.* envidiar.

beguile [bi'gail] *tr.* engañar.

behave [bi'heiv] *intr.* actuar.

behead [bi'hed] *tr.* decapitar.

behind [bi'haind] *s.* trasero, culo; *adv.* detrás.

behold [bi'hould] (*pret. y pp.* **beheld**) *tr.* mirar; *inj.* ¡mirad!, ¡he aquí!

beholden [bi'houldən] *adj.* obligado.

behoof [bi'hu:f] s. provecho.

behove [bi'houv] tr. convenir; intr. ser necesario.

bekiss [bi'kis] tr. cubrir de besos.

belabour [bi'leibə*] tr. maltratar.

belfry ['belfri] s. (pl. -fries) campanario.

belief [bi'li:f] s. creencia, fe.

believe [bi'li:v] tr. creer; intr. creer (en Dios).

belittle [bi'litl] tr. despreciar.

bell [bel] s. campana; timbre.

bellow ['belou] s. bramido; tr. gritar; intr. bramar.

bellows ['belouz] s. pl. fuelles.

belly ['beli] s. (pl. -lies) vientre.

belong [bi'lɔŋ] tr. pertenecer.

beloved [bi'lʌvd] adj. amado.

below [bi'lou] adv. abajo; prep. debajo de.

belt [belt] s. cinturón; zona; tr. ceñir, unir.

bemean [bi'mi:n] intr. empequeñecer.

bemoan [bi'moun] tr. deplorar.

bemuse [bi'mju:z] tr. aturdir; confundir.

bench [bentʃ] s. banco, asiento.

bend [bend] s. curva; tr. (pret. y pp: **bent**) encorvar; intr. encorvarse, inclinarse.

benighted [bi'naitid] adj. sorprendido por la noche.

benign [bi'nain] adj. benigno.

bent [bent] s. pliegue; inclinación; adj. encorvado.

benumb [bi'nʌm] tr. entorpecer.

bequeath [bi'kwi:ð] tr. (Der.) legar.

berate [bi'reit] tr. reñir.

bereave [bi'ri:v] tr. (pret. y pp: **-reaved** o **-reft**) despojar.

beret ['berit] s. boina.

berry ['beri] s. (pl.: -ries) baya.

berth [bə:θ] s. litera; camarote.

beset [bi'set] tr. (pret. y pp: **-set**; ger: **-setting**) acometer.

beside [bi'said] adv. cerca; prep. junto a.

besides [bi'saidz] adv. además; prep. además de, excepto.

besmirch [bi'smə:ʃt] *tr.* ensuciar.

bespatter [bi'spætə*] *tr.* salpicar.

bespeak [bi'spi:k] *tr.* (*pret.* **-spoke**; *pp:* **-spoken**) apalabrar; demostrar.

best [best] *adj. superl.* de **good,** el mejor; *adv.* lo mejor.

bestir [bi'stə*] *tr.* (*pret.* y *pp:* **-stirred**) mover.

bestow [bi'stou] *tr.* otorgar.

bestowal ['bi'stouəl] *s.* donativo.

bet [bet] *s.* apuesta; *tr.* e *intr.* (*pret.* y *pp:* **bet** o **betted**) apostar.

bethink [bi'θiŋk] *tr.* (*pret.* y *pp:* **-thought**) recapacitar; recordar.

betide [bi'taid] *intr.* suceder; *tr.* presagiar.

betimes [bi'taimz] *adv.* pronto.

betray [bi'trei] *tr.* traicionar.

betroth [bi'troθ] *tr.* desposar.

betrothal [bi'trouðəl] *s.* noviazgo.

betrothed [bi'trouðt] *adj.* y *s.* prometido.

better ['betə*] *adj.* (*compar.* de **good**) mejor; *adv.* más; *tr.* mejorar.

betting ['betiŋ] apuesta.

between [bi'twi:n] *adv.* en medio.

beverage ['bevəridʒ] *s.* bebida.

bevy ['bevi] *s.* (*pl.* **-ies**) bandada (*de pájaros*); grupo (*de personas*).

bewail [bi'weil] *tr.* e *intr.* lamentar.

beware [bi'wɛə*] *intr.* guardarse. (*Es vervo defectivo. Se usa sólo en Inf.* e *imper.*).

bewilder [bi'wildə*] *tr.* extraviar.

bewitch [bi'witʃ] *tr.* hechizar.

beyond [bi'jɔnd] *adv.* lejos; *prep.* detrás de; *s.* el otro mundo.

bib [bib] *s.* babero.

bicameral [,bai'kæmərəl] *adj.* bicameral.

bid [bid] *s.* oferta; *tr.* (*pret.* **bade** *pp:* **bidden**) ordenar, proclamar, rogar, pujar (*subasta*); **to — adieu** despedirse; **to — welcome** dar la bienvenida.

bidding ['bidiŋ] *s.* mandato; invitación.

bide [baid] *tr.* (*pp.* **bided or bode**) esperar, soportar.

bier ['biə*] *s.* féretro.

big [big] *adj.* grande; en-

greído; *adv.* (fam.) con
jactancia.

bight [bait] *s.* codo.

bigot ['bigət] *s.* fanático.

bill [bil] *s.* cuenta; cartel,
anuncio; proyecto de
ley; (Com.) letra de
cambio, giro.

billow ['bilou] *s.* oleada;
intr. sublevarse; ondular.

bind ['baind] *tr.* (*pret. y
pp.* **bound**) atar, vendar,
ceñir, encuadernar.

bird [bə:d] *s.* pájaro, ave;
(fam.) chica; — **of pray**
ave de rapiña; — **cage**
jaula; **a — in the hand
is worth two in the
bush** más vale pájaro
en mano que ciento vo-
lando.

birth [bə:θ] *s.* nacimiento; **to give — to** dar a
luz; **untimely** — abor-
to; — **certificate** partida de nacimiento; —
rate natalidad; — **sin**
pecado original.

biscuit ['biskit] *s.* bizcocho.

bisect [bai'sekt] *tr.* dividir
en dos partes iguales;
intr. empalmar.

bishop ['biʃəp] *s.* obispo;
alfil (*pieza del juego de
ajedrez*).

bit [bit] *s.* bocado, trozo.

bith [bitʃ] *s.* perra; zorra;
ramera.

bite [bait] *s.* mordedura;
picadura; *tr.* (*pret.* **bit**
y *pp:* **bit** o **bitten**) morder; satirizar.

bitter ['bitə*] *adj.* amargo; *s.* amargura.

biweekly [,bai'wikli] *adj.*
quincenal.

blab [blæb] *s.* hablador;
tr. chismear.

black [blæk] *adj.* negro;
oscuro; — **market** es-
traperlo.

blackboard ['blackbɔ:
d] *s.* pizarra.

blacken ['blækən] *tr.* en-
negrecer.

blackmail ['blækmeil] *s.*
chantaje.

black-smith ['blæksmiθ]
s. herrero.

bladder ['blædə*] *s.* vejiga.

blade [bleid] *s.* hoja (*de
espada*); cuchilla; tallo
(*de hierba*).

blame [bleim] *s.* culpa;
tr. acusar.

blanch [blɑ:ntʃ] *s.* blanca; *tr.* desteñir.

bland [blænd] *adj.* blando.

blank [blæŋk] *adj.* hueco;
libre (*verso*); en blanco
(*limpio, no escrito*); blanco; vacío.

blanket ['blæŋkit] *s.* manta; *tr.* cubrir *(con manta)*.

blast [blɑ:st] *s.* ráfaga; toque *(de trompeta, etc.)*.

blasted [blɑ:stid] *adj.* arruinado.

blather [blæðe*] *s.* charla; *intr.* charlar.

blaze [bleiz] *s.* llama, incendio.

blazing [bleiziŋ] en llamas.

blazon [bleizn] *s.* blasón; *tr.* adornar.

bleak [bli:k] *adj.* sombrío; triste.

bleed [bli:d] *tr. (pret. y pp:* **bled**) sangrar; *intr.* desangrar; sufrir.

blemish [blemiʃ] *s.* mancha, deshonra; *tr.* manchar.

blend [blend] *s.* mezcla; *tr.* mezclar.

blind [blaind] *adj.* ciego; obscuro.

blindfold [blaindfould] *adj.* vendado; *s.* venda; *tr.* vendar.

blister [blistə*] *s.* ampolla; herida.

blithe (ful) [blaið (-ful)] *adj.* gozoso.

blizzard [blizəd] *s.* ventisca.

block [blɔk] *s.* bloque *(Amér. cuadra)*; cubo,

dado; (Carp.) llave, cuña, horma.

bloked [blɔkt] cerrado.

blockhead [blɔkhed] *s.* necio.

blockhouse [blɔkhaus] *s.* fortaleza.

blond, blonde [blɔnd] *s.* rubio; *adj.* rubio.

blood [blʌd] *s.* sangre; cólera.

blood-pressure [blʌd,-preʃə*] *s.* presión sanguínea.

blood-vessel [blʌ,vesl] *s.* vaso.

blossom [blɔsəm] *s.* flor; brote; *intr.* florecer.

blot [blɔt] *s.* borrón, mancha.

blouse [blauz] *s.* blusa.

blow [blou] *s.* soplo; golpe, contratiempo; — **with the fist** puñetazo; **at one** — de un golpe, de una vez; **at a single** — de un solo golpe; **without striking a** — sin dar golpe; (Mil) explosión; *tr. (pret.* **blew;** *pp:* **blown)** soplar; tocar *(un silbato, la trompeta, etc.)* pregonar, publicar.

blow pipe [blou-,paip] *s.* soplete.

bludgeon [blʌdʒən] *s.* palo, estaca.

blue [blu:] *adj.* azul.

bluffing ['blʌfiŋ] *s.* fanfa-
rronada.
bluffness ['blʌfnis] *s.* ru-
deza.
blunder ['blʌndə*] *s.* disparate.
bluntly ['blʌntli] *adv.* sin
rodeos.
blur [blə:*] *s.* mancha.
bluster ['blʌstə*] *s.* ruido;
tr. violentar con gritos.
blusterer [blʌstərə] fanfarrón; ráfaga *(viento)*.
board [bɔ:d] *s.* tabla,
plancha.
board and lodging
['bɔ:dændlɔdʒiŋ] *s.*
cuarto y comida *(pen-
sión completa)*.
boarder ['bɔ:də] huésped.
boarding-house ['bɔ:diŋ
-haus] *s.* pensión.
—**school** ['-sku:l] *s.* inter-
nado.
—**student**(**or pupil**) [st-
judənt (ɔ:pjupil)] *s.*
alumno interno.
boat [bout] *s.* barco.
bob [bɔb] *s.* chelín; *s. p.*
nombre abreviado de
Robert; *tr.* menearse.
bobbin ['bɔbin] *s.*
bobby ['bɔbi] *s.* policía
(popular).
bobtail ['bɔbteil] *s.* cola
cortada.
bob-white ['bɔbwait] *s.*
codorniz *(en los Esta-
dos*

Unidos del Norte) *;* perdiz
(en los del Sur).
bode [boud] *tr.* presagiar;
bodied ['bɔdid] *adj.* cor-
póreo.
—**ss** ['bodilis] *adj.* incorpó-
reo.
body ['bɔdi] *s.* cuerpo.
bog [bɔg] *s.* pantano; *intr.*
atascarse.
boggle ['bɔgl] *intr.* dudar.
boil [bɔil] *s.* ebullición.
boiler ['bɔilə*] *s.* caldera.
boisterous ['bɔistərəs] *adj.*
ruidoso.
bold [bould] *adj.* osado.
boldness ['bouldnis] *s.*
osadía.
bolster ['boulstə*] *s.* almohadón; *tr.* apoyar.
bombard [bɔm'ba:d] *tr.*
bombardear; (fig.) ase-
diar *(a preguntas, etc.)*.
bond [bɔnd] *s.* enlace;
contrato; fianza; *pl.* valores; *tr.* hipotecar.
bondage ['bɔndidʒ] *s.*
cautiverio.
bone [boun] *s.* hueso; espina *(de peces)*; barba de
ballena.
boneless ['bounlis] *adj.*
sin hueso.
bonfire ['bɔn,faiə] *s.* hoguera.
bonnet ['bɔnit] *s.* gorra;
capó *(coche)*; *tr.* cubrir
(la cabeza).

bonny ['bɔni] *s.* bonito, lindo.

bony ['bouni] *adj.* huesudo.

booby-prize ['bu:bi-praiz] *s.* premio de consolación.

book [buk] *s.* libro; *tr.* asentar en un libro; inscribir; anotar; sacar billetes *(coche, teatros, etc.).*

booking-office ['bukiŋ-,ɔfis] taquilla, despacho de billetes.

bookkeeping ['buk,ki:piŋ] *s.* contabilidad.

booklet ['buklit] *s.* folleto.

bookseller ['buk-sellə*] *s.* librero.

book-shop ['buk,ʃɔp] *s.* librería.

bookstall ['bukstɔ:l] *s.* puesto para venta de libros.

boom [bu:m] *s.* estampido; prosperidad.

boost [bu:st] *s.* empujón *(hacia arriba);* alza *(de precios).*

boot [bu:t] *s.* bota; — **laces** cordones.

booth [bu:ð] *s.* quiosco; cabina.

border ['bɔ:də*] *s.* frontera; *tr.* limitar; *intr.* confinar.

bore [bɔ:*] *s.* barreno;

tr. agujerear: aburrir, dar la lata.

bored [bɔ:d] *adj.* aburrido.

born [bɔ:n] *adj.* nacido; **newly** — recién nacido; **to be** — nacer.

borough ['barə] *s.* burgo, villa, ciudad, barrio; **Municipal** — (Ingl.) corporación municipal.

borrowing ['bɔrouiŋ] *s.* préstamo.

bosom ['buzəm] *s.* seno, pecho.

boss [bɔs] *s.* jefe; (fam.) amo, gallo, capataz, gerente; (fam.) cacique *(en asuntos políticos);* *tr.* regentar, dominar.

both [bouθ] *adj.* ambos.

bother ['bɔðə*] *s.* incomodidad; *tr.* incomodar, molestar; *intr.* molestarse.

bottle ['bɔtl] *s.* botella; **water** — cantimplora; *tr.* embotellar.

bough [bau] *s.* rama.

boulder ['bouldə*] *s.* guijarro.

bound [baund] *s.* salto; límite; *adj.* atado, sujeto; obligado; *pret. y pp.* de **to bind;** *tr.* limitar; *intr.* saltar.

boundary ['baundəri] *s.* límite.

bounder ['baundə*] s. vulgar.

boundless ['baundlis] adj. ilimitado.

bounteous ['bauntiəs] adj. generoso.

bounty ['baunti] s. generosidad.

bourn, bourne [buən] s. arroyo; meta; margen, límite.

bow [bau] s. inclinación, reverencia; (Náut.) proa.

bow [bou] s. arco; nudo; ojo (de la llave); adj. arqueado; tr. (Mús.) tocar con arco; intr. arquearse.

bower ['bauə*] s. glorieta, músico de arco.

bowie-knife ['bouinaif] s. cuchillo de monte, machete.

bowl [boul] s. taza; **sugar —** azucarero.

bow-window ['bou-'windou] s. ventana arqueada o saliente.

box [bɔks] s. caja; arca; palco; (Impr.) cajetín; (Mec.) cojinete del motor; (Dep.) boxeo; **letter —** buzón; **P. O. —** apartado de correos; **—car** (f. c.) furgón; tr. embalar; boxear.

Boxing Day ['bɔːksiŋ dei] s. día festivo después de Navidad en que se dan regalos a los empleados.

boy [bɔi] s. muchacho, chico; **the old —** el diablo; **— scout** explorador.

bra [brɑː] s. sostén, sujetador.

bracket ['brækit] s. puntal; escuadra; brazo de lámpara; tr. apuntalar, asegurar; pl. **—s** (Impr.) paréntesis.

braggart ['brægət] adj. y s. fanfarrón.

braid [breid] s. trenza.

brain [brein] s. (An.) cerebro; inteligencia.

brain-wave ['breinweiv] s. idea luminosa.

braise [breiz] tr. dorar (la carne, cocerla a fuego lento).

brake [breik] s. freno; matorral.

branch [brɑːntʃ] s. rama; sucursal; adj. sucursal, dependiente; intr. ramificarse.

brand [brænd] s. marca.

brandy ['brændi] s. coñac.

brand-new ['brænd-njuː] adj. flamante.

brass [brɑːs] s. latón; (fam.) descaro, desvergüenza.

brave [breiv] adj. bravo; airoso; s. valiente; tr. desafiar, retar.

bravery ['breivəri] s. bravura, valentía; pompa.

brawn [brɔ:n] s. músculo.

braze [breiz] s. soldadura.

brazen ['breizn] adj. hecho de latón; bronceado.

breach [bri:tʃ] s. abertura.

bread [bred] s. pan; **on — and water** a pan y agua; — **and butter** pan con mantequilla; **new** — pan tierno.

breadth [bredθ] s. anchura; adv. a lo ancho.

break [breik] s. interrupción; cambio repentino; fragmento; grieta; blanco (en los escritos).

breakable ['breikəbl] adj. frágil.

breakage ['breikidʒ] s. fractura.

breakdown ['breikdaun] s. parada imprevista; avería.

breaker ['breikə*] s. triturador.

breakfast ['brekfəst] s. desayuno.

breath [breθ] s. respiración; soplo; susurro; **out of** — sin aliento; **to waste one's — on** gastar saliva en.

breathe [bri:ð] tr. respirar; inspirar; suspirar; tomar aliento; — **one's last** exhalar el último suspiro.

breech [bri:tʃ] s. trasero; (fam.) pantalones; **to wear the** — ponerse los pantalones.

breed [bri:d] s. raza; especie; intr. criarse; **to — disturbance** meter cizaña.

breeze [bri:z] s. brisa.

breezy ['bri:zi] adj. airoso; (fam.) ligero.

brethren ['breðrin] s. pl. hermanos.

brew [bru:] s. mezcla; intr. fabricar cerveza.

bribe [braib] s. soborno; tr. sobornar.

brick [brik] s. ladrillo; tr. enladrillar.

bridal ['braidl] adj. nupcial; s. boda.

bride [braid] s. novia; **the — and groom** los recién casados.

bridegroom ['braidgrum] s. novio.

bridesmaid ['braidzmeid] s. madrina de boda; s. padrino de boda.

bridge [bridʒ] s. puente; bridge (juego de naipes);

brief [bri:f] adj. breve; s. resumen.

briefless [bri:flis] adj. de secano; (Amér.) de sabana.

brigand ['brigənd] *s.* bandolero.

bright [brait] *adj.* brillante; transparente.

brilliant ['briljənt] *adj.* genial; *s.* brillante *(joya)*.

brim [brim] *s.* borde; ala *(de sombrero)*.

brimstone ['brimstən] *s.* azufre.

brindle ['brindl] *adj.* jaspeado, rayado.

bring [briŋ] *tr.* (*pret. y pp.* **brought**) traer *(llevar consigo, conducir)*; traer *(a la memoria, al pensamiento)*; traer *(consecuencias)*; acarrear; llevar; aportar; **to — back** devolver; **to — down** derribar; (fig.) humillar; **to — forth** parir; dar fruto.

bringing-up ['briŋiŋʌp] *s.* educación.

briny ['braini] *adj.* salado.

brisk [brisk] *s.* vivo, animado; fuerte; *tr.* avivar, animar.

Britain ['britən] *s.* Bretaña.

British ['britiʃ] *adj.* británico.

brittle ['britl] *adj.* quebradizo.

broach [broutʃ] *s.* mecha; broche; asador.

broad [brɔːd] *adj.* ancho; comprensivo.

broadcast ['brɔːdkɑːst] *s.* difusión; *adj.* difundido; *adv.* por todas partes; *tr.* difundir, radiar.

broaden ['brɔːdn] *tr.* ensanchar; *intr.* ensancharse.

broadish ['brɔːdiʃ] *adj.* algo ancho.

broadly ['brɔːdli] *adv.* anchamente.

broad-minded ['brɔːd-maindid] *adj.* de amplias miras.

brochure ['brouʃjuə*] *s.* folleto.

broil [brɔil] *s.* carne a la parrilla.

broiler ['brɔilə*] *s.* parrilla, pollo asadero.

broke [brouk] *adj.* (fam.) sin blanca; *pret.* de **to break**.

broken ['brouksn] *adj.* quebrado; interrumpido.

broker ['broukə*] *s.* (Com.) corredor.

bronco ['brɔŋkou] *s.* potro, caballo salvaje.

bronze [brɔnz] *s.* bronce; *tr.* broncear; *intr.* broncearse.

brooch [broutʃ] *s.* alfiler de pecho.

brood |bru:d] *s.* cría, camada; *tr.* empollar.

brooder ['bru:də*] *s.* incubadora.

brook [bruk] *s.* arroyo; *tr.* sufrir.

broom [brum] *s.* escoba.

broth [brɔθ] *s.* caldo.

brother ['brʌðə*] *s.* hermano; — **in-law** cuñado; **half — or step —** medio hermano; **foster — hermano** de leche.

brotherlike ['brʌðənaik] *adj.* fraternal.

brow [brau] *s.* frente; ceja.

browbeat ['braubi:t] *tr.* intimidar; desconcertar.

browless ['braulis] *adj.* descarado.

brown [braun] *adj.* moreno; *s.* pardo; *tr.* ponerse moreno.

brown shirt ['braun ʃə:t] *s.* camisa parda, nazi.

browse [brauz] *tr.* comer; pacer; *intr.* pacer; hojear (*un libro*).

bruise [bru:z] *s.* magulladura, contusión; *tr.* magullar, contundir.

brush [brʌʃ] *s.* cepillo; pincel; choque.

brushwood ['brʌʃwud] *s.* matorral.

brusque [brusk] *adj.* áspero.

bubble ['bʌbl] *s.* burbuja.

bubbler ['bʌblə*] *s.* engañador.

bubbly ['bʌbli] *adj.* espumoso.

buck [bʌk] *adj.* (Zool.) cabrón; gamo; (U. S.) indio o negro adulto; *tr.* lavar (*en la colada*); *int.* cubrir (*el macho a la hembra*).

bucket ['bʌkit] *s.* cubo, balda.

buckle ['bʌkl] *s.* bucle; hebilla; *tr.* hebillar; hacer bucles; *intr.* ajustarse, apretar las hebillas.

buckler ['bʌklə*] *s.* escudo; *tr.* defender.

bud [bʌd] *s.* vástago; capullo; *intr.* brotar; *tr.* (Agr.) injertar.

budge ['bʌdʒ] *adj.* pomposo, imponente; *tr.* mover; moverse.

budget ['bʌdʒit] *s.* presupuesto; mochila.

buff [bʌf] *s.* ante; color de ante.

buffer ['bʌfə*] *s.* cojinete.

buffet ['bʌfit] *s.* bofetada; *intr.* abofetear.

buffet ['bufei] *s.* ambigú, cantina.

bug [bʌg] *s.* chinche, bicho.

buggy ['bʌgi] *adj.* chinchoso; *s.* calesa de cuatro ruedas.

bugle [bju:gl] s. corneta; azabache.

build [bild] s. estructura.

builder ['bildə*] s. arquitecto, aparejador, constructor; autor.

building ['bildiŋ] s. edificio, construcción; fábrica; obra.

bulb [bʌlb] s. (Bot.) cebolla.

bulk [bʌlk] s. bulto, volumen; intr. abultar; **in —** (Com.) adj. granel.

bull [bul] s. toro; bula; (fig.) disparate; adj. robusto; tr. cubrir el toro a la vaca; **— 's-eye** tragaluz.

bullfight ['bulfait] s. corrida de toros.

bull-fighter ['bul-,faitə*] s. torero.

bulldog ['buldɔg] s. mastín; revólver de gran calibre.

bullet ['bulit] s. bala; plomada de pescador.

bullock ['bulək] s. novillo, buey.

bull-ring ['bulriŋ] s. plaza de toros, redondel.

bully ['buli] s. matón; adj. magnífico; tr. intimidar; intr. bravear.

bulwart ['bulwək] s. baluarte; fortaleza.

bum [bʌm] s. nalgas; (U. S.) holgazán.

bumble ['bʌmbl] tr. chapucear; intr. zumbar.

bumblebee ['bʌmblbi] s. abejorro.

bump [bʌmp] s. batacazo; golpe.

bumper ['bʌmpə*] s. tope; parachoques; copa o vaso lleno.

bun [bʌn] s. bollo; moño (pelo).

buch [bʌntʃ] s. manojo; racimo; manada; tr. agrupar; intr. arracimarse.

bundle ['bʌndl] s. bulto, lío; haz (de leña, hierba, etc.); tr. atar; intr. escaparse precipitadamente.

bungalow ['bʌngəlou] s. bungalou (casa de campo de un solo piso y con terrazas).

bunk [bʌŋk] s. tarima, litera; intr. dormir en tarima.

bunker ['bʌŋkə*] s. carbonera.

bunny ['bʌni] s. conejito.

burden ['bə:dn] s. carga; estribillo; tr. cargar.

bureau ['bjuərou] s. cómoda; escritorio; oficina.

burg [bə:g] s. (fam.) pueblo, ciudad.

burglar 54

burglar ['bə:glə*] s. ladrón.

burial ['beriəl] s. entierro.

burn [bə:n] s. quemadura; (Esc.) arroyo; tr. (pret. y pp. **burned** o **burnt**) quemar; cocer (ladrillos); calcinar; (Qm.) oxidar; **to — out** quemar (un motor, transformador, etc.); fundir (una bombilla).

burnish ['bə:niʃ] s. bruñido; tr. bruñir; intr. tomar lustre.

burr [bə:*] s. erizo; fresa (de torno).

burrow ['bʌrou] s. madriguera.

bursar ['bə:sə*] s. tesorero universitario.

burst [bə:st] s. explosión; reventón (pret. y pp. **burst**) tr. reventar; reventarse.

bury ['beri] tr. enterrar.

bus [bʌs] s. ómnibus; autobús.

bush [buʃ] s. arbusto; matorral.

bushel ['buʃl] s. medida de capacidad, fanega.

bushy ['buʃi] adj. espeso; lanudo.

business ['biznis] s. negocio, asunto; — **district** barrio comercial; — **expert** perito mercantil; — **man** comerciante, hombre de negocios; — **trip** viaje de negocios.

bust [bʌst] s. busto; pecho de mujer; tr. arruinar; intr. fracasar.

bustle ['bʌsl] s. alboroto; intr. apresurarse.

busy ['bizi] adj. (compar. **-ier;** superl. **-iest**) ocupado; tr. ocupar.

but [bʌt, bət] s. objeción; adv. sólo; prep. excepto; cnj. pero.

butcher ['butʃə*] s. carnicero; tr. matar (reses).

butler ['bʌtlə*] s. mayordomo.

butt [bʌt] s. culata; colilla.

butter ['bʌtə*] s. mantequilla.

butterfly ['bʌtəflai] s. mariposa.

buttonhole ['bʌtnhoul] s. ojal.

butress [' bʌtris] s. contrafuerte; apoyo.

buxom ['bʌksəm] adj. rollizo.

buy [bai] tr. (pret. y pp. **bought**) comprar.

buyer ['baiə*] s. comprador.

buzz [bʌz] s. susurro.

by [bai] prep. por; de; (Mat.) por (para indicar

multiplicación); para; a; cerca de, junto a, al lado de; — **chance** por casualidad; — **day** de día; — **far** con mucho; — **law** en virtud de la ley, según la ley; — **then** para entonces, entonces.

bye-bye ['baibai] s. voz para arrullar a los niños; *inj.* ¡adiós! hasta luego.

by-election ['baii,lek∫ən] s. elección para cubrir una vacante.

bygone ['baigɔn] *adj.* pasado.

by-law, bye-law ['bailɔ:] s. estatuto; reglamento; ley municipal.

by-pass ['bai-pɑ:s] s. desviación; *tr.* desviar.

bypath ['bai-pɑ:θ] s. senda.

byre ['baiə*] s. establo.

by-road ['bairoud] s. camino apartado, atajo.

bystander ['bai,stændə*] s. espectador; s. pl. circunstantes.

by-street ['bai'-stri:t] s. callejuela.

cab [kæb] *s.* taxímetro.

cabal [kə'bæl] *s.* cábala; *tr.* e *intr.* tramar.

cabbage ['kæbidʒ] *s.* (Bot) col.

cabin [kæbin] *s.* cabaña; (Náut.) camarote; *tr.* apretar.

cabinet ['kæbinit] *s.* vitrina, escaparate; gabinete; *adj.* ministerial.

cache [kæʃ] *s.* escondite; *tr.* esconder.

caddish ['kædiʃ] *adj.* mal educado.

caddy ['kædi] *s.* bote, lata.

cage [keidʒ] *s.* jaula; cárcel; *tr.* enjaular.

caisson [kə'su:n] *s.* cajón.

cake [keik] *s.* bollo, pastelillo; **wedding —** pastel de boda.

calculate ['kælkjuleit] *tr.* calcular.

caldron ['kɔːldrən] *s.* caldero.

calf [kɑːf] *s.* (*pl.* **calves**) ternera; cuero.

call [kɔːl] *s.* llamada; grito; visita; escala *(de buque, de avión);* invitación; *tr.* llamar; señalar; citar; convocar *(una reu-*

nión, *etc.);* *intr.* pararse un rato; (Náut.) hacer escala; exigir.

calling ['kɔːling] *s.* profesión, vocación.

callow ['kælou] *adj.* joven.

callowness ['kælounis] *s.* inexperiencia.

calm [kɑːm] *s.* calma.

calumniate [kə'lʌmnieit] *tr.* calumniar.

camera ['kæmərə] *s.* cámara fotográfica.

camisole ['kæmisoul] *s.* camiseta de mujer.

camouflage ['kæmuflɑːʒ] *s.* disfraz; (Mil.) *tr.* enmascarar.

campaign [ˌkæm'pein] *s.* veraneo.

compaigner [kæm'peinə*] *s.* veterano.

campus ['kæmpəs] *s.* (*pl.* **-es**) campo, (U.S.) patio o claustro de colegio.

can [kæn] *s.* bote; envase; *tr.* (*pret.* y *pp.* **canned**) enlatar, envasar; **canned goods** conservas; **— opener** abrelatas; *aux. def.* (*pret.* **could**) poder; saber; **he—dance** él sabe bailar.

candidate ['kændidit] s. candidato, aspirante, opositor.

candle ['kændl] s. candela; vela.

candy ['kændi] s. bombón, dulce.

cane [kein] s. bastón; caña.

canine ['keinain] adj. canino, perruno; — **tooth**, colmillo.

canister ['kænistə*] s. bote, frasco.

canker ['kæŋkə*] s. llaga, úlcera.

cannon ['kænən] s. cañón; (Zool.) metatarso.

canny ['kæni] adj. (compar. **-ier**; superl. **-iest**) astuto.

cant [kænt] s. lenguaje insincero; canto, esquina; inclinación; adj. inclinado; hipócrita; tr. inclinar, invertir; intr. inclinarse.

can't [kɑ:nt] contracción (fam.) de **can not**.

canvass ['kænvəs] s. escrutinio, investigación.

canyon ['kænjən] s. cañón (paso entre montañas).

caoutchouc ['kautʃuk] s. caucho.

cap [kæp] s. gorra; cima; tapón; cápsula; (Arq.) capitel, cornisa; casquete.

capable ['keipəbl] adj. capaz, competente.

capacious [kə'peiʃəs] adj. espacioso.

cape [keip] s. capa; cabo (geográfico).

capital ['kæpitl] adj. capital; magnífico; mayúscula (letra) s. capital (dinero); capital (ciudad); (Arq.) capitel.

capsize [kæp'saiz] tr. e intr. volcar.

captious ['kæpʃəs] adj. criticón; insidioso.

captivating ['kæptiveitiŋ] adj. fascinante.

captivate ['kæptiveit] tr. cautivar.

captor, capturer ['kæptə*, kæptʃərə*] s. capturador.

car [kɑ:*] s. coche.

carafe [kə'ræf] s. garrafa.

caramel ['kærəmel] s. caramelo.

carbide ['kɑ:baid] s. carburo.

carbine ['kɑ:bain] s. carabina.

carcass, carcase ['kɑ:kəs] s. carroña; cadáver (de animal); esqueleto o armazón (de una cosa).

card [kɑ:d] s. tarjeta; naipe; ficha; carnet.

cardboard ['kɑ:dbɔ:d] s. cartón, cartulina.

cardigan ['kɑ:digən] *s.* chaqueta de lana.

care ['keə*] *s.* cuidado, preocupación; **to have a —** andar con cuidado; **to take —** tener cuidado; cuidado, custodia; **I don't —** me tiene sin cuidado; *intr.* tener cuidado; preocuparse, tener interés.

career [kə'riə*] *s.* carrera.

careful ['keəful] *adj.* cuidado.

careless ['keəlis] *adj.* descuidado.

caress [kə'res] *s.* caricia. *tr.* acariciar.

caretaker ['keə,teikə*] *s.* vigilante, conserje.

carnage ['kɑ:nidʒ] *s.* carnicería.

carnation [kɑ:'neiʃən] *s.* (Bot.) clavel.

carnival ['kɑ:nivəl] *s.* carnaval.

carob ['kærəb] *s.* (Bot.) algarrobo.

carol ['kærəl] *s.* canción; *tr.* cantar villancicos.

carousal [kə'rauzəl] *s.* festín.

carouse [kə'rauz] *intr.* juerguear, emborracharse; *s.* juerga.

carp [kɑ:p] *s.* carpa; *intr.* censurar, criticar.

carpenter ['kɑ:pintə*] *s.* carpintero; **stage —;** tramoyista.

carpet ['kɑ:pit] *s.* alfombra.

carriage ['kæridʒ] *s.* carruaje; transporte.

carriage-free ['kæridʒfri:] *adj.* franco de porte.

carrier ['kæriə*] *s.* portador; empresa de transportes.

carrot ['kærət] *s.* (Bot.) zanahoria.

carroty ['kærəti] *adj.* pelirrojo.

carry ['kæri] *tr.* (*pret. y pp.* **-ried**) llevar; traer; ganar; sostener *(una carga, etc.)* ; contener; prolongar; arrastrar; llevar consigo; (Com.) tener en existencia; **to be carried away;** entusiasmarse; **to — back** restituir, devolver; **to — down** bajar; **to — into effect** llevar a cabo; **to — over** pasar a otra cuenta, página, partido, etcétera; **to — up** subir; **to — weight** ser de peso.

cart [kɑ:t] *s.* carretera; *tr.* acarrear.

carter ['kɑ:tə*] *s.* carretero.

cartridge ['kɑ:tridʒ] *s.* cartucho; carrete o rollo

(de película); repuesto *(de bolígrafo, etc.).*

carve [kɑ:v] *tr.* tallar.

case [keis] *s.* caso, caja, funda; (Der.) pleito; *(fam.)* persona divertida.

casement ['keismənt] *s.* puerta, ventana; marco *(de una ventana).*

cash [kæʃ] *s.* dinero contante: *tr.* hacer efectiva *(una letra);* **to pay —** pagar al contado.

cashier [kə'ʃiə*] *s.* cajero; *tr.* destituir.

casing ['keisiŋ] *s.* cubierta; marco de puerta o ventana.

cask [kɑ:sk] *s.* tonel; cuba.

casket ['kɑ:skit] *s.* ataúd.

casserole ['kæsəroul] *s.* cacerola.

cassock ['kæsək] *s.* sotana.

cast [kɑ:st] *s.* echada; forma, molde; tinte, matiz; pieza fundida; mirada bizca; (Tt.) reparto; *tr.* *(pret. y pp.* **cast)** echar; volver *(los ojos);* fundir, vaciar.

castaway ['kɑ:stə,wei] *s.* náufrago; *adj.* abandonado.

cast-iron ['kɑ:st'aiən] *s.* hierro fundido *(colado).*

castle ['kɑ:sl] *s.* castillo, torre *(ajedrez).*

castor ['kɑ:stə*] *s.* castor; vinagreras; salero, vinagrera.

castor oil ['kɑ:stər'ɔil] *s.* aceite de ricino.

cat [kæt] *s.* gato, gata.

catarrh [kə'tɑ:*] *s.* catarro.

catch [kætʃ] *s.* cogida *(de la pelota);* broche; botín; pestillo; pesca; trampa; **to — cold** coger un resfriado; **to — fire** encenderse; **to — up** asir, empuñar; coger al vuelo; cazar *(sorprender a uno);* *intr.* pegarse *(una enfermedad).*

catch drain ['kætʃ drein] *s.* cuneta.

catching ['kætʃiŋ] *adj.* contagioso; seductor.

categoric,-al [,kæti'gɔrik, -əl] *adj.* categórico.

cater ['keitə*] *tr.* e *intr.* abastecer, proveer.

cattle ['kætl] *s.* (sin *pl.*) ganado.

cauf [kɔf] *s.* vivero de peces.

cauliflower ['kɔliflauə*] *s.* (Bot.) coliflor.

cause [kɔ:z] *s.* causa; *tr.* causar.

causeway ['kɔ:zwei] *s.* terraplén.

cavalcade [,kævəl'keid] *s.* cabalgata.

cavalier [ˌkævəˈliə*] s. caballero; galán.

cave [keiv] s. cueva; intr. hundirse.

cease [si:s] tr. parar; intr. cesar.

cecils [ˈsesils] s. albóndigas de carne.

cede [si:d] tr. ceder.

ceiling [ˈsiːliŋ] s. techo.

celebrate [ˈselibreit] tr. e intr. celebrar.

celebrated [ˈselibreitid] adj. célebre, famoso.

celibacy [ˈselibəsi] s. celibato, soltería.

cell [sel] s. celda; célula.

cellar [ˈselə*] s. sótano, bodega.

cello [ˈtʃelou] s. violoncelo.

cement [siˈment] s. cemento; tr. revestir de cemento; unir con cemento; — **mill** fábrica de cemento; intr. unirse, pegarse.

cemetery [ˈsemitri] s. (pl: **:ies**) cementerio.

censorship [ˈsensəʃip] s. censura.

center [ˈsentə*] s. centro; tr. centrar.

centimeter, centimetre [ˈsenti,miːtə*] s. centímetro.

centre [ˈsentə*] s. centro; tr. concentrar; **to — upon,** versar sobre.

century [ˈsentʃuri] s. (pl: **-ies**) siglo; centuria.

cereal [ˈsiəriəl] s. y adj. cereal.

certain [ˈsə:tn] adj. cierto, positivo.

certify [ˈsə:tifai] tr. certificar.

cessation [seˈseiʃən] s. cesación, paro.

cession [ˈseʃən] s. cesión, traspaso.

cesspool [ˈsespu:l] s. pozo negro.

chafe [tʃeif] s. frotamiento; tr. frotar.

chaffer [ˈtʃɑ:fə*] s. regateo; tr. regatear, burlarse.

chagrin [ˈʃægrin] tr. disgustar; s. pesadumbre, disgusto.

chain [tʃein] s. cadena; **guard —, grillo; — mail,** cota de malla; tr. encadenar.

chair [tʃeə*] s. silla; cátedra (universidad), presidencia; **arm —,** sillón; **rocking —** mecedora; **to take the —** presidir la sesión.

chairman [ˈtʃeəmən] s. (pl: **-men**) presidente de una junta o sociedad.

chairmanship ['tʃɛəmən-ʃip] s. presidencia.

chalk [tʃɔ:k] s. yeso, tiza; — **for cheese** compra barata.

challenge ['tʃælindʒ] s. desafío; tr. desafiar, exigir.

chamber ['tʃeimbə*] s. cámara, alcoba; — **of Commerce** Cámara de Comercio

chamber-maid ['tʃeim-bəmeid] s. camarera; doncella.

chamois ['ʃæmwa:] s. (Zool.) gamuza, ante.

championship ['tʃæm-pjənʃip] s. campeonato.

chance [tʃa:ns] s. ocasión; suceso; **by** — acaso, por casualidad; **no** — sin esperanzas; **to take a** — probar fortuna; **to give a** — dar una oportunidad; adj. casual; tr. (fam.) arriesgar; acaecer.

chancellor ['tʃa:nsələ*] s. canciller; Rector (universidad); — **of Exchequer** Ministro de Hacienda.

change [tʃeindʒ] s. cambio; dinero suelto; mudanza; tr. cambiar; mudar; intr. corregirse, mudarse.

changeful ['tʃeindʒful] adj. cambiante; voluble.

changeless ['tʃeindʒlis] adj. inmutable.

channel ['tʃænl] s. canal; cauce; **irrigation**— acequia; **English**— Canal de la Mancha; **the usual —s** los trámites reglamentarios; tr. encauzar.

chant [tʃa:nt] s. canción; tr. e intr. cantar.

chantry ['tʃa:ntri] s. (pl.: -tries) capilla; sepulcro enrejado.

chap [tʃæp] s. mandíbula; grieta; muchacho, mozo; tr. agrietar; intr. agrietarse.

chapel ['tʃæpəl] s. capilla, ermita.

chaperon ['ʃæpəroun] s. señora o señorita de compañía, tr. acompañar.

chaplain ['tʃæplin] s. capellán.

chapter ['tʃæptə*] s. capítulo; **cachar** [tʃa:*] s. jornal; tarea al jornal; carbón de leña; intr. (pret. y pp. **charred**) hacer tareas a jornal: carbonizarse.

charcoal ['tʃa:koul] s. carbón vegetal.

charge [tʃa:dʒ] s. carga;

gasto; precio; mandato; comisión.

chargé d'affaires ['ʃɑ:-ʒeidæ'feə*] s. encargado de negocios.

charger ['tʃɑ:dʒə*] s. cargador; caballo de batalla.

chariot ['tʃæriət] s. carroza; carro militar.

charity ['tʃæriti] s. caridad.

charm [tʃɑ:m] s. encanto; amuleto; tr. encantar.

charmer ['tʃɑ:mə*] s. hechicero.

chart [tʃɑ:t] s. mapa, plano, carta.

charter ['tʃɑ:tə*] s. escritura; fuero.

charwoman ['tʃɑ:,wumən] s. criada, asistenta.

chary ['tʃɛəri] adj. (compar. -ier; super. -iest) cuidadoso; económico.

chase [tʃeis] s. caza; encaje; tr. cazar; perseguir; montar (piedras preciosas).

chasm ['kæzəm] s. hendidura.

chaste [tʃeist] adj. casto.

chasten ['tʃeisn] tr. castigar.

chastise [tʃæs'taiz] tr. castigar.

chat [tʃæt] s. conversación; intr. charlar.

chattels ['tʃætlz] s. pl. bienes muebles.

chauffeur ['ʃoufə*] s. chófer.

cheap [tʃi:p] adj. barato; (fig.) **to go on the** — ir de gorra.

cheat [tʃi:t] s. trampa; engaño; tr. engañar; estafar.

check [tʃek] tr. moderar; detener; reñir; examinar; rechazar; facturar; comprobar; intr. pararse.

checkers ['tʃekəz] s. pl. juego de dams; tr. cuadricular.

checkgirl ['tʃekgə:l] s. guardarropa (persona encargada del guardarropa).

cheek [tʃi:k] s. mejilla.

cheeky ['tʃi:ki] adj. (fam.) descarado.

cheer [tʃiə*] s. alegría; aplauso; **what cheer?** ¿qué tal?; tr. alegrar; intr. alegrarse; — **up!** ¡ánimo!

cheerful ['tʃiəful] adj. alegre.

cheerio ['tʃiəri'ou] inj. (fam.) ¡hola! ¡adiós!

cheery ['tʃiəri] adj. (compar. -ier; superl. -iest) alegre.

cheese [tʃi:z] s. queso.

chef [ʃef] s. jefe de cocina.

chemist ['kemist] s. químico, farmacéutico; — **s'shop,** farmacia.

cherish ['tʃeriʃ] tr. acariciar; abrigar (esperanzas).

cherry ['tʃeri] s. (pl: **-rries**) (Bot.) **—tree,** cerezo; cereza.

chess [tʃes] s. ajedrez.

chessboard ['tʃesbɔ:d] s. tablero de ajedrez.

chest [tʃest] s. pecho; caja de caudales.

chestnut ['tʃesnʌt] s. (Bot.) castaño; adj. castaño; marrón.

chew [tʃu:] s. mascadura; tr. mascar.

chewing-gum ['tʃu:iŋgʌm] s. chicle.

chicanery [ʃi'keinəri] s. (pl: **-ries**) embuste.

chicken ['tʃikin] s. pollo; polluelo; cobarde; (fig.) jovencito; — **coop** gallinero.

chickpea ['tʃikpi:] s. (Bot.) garbanzo).

chief [tʃi:f] s. jefe, caudillo; adj. principal.

chiffon ['ʃifon] s. tejido muy fino.

child ['tʃaild] s. (pl: **children**) niño; hijo; **to be with** — estar embarazada.

childbirth ['tʃaildbə:θ] s. parto.

chill [tʃil] s. frialdad; resfriado; adj. frío; reservado; tr. helar, enfriar; desanimar; intr. escalofriarse.

chilly ['tʃili] adj. frío.

chin [tʃin] s. barba.

chinese puzzle ['tʃai'ni:z'pʌzl] s. problema complicadísimo.

chink [tʃiŋk] s. grieta; sonido del dinero; tr. hender; hacer sonar (dinero); intr. henderse, rajarse.

chip [tʃip] s. astilla; tr. cortar; — **of the old block** de tal palo tal astilla.

chit [tʃit] s. chiquillo; germen; tr. quitar los brotes; intr. brotar.

chock-full [tʃɔk-'ful] adj. colmado, lleno.

choice [tʃɔis] s. elección; adj. selecto.

choir ['kwaiə*] s. coro.

choose [tʃu:z] tr. (pret. **chose;** pp. **chosen**) elegir; intr. optar.

chop [tʃɔp] s. golpe; chuleta; tr. cortar; picar.

chopper ['tʃɔpə*] s. hacha.

chord [kɔ:d] s. (Mús.) acorde; cuerda.

christen ['krisn] *tr.* bautizar.

Christmas ['krisməs] *s.* Navidad; *adj.* navideño; — **carol** villancico; — **box** aguinaldo de Navidad; — **tree** árbol de Navidad; **Merry —**! Felices Pascuas; — **time** tiempo de Navidad.

chronicler ['krɔnɪklə*] *s.* cronista, historiador.

chummy ['tʃʌmi] *adj.* (fam.) íntimo *(muy amigo)*.

chunk [tʃʌŋk] *s.* pedazo grueso de algo.

chunky ['tʃʌŋki] *adj. (compar.* **-ier;** *superl.* **-iest)** rechoncho.

church ['tʃə:tʃ] *s. (pl:* **-ches)** iglesia.

churchyard ['tʃə:tʃ'ja:d] *s.* cementerio.

cider ['saidə*] *s.* sidra.

cigar [si'gɑ:*] *s.* cigarro, puro; — **holder**, boquilla.

cinder ['sində*] *s.* ceniza.

cipher ['saifə*] *s.* cifra; cero.

circumvent[,sə:kəm'vent] *tr.* embaucar.

circus ['sə:kəs] *s.* circo, redondel, arena.

cistern ['sistən] *s.* cisterna.

citadel ['sitədl] *s.* ciudadela.

cite [sait] *tr.* citar, advertir.

citizen ['sitizn] *s.* y *adj.* ciudadano.

city ['siti] *s. (pl:* **-ties)** ciudad; **city — City-Hall** Ayuntamiento; **city fathers** concejales.

civilian [si'viljən] *s.* hombre civil, paisano; *adj.* civil.

civility [si'viliti] *s.* cortesía, atención.

clak [klæk] *s.* ruido agudo y corto; *intr.* repiquetear.

claim [kleim] *s.* demanda; reclamación; *tr.* demandar, reivindicar.

clairvoyant [klɛə'vɔiənt] *adj.* y *s.* clarividente.

clamber ['klæmbə*] *intr.* trepar.

clammy ['klæmi] *adj.* frío, húmedo.

clamour ['klæmə*] *tr.* gritar; *s.* alboroto.

clamp [klæmp] *s.* empalmadura; tornillo de banco.

clan [klæn] *s.* clan, familia.

clang [klæŋ] *s.* sonido metálico.

clap [klæp] *s.* golpe seco; aplauso; *tr.* golpear, aplaudir.

clash [klæʃ] *s.* choque; *intr.* chocar, golpear.

clasp [klɑːsp] *s.* broche, hebilla; *tr.* abrochar.

class [klɑːs] *s.* clase, categoría; *tr.* clasificar.

classmate ['klɑːsmeit] *s.* compañero de clase.

clavicle ['klævik] *s.* (An.) clavícula.

claw [klɔː] *s.* (Zool.) uña; *tr.* agarrar, arañar.

clay [klei] *s.* arcilla.

clean [kliːn] *adj.* limpio; perfecto.

clear [kliə*] *adj.* claro; limpio; libre *(de culpa, deudas, estorbos, etc.)*; neto; seguro, cierto; entero, — **track** vía libre; claro; absolutamente; — **through** de parte a parte; *tr.* aclarar; rebajar *(un terreno).*

clearness ['kliənis] *s.* claridad.

clef [klef] *s.* llave.

clench [klentʃ] *s.* agarro; *tr.* agarrar; remachar.

clergy ['klɔːdʒi] *s.* clero.

clerk [klɑːk] *s.* dependiente *(de comercio)*; oficinista; (Der.) escribano.

clever ['klevə*] *adj.* inteligente; hábil.

click [klik] *s.* golpe suave; tecleo.

cliff [klif] *s.* precipicio; acantilado.

climax ['klaiməks] *s.* crisis; punto culminante.

climb [klaim] *s.* subida; *tr.* e *intr.* trepar, subir.

clipping ['klipin] *s.* recorte; *adj.* (fam.) rápido.

clique [kliːk] *s.* pandilla, corrillo.

cloak [klouk] *s.* capa, manto; disimulo; *tr.* disimular.

cloakroom ['kloukrum] *s.* guardarropa.

clock [klɔk] *s.* reloj de mesa o de pared.

clockmaker ['klɔk,meikə*] *s.* relojero.

clod [klɔd] *s.* tierra.

clog [klɔg] *s.* madreña; obstáculo.

cloister ['klɔistə*] *s.* claustro; *tr.* enclaustrar.

close [klous] *adj.* cerrado; estrecho; exacto; limitado; avaro; escaso; cubierto; *s.* término, fin; *tr.* cerrar; saldar; *(una cuenta)*; concluir; tapar; *intr.* cerrarse; reunirse; terminar.

closed chapter ['klouzd 'tʃɑːptə*] *s.* asunto concluido.

closeness ['klousnis] *s.* cercanía; tacañería; reserva.

clot [klɔt] s. grumo; *intr.* coagularse.

cloth [klɔθ] (*pl.* **cloths**) s. lienzo, paño; (*pl.* **clothes**) vestidos.

cloud [klaud] s. nube; *tr.* anublar; *intr.* anublarse.

cloudless ['klaudlis] *adj.* sin nubes.

clove [klouv] s. clavillo; — **of garlic** diente de ajo.

clover ['klouvə*] s. (Bot.) trébol; **to live in** — (fig.) vivir lujosamente.

clown [klaun] s. payaso; *intr.* hacer el payaso.

cloy [klɔi] *tr.* e *intr.* empalagar.

club [klʌb] s. porra; club; *intr.* reunirse; pagar *(todos)* su escote, pegar con un garrote.

clue [klu:] s. guía, pista.

clump [klʌmp] s. mata, grupo.

clumsy ['klʌmsi] *adj.* tosco.

cluster ['klʌstə*] s. racimo; enjambre; grupo; *tr.* agrupar.

clutter ['klʌtə*] s. confusión; alboroto; *tr.* e *intr.* alborotar.

coach [koutʃ] s. coche de viajeros; preceptor; *tr.* dar clases particulares.

coal [koul] s. carbón; *tr.* proveer de carbón.

coast [koust] s. (Náut.) costa; *tr.* costear; *intr.* navegar en cabotaje.

coat [kout] s. chaqueta, abrigo.

cobble ['kɔbl] s. guijarro; *tr.* empedrar; remendar; *intr.* remendar zapatos.

cobweb ['kɔbweb] s. telaraña.

cock [kɔk] s. gallo; grifo.

cockle ['kɔkl] s. (Zool.) almeja; *tr.* arrugar.

cockpit [kɔkpit] s. cabina *(de un avión)*.

cockroach ['kɔkroutʃ] s. cucaracha.

cocksure ['kɔk'ʃuə*] *adj.* completamente seguro; confiado.

cod [kɔd] s. abadejo, bacalao.

coddle ['kɔdl] *tr.* mimar;

codex ['koudeks] s. *pl.* códice, s.

coffee ['kɔfi] s. café.

coffin ['kɔfin] s. ataúd.

cog [kɔg] s. diente.

cogent ['koudʒənt] *adj.* fuerte.

cogitate ['kɔdʒiteit] *tr.* e *intr.* meditar.

cognate ['kɔgneit] *adj.* semejante.

cohabit [kou'hæbit] *intr.* cohabitar.

coif [kɔif] s. cofia.

coiffure [kwɑːˈfjuə*] s. peinado, tocado.

coil [kɔil] s. rollo; tr. enrollar; intr. enrollarse.

coin [kɔin] s. moneda; tr. acuñarse.

coiner [ˈkɔinə*] s. monedero, acuñador.

colander [ˈkʌləndə*] s. colador.

cold [kould] adj. frío; (fig.) indiferente.

collaborate [kəˈlæbəreit] tr. colaborar.

collapse [kəˈlæps] s. hundimiento; tr. aplastar; sufrir colapso.

collar [ˈkɔlə*] s. cuello; collar.

collect [kəˈlekt] tr. coger; coleccionar; cobrar; intr. acumularse; — on delivery contrarreembolso.

college [ˈkɔlidʒ] s. colegio superior.

collide [kəˈlaid] intr. chocar.

collie [ˈkɔli] s. perro de pastor.

colliery [ˈkɔljəri] s. mina de carbón.

colliflower [ˈkɔliflauə*] s. coliflor.

collocate [ˈkɔləkeit] tr. colocar.

colloquial [kəˈloukwiəl] adj. familiar.

colonnade [ˌkɔləˈneid] s. columnata.

colo(u)r [ˈkʌlə*] s. color; — film película en colores; to call to the — s llamar a filas; to show one's — declarar sus opiniones o proyectos; tr. colorar, colorear; intr. sonrojarse, encenderse.

coloured [ˈkʌləd] adj. de color; colorado.

colourless [ˈkʌləlis] adj. incoloro, pálido.

colt [koult] s. potro; mozuelo sin juicio; revólver.

column [ˈkɔləm] s. columna; gossip — crónica.

comb [koum] s. peine; tr. peinar; romper (las olas).

combat [ˈkɔmbət] s. combate; tr. combatir; intr. combatirse.

come [kʌm] intr. (pret. came; pp. come) venir; ir; provenir; avanzar, salir; acontecer; entrar (en contacto, en acción); to — again volver; to — about cambiar de dirección; to — across atravesar; dar con; to — after venir detrás de; to — around restablecerse; to — at alcanzar, conseguir; embestir; **to-away** apartarse, alejarse; **to — before** anteponerse; **to — between** interponerse; **to — by** conseguir, obtener; **to—down** bajar, descender; desplomarse; **to—down on** caer sobre; regañar; **to — down with** enfermar de; **to — in** entrar; **to — into** entrar; heredar; **to — off** separarse; salir *(airoso, bien)* ; **to — through** tener éxito; **to — true** resultar verdadero *(cierto)*.

comedian [kə'mi:djən] *s.* cómico.

comely ['kʌmli] *adj.* gracioso.

come-off ['kʌm-ɔ:f] *s.* salida.

coming ['kʌmiŋ] *adj.* venidero; *s.* advenimiento.

command [kə'mɑ:nd] *s.* mandato; *tr.* mandar, ordenar.

commanding [kə'mɑ:ndiŋ] *adj.* poderoso; autorizado.

commemorate [kə'meməreit] *tr.* conmemorar, celebrar.

commence [kə'mens] *tr.* e *intr.* comenzar.

commend [kə'mend] *tr.* alabar.

comment ['kɔment] *s.* comentario; *intr.* comentar.

commiserate [kə'mizəreit] *tr.* compadecer; *intr.* compadecerse.

commit [kə'mit] *tr.* y *pp.* **-mited** confiar; cometer; **to — oneself** obligarse.

commodious [kə'moudjəs] *adj.* cómodo, holgado.

common ['kɔmən] *adj.* común, corriente, habitual; **in — with** de común con.

commonplace ['kɔmənpleis] *adj.* común; *s.* cosa común u ordinaria.

commonwealth ['kɔmənwelθ] *s.* comunidad británica de naciones; estado *(de los Estados Unidos)*.

communicate [kə'mju:nikeit] *tr.* comunicar; contagiar; comulgar; *intr.* comunicarse, hacer saber, participar.

commuter [kə'mju:tə*] *s.* conmutador.

compact [kəm'pækt] *tr.* comprimir, apretar; convenir, pactar; *intr.* unirse.

compare [kəm'pɛə] *tr.*

comparar; cotejar' (textos).

compass ['kʌmpəs] s. brújula; compás; tr. circundar.

compeer [kɔm'piə*] s. compañero, colega.

compensate ['kɔmpenseit] tr. compensar; indemnizar, reparar.

compete [kɔm'pi:t] intr. competir, rivalizar.

compile [kɔm'pail] tr. recopilar.

complain [kɔm'plein] intr. quejarse, lamentarse; — **against** reclamar.

complaint [kɔm'pleint] s. enfermedad.

completion [kɔm'pli:ʃən] s. terminación; ejecución.

complex ['kɔmpleks] adj. y s. complejo.

complexion [kɔm'plekʃən] s. complexión, color, estado.

compliance [kɔm'plaiəns] s. condescendencia.

compliant [kɔm'plaiənt] adj. condescendiente, dócil.

complicate ['kɔmplikeit] tr. complicar, embrollar.

compliment [kɔmplimənt] s. alabanza; cumplimiento; tr. cumplimentar, saludar.

comportment [kɔm'pɔ:tmənt] s. conducta, comportamiento.

compose [kɔm'pouz] tr. componer; redactar; ordenar; intr. componer; componerse.

composer [kɔm'pouzə*] s. (Imp.) compositor; autor.

composure [kɔm'pouʒə*] s. compostura.

compound ['kɔmpaund] s. y adj. compuesto; mezcla.

compound [kɔm'paund] tr. componer; combinar; intr. componerse.

comprehend [ˌkɔmpri'hend] tr. comprender.

compress [ˌkɔmpres-iz] s. (pl: -es) compresa; tr. comprimir.

comprise [kɔm'praiz] tr. comprender; abarcar.

compunction [kɔm'pʌŋkʃən] s. arrepentimiento.

compute [kɔm'pju:t] tr. e intr. computar, calcular.

comrade ['kɔmrid] s. camarada.

conceal [kən'si:l] tr. encubrir; esconder.

concede [kən'si:d] tr. conceder.

conceit [kən'si:t] s. orgullo; concepto.

concentrate ['kɔnsen

treit] *s.* sustancia concentrada; *tr.* concentrar; *intr.* concentrarse.

concern [kən'sə:n] *s.* asunto; interés; negocio; empresa; *tr.* concernir, atañer.

concert ['kɔnsət] *s.* concierto, convenio.

concert [kən'sɔ:t] *tr.* e *intr.* concertar, ajustar.

conciliate [kən'silieit] *tr.* conciliar, granjear.

conclude [kən'klu:d] *tr.* e *intr.* concluir; acabar, decidir.

concoct [kən'kɔkt] *tr.* confeccionar; tramar.

concrete ['kɔnkri:t] *adj.* concreto; de hormigón; *s.* hormigón.

concur [kən'kə:*] *tr.* (*pret.* y *pp:* **-curred**) concurrir, acordarse.

condemn [kən'dem] *tr.* censurar; condenar; expropiar.—

condense [kən'dens] *tr.* condensar; abreviar; *intr.* condensarse.

condescend [,kɔndi'send] *intr.* dignarse.

condition [kən'diʃən] *s.* condición, calidad; estipulación; *tr.* condicionar; acondicionar.

condole [kən'doul] *tr.* condolerse, deplorar.

conduce [kən'dju:s] *intr.* conducir.

conduct [kən'dʌkt] *tr.* e *intr.* conducir, comportarse; dirigir *(orquesta)*.

cone [koun] *s.* cono; *tr.* e *intr.* hacer cómico.

confection [kən'fekʃən] *s.* confección; confitura; *tr.* confeccionar.

confederacy [kən'fedərəsi] *s.* (*pl:* **-ries**) confederación; alianza.

confer [kən'fɔ*] *tr.* (*pret.* y *pp:* **-ferred**) conferenciar, tratar; otorgar.

confess [kən'fes] *tr.* confesar; *intr.* confesarse.

confide [kən'faid] *tr.* confiar; *intr.* confiarse.

confident [,kɔnfidənt] *adj.* seguro, *s.* confidente.

configurate [kən,figju'reit] *tr.* configurar.

confine [kən'fain] *s.* confín; *tr.* confinar; limitar; *intr.* lindar.

confirm [kən'fə:m] *tr.* confirmar.

confiscate ['kɔnfiskeit] *tr.* confiscar, decomisar.

conflict [kən'flikt] *tr.* combatir.

conform [kən'fɔ:m] *tr.* e *intr.* conformar.

confound [kən'faund] *tr.* confundir; desconcertar; *intr.* condenar.

confounded [kən'faun-did] adj. maldito.

confront [kən'frʌnt] tr. confrontar con; hacer frente a.

confuse [kən'fju:z] tr. confundir, desconcertar.

confutable [kən'fju:təbl] adj. refutable.

confute [kən'fju:t] tr. refutar; anular.

congest [kən'dʒest] tr. congestionar; apiñar.

conglomerate [kən'-glɔməreit] tr. conglomerar, aglomerar; intr. conglomerarse, aglomerarse.

congratulate [kən'grætjuleit] tr. congratular, felicitar.

congregate ['kɔŋgrigeit] tr. congregar, reunir; intr. congregarse, reunirse.

congress ['kɔŋgres] s. congreso, asamblea; (U.S.) Parlamento.

conjecture [kən'dʒekt[ə*] s. conjetura; suposición; tr. conjeturar, sospechar.

conjoin [ən'dʒɔin] tr. juntar; asociar; intr. juntarse; asociarse.

conjugate ['kɔndʒugit] tr. conjugar; intr. conjugarse.

conjure ['kʌndʒə*] tr. conjurar, adjurar; intr. practicar por arte de magia; — **away** exorcizar.

connect [kə'nekt] tr. conectar, unir, relacionar; intr. enlazarse, relacionarse.

connive [kə'naiv] intr. fingir, hacer la vista gorda.

connoisseur [ˌkɔnə-sə:*] s. conocedor, perito.

conquer ['kɔŋkə*] tr. e intr. conquistar, ganar.

conscienceless ['kɔnʃəns-lis] adj. sin conciencia.

conscientious [ˌkɔnʃi'en-ʃəs] adj. concienzudo, responsable.

conscious ['kɔnʃəs] adj. consciente.

conscribe [kən'skraib] tr. reclutar.

consecrate ['kɔnsikreit] tr. consagrar, dedicar.

consequent ['kɔnsikwənt] adj. consiguiente, lógico.

conserve [kən'sə:v] s. conserva; tr. conservar, guardar.

consider [kən'sidə*] tr. considerar, examinar; reconocer; opinar; darse cuenta de.

consign [kən'sain] tr. consignar, enviar.

consist [kən'sist] *intr.* consistir, constar de.

console [kən'soul] *tr.* consolar, confortar.

consolidate [kən'sɔlideit] *tr.* consolidar; *intr.* consolidarse.

consort ['kɔnsɔ:t] *s.* consorte; cónyuge; *tr.* asociar, casar; *intr.* asociarse.

conspicuity [kən'spikjuiti] *s.* claridad, evidencia.

conspire [kən'spaiə*] *tr.* maquinar, tramar; *intr.* conspirar.

constable ['kʌnstəbl] *s.* policía; guardián, alguacil.

constabulary [kən'stæbjuləri] *s.* comisaría, policía.

constitute ['kɔnstitju:t] *tr.* constituir, componer.

constrain [kən'strein] *tr.* constreñir; restringir, forzar; *intr.* contenerse.

constrict [kən'strikt] *tr.* apretar, constreñir.

construct [kən'strʌkt] *tr.* construir, edificar.

construe [kən'stru:] *tr.* interpretar; construir.

consult [kən'sʌlt] *tr.* consultar, considerar; *intr.* consultarse.

consume [kən'sju:m] *tr.* consumir, acabar; desgastar.

consummate ['kɔnsəmeit] *tr.* consumar.

contact [kən'tækt] *tr.* ponerse en contacto con, contactar.

contagion [kən'teidʒən] *s.* contagio, contaminación.

contain [kən'tein] *tr.* contener; *intr.* contenerse.

container [kən'teinə*] *s.* envase, recipiente.

contemn [kən'tem] *tr.* desacatar, despreciar.

contemplate ['kɔntempleit] *tr.* e *intr.* contemplar, meditar.

contempt [kən'tempt] *s.* desacato, desprecio.

contemptuous [kən'temptjuəs] *adj.* desdeñoso, despectivo.

contend [kən'tend] *tr.* sostener; *intr.* contender, afirmar.

contest ['kɔntest] *s.* competencia, contienda.

contest [kən'test] *tr.* disputar; *intr.* competir.

continuance [kən'tinjuəns] *s.* continuidad; permanencia.

continue [kən'tinju:] *tr.* e *intr.* continuar, seguir, durar.

contort [kən'tɔ:t] tr. retorcer.

contour ['kɔntuə*] s. contorno, perímetro.

contract [kən'trækt] tr. contraer; intr. contraerse.

contradict [,kɔntrə'dikt] tr. contradecir.

contrast [kən'trɑ:st] tr. hacer contrastar; intr. contrastar.

contravene [,kɔntrə'vi:n] tr. contravenir a; contradecir.

contribute [kən'tribju(:)t] tr. e intr. contribuir, poner.

contrite ['kɔntrait] adj. contrito, arrepentido.

contrive [kən'traiv] tr. inventar; gestionar.

control [kən'troul] s. gobierno; control.

controversy ['kɔntrəvə:si] s. (pl: -sies) controversia, disputa.

controvert ['kɔntrəvə:t] tr. e intr. controvertir, disputar.

conundrum [kə'nʌndrəm] s. adivinanza; rompecabezas.

convalesce [kɔnvə'les] intr. convalecer.

convene [kən'vi:n] tr. convocar; intr. convenir, juntarse.

convenience [kən'vi:njəns] s. comodidad, conveniencia; **public**—servicios públicos (urinarios).

converge [kən'və:dʒ] tr. e intr. convergir, dirigirse hacia.

conversant [kən'və:sənt] adj. versado, entendido; familiar; **to become — with** familiarizarse con.

converse ['kɔnvə:s] adj. contrario; inverso; s. conversación.

converse [kən'və:s] intr. conversar.

convert [kən'və:t] tr. convertir; intr. convertirse, transformar.

convey [kən'vei] tr. transportar, conducir; expresar; transferir.

conveyance [kən'veiəns] s. transporte.

convict [kən'vikt] tr. (Der.) probar la culpabilidad.

convince [kən'vins] tr. convencer, satisfacer.

convivial [kən'viviəl] adj. jovial, sociable.

convoke [kən'vouk] tr. convocar, citar.

convulse [kən'vʌls] tr. convulsionar; agitar.

cook [kuk] s. cocinero (a);

tr. cocinar; cocer, guisar; (fam.) falsear.

cooker ['kukə*] *s.* cocina.

cooky ['kuki] *s.* pastelito de dulce.

cool [ku:l] *adj.* fresco; sereno; *tr.* enfriar.

cop [kɔp] *s.* cumbre, cima; rollo de hilos; agente de policía; *tr.* (*pret.* y *pp.* **copped**) coger, arrestar.

cophouse ['kɔphaus] *s.* caseta de herramientas.

copier ['kɔpiə*] *s.* copista.

copiousness ['koupjəsnis] *s.* abundancia.

copper ['kɔpə*] *s.* cobre; calderilla; *adj.* cobrizo; *tr.* cubrir o forrar con cobre.

copse [kɔps] *s.* matorral.

copulate ['kɔpjuleit] *tr.* unir, juntar.

copy ['kɔpi] *s.* copia; imitación; ejemplar (*libro*).

copyright ['kɔpirait] *s.* propiedad literaria; derechos de autor.

cord [kɔ:d] *s.* cuerda; *tr.* acordonar; **spinal —** médula espinal.

core [kɔ:*] *s.* corazón, centro, hueso, pepita; *tr.* quitar el corazón o centro; quitar la pepita de una fruta.

cork [kɔ:k] *s.* corcho, tapón.

corn [kɔ:n] *s.* maíz; grano; semilla.

corner ['kɔ:nə*] *s.* ángulo, esquina, rincón; *tr.* arrinconar, acorralar.

cornet ['kɔ:nit] *s.* (Mús.) corneta.

corps [kɔ:*] *s.* cuerpo **army —** cuerpo de ejército.

corpse [kɔ:ps] *s.* cadáver.

corpulent ['kɔ:pjulənt] *adj.* corpulento.

corret [kə'rekt] *adj.* correcto; exacto; *tr.* corregir.

corretness [kə'rektnis] *s.* corrección.

correspond [, kɔris'pɔnd] *intr.* corresponder; escribirse.

correspondent [,kɔris'pɔndənt] *adj.* correspondiente; *s.* corresponsal.

corridor ['kɔridɔ:*] *s.* pasillo.

corroborate [kə'rɔbəreit] *tr.* corroborar, confirmar.

corrode [kə'round] *tr.* morder.

corrupt [kə'rʌpt] *adj.* corrompido; *tr.* corromper; *intr.* corromperse, seducir.

coruscate ['kɔrəskeit] *intr.* brillar; relampaguear.

cost [kɔst] *s.* costa, costo; (Der.) costas; *intr.* (*pret. y pp:* **cost**) costar; *tr.* valer.

costless ['kɔstlis] *adj.* de balde, gratis.

costly ['kɔstli] *adl.* costoso, suntuoso.

costume ['kɔstju:m] *s.* traje.

cosy ['kouzi] *adj.* (*compar.* **-ier;** *superl.* **-iest**) confortable.

cot [kɔt] *s.* catre; choza.

coterie ['koutəri] *s.* grupo; cofradía.

cottage ['kɔtidʒ] *s.* cabaña, casa de campo.

cottager ['kɔtidʒə*] *s.* veraneante, morador de una choza.

cotton ['kɔtn] *s.* algodón (*tejidos*).

cotton wool ['kɔtn'wull] *s.* algodón (*empleado en curas*).

cough [kɔf] *s.* tos; *intr.* toser.

council ['kaunsl] *s.* concilio; junta.

councillor, councilman ['kaunsilə*, 'kaunslmən] *s.* concejal, consejero.

counsel [kaunsəl] *s.* consejo; consejero; *tr.* aconsejar; *intr.* aconsejarse.

count [kaunt] *s.* cuenta; cálculo; (Der.) cargo; *tr.* contar, numerar; **to — noses** contar las personas o cabezas presentes.

countenance ['kauntinəns] *s.* semblante; serenidad; favor; **to lose —** turbarse; **to keep one's —** contenerse; *tr.* favorecer, aprobar.

counter ['kauntə*] *s.* contador (*persona o cosa*); ficha; mostrador; *adj.* contrario; *tr.* oponerse a; *intr.* devolver un golpe.

counteract [,kauntə'rækt] *tr.* contrariar.

counterfeit ['kauntəfit] *s.* imitación; falsificación; *tr.* e *intr.* falsificar.

counterfoil ['kauntəfoil] *s.* talón (*cheque*).

counterpane ['kauntəpein] *s.* cubrecama.

counterpart ['kauntəpa:t] *s.* copia.

countersign ['kauntəsain] *s.* contraseña, consigna.

countess ['kauntis] *s.* condesa.

countless ['kauntlis] *adj.* incontable.

country ['kʌntri] *s.* (*pl:* **-ies**) país; patria; terruño, campo; *adj.* rústico.

county ['kaunti] s. (pl: **-ties**) partido; provincia.

coup [ku:] s. golpe; jugada brillante.

couple ['kʌpl] s. par; matrimonio; tr. juntar; conectar, casar; intr. juntarse.

courage ['kʌridʒ] s. valor; firmeza.

course [kɔ:s] s. curso; trayectoria; pista, cubierto (comidas).

court [kɔ:t] s. corte; (Der.) tribunal; atrio, patio; pista (tenis); tr. cortejar.

courtesy ['kɔ:tisi] s. cortesía.

court-martial ['kɔ:t'mɑ:ʃəl] s. consejo de guerra.

courtship ['kɔ:tʃip] s. cortejo; noviazgo.

cousin ['kʌzn] s. primo, prima.

covenant ['kʌvənənt] s. pacto, escritura de contrato; tr. e intr. pactar.

cover ['kʌvə*] s. cubierta; portada (de una revista); abrigo; pantalla; tr. cubrir; forrar; empollar; apuntar con un arma de fuego; compensar (pérdidas), recorrer (distancia).

covering ['kʌvəriŋ] s. cubierta; techado.

covert ['kʌvə*] s. escondrijo, asilo.

covet ['kʌvit] tr. e intr. codiciar.

cow [kau] s. vaca; tr. acobardar.

coward ['kauəd] adj. y s. cobarde, gallina.

cowardice ['kauədis] s. cobardía.

cowboy ['kaubɔi] s. vaquero.

cower ['kauə*] intr. agacharse.

coxcomb ['kɔkskoum] s. fanfarrón; cresta de gallo.

coxswain ['kɔkswein] s. (Náut.) timonel, patrón.

coy [kɔi] adj. (compar. **-ier**; superl. **-iest**) recatado; tr. acariciar, halagar.

cozy ['kouzi] adj. (compar. **-ier**; superl. **-iest**) cómodo; sociable.

crab [kræb] s. (Zool.) cangrejo; (fam.) persona de mal genio; tr. (fam.) criticar; intr. coger cangrejos.

crack [kræk] s. grieta; prueba, resquebrajo.

crack [kræk] tr. romper haciendo crujir; agrietar; intr. agrietarse.

cracker [krækə*] s. galleta.

crackle ['krækl] s. crujido; intr. crujir.

cradle ['kreidl] s. cuna; tr. acunar; colgar (el teléfono).

craft [kra:ft] s. arte; oficio; embarcación; **air—** avión.

crafty ['kra:fti] adj. (compar. **-ier; superl. -iest**) astuto, pícaro.

crag [kræg] s. peñasco.

cram [kræm] tr. (pret. y pp: **crammed**) embutir; hartar; atracar; rellenar, empollar (estudios antes de un examen).

cramp [kræmp] s. grapa; calambre; aprieto; adj. apretado; tr. engrapar; apretar; restringir; dar calambres.

crane [krein] s. grúa.

cranium ['kreinjəm] s. cráneo.

crank ['kræŋk] s. biela; concepto; (fam.) maniático; adj. inestable; intr. acodar.

crash [kræʃ] s. desplome; colisión; intr. desplomarse; (Com.) quebrar; tr. romper, mover.

crass [kræs] adj. craso.

crave [krevi] tr. ansiar; intr. suplicar.

crawl [krɔ:l] s. marcha lenta; arrastre; intr. trepar; arrastrarse.

crayon ['kreiən] s. lápiz; tr. dibujar a lápiz.

craze [kreiz] s. moda; manía, locura; tr. enloquecer.

crazy ['kreizi] adj. loco, insensato.

cream [kri:m] s. crema, nata; tr. poner crema en; intr. desnatar.

creamery ['kri:məri] s. matequería; lechería.

crease [kri:s] s. arruga; tr. arrugar; intr. plegarse.

create [kri(:)'eit] tr. crear; criar; causar, originar.

credit ['kredit] s. crédito; (Com.) haber; saldo acreedor; notable (exámenes).

creditable ['kreditəbl] adj. honorable.

creed [kri:a] s. credo.

creek [kri:k] s. arroyo.

creep [kri:p] s. deslizamiento; marcha lenta; **the — s** hormigueo; intr. (pret y pp: **crept**) arrastrarse; **to — in o into** entrar cautelosamente en; **to — out** salir arrastrándose.

cremate [kri'meit] tr. incinerar.

creole 78

creole [,kri:oul] *adj. y s.*
criollo.

crest [krest] *s.* cresta; *tr.*
encrestarse.

crestfallen ['krest,fɔ:lən]
adj. cabizbajo.

crevice ['krevis] *s.* grieta.

crew [kru:]. *s.* equipo;
(Náut.) tripulación.

crib [krib] *s.* pesebre,
cuna.

crick [krik] *s.* calambre,
tortícolis.

cricket ['krikit] *s.* grillo.

crier ['kraiə*] *s.* prego-
nero.

crime [kraim] *s.* crimen.

cripple ['kripl] *adj. y s.*
lisiado, etc.; *tr.* lisiar,
baldar.

crisp [krisp] *adj.* frágil; *tr.*
encrespar; *intr.* encres-
parse.

criss-cross ['kriskrɔs] *adj.*
cruzado; cruz o fórmula
del que no sabe escribir.

critic ['kritik] *s.* crítico;
censor.

criticise, criticize ['kriti-
saiz] *tr.* critica:; *intr.* censurar.

croak [krouk] *s.* graznido
*(canto de la rana, del cuer-
vo).*

crockery ['krɔkəri] *s.* loza,
cacharros.

crony ['krouni] *s.* camarada.

crook [kruk] *s.* gancho;
intr. encorvar.

crooked ['krukid] *adj.* encorvado.

crop [krɔp] *s.* cosecha; cabellera; *tr.* sembrar, recoger, cosechar; *intr.* cosechar; desmochar.

crosier ['krouʒə*] *s.* caya-
do, báculo de obispo.

cross [krɔs] *s.* cruz; cruce;
adj. cruzado; de mal humor; *tr.* cruzar; contrariar; hacer la señal de la
cruz.

cross-bar ['krɔsbɑ:*] *s.*
travesaño.

crossbones ['krɔsbounz]
s. pl. huesos cruzados
(símbolo de la muerte).

crossbred ['krɔsbred] *adj.*
cruzado *(de raza).*

cross-examine ['krɔsig-
zæmin] *tr.* (Der.) inte-
rrogar rigurosamente.

crossing ['krɔsiŋ] *s.* cruce; travesía.

crosswise ['krɔswaiz] *adv.*
en cruz; al través; equi-
vocadamente.

crossword ['krɔswə:d] *s.*
crucigrama.

crouch [krautʃ] *intr.* agacharse; rebajarse.

crow [krou] *s.* grajo; canto *(del gallo)*; *intr.* cacarear.

crowbar ['krouba:*] s. palanca.

crowd [kraud] s. gentío; vulgo; tr. apiñar; **to — around** arremolinarse.

crown [kraun] s. coronilla *(cabeza)*, copa *(sombrero)*, cima *(montaña)* ; tr. coronar.

crown prince ['kraun-'prins] s. príncipe heredero.

cruise [kru:z] s. excursión; crucero; tr. e intr. navegar.

crumb [krʌm] s. miga; pan rallado.

crumble ['krʌmbl] tr. desmenuzar; intr. desmoronarse.

crumpet ['krʌmpit] s. bollo blando.

crunch [krʌntʃ] tr. mascar.

crush [krʌʃ] s. estrujadura, apretura; tr. estrujar, aplastar; moler, prensar.

crust [krʌst] s. corteza.

cry [krai] s. *(pl.* **cries***)* grito; lamento, llanto.

crying ['kraiiŋ] adj. llorón.

cryptic,-al ['kriptik,-əl] adj. secreto, escondido.

cub [kʌb] s. cachorro; ballenato.

cube [kju:b] s. cubo; tr. cubicar.

cuckoo ['kuku:] s. cuclillo.

cuddle ['kʌdl] s. abrazo cariñoso; tr. abrazar con cariño.

cudgel ['kʌdʒəl] s. garrote; tr. aporrear.

cue [kju:] s. señal; apunte; cola *(de personas que esperan)* ; taco de billar; humor.

cuff [kʌf] s. puño; bofetada; tr. abofetear.

cuff links ['kʌf-liŋks] s. pl. gemelos *(para los puños)*.

cull [kʌl] tr. entresacar.

cult [kʌlt] s. culto, secta.

cultivate ['kʌltiveit] tr. cultivar.

culture ['kʌltʃə*] s. cultura; cultivo; tr. cultivar, educar.

cumulate ['kju:mjuleit] tr. acumular.

cunning ['kʌniŋ] adj. mañoso; astuto; s. astucia; (U.S.) gracioso, divertido, mono.

cup [kʌp] s. taza, copa; vino sagrado.

cupboard ['kʌbəd] s. aparador.

cupidity [kju(:)'piditi] s. codicia.

curate ['kjuərit] s. cura.

curb [kə:b] s. freno.

curd [kə:d] s. cuajada; tr. cuajar; intr. cuajarse.

cure [kjuə*] s. cura, remedio; tr. curar, remediar, salar, ahumar; *intr.* curarse.

curfew ['kə:fju:] *s.* queda, toque de queda.

curiosity [‚kjuəri'ɔsiti] *s.* (*pl.* **-ties**) curiosidad.

curious ['kjuəriəs] *adj.* curioso, preguntón, raro.

curl [kə:l] *s.* bucle, rizo, tirabuzón, ondulación, etcétera; *tr.* encrespar; rizar, abarquillar, ensortijar, enroscar; *intr.* encresparse; rizarse; arrollarse.

curling ['kə:liŋ] *s.* ensortijamiento, abarquillamiento.

curling iron ['kə:liŋ‚aiən] *s.* rizador, maquinilla de rizar.

curly ['kə:li] *adj.* encrespado; rizado.

currant ['kʌrənt] *s.* uva pasa de corinto.

currency ['kʌrənsi] *s.* moneda corriente; valor corriente; **paper —** papel moneda.

current ['kʌrənt] *adj.* corriente, común; admitido, en boga; *s.* corriente (*de aire, etc.*).

current account ['kʌrənt-ə'kaunt] *s.* cuenta corriente.

curry ['kʌri] *s.* cari; *tr.* (*pret.* y *pp:* **-ried**) curtir.

curse [kə:s] *s.* maldición; maleficio; *tr.* maldecir; *intr.* blasfemar; echar pestes.

cursed [kə:sid] *adj.* maldito, abominable.

cursory ['kə:səri] *adj.* precipitado, de pasada, por encima.

curt [kə:t] *adj.* corto, conciso; brusco.

curtail ['kə:teil] *tr.* acortar; reducir; privar; escatimar.

curtain ['kə:tn] *s.* cortina; telón; *tr.* poner cortinas; **to draw a — over** correr un velo sobre.

curve [kə:v] *s.* curva; *adj.* curvo; *tr.* encorvar; *intr.* encorvarse.

cushion ['kuʃən] *s.* cojín; almohadón; amortiguador.

custard ['kʌstəd] *s.* natillas; **caramel —** flan.

custody ['kʌstədi] *s.* custodia; **in —** en prisión.

custom ['kʌstəm] *s.* costumbre, hábito, uso.

customary ['kʌstəməri] habitual, común; *adj.* acostumbrado.

customer ['kʌstəmə*] *s.* cliente, parroquiano; (*fam.*) individuo; **to become a customer** hacerse parroquiano de una tienda, etc.

custom-officer ['kʌstəm-,ɔfisə*] s. aduanero.

customs ['kʌstəms] s. aduana; **customs clearance** despacho de aduanas; **customs declarations** declaración de aduana; **customs duties** derecho de aduana.

cut [kʌt] s. corte; cuchillada; excavación, desmonte; tajada; atajo *(camino)*; hechura *(de un traje)*; reducción *(de precios, etc.)*; (fam.) desaire; falta de asistencia *(a una clase, etc.)*; adj. cortado; tajado; tallado, labrado; (fam.) tr. (pret. y pp. **cut**) cortar, partir; hacer, ejecutar; capar, castrar; desairar; faltar a, ausentarse; herir; diluir, adulterar; **to — across** cortar al través; **to — short** interrumpir

bruscamente; terminar de repente; **to — up** trinchar, desmenuzar, despedazar; *intr.* cortar; cortarse; salir los dientes; **to — across** atravesar; **to — in** interrumpir; meter baza; **to — under** vender a menor precio que; **to — up** (vulg.) jaranear; **to — both ways** ser un arma de dos filos; **to — one's way through** abrirse paso; **— off** cortado, incomunicado.

cutlery ['kʌtləri] s. cuchillería; tijeras.

cutlet ['kʌtlit] s. chuleta, costilla.

cutout ['kʌtaut] s. figura o diseño recortable; (Elec.) cortacircuito, fusible, interruptor.

cyclone ['saikloun] s. ciclón.

cygnet ['signit] s. pollo de cisne.

d

dab [dæb] *s.* golpecito; *tr.* (*pret. y pp.* **dabbed**) golpear ligeramente.

dabble ['dæbl] *tr.* salpicar; rociar; *intr.* chapotear.

dad [dæd] *s.* (fam.) papá.

daft [dɑːft] *adj.* chiflado; *adv.*

dagger ['dægə*] *s.* daga.

daily ['deili] *adj.* diario; *adv.* diariamente; *s.* diario.

daintiness ['deintinis] *s.* golosina.

dairy ['dɛəri] *s.* lechería.

dais ['deiis] *s.* estrado.

daisy ['deizi] *s.* margarita.

dale [deil] *s.* valle, cañada.

dally ['dæli] *intr.* juguetear; tardar.

dam [dæm] *s.* presa; pantano; *tr.* embalsar.

damage ['dæmidʒ] *s.* daño; pérdida; *tr.* dañar, perjudicar.

dame [deim] *s.* dama, ama; (fam.) tía.

damn [dæm] *tr.* condenar.

damp [dæmp] *adj.* húmedo; *s.* humedad; *tr.* humedecer; amortiguar; abatir, desanimar.

damsel ['dæmzel] *s.* señorita.

dance [dɑːns] *s.* danza.

dandriff, dandruff ['dændrif, 'dændrʌf] *s.* caspa.

danger ['deindʒə*] *s.* peligro.

dangle ['dæŋgl] *tr. e intr.* colgar.

dapper ['dæpə*] *adj.* aseado.

daring ['dɛəriŋ] *adj.* atrevido; *s.* atrevimiento.

dark [dɑːk] *s.* oscuridad.

darken ['dɑːkən] *tr.* oscurecer.

darling ['dɑːliŋ] *adj. y s.* querido; **my —** amor mío.

darnel ['dɑːnl] *s.* cizaña.

dart [dɑːt] *s.* dardo; *tr.* lanzar; *intr.* lanzarse.

dash [dæʃ] *s.* colisión; *tr.* lanzar; *intr.* avanzar, arrojarse.

date ['deit] *s.* fecha; **up to —** al día; (fam.) cita; (Bot.) dátil; *tr. e intr.* datar, fechar.

daughter ['dɔːtə*] *s.* hija; **god —** ahijada; **— in law** nuera.

daunt [dɔ:nt] *tr.* espantar.

dawdle ['dɔ:dl] *tr.* malgastar *(tiempo)* ; *intr.* perder el tiempo.

dawn [dɔ:n] *s.* amanecer.

day [dei] *s.* día; **the — after tomorrow** pasado mañana; **— off** día de descanso; **every other —** cada dos días; *adj.* diurno.

daylight ['deilait] *s.* luz del día; publicidad.

dazzle ['dæzl] *tr.* deslumbrar.

dead [ded] *adj.* muerto; (fam.) cansado; **— certainty** certeza absoluta; **— drunk** borracho perdido.

deadlock ['dedlɔk] *tr.* estancar.

deaf [def] *adj.* sordo.

deafen ['defn] *tr.* ensordecer.

deafness ['defnis] *s.* sordera.

deal [di:l] *s.* negocio; cantidad, porción; tabla de pino; *tr.* (*pret. y pp.* **dealt**) repartir; *intr* negociar.

dean [di:n] *s.* decano; deán.

dear [diǝ*] *adj.* querido; costoso.

dearth [dǝθ:] *s.* escasez.

death [deθ] *s.* muerte.

debar [di'ba:*] *tr.* (*pret. y*

pp. **-barred**) excluir; prohibir.

debark [di'ba:k] *tr.* e *intr.* desembarcar.

debase [di'beis] *tr.* rebajar, degradar; falsificar.

debauch [di'bɔ:tʃ] *s.* libertinaje; *tr.* seducir.

debilitate [di'biliteit] *tr.* debilitar.

debit ['debit] *s.* (Com.) debe; cargo; *tr.* (Com.) adeudar.

debouch [di'bautʃ] *intr.* desembocar.

debris ['deibri:] *s.* ruinas.

debunk [di'bʌŋk] *tr.* desbaratar.

decamp [di'kæmp] *intr.* largarse, tomar las de Villadiego.

decanter [di'kæntǝ*] *s.* garrafa.

decay [di'kei] *s.* podredumbre; *tr.* pudrir; *intr.* pudrirse.

decease [di'si:s] *intr.* fallecer.

deceit [di'si:t] *s.* engaño.

deceptive [di'septiv] *adj.* engañoso.

decide [di'said] *tr.* e intr. decidir.

decipher [di'saifǝ*] *tr.* descifrar.

deck [dek] *s.* (Náut.) cubierta; puente; *tr.* adornar.

declaim [di'kleim] *tr.* e *intr.* declamar.

declare [di'klɛə*] *tr.* e *intr.* declarar; confesar.

declension [di'klenʃən] *s.* declinación.

decode [di:'koud] *tr.* descifrar.

decompose [di:kəm'pouz] *tr.* descomponer; *intr.* descomponerse.

decorate ['dekəreit] *tr.* decorar; condecorar.

decoy [di'kɔi] *s.* reclamo; *tr.* atraer.

decrease [di'kri:s] *s.* disminución; *tr.* e *intr.* disminuir.

decree [di'kri:] *s.* decreto; ley; *tr.* decretar.

decrepit [di'krepit] *adj.* caduco.

decrown [di'kraun] *tr.* destronar.

decry [di'krai] *tr.* (*pret.* y *pp.* **-cried**) desacreditar.

dedicate ['dedikeit] *tr.* dedicar.

deduct [di'dʌkt] *tr.* deducir.

deed [di:d] *s.* hecho; proeza; (Der.) escritura.

deem [di:m] *tr.* e *intr.* pensar, considerar.

deep [di:p] *adj.* profundo; serio; absorto.

deepen ['di:pən] *tr.* profundizar.

deep-freeze ['di:p 'fri:z] *s.* congeladora; *tr.* congelar.

deeply ['di:pli] *adv.* profundamente.

deer [diə*] *s.* ciervo.

deface [di'feis] *tr.* desfigurar.

defame [di'feim] *tr.* difamar.

default [di'fɔ:lt] *s.* falta; (Der.) rebeldía; *tr.* e *intr.* faltar; dejar de cumplir.

defeat [di'fi:t] *s.* derrota; (Der.) anulación; *tr.* derrotar, vencer.

defend [di'fend] *tr.* defender.

defer [di'fə:*] *tr.* diferir; remitir; *intr.* demorarse.

defiance [di'faiens] *s.* desafío, reto.

deficiency [di'fiʃənsi] *s.* deficiencia, déficit.

defile [di'fail] *tr.* manchar, deshonra; *intr.* desfilar.

define [di'fain] *tr.* definir.

definite ['definit] *adj.* definido.

deflate [di'fleit] *tr.* desinflar.

deflect [di:'flekt] *tr.* desviar; *intr.* apartarse.

deflower [di:'flauə*] *tr.* violar.

deforest [di'fɔrist] *tr.* talar bosques.

deform [di'fɔ:m] *tr.* deformar.

defraud [di'frɔ:d] *tr.* defraudar.

defray [di'frei] *tr.* costear.

defrost [di'frɔst] *tr.* deshelar.

deft [deft] *s.* ágil.

defy [di'fai] *tr.* desafiar; despreciar.

degenerate [di'dʒenəreit] *intr.* degenerar.

degrade [di'greid] *tr.* degradar.

degree [di'gri:] *s.* grado; categoría.

deity ['di:iti] *s.* divinidad.

deject [di'dʒekt] *tr.* abatir.

delay [di'lei] *s.* demora, retraso; *tr.* dilatar, aplazar; *intr.* retrasarse.

delegate ['deligeit] y *s.* delegado; *tr.* delegar.

delete [di:'lit] *tr.* borrar, suprimir.

delf [delf] *s.* zanja.

deliberate [di'libəreit] *tr.* reflexionar.

delicate ['delikit] *adj.* delicado; fino, educado; enfermizo.

delight [di'lait] *s.* deleite; *tr.* deleitar; encantar.

deliver [di'livə*] *tr.* libertar, liberar; descargar *(un golpe)*; entregar; recitar; despachar *(un pedido)*.

dell [del] *s.* hondonada.

delude [di'lju:d] *tr.* engañar.

deluge ['delju:dʒ] *s.* inundación.

delve [delv] *tr.* e *intr.* cavar; ahondar.

demand [di'mɑ:nd] *s.* requerimiento, exigencia; (Com.) pedido, solicitud; *tr.* demandar, requerir, exigir, pedir.

demean [di'mi:n] *tr.* rebajar; *intr.* portarse; rebajarse.

demise [di'maiz] *s.* muerte; transmisión de la corona; (Der.) transmisión de dominio; *tr.* arrendar; *intr.* morir.

demit [di'mit] *tr.* dimitir, renunciar.

demolish [di'mɔliʃ] *tr.* demoler.

demon ['di:mən] *s.* demonio; *adj.* endemoniado.

demonstrate ['demənstreit] *tr.* demostrar.

demoralise [di'mɔrəlaiz] *tr.* desmoralizar.

demount [di'mount] *tr.* desmontar.

demur [di'mə*] *s.* demora; objeción; *tr.* aplazar.

den [den] *s.* caverna; antro.

denial [di'naiəl] *s.* negación.

denizen ['denizn] *s.* vecino; *tr.* avecindar; *intr.* naturalizarse.

denominate [di'nomineit] *tr.* denominar.

denote [di'nout] *tr.* indicar, señalar; significar.

denounce [di'nauns] *tr.* denunciar; amenazar.

dent [dent] *s.* mella; diente; *tr.* abollar, mellar.

denture ['dentʃə*] *s.* dentadura.

denude [di'nju:d] *tr.* desnudar; *intr.* despojarse.

denunciate [di'nʌnsieit] *tr.* denunciar.

deny [di'nai] *tr.* negar; contradecir.

deodorant [di:'oudərənt] *adj. y s.* desodorante.

depart [di'pa:t] *intr.* partir, retirarse; *tr.* dejar, abandonar.

departed [di'pa:tid] *s.* difunto; *adj.* difunto.

depend [di'pend] *intr.* depender, colgar.

depict [di'pikt] *tr.* pintar.

depilate ['depileit] *tr.* depilar.

deplete [di'pli:t] *tr.* agotar.

deplore [di'plo:*] *tr.* deplorar.

deploy [di'ploi] *tr.* (Mil.) desplegar.

depopulate [di:'pop-juleit] *tr.* despoblar; *intr.* despoblarse.

deport [di'po:t] *tr.* deportar.

deportment [di'po:tmənt] *s.* comportamiento, conducta.

depose [di'pouz] *tr.* deponer; *intr.* testificar.

deposit [di'pozit] *s.* depósito; señal; *tr.* depositar; *intr.* depositarse.

deprave [di'preiv] *tr.* corromper, adulterar.

deprecate ['deprikeit] *tr.* desaprobar, censurar.

depress [di'pres] *tr.* deprimir.

deprive [di'praiv] *tr.* privar, despojar.

depurate ['dipjureit] *tr.* depurar.

derail [di'rei] *intr.* descarrilar.

derby ['də:bi] *s.* sombrero hongo; derby *(carrera de caballos).*

deride [di'raid] *tr.* ridiculizar.

derisory [di'raisəri] *adj.* irrisorio.

derive [di'raiv] *tr. e intr.* derivar.

derrick ['derik] *s.* grúa.

descend [di'send] *tr. e intr.* descender.

describe [dis'kraib] *tr.* describir, explicar.

descry [dis'krai] *tr.* (*pret.* y *pp.* **descried**) descubrir, divisar.

desecrate ['desikreit] *tr.* profanar, violar.

deserve [di'zə:v] *tr.* merecer; *intr.* tener merecimientos.

designate ['dezigneit] *adj.* designado; *tr.* designar.

designer [di'zainə*] *s.* dibujante; proyectista.

desire [di'zaiə*] *s.* deseo; *tr.* desear, ambicionar.

desist [di'zist] *intr.* desistir.

desk [desk] *s.* escritorio, pupitre.

desolate ['desəleit] *tr.* desolar, arrasar.

despair [dis'peə*] *s.* desesperación; *intr.* desesperar.

despairing [dis'peəriŋ] *adj.* desesperado, desesperante.

despicable ['despikəbl] *adj.* despreciable.

despise [dis'paiz] *tr.* despreciar.

despite [dis'pait] *s.* insulto.

despoil [dis'pɔil] *tr.* despojar.

despond [dis'pɔnd] *s.* abatimiento; *tr.* abatirse.

dessert [di'zə:r] *s.* postre.

destine ['destin] *tr.* destinar, designar.

destitute ['destitju:t] *adj.* indigente.

destroy [dis'trɔi] *tr.* destruir, invalidar.

desultory ['desəltəri] *adj.* deshilvanado, descosido; variable.

detach [di'tætʃ] *tr.* separar; destacar.

detachment [di'tætʃmənt] *s.* separación; imparcialidad; (Mil.) destacamento.

detail ['di:teil] *s.* detalle; *tr.* detallar.

detain [di'tein] *tr.* detener.

detect [di'tekt] *tr.* descubrir; detectar.

deteriorate [di'tiəriəreit] *tr.* deteriorar; *intr.* deteriorarse.

determine [di'tə:min] *tr.* determinar; *intr.* decidirse.

detest [di'test] *tr.* detestar.

dethrone [di'θroun] *tr.* destronar.

detonate ['detouneit] *tr.* e *intr.* detonar, estallar.

detour ['di:tuə*] *s.* rodeo; *tr.* desviar.

detract [di'trækt] *tr.* apartar; *intr.* menguar.

deuced ['dju:st] *adj.* diabólico.

devalue ['di:'vælju:] *tr.* desvalorizar.

devastate ['devəsteit] *tr.* devastar.

develop [di'veləp] *tr.* desenvolver, desarrollar; explotar *(una mina)*; revelar; *intr.* desarrollarse.

deviate ['di:vieit] *tr.* desviar; *intr.* desviarse.

device [di'vais] *s.* dispositivo; artificio.

devil ['devl] *s.* demonio.

devise [di'vaiz] *tr.* proyectar, inventar.

devolve [di'vɔlv] *tr.* transmitir.

devote [di'vout] *tr.* dedicar.

devout [di'vaut] *adj.* devoto, piadoso.

dew [dju:] *s.* rocío; *tr.* rociar.

diagnose ['daiəgnouz] *tr.* dianosticar.

dial ['daiəl] *s.* esfera; disco selector *(teléfono)*; *tr.* marcar, llamar.

dialogue ['daiəlɔg] *s.* diálogo; *tr.* e *intr.* dialogar.

diamond ['daiəmənd] *s.* diamante.

dice [dais] *s. pl.* dados.

dictate [dik'teit] *tr.* e *intr.* dictar; mandar.

dictatorship [dik'teitəʃip] *s.* dictadura.

diction ['dikʃən] *s.* dicción, lenguaje.

dictum ['diktəm] *s.* dictamen; sentencia.

die [dai] *s.* dado; troquel; *intr.* morir, acabar.

diet ['daiət] *s.* dieta; *intr.* estar a dieta.

differ ['difə*] *intr.* diferir.

diffidence ['difidəns] *s.* timidez.

diffuse [di'fju:s] *adj.* difuso, extendido; *tr.* difundir, extender.

dig [dig] *s. tr.* cavar; escudriñar.

digest [di'dʒest] *tr.* diferir; asimilar.

digress [dai'gres] *tr.* divagar.

dilapidate [di'læpideit] *tr.* dilapidar.

dilate [dai'leit] *tr.* dilatar.

dilute [dai'lju:t] *tr.* diluir; *int.* diluirse.

dim [dim] *adj.* débil; oscuro.

dime [daim] *s.* moneda de diez centavos (U.S.).

diminish [di'miniʃ] *tr.* disminuir.

din [din] *s.* ruido, estrépito; *tr.* golpear con ruido.

dine [dain] *tr.* dar de comer, convidar.

dingy ['dindʒi] *adj.* *(comparativo* **-ier**; *superl.* **-iest)** sucio.

dining-room ['dainiŋ-rum] s. comedor.

dinner ['dinə*] s. comida, cena; — **jacket** smoking.

dint [dint] s. golpe; tr. abollar.

dip [dip] s. baño; tr. (pret. y pp. **dipped**) tr. sumergir.

dipper ['dipə*] s. cazo.

direct [di'rekt] adj. directo; abierto; preciso, exacto; tr. dirigir; ordenar.

directness [di'rektnis] s. franqueza.

dirt [də:t] s. lodo; polvo.

disable [dis'eibl] tr. inhabilitar; adj. incapacitado.

disaccord [,disə'kɔ:d] s. desacuerdo.

disadvantage [,disəd-'vɑ:ntidʒ] s. desventaja; tr. dañar.

disagree [,disə'gri:] intr. disentir.

disagreement [,disə'gri:-mənt] s. discrepancia.

disappear [,disə'piə*] intr. desaparecer.

disappoint [,disə'pɔint] tr. decepcionar, defraudar; dejar plantado.

disapprove ['disə'pru:v] tr. e intr. desaprobar, rechazar.

disarm [dis'ɑ:m] tr. e intr. desarmar.

disaster [di'zɑ:stə*] s. desastre, calamidad.

disavow ['disə'vau] tr. negar, repudiar.

disband [dis'bænd] tr. disolver; (Mil.) licenciar.

disbelief [,disbi'li:f] s. incredulidad.

disburse [dis'bə:s] tr. desembolsar.

discard [dis'kɑ:d] s. descarte; tr. descartar; despedir.

discern [di'sə:n] tr. e intr. discernir.

discharge [dis'tʃɑ:dʒ] s. descarga; desagüe, liberación; (Med.) derrame; tr. e intr. descargar; disparar; poner en libertad.

discipline ['disiplin] s. disciplina; tr. disciplinar. educar.

disclose [dis'klouz] tr. descubrir; revelar.

discomfit [dis'kʌmfit] tr. derrotar.

discompose [,diskəm-'pouz] tr. descomponer; agitar.

disconcert [,diskən'sət] tr. desconcertar, confundir.

disconnect ['diskə'nekt] tr. desunir; desconectar.

discount ['diskaunt] *tr.* descontar, rebajar.

discourse [dis'kɔ:s] *s.* discurso; *tr.* discursear, discurrir.

discover [dis'kʌvə*] *tr.* descubrir.

discredit [dis'kredit] *s.* descrédito; deshonra; *tr.* desacreditar.

discriminate [dis'krimineit] *tr.* distinguir.

discuss [dis'kʌs] *tr. e intr.* discutir, debatir.

disdain [dis'dein] *s.* desprecio; *tr.* despreciar.

disease [di'zi:z] *s.* enfermedad; *tr.* enfermar.

disembark ['disim'ba:k] *tr. e intr.* desembarcar.

disentangle ['disin'tæŋgl] *tr.* desenredar.

disfigure [dis'figə*] *tr.* desfigurar.

disgrace [dis'greis] *s.* deshonra; *tr.* deshonrar; desacreditar.

disguise [dis'gaiz] *s.* disfraz, máscara; *tr.* disfrazar.

disgust [dis'gʌst] *s.* repugnancia; *tr.* repugnar.

dish [diʃ] *s. (pl.* **-shes**) plato; vasija; *tr.* servir en un plato.

dishearten [dis'ha:tn] *tr.* abatir.

dishon(u)r [dis'ɔnə*] *s.* deshonra; *tr.* deshonrar.

disincline ['disin'klain] *tr.* desinclinar; indisponer.

disinfect ['disin'fekt] *tr.* desinfectar.

disinherit ['disin'herit] *tr.* desheredar.

disintegrate [dis'intigreit] *tr.* desintegrar, disgregar.

disjoin [dis'dʒɔin] *tr.* desunir.

disjoint [dis'dʒɔint] *tr.* desarticular, dislocar; *intr.* desarticularse.

dislike [dis'laik] *s.* aversión, antipatía; *tr.* no gastar.

dislocate [disləkeit] *tr.* dislocar.

dislodge [dis'lɔdʒ] *tr.* desalojar.

dismal ['dizməl] *adj.* triste, tétrico.

dismantle [dis'mæntl] *tr.* desmantelar, desarmar.

dismay [dis'mei] *s.* desmallo; *tr.* desanimar.

dismiss [dis'mis] *tr.* despedir.

dismount ['dis'maunt] *tr.* desmontar. *intr.* desmontar, apearse.

disobey ['diso'bei] *tr. e intr.* desobedecer.

disorder [dis'ɔ:də*] *s.* desorden, *tr.* desordenar.

disorganise [dis'ɔ:ganaiz] *tr.* desorganizar.

disown [dis'oun] *tr.* repudiar.

disparage [dis'pæridʒ] *tr.* menospreciar; desacreditar.

dispatch [dis'pætʃ] *s.* despacho; expedición; *tr.* despachar.

dispense [dis'pens] *tr.* dispensar, distribuir.

disperse [dis'pə:s] *tr.* dispersar; disgregar; *intr.* dispersarse.

dispirit [dis'pirit] *tr.* desalentar.

displace [dis'pleis] *tr.* dislocar.

display [dis'plei] *s.* despliegue; ostentación; *tr.* desplegar; exhibir.

displeasing [dis'pli:ziŋ] *adj.* desagradable.

disport [dis'pɔ:t] *s.* diversión; *tr.* divertir.

dispose [dis'pouz] *tr.* disponer; componer; mover.

disposition [dispə'ziʃən] *s.* disposición; índole, genio.

dispossess ['dispə'zes] *tr.* desposeer.

disproof ['dis'pru:f] *s.* refutación.

disprove ['dis'pru:v] *tr.* refutar.

dispute [dis'pju:t] *s.* disputa, querella; *tr.* discutir, pelear.

disquiet [dis'kwaiət] *s.* inquietud; *tr.* inquietar.

disgregard ['disri'gɑ:d] *s.* desatención; desaire; *tr.* desatender.

discrepair ['disri'peə*] *s.* desconcierto; mal estado.

disrespect [,disris'pekt] *s.* falta de respeto; *tr.* desacatar, desairar.

disrupt [dis'rʌpt] *tr.* romper.

dissatisfaction ['dis,sætis'fækʃən] *s.* descontento.

dissect [di'sekt] *tr.* disecar; analizar.

dissemble [di'sembl] *tr.* disimular, esconder; *intr.* ser hipócrita.

disseminate [di'semineit] *tr.* diseminar, propagar.

dissert [di'sə:t] *tr.* disertar.

dissimulate [di'simjuleit] *tr.* e *intr.* disimular.

dissipate ['disipeit] *tr.* disipar; desaparecer; *intr.* disiparse.

dissociate [di'souʃieit] *tr.* disociar; *in.* disociarse.

dissuade [di'sweid] *tr.* disuadir.

distant ['distənt] *adj.* distante; indiferente.

distaste ['dis'teist] *s.* disgusto.

distasteful [dis'teistful] *adj.* desagradable.

distemper [dis'tempə*] *s.* enfermedad; *tr.* destemplar; pintar al temple.

distil [dis'til] *tr.* e *intr.* (*pret.* y *pp.* **-tilled**) destilar.

distinguish [dis'tiŋgwiʃ] *tr.* distinguir, percibir.

distort [dis'tɔ:t] *tr.* torcer, deformar.

distract [dis'trækt] *tr.* distraer.

distraught [dis'trɔ:t] *adj.* distraído; confundido, loco.

distress [dis'tres] *s.* pena; peligro; *tr.* apenar.

distribute [dis'tribju(:)t] *tr.* distribuir, repartir.

distrust [dis'trʌst] *s.* desconfianza; *tr.* desconfiar.

distrustfulness [dis'trastfulnis] *s.* desconfianza, sospecha.

disturb [dis'tə:b] *tr.* turbar, trastornar; interrumpir.

disunite ['disju(:)'nait] *tr.* desunir; *intr.* desunirse.

disuse [dis'ju:s] *s.* desuso.

disuse ['dis'juz] *tr.* desusar.

diteh [ditʃ] *s.* zanja, acequia, cuneta.

divagate ['daivəgeit] *in.* divagar.

divan [di'væn] *s.* diván.

diver ['daivə*] *s.* buzo; nadador.

diverge [dai'və:dʒ] *in.* divergir.

divert [dai'və:t] *tr.* divertir; desviar.

divest [dai'vest] *tr.* desnudar.

divide [di'vaid] *tr.* e *in.* dividir.

divine [di'vain] *s.* teólogo; *adj.* divino.

divorce [di'vɔ:s] *s.* divorcio; *tr.* divorciar.

divulge [dai'vʌldʒ] *tr.* divulgar, publicar.

do [du:] *tr.* (*pret.* **did;** *pp.* **done**) hacer *(causar)*; *(ejecutar)*; resolver; terminar, arreglar.

dock [dɔk] *s.* (Náut.) dársena, muelle; (Der.) tribuna de los acusados.

docker ['dɔkə*] *s.* trabajador del muelle, descargador.

dockyard ['dɔkja:d] *s.* astillero, arsenal.

doctor ['dɔktə*] *s.* doctor; médico; *tr.* doctorar; *intr.* (fam.) practicar la medicina; tomar medicinas.

dodder [dodə*] *intr.* temblar, tambalearse.

dodge ['dodʒ] *s.* regate, movimiento rápido; *intr.* regatear; *tr.* evitar *(golpes, etc.)*; evadir.

doer ['du(:)ə*] *s.* actor, agente.

dog [dog] *s.* perro, can; — **Latin** latín macarrónico; **gay old** — viejo verde; *tr.* (*pret.* y *pp.* **dogged**) seguir los pasos de, perseguir.

doings ['du(:)iŋs] *s. pl.* actos; conducta.

doleful ['doulful] *adj.* dolorido.

doll [dol] *s.* muñeca; *tr.* engalanar.

domain [də'mein] *s.* dominio; propiedad.

dome [doum] *s.* cúpula.

domesticate [də'mestikeit] *tr.* domesticar; amansar.

domicile ['domisail] *s.* domicilio; *tr.* domiciliar.

domineer [,domi'niə*] *tr.* e *intr.* dominar.

dominion [də'minjən] *s.* dominio, señorío.

donate [dou'neit] *tr.* donar, dar.

done [dʌn] *adj.* hecho, terminado; (fam.) cansado.

donkey ['doŋki] *s.* burro, asno.

doom [du:m] *s.* destino, suerte; ruina; *tr.* condenar a muerte, desahuciar.

door [do:*] *s.* puerta; entrada (fig.) acceso; — **bolt** cerrojo.

doorkeeper ['do:'ki:pə*] *s.* portero.

doorway ['do:wei] *s.* portal.

dope [doup] *s.* droga, narcótico; *tr.* e *intr.* drogarse.

dormant ['do:mənt] *adj.* durmiente.

dose [dous] *s.* dosis; *tr.* dosificar.

dossier ['dosiei] *s.* expediente.

dot [dot] *s.* señal.

dote [dout] *intr.* chochear.

double ['dʌbl] *adj.* doble; *s.* doble; *adv.* doble, — **s** *s. pl.* juego de dobles *(tennis)*.

doubt [daut] *s.* duda; **beyond** — sin duda; *tr.* e *intr.* dudar.

doubtless ['dautlis] *adj.* indudable.

dough [dou] *s.* masa, pasta.

dour [duə*] *adj.* abatido, melancólico.

douse [daus] *tr.* zambullir.

dove [dʌv] s. paloma.

down [daun] adv. y prep. abajo, tendido; inj. !abajo! ¡a tierra!; adj. pendiente; s. plumón; duna; tr. derribar; abatir.

downfall ['daunfɔ:l] s. caída, ruina; descenso.

downpour ['daunpɔ:*] s. aguacero.

downright ['daunrait] adj. absoluto.

dowry ['dauəri] s. dote.

doze [douz] s. sueño ligero; intr. dormitar.

dozen ['dʌzn] s. docena.

dozy ['douzi] adj. (comparar. **-ier**; superl. **-iest**) adormecido.

draft [drɑ:ft] s. acción de sacar; corriente de aire; borrador; tr. dibujar; bosquejar.

drag [dræg] s. rastra; rastreo; tr. arrastrar.

dragon-fly ['drægənflai] s. libélula.

dragoon [drə'gu:n] s. (Mil.) dragón; tr. tiranizar.

drake [dreik] s. pato.

drape [dreip] tr. cubrir, adornar.

draper ['dreipə*] s. tapicero.

draw [drɔ:] s. empate; tablas (en damas y ajedrez).

drawback ['drɔ:bæk] s. desventaja.

drawbridge ['drɔ:bridʒ] s. puente levadizo o giratorio.

drawer ['drɔ:ə*] s. cajón.

drawing ['drɔ:iŋ] s. dibujo; sorteo (en la lotería).

dread [dred] s. horror, temor; adj. espantoso, terrible; tr. e intr. temer.

dreadnought ['drednɔ:t] s. (Náut.) buque acorazado; capote fuerte.

dream [dri:m] s. sueño.

dreary ['driəri] adj. (compar. **-ier**; superl. **-iest**) triste.

dredge [dredʒ] s. draga; tr. e intr. dragar, excavar, limpiar.

dregs [dregz] s. pl. heces; restos, desperdicios.

drench [drentʃ] s. mojadura; tr. mojar, saturar.

dress [dres] s. vestido, traje; hábito; tr. vestir de etiqueta; ataviar; peinar.

dressing [dresiŋ] s. acción de vestir o vestirse; arreglo; adorno, aderezo; **— case** neceser; **— gown** albornoz; **— room** tocador; (Tt.) camerino.

dressmaker ['dres,meikə*] s. modista, costurera.

drier ['draiə*] s. secador.

drill [drill] s. taladro.

drink [driŋk] s. bebida; **to take a** — echar un trago; tr. (pret. **drank**; pp. **drunk**) beber.

drinking ['driŋkiŋ] s. acción de beber.

drip [drip] s. goteo; intr. gotear; destilar.

drive [draiv] s. calzada para coches; paseo en coche.

driver ['draivə*] s. conductor, chofer.

drizzle ['drizl] s. llovizna.

drol [droul] adj. cómico.

drone [droun] s. zángano; tr. e intr. hablar monótonamente.

drop [drop] s. gota; pendiente, cuesta.

dropper [dropə*] s. cuentagotas.

dross [dros] s. escoria.

drought [draut] s. sequía.

drove [drouv] s. manada; rebaño.

drown [draun] tr. apagar; intr. anegarse, ahogarse.

drudge [drʌdʒ] s. yunque; esclavo del trabajo; tr. abrumar de trabajo.

drudgery ['drʌdʒəri] s. afán; trabajo penoso.

drug [drʌg] s. droga; narcótico.

druggist ['drʌgist] s. droguero; farmacéutico.

drum [drʌm] s. tambor; cilindro.

drumstick ['drʌmstik] s. palillo de tambor.

drunken ['drʌŋkən] adj. borracho.

dry [drai] adj. (compar. **-ier**; superl. **-iest**) seco, estéril; tr. (pret. y pp. **dried**) secar; enjugar; in. secarse.

drying ['draiiŋ] s. secado.

dry-cleaning ['drai 'kli:niŋ] s. limpieza en seco.

dub [dʌb] s. jugador torpe; toque de tambor; tr. titular.

duck [dʌk] s. pato; (fam.) querida; tr. agachar (la cabeza); zambullir; intr. agacharse.

dudgeon ['dʌdʒən] s. resentimiento.

due [dju:] adj. debido; pagadero.

duel ['dju(:)əl] s. duelo; tr. combatir en el duelo.

dug [dʌg] s. teta.

dull [dʌl] adj. embotado, obtuso; sordo; tr. embotar; deslustrar; intr. embotarse; entorpecerse.

dullard ['dʌləd] s. estúpido.

dumb [dʌm] *adj.* mudo.

dumbfound [dʌm'faund] *tr.* pasmar.

dummy ['dʌmi] *s. adj. (compar.* **-ier;** *superl.* **-iest)** mudo; ficticio; *s.* mudo.

dump [dʌmp] *s.* basurero; (Mil.) depósito de municiones; *tr.* descargar.

dun [dʌn] *s.* apremio.

dunce [dʌns] *s.* estúpido.

dupe [dju:p] *s.* víctima, primo.

duress [djuə'res] *s.* cautividad, prisión.

dusk [dʌsk] *s.* crepúsculo; *adj.* oscuro.

dust [dʌst] *s.* polvo; cenizas.

duster ['dʌstə*] *s.* plumero, borrador.

Dutch [dʌtʃ] *adj.* y *s.* holandés.

dutiful ['dju:tiful] *adj.* obediente.

duty ['dju:ti] *s.* (*pl.* **duties)** obligación.

dwarf [dwɔ:f] *adj.* y *s.* enano; *tr.* impedir el desarrollo de.

dwell [dwell] *intr.* (*pret.* y *pp.* **dwelled** o **dwelt**) vivir.

dwelling ['dweliŋ] *s.* vivienda.

dwindle ['dwindl] *tr.* disminuir.

dye [dai] *s.* tinte; matiz.

each [i:tʃ] *adj.* cada, cada uno.

eager ['i:gə*] *adj.* ansioso, anhelante.

eagle ['i:gl] *s.* águila — **eyed** ojo avizor.

ear [iə*] *s.* oreja; oído; asa; espiga; — **ring** pendiente; — **drum** tímpano; **to turn a deaf** — hacerse el sordo; *m.* espigar.

earache ['iəreik] *s.* dolor de oídos.

earl [ə:l] *s.* conde.

earliness ['ə:linis] *s.* prontitud.

early ['ə:li] *adj.* (*compar.* **-ier;** *superl.* **-iest**) temprano; antiguo; próximo; *adv.* temprano; al principio.

earn [ə:n] *tr.* ganar.

earth [ə:θ] *s.* tierra; mundo.

earthenware ['ə:θənwɛə*] *s.* loza de barro.

eartkquake ['ə:θkweik] *s.* terremoto.

ease ['i:z] *s.* alivio; comodidad; *tr.* tranquilizar; facilitar; *intr.* aliviarse.

East [i:st] *s.* Este, Oriente, Levante.

Easter ['i:stə*] *s.* Pascua de Resurrección, Semana Santa.

easy ['i:zi] *adj.* (*compar.* **-ier;** *superl.* **-iest**); fácil, acomodado.

eatable ['i:təbl] *adj.* comestible.

eavesdrop ['i:vzdrɔp] *s.* gotera; *intr.* escuchar detrás de las puertas.

ebb-tide ['eb'taid] *s.* baja mar.

echo ['ekou] *s.* eco; *tr.* repetir; *intr.* resonar.

economy [,i(:)'kɔnəmi] *s.* (*pl.* **-ies**) economía.

edge [edʒ] *s.* filo; margen; ángulo; *tr.* afilar; ribetear; *intr.* avanzar de lado.

edible ['edibl] *adj.* y *s.* comestible.

edition [i'diʃən] *s.* edición.

educate ['edju(:)keit] *tr.* educar, formar.

eerie ['iəri] *adj.* misterioso.

efface [i'feis] *tr.* borrar.

effectual [i'fektʃuəl] *adj.* eficaz.

effeminate [i'femineit] *tr.*

ateminar; *adj.* ateminado.

effort ['efət] *s.* esfuerzo, empeño.

effuse [e'fjuz] *tr.* esparcir; *intr.* emanar, fluir.

egg [eg] *s.* huevo.

egoist ['egouist] *s.* egoísta.

eider-down ['aidədaun] *s.* edredón.

eight [eit] *adj.* y *s.* ocho.

eighteen ['eit'i:n] *adj.* y *s.* dieciocho.

eighty ['eiti] *adj.* y *s.* ochenta.

either ['aiðə*] *adv.* tampoco.

eject [i:'dʒekt] *tr.* expulsar.

eke [i:k] *tr.* aumentar con dificultad.

elaborate [i'læbəreit] *tr.* elaborar.

elapse [i'læps] *tr.* pasar.

elate [i'leit] *tr.* regocijar.

elbow ['elbou] *s.* codo.

elder ['eldə*] *adj.* (*compar.* de **old**) mayor *(de edad)*; *s.* mayor; anciano.

elect [i'lekt] *tr.* elegir.

electrify [i'lektrifai] *tr.* electrificar.

element ['elimənt] *s.* elemento; (Qm.) cuerpo simple.

elevate ['eliveit] *tr.* elevar.

eleven [i'levn] *adj.* y *s.* once.

elf [elf] *s.* (*pl.* **-elves**) duende.

elicit [i'lisit] *tr.* sacar.

eliminate [i'limineit] *tr.* eliminar.

elope [i'loup] *tr.* escaparse.

else [els] *adj.* otro, diferente; **nobody** — nadie más; *adv.* de otro modo, en otro tiempo.

elsewhere ['els'wɛə*] *adv.* en otra parte.

emaciate [i'meiʃieit] *tr.* enflaquecer.

embalm [im'ba:m] *tr.* embalsamar.

embark [im'ba:k] *tr.* embarcar.

embarrass [im'bærəs] *tr.* desconcertar.

embarrassing [im'bærəsiŋ] *adj.* vergonzoso, desconcertante.

embassy ['embəsi] *s.* (*pl.* **-sies**) embajada.

embellish [im'beliʃ] *tr.* embellecer.

embezzle [im'bezl] *tr.* desfalcar.

embitter [im'bitə*] *tr.* amargar.

emblem ['embləm] *tr.* simbolizar.

embosom [im'buzəm] *tr.* abrigar, proteger.

embrace [im'breis] *s.* abrazo; *tr.* abrazar.

embroidery [im'brɔidəri] s. bordado.

emerald ['emərəld] s. esmeralda.

emerge [i'mə:dʒ] tr. emerger.

emigrate ['emigreit] intr. emigrar.

emit [i'mit] tr. (pret. y pp. **-mitted**) emitir.

emperor ['empərə*] s. emperador.

emphasise ['emfəsaiz] tr. acentuar.

employ [im'plɔi] s. empleo tr. emplear.

employer [im'plɔiə*] s. patrón.

emptiness ['emptinis] s. vacío.

empty ['empti] adj. (compar. **-ies;** superl. **-iest**) vacío; tr. e intr. (pret. y pp. **-tied**) vaciar.

emulate ['emjuleit] tr. e intr. emular.

enable [i'neibl] tr. capacitar, permitir.

enact [i'nækt] tr. decretar, establecer.

enactement [i'næktmənt] s. promulgación (de una ley).

encage [in'keidʒ] tr. enjaular.

encase [in'keis] tr. encerrar.

encircle [in'sə:kl] tr. cercar.

enclose [in'klouz] tr. incluir.

encore [ɔŋ'kɔ:*] s. bis, repetición; inj. ¡que se repita!

encourage [in'karidʒ] tr. animar.

encroach [in'kroutʃ] tr. invadir.

encumber [in'kambə*] tr. embarazar.

end [end] s. fin; final.

endanger [in'deindʒə*] tr. poner en peligro.

endeavour [in'devə*] s. esfuerzo; intr. esforzarse.

ending ['endiŋ] s. (Gram.) desinencia, terminación.

endow [in'dau] tr. dotar.

endurance [in'djuərəns] s. aguante

endure [in'djuə*] tr. aguantar; intr. durar.

energize ['enədʒaiz] tr. dar energía; intr. obrar con energía.

enfold [in'fould] tr. envolver, incluir.

engage [in'geidʒ] tr. comprometer, apalabrar.

engender [in'dʒendə*] tr. engendrar.

engineer [,endʒi'niə*] s.

ingeniero; *tr.* dirigir con acierto.

England ['iŋglənd] *s. p.* Inglaterra.

English [iŋgliʃ] *adj.* inglés.

Englishman [ingliʃmən] *s.* (*pl.* **-men**) inglés.

Englishwoman ['iŋgliʃ, wumən] *s.* (*pl.* **-women**) inglesa, inglesas.

engrave [in'greiv] *tr.* grabar.

engross [in'grous] *tr.* absorber; copiar o transcribir caligráficamente.

enjoy [in'dʒɔi] *tr.* gozar de, disfrutar; divertirse.

enlarge [in'lɑːdʒ] *tr.* ensanchar.

enlighten [in'latin] *tr.* ilustrar.

enmity ['enmity] *s.* (*pl.* **-ties**) enemistad.

ennui [ɑːˈnwiː] *s.* aburrimiento; *tr.* aburrir.

enough [iˈnʌf] *adj.*, *adv.* y *s.* bastante; *inj.* ¡basta!

enrapture [inˈræptʃə*] *tr.* embelesar, arrebatar.

enrich [in'ritʃ] *tr.* enriquecer.

enshroud [in'ʃraud] *tr.* envolver.

ensue [in'sju:] *intr.* seguir.

ensure [inˈʃuə*] *tr.* asegurar.

entangle [in'tæŋgl] *tr.* enredar.

enter ['entə*] *tr.* penetrar, en; matricular.

enterprise ['entəpraiz] *s.* empresa.

entertain [ˌentəˈtein] *tr.* entretener; recibir.

entice [in'tais] *tr.* inducir.

entity ['entiti] *s.* (*pl.* **-ties**) entidad.

entrance ['entrəns] *s.* entrada.

entrance [in'trɑːns] *tr.* encantar.

entreat [in'triːt] *tr.* rogar.

entrust [in'trʌst] *tr.* confiar, encargar.

enumerate [iˈnjuːməreit] *tr.* detallar.

envelop [in'veləp] *tr.* envolver, forrar.

envisage [in'vizidʒ] *tr.* encararse con.

envoy ['envɔi] *s.* enviado.

envy ['envi] *s.* envidia. *tr.* (*pret.* y *pp.* **-vied**) envidiar.

equable ['ekwəbl] *adj.* igual.

equestrian [i'kwestriən] *adj.* ecuestre; *s.* jinete.

equip [i'kwip] *tr.* (*pret.* y *pp.* **equipped**) equipar.

erase [i'reiz] *tr.* borrar.

erect [i'rekt] *adj.* erguido; *tr.* levantar, instalar.

erode [i'roud] *tr.* erosionar.

err [ə:] *intr.* errar.

errand ['erənd] s. recado, mensaje.

erupt [i'rʌpt] tr. arrojar (lava, llamas); intr. hacer erupción.

escalade [,eskə'leid] s. (Mil.) escalada; tr. escalar.

escape [is'keip] tr. escapar a; in. escapar.

escort ['eskɔ:t] s. escolta.

espouse [is'pauz] tr. desposarse, casarse con.

esquire [is'kwaiə*] s. escudero.

essay [e'sei] tr. ensayar.

establish [is'tæbliʃ] tr. establecer.

estate [is'teit] s. estado: hacienda.

esteem [is'ti:m] tr. estimar.

estrange [is'treindʒ] tr. apartar; enemistar.

etch [etʃ] tr. grabar al aguafuerte.

ethics ['eθiks] s. ética.

eulogise ['ju:lədʒaiz] tr. elogiar.

evacuate [i'vækjueit] tr. evacuar.

evade [i'veid] tr. evadir.

evaluate [i'væljueit] tr. evaluar.

evaporate [i'væpəreit] tr. evaporar.

eve [i:v] s. víspera.

even ['i:vən] adj. igual, llano.

evening ['i:vniŋ] s. tarde, atardecer, anochecer; velada.

evenness ['i:vənnis] s. igualdad.

event [i'vent] s. suceso.

ever ['evə*] adv. siempre.

everlasting [,evə'lɑ:sting] adj. eterno.

every ['evri] adj. cada; todo; — **now and then** de vez en cuando, — **other day** cada dos días.

evict [i'vikt] tr. desahuciar.

evil ['i:vl] adj. malo; s. mal.

evoke [i'vouk] tr. evocar.

evolve [i'vɔlv] tr. desarrollar; intr. evolucionar.

ewe [ju:] s. oveja.

exact [ig'zækt] adj. exacto; tr. exigir.

exam [ig'zæm] s. (fam.) examen.

exasperate [ig'zɑ:spəreit] tr. irritar; agravar, enconar.

excavate ['ekskəveit] tr. excavar, zanjar.

exceed [ik'si:d] tr. exceder, superar; intr. excederse.

except [ik'sept] prep. excepto; tr. exceptuar.

excerpt ['eksə:pt] s. selección, cita.

excerpt [ek'sə:pt] *tr.* citar, escoger.

exchange [iks'tʃeindʒ] *s.* cambio; Bolsa; *tr.* cambiar.

exchequer [iks'tʃekə*] *s.* tesorería; fisco.

excite [ik'sait] *tr.* excitar.

exclaim [iks'kleim] *tr.* e *in.* exclamar, gritar.

exclude [iks'klu:d] *tr.* excluir.

excuse [iks'kju:z] *tr.* disculpar.

execute ['eksikju:t] *tr.* ejecutar.

executive [ig'zekjutiv] *adj.* ejecutivo; jefe del estado; poder ejecutivo.

exercise ['eksəsaiz] *s.* ejercicio, práctica.

exert [ig'zə:t] *tr.* ejercer.

exhaust [ig'zɔ:st] *s.* escape; *tr.* agotar; escapar.

exhausting [ig'zɔ:stiŋ] *adj.* agotador.

exhilarate [ig'ziləreit] *tr.* alegrar.

exile ['eksail] *s.* destierro; *tr.* desterrar, expatriar.

exist [ig'zist] *in.* existir; vivir.

exit ['eksit] *s.* (*pl.* exeunt) salida.

expand [iks'pænd] *tr.* extender.

expect [iks'pekt] *tr.* esperar, aguardar.

expedient [iks'pi:diənt] *adj.* conveniente.

expense [iks'pens] *s.* gasto.

expensive [iks'pensiv] *adj.* caro.

expertness ['ekspə:tnis] *s.* maña.

explain [iks'plein] *tr.* explicar.

explanation [,eksple'neiʃ-ən] *adj.* explicación.

explode [iks'ploud] *tr.* e *intr.* volar, refutar.

exploit ['eksplɔit] *s.* hazaña.

explore [iks'plɔ:*] *tr.* explorar, sondear.

export ['ekspɔ:t] *s.* exportación; *tr.* e *in.* exportar.

expose [iks'pouz] *tr.* exponer.

expostulate [iks'pɔstjuleit] *tr.* protestar.

expound [iks'paund] *tr.* exponer, explicar.

extempore [eks'tempəri] *adj.* improvisado.

extend [iks'tend] *tr.* extender.

exterior [eks'tiəriə*] *adj.* externo.

extinct [iks'tiŋkt] *adj.* extinguido.

extinction [iks'tiŋkʃən] *s.* extinción, abolición.

extol [iks'toul] *tr.* exaltar.

extort [iks'tɔ:t] *tr.* arrancar.

extreme [iks'tri:m] *adj.* y *s.* extremo.

extremity [iks'tremiti] *s.* (*pl.* **-ties**) extremidad.

extricate ['ekstrikeit] *tr.* librar.

exude [ig'zju:d] *tr.* e *intr.* sudar.

exult [ig'zʌlt] *intr.* alegrarse.

eye [ai] *s.* ojo; — ojo por ojo; **one-eyed** tuerto; **to keep an — on** vigilar; **with the naked — a simple vista; *tr.* (*pret.* y *pp.* **eyed**) mirar, clavar la mirada en.

eyebrow ['aibrau] *s.* ceja.

eyelash [ˈailæʃ] *s.* pestaña.

eyelid ['ailid] *s.* párpado.

eyesight ['aisait] vista.

eyestrain ['aistrein] *s.* irritación o cansancio de los ojos.

eyetooth ['aitu:θ] *s.* (*pl.* **eyeteeth**) colmillo.

eyewitness ['ai'witnis] *s.* testigo presencial.

f

fable ['feibl] s. fábula.

fabric ['fæbrik] s. fábrica; tela o género.

fabricate ['fæbrikeit] tr. fabricar.

façade [fə'sɑːd] s. fachada.

face [feis] s. cara; faz.

facetious [fə'siːʃəs] adj. chistoso.

facilitate [fə'siliteit] tr. facilitar.

fact [fækt] s. hecho; **in fact** de hecho.

fade [feid] tr. marchitar, desteñir.

fail [feil] s. suspenso; tr. faltar a.

failing ['feiliŋ] s. falta.

failure ['feiljə*] s. fracaso.

fair [fɛə*] adj. justo; legal; hermoso; rubio; s. mercado, feria

fairy ['fɛəri] s. hada.

faith [feiθ] s. fe.

fake [feik] s. (fam.) falsificación; impostor; tr. (fam.) falsificar.

fall [fɔːl] s. caída; bajada; decadencia; desembocadura (de un río); salto de agua; **to — aboard** abordar; **to — asleep** dormirse; **to — due** caer, vencer (un pago, una letra); decaer; disminuir; **to — on** asaltar.

fallacious [fə'leiʃəs] adj. falaz.

fallacy ['fæləsi] s. (pl. **-cies**) error.

falsify ['fɔːlsifai] tr. falsificar.

falter ['fɔːltə*] s. vacilación.

familiar [fə'miljə*] adj. y s. conocedor, íntimo.

family ['fæmili] s. familia, raza.

famine ['fæmin] s. hambre.

famous ['feiməs] adj. famoso.

fan [fæn] s. abanico; ventilador; tr. (pret. y pp. **fanned**) aventar.

fancied ['fænsid] adj. imaginario.

fancy ['fænsi] s. fantasía.

fang [fæŋ] s. colmillo (de las fieras); dientes (de reptil; de tenedor, etc.).

far [fɑː*] adj. lejano; largo; adv. lejos, a distancia.

farce [fɑːs] s. farsa, sainete.

farcical ['fɑːsikəl] adj. absurdo.

fare [fɛə*] s. precio del billete; intr. acontecer, irle a uno (bien o mal).

farewell ['fɛə'wel] s. despedida, adiós.

farm [fɑːm] s. granja, cortijo; tr. labrar o cultivar.

farmyard ['fɑːmjɑːd] s. corral de granja.

farther ['fɑːðə*] adv. más lejos.

farthing ['fɑːðiŋ] s. cuarto de penique.

fashion ['fæʃən] s. forma, uso, estilo.

fast [fɑːst] s. ayuno; cable; adj. fuerte; rápido; adv. rápidamente; in. ayunar.

fasten ['fɑːsn] tr. afirmar; atar; in. fijarse.

fastening ['fɑːsniŋ] s. asegurador; cerradura.

fat [fæt] adj. (compar. **-tter**; superl. **-ttest**) gordo; fértil; s. grasa.

father ['fɑːðə*] s. padre; tr. engendrar; adoptar como hijo.

fatherland [fɑːðəlænd] s. madre patria.

fathom ['fæðəm] tr. sondear.

fatness ['fætnis] s. gordura.

fatten ['fætn] tr. e in. engordar, alimentar.

faucet ['fɔːsit] s. grifo.

fault [fɔːlt] s. falta; culpa; avería.

favour ['feivə*] s. favor, servicio; tr. ayudar, apoyar.

favoured ['feivəd] adj. favorito.

fear [fiə*] s. temor, miedo; tr. temer, recelar.

fearless ['fiəlis] adj. intrépido.

feasible ['fiːzəbl] adj. factible.

feast [fiːst] s. fiesta; tr. festejar.

feat [fiːt] s. hazaña.

feather ['feðə*] s. pluma, vanidad; **feathers**; s. pl. alas.

February ['februəri] s. febrero.

fee [fiː] s. honorarios; tr. pagar.

feed [fiːd] s. alimento, pienso; tr. (pret. y pp. **fed**) alimentar.

feel [fiːl] s. sensación; tino, tr. (pret. y pp. **felt**) palpar; sentir; in. hallarse.

feet [fiːt] s. pl. de **foot** pies.

feign [fein] *tr.* e *in.* fingir.

fell [fel] *s.* tala *(de árboles)*; *adj.* cruel; *tr.* talar, derribar.

fellow ['felou] *s.* compañero; socio; — **countryman** compatriota.

felon ['felən] *adj.* cruel; *s.* (Der.) reo.

female ['fi:meil] *s.* hembra.

fen [fen] *s.* pantano.

fence [fens] *s.* valla; traficante; guía; *tr.* cercar.

fend [fend] *tr.* parar, apartar; *in.* rechazar; defenderse.

ferment [fə'mənt] *tr.* e *in.* fermentar, venirse.

ferry ['feri] *s.* balsa, transbordador; *tr.* cruzar el río en barco.

fester ['festə*] *s.* úlcera.

fetch [fetʃ] *tr.* acción de ir a buscar; *tr.* traer, ir por.

fetus ['fetəs] *s.* feto.

feud [fju:d] *s.* riña.

fever ['fi:və*] *s.* fiebre; *tr.* causar calentura.

few [fju:] *adj.* y *pron. indef.* pocos, algunos.

fiancé [fi'ɑ:nsei] *s.* novio.

fiancée [fi'ɑ:nsei] *s.* novia.

fib [fib] *s.* embuste; *intr.* mentir.

fiber ['faibə*] *s.* fibra.

fikle ['fikl] *adj.* inconstante.

fiddle ['fidl] *s.* (fam.) violín.

fidget ['fidʒit] *s.* persona agitada; *tr.* agitar; *in.* agitarse.

field [fi:ld] *s.* campo, tierra laborable.

fiend [fi:nd] *s.* diablo.

fierce [fiəs] *adj.* fiero; cruel.

fifteen ['fif'ti:n] *adj.* y *s.* quince.

fifty ['fifti] *adj.* y *s.* cincuenta.

fifty-fifty ['fifti-'fifti] *adj.* y *adv.* mitad y mitad, a medias.

fig [fig] *s.* higo.

fight [fait] *s.* lucha.

filch [filtʃ] *tr.* birlar, hurtar.

file [fail] *s.* lima, fila; archivo; *tr.* limar, archivar.

fill [fil] *s.* abundancia; *tr.* llenar.

film [film] *s.* película; *tr.* filmar.

filter ['filtə*] *s.* filtro; *tr.* e *in.* filtrar.

fin [fin] *s.* aleta de los peces.

find [faind] *s.* hallazgo; *tr.* (*pret.* y *pp* **found**) hallar, descubrir.

fine [fain] *adj.* fino;

multa; *tr.* multar; — **arts** *s. pl.* bellas artes.

finery ['fainəri] *s.* vestido de gala.

finger ['fiŋgə*] *s.* dedo de la mano; *tr.* manosear — **prints** huellas digitales; **thumb** pulgar; **index** — dedo índice; **middle** — dedo del corazón; **ring** — dedo anular; **little** — dedo meñique.

finish ['finiʃ] *s.* fin, término; conclusión; *tr.* acabar, rematar, aniquilar; *in.* finalizar.

fir [fə:*] *s.* (Bot.) abeto.

fire ['faiə*] *s.* fuego; incendio; *tr.* encender; calentar el horno; iluminar.

fire-works ['faiəwə:ks] *s.* fuegos artificiales.

firm [fə:m] *adj.* firme; *s.* firma, entidad, empresa.

first [fə:st] *adj.* primero; *adv.* primeramente; *s.* primero; — **aid** primeros auxilios.

firth [fə:θ] *s.* estuario.

fish [fiʃ] *s.* pez, pescador; *tr.* pescar; — **hook** anzuelo.

fist [fist] *s.* puño; *tr.* empuñar, dar puñetazos.

fit [fit] *s.* ajuste; encaje; *tr.* ajustar; encajar.

fitfulness ['fitfulnis] *s.* capricho.

fitting ['fitiŋ] *adj.* apropiado; *s.* prueba; *pl.* accesorios.

five [faiv] *adj.* y *s.* cinco.

fix [fiks] *s.* apuro, aprieto; *tr.* (*pret.* y *pp.* **fixed** o **fixt**) fijar; reparar;

fixed ['fikst] *adj.* fijo.

flag [flæg] *s.* bandera, insignia.

flagrant ['fleigrənt] *adj.* escandaloso.

flake [fleik] *s.* escama, copo *(de nieve)*.

flame [fleim] *s.* llama; *in.* llamear.

flange [flændʒ] *s.* pestaña; *tr.* rebordear.

flank [flæŋk] *s.* costado; *tr.* flanquear, orillar; *in.* lindar con.

flannel ['flænl] *s.* franela.

flap [flæp] *s.* falda.

flash [flæʃ] *s.* relámpago, rayo *(de esperanza)*; resplandor; mensaje urgente; sonrisa; ojeada; flash *(fotografía)*; *tr.* inflamar.

flask [flɑ:sk] *s.* frasco.

flatness ['flætnis] *s.* planicie.

flatten ['flætn] *tr.* allanar;

desalentar; *intr.* aplanarse.

flavour ['fleivə*] *s.* aroma, sabor; *tr.* saborear, condimentar.

flaw [flɔ:] *s.* defecto; ráfaga; *tr.* agrietar; *intr.* ajarse.

flea [fli:] *s.* pulga.

flee [fli:] *tr.* e *intr.* huir.

fleece [fli:s] *s.* lana.

fleet [fli:t] *adj.* veloz.

flemish ['flemiʃ] *adj.* flamenco.

flesh [fleʃ] *s.* carne.

fleshpot ['fleʃpɔt] *s.* olla.

flight [flait] *s.* fuga.

flimsy ['flimzi] *adj.* (*compar.* **-ier;** *superl.* **-iest**) débil.

fling [fliŋ] *s.* tiro; baile escocés muy rápido; *tr.* tirar, arrojar; *in.* arrojarse, lanzarse.

flirt [flə:t] *s.* coqueta; *in.* flirtear.

float [flout] *s.* balsa; *tr.* poner a flote; poner en circulación; *in.* flotar.

flock [flɔk] *s.* manada, rebaño; *tr.* reunirse.

flood [flʌd] *s.* inundación.

floor [flɔ:*] *s.* piso; *tr.* enlosar.

florist ['flɔrist] *s.* florista;

flour ['flauə*] *s.* harina.

flout [flaut] *s.* mofa; *tr.* e *in.* mofarse.

flow [flou] *s.* flujo; *in.* fluir, correr.

flower ['flauə*] *s.* flor.

flowing ['flouiŋ] *adj.* fluido; *s.* manantial.

flu [flu:] *s.* gripe.

fluent [flu:ənt] *adj.* afluente; líquido; abundante.

fluff [flʌf] *s.* plumón.

flurry ['flʌri] *s.* agitación; *tr.* agitar, confundir.

fluster ['flʌstə*] *s.* aturdimiento; *tr.* confundir.

flute [flu:t] *s.* flauta.

flutter ['flʌtə*] *s.* tumulto; *tr.* agitar.

fly ['flai] *s.* (*pl.* **-flies**) mosca, bragueta; **on the** — al vuelo.

flying ['flaiiŋ] *adj.* volador.

foal [foul] *s.* potro, buche.

foam [foum] *s.* espuma.

foe [fou] *s.* enemigo.

fog [fɔg] *s.* niebla, confusión.

foil [fɔil] *s.* chapa metálica; rastro, pista.

fold [fould] *s.* pliegue; *tr.* plegar, doblar.

folding ['fouldiŋ] *adj.* plegable.

folk [fouk] *s.* gente, pueblo; *adj.* popular.

follow ['fɔlou] *tr.* seguir, suceder, copiar.

folly ['fɔli] *s.* locura, disparate.

forment [fou'ment] *tr.* fomentar.

fond [fɔnd] *adj.* aficionado.

fondle ['fɔndl] *tr.* acariciar.

food [fu:d] *s.* alimento.

fool [fu:l] *s.* tonto, idiota; *tr.* engañar, embaucar.

foolhardy ['fu:l,ha:di] *adj.* temerario.

foot [fut] *s.* (*pl.* **feet**) pie; — **in it** meter la pata; — **wear** calzado; *adj.* de pie; *tr.* pisar; *intr.* andar, caminar; bailar.

footmark ['futma:k] *s.* huella.

footpath ['fulpa:θ] *s.* camino para peatones.

for [fɔ:*] *prep.* para; por; como; de, por valor de; *cnj.* porque, pues, puesto que; **what** — ? ¿para qué?; — **ever** para siempre.

forbear [fɔ:'bɛə*] *s.* antepasado.

forbid [fə'bid] *tr.* (*pret.* **forbade;** *pp.* **forfidden**) prohibir.

force [fɔ:s] *s.* fuerza; vigor, energía; cuerpo (*de policía, etc.*); **forces** *s. pl.* fuerzas (*militares, navales*); *tr.* forzar; imponer, encajar.

forceps ['fɔ:seps] *s.* pinzas, tenazas.

fore [fɔ:*] *adj.* anterior; *adv.* anteriormente; *s.* delantera; proa.

forearm ['fɔ:ra:m] *s.* antebrazo.

forecast ['fɔ:ka:st] *tr.* pronosticar, calcular.

forefather ['fɔ:,fa:ðə*] *s.* antepasado.

forego [fɔ:'gou] *tr.* (*pret.* **forewent;** *pp.* **foregone**) ir adelante; renunciar.

foreground ['fɔ:graund] *s.* primer plano.

forehead ['fɔrid] *s.* frente.

foreing ['fɔrin] *adj.* exterior; extranjero.

forejudge [fɔ:'dʒʌdʒ] *tr.* prejuzgar.

foreman ['fɔ:mən] *s.* (*pl.* **-men**) capataz.

foremost ['fɔ:moust] *adj.* delantero; *adv.* primero.

forenoon ['fɔ:nu:n] *s.* mañana.

foresay ['fɔ:sei] *tr.* (*pret.* y *pp.* **foresaid**) pronosticar.

foresee [fɔ:'si:] *tr.* (*pret.* **foresaw;** *pp.* **foreseen**) prever.

forest ['fɔrist] *s.* bosque.

forestall [fɔ:'stɔ:l] *tr.* impedir.

forewarn [fɔ:'wɔ:n] *tr.* prevenir.

foreword ['fɔ:wə:d] *s.* advertencia; prólogo.

forfeit ['fɔ:fit] *s.* multa; *tr.* perder el derecho a.

forge [fɔ:dʒ] *s.* fragua; *tr.* fraguar.

forgery ['fɔ:dʒəri] *s.* (*pl.* **-ries**) falsificación.

forget [fə'get] *tr.* (*pret.* **forgot;** *pp.* **forgotten**) olvidar.

forgive [fə'giv] *tr.* (*pret.* **forgave;** *pp.* **forgiven**) perdonar.

form [fɔ:m] *s.* forma; banco (*de asiento*); *tr.* formar; *in.* formarse.

formal ['fɔ:məl] *adj.* formal; ceremonioso, solemne.

formulate ['fɔ:mjuleit] *tr.* formular.

forsake [fə'seik] *tr.* (*pret.* **forsook;** *pp.* **forsaken**) abandonar.

forsooth [fə'su:θ] *adv.* ciertamente.

fort [fɔ:t] *s.* fuerte, castillo.

forth [fɔ:θ] *adv.* delante, públicamente; **and so — y** así sucesivamente.

fortify ['fɔ:tifai] *tr.* (*pret.* y *pp.* **-fied**) fortificar; reforzar.

fortnight ['fɔ:tnait] *s.* quincena.

forward ['fɔ:wəd] *adj.* adelantado; delantero; *adv.* hacia adelante; *tr.* fomentar, patrocinar.

foster ['fɔstə*] *adj.* adoptivo; *tr.* adoptar; mimar; criar.

foul [faul] *adj.* asqueroso; obsceno; obstruido; *tr.* atascar, ensuciar; *in.* ensuciarse.

found [faund] *tr.* fundar; fundir.

fount [faunt] *s.* fuente.

fountain ['fauntin] *s.* fuente; **fountain-pen** pluma estilográfica.

four [fɔ:*] *adj.* y *s.* cuatro; **to go on all —s** andar a gatas.

fourteen ['fɔ:'ti:n] *adj.* y *s.* catorce.

fowl [faul] *s.* ave; carne de ave; *in.* cazar aves de corral.

fox [fɔks] *s.* zorro.

foxy ['fɔksi] *adj.* (*compar.* **-ier;** *superl.* **-iest**) astuto.

frail [freil] *adj.* frágil, débil, caduco.

frame [freim] *s.* estructura; armadura; *tr.* formar; ajustar.

franchise ['fræntʃaiz] *s.* franquicia, privilegio.

fruit

frank [fræŋk] adj. franco, sincero.

frankness ['fræŋknis] adj. franqueza, sinceridad.

fraud [frɔ:d] s. fraude, engaño.

fray [frei] s. alboroto; desgaste; tr. desgastar, rozar; in. desgastarse.

freak [fri:k] s. capricho.

freckle ['frekl] s. peca.

free [fri:] adj. libre; independiente; gratis, franco.

freedom ['fri:dəm] s. libertad.

freeholder ['fri:houldə*] s. dueño absoluto de una finca.

freeze [fri:z] s. helada; tr. helar.

freight [freit] s. carga, flete.

French [frentʃ] adj. y s. francés, idioma francés.

frequent [fri'kwənt] tr. frecuentar.

fresh [freʃ] adj. fresco, reciente.

freshen ['freʃn] tr. refrescar; in. refrescarse.

fret [fret] s. roce; desgaste; tr. (pret. y pp. **fretted**) rozar, desgastar; impacientar.

fretful ['fretʃul] adj. irritable; impaciente.

friar ['fraiə*] s. fraile.

Friday ['fraidi] s. viernes.

friend [frend] s. amigo, amiga; — **friend** novio; —**friend** novia.

frigate ['frigit] s. fragata.

fright [frait] s. susto; miedo.

frighten ['fraitn] tr. asustar; espantar; in. asustarse.

fringe [frindʒ] s. franja.

fritter ['fritə*] tr. desmenuzar; esparcir.

frizzle ['frizl] s. rizo; tr. rizar; ensortijar.

fro [frou] adv. atrás.

frock [frɔk] s. vestido; blusa, bata.

frog [frɔg] s. rana.

frolic ['frɔlik] s. travesura; in. juguetear; divertirse.

from [frɔm] prep. de; desde.

front [frʌnt] s. frente; fachada; adj. delantero.

frontier ['frʌntjə*] s. frontera; adj. fronterizo; — **guard** carabinero.

froth [frɔ:θ] s. espuma; intr. espumar.

frugality [fru(:)'gæliti] s. (pl. **-ties**) parquedad; escasez.

fruit [fru:t] s. fruta; resultado; — **basket** frutero; — **knife** cuchillo de postre; **— stone** cuesco de fruta;

fry [frai] *s.* (*pl.* **-fries**) fritada, fritura; *tr.* freír.

frying-pan ['fraiŋ'pæn] *s.* sartén.

fuel [fjuəl] *s.* combustible.

fulfill [ful'fil] *tr.* cumplir.

full [ful] *adj.* lleno, completo.

fulsome ['fulsəm] *adj.* de mal gusto.

fumble ['fʌmbl] *tr.* manosear; balbucear.

fun [fʌn] *s.* broma.

fund [fʌnd] *s.* fondo, capital; *tr.* consolidar una deuda.

funnel ['fʌnl] *s.* embudo; chimenea, cañón, túnel; *tr.* verter por medio de un embudo.

funny ['fʌni] *adj.* (*compar.* **-ier;** *superl.* **-iest**) cómico, divertido.

fur [fə:*] *s.* piel; *tr.* cubrir o forrar con pieles.

furnace ['fə:nis] *s.* horno.

furnish ['fə:niʃ] *tr.* amueblar; proveer.

furniture ['fə:nitʃə*] *s.* ajuar, mobiliario.

furrier ['fʌriə*] *s.* peletero.

furrow ['fʌrou] *s.* surco; *tr.* surcar.

further ['fə:ðə*] *adj. compar.* más; distante; *adv.* además; *tr.* adelantar.

fuse [fju:z] *s.* fusible; *tr.* fusionar; *in.* fusionarse.

fuss [fʌs] *s.* alboroto, ajetreo.

futile ['fju:tail] *adj.* frívolo; estéril.

gabble ['gæbl] *s.* charla; *in.* charla, cotorrear.

gad [gæd] *s.* barra, lingote; *int.* callejear, corretear.

gag [gæg] *s.* mordaza; *tr.* amordazar; (Mec.) taco.

gage [geidʒ] *s.* prenda, fianza; *tr.* medir, calcular.

gaiety ['geiəti] *s.* (*pl.* **-ties**) alegría; diversión.

gain [gein] *s.* ganancia, ventaja; *tr.* ganar; alcanzar; conquistar.

gait [geit] *s.* paso, andar.

gale [geil] *s.* viento fuerte, explosión; temporal.

gall [gɔ:l] *s.* hiel; rencor; rozadura; *tr.* rozar.

gallantry ['gæləntri] *s.* (*pl.* **-tries**) gallardía, nobleza.

gallery ['gæləri] *s.* (*pl.* **-ries**) galería; balcón corrido.

gallon ['gælən] *s.* galón (*medida*); —(U.S.) 3,78 litros —(Ingl.) 4,54 litros.

gallows ['gælouz] *s.* horca.

gamble ['gæmbl] *tr.* jugar; *in.* jugar, especular.

game [geim] *s.* juego; caza; deporte.

gang [gæŋ] *s.* pandilla.

gaol [dʒeil] *s.* var. de **jail** cárcel.

gap [gæp] *s.* boquete; *tr.* hacer brecha en, desgarrar.

gape [geip] *s.* abertura; *intr.* bostezar.

garb [gɑ:b] *s.* vestidura; aspecto; *tr.* vestir.

garbage ['gɑ:bidʒ] *s.* basura.

garden ['gɑ:dn] *s.* jardín; huerto.

garish ['gɛəriʃ] *adj.* charro, chillón.

garland ['gɑ:lənd] *s.* guirnalda; corona.

garlic ['gɑ:lik] *s.* (Bot.) ajo.

garment ['gɑ:mənt] *s.* prenda de vestir; *tr.* vestir.

garnish ['gɑ:niʃ] *s.* adorno; *tr.* adornar.

garret ['gærət] *s.* desván, buhardilla.

gas [gæs] *s.* gas; — **cooker**

cocina de gas; — **fire** estufa de gas.

gash [gæʃ] s. herida; incisión; tr. acuchillar.

gate [geit] s. puerta, verja.

gather ['gæðə*] s. frunce; tr. fruncir; reunir, amontonar.

gauge ['geidʒ] s. calibre; medida; tr. medir; calcular.

gay [gei] adj. alegre.

gaze [geiz] s. mirada fija; tr. mirar.

gear [giə*] s. utensilios; marcha (coche) engranaje; tr. engranar, encajar, conectar.

gender ['dʒendə*] s. (Gram.) género; (fam.) sexo.

gent [dʒent] (contr. de **gentleman**) s. caballero; **gents** water para señores.

gentle ['dʒentl] adj. suave, honrado.

gentleman ['dʒentlmən] s. (pl. **-men**) caballero, señor.

gentlewoman ['dʒentl, wumən] s. señora, dama.

germ [dʒə:m] s. germen, brote.

germinate ['dʒə:mineit] tr. hacer germinar; in. germinar.

gesticulate [dʒes'tikjuleit] in. accionar, hacer ademanes.

get [get] tr. (pret. **got;** pp. **got, gotten**) obtener, adquirir, proporcionar, engendrar, entender; in. volverse, ponerse, hacerse; estar, hallarse; meterse, introducirse.

ghastly ['gɑ:stli] adj. (compar. **-ier**; superl. **-iest**) horrible.

ghetto ['getou] s. judería (barrio de judíos).

giant ['dʒaiənt] adj. y s. gigante.

gibbet ['dʒibit] s. horca; tr. ahorcar.

gibe [dʒaib] s. burla; intr. mofarse.

giblets ['dʒiblits] s. pl. menudillos.

giddiness ['gidinis] s. vértigo.

gift [gift] s. dote; regalo; tr. dotar; obsequiar.

gild [gild] tr. dorar; dar lustre.

gilt [gilt] adj. y s. dorado.

gin [dʒin] s. ginebra; trampa, grúa.

gingerly ['dʒindʒəli] adj. cauteloso.

gipsy ['dʒipsi] adj. (compar. **-ier**; superl. **-iest**) s. gitano.

gird [gə:d] s. mofa; tr.

ceñir, cercar; *intr.* burlarse, mofarse.

girdle ['gə:dl] *s.* corsé, faja, cinturón.

girl [gə:l] *s.* muchacha, niña; **girl friend** novia.

give [giv] *tr.* (*pret.* **gave;** *pp.* **given**) dar; entregar, conceder; aplicar, dedicar, describir; ofrecer; representar *(una obra de teatro).*

given ['given] *adj.* dado; aficionado.

glad [glæd] *adj.* alegre.

gladden ['glædn] *tr.* alegrar.

glance [glɑ:ns] *s.* vistazo; alusión breve; *in.* lanzar una mirada.

gland [glænd] *s.* glándula; bellota.

glare [glɛə*] *s.* resplandor, mirada feroz, superficie lisa y brillante *(helada);* *tr.* expresar indignación con la mirada; *in.* deslumbrar.

glaring ['glɛəriŋ] *adj.* brillante.

glass [glɑ:s] *s.* vidrio, vaso; *s. pl.* **glasses** anteojos, gafas; poner cristales a; — **cut** vidrio tallado; **ground** — vidrio esmerilado; **looking**— espejo; **hour**—, **sand**— reloj de arena:

— **case** vitrina;— **ware** vajilla de cristal; cristalería.

glaze [gleiz] *s.* barniz, esmalte; *tr.* barnizar.

gleam [gli:m] *s.* brillo; *intr.* destellar, resplandecer.

glee [gli:] *s.* alegría.

glider ['glaidə*] *s.* aeroplano sin motor.

glint [glint] *s.* rayo; *in.* brillar.

glitter ['glitə*] *s.* brillo, resplandor; *in.* brillar, resplandecer.

gloom [glu:m] *s.* oscuridad, tinieblas.

gloss [glɔs] *s.* brillo; apariencia falsa; *tr.* abrillantar, glosar.

glove [glʌv] *s.* guante.

glow [glou] *s.* resplandor, esplendor; viveza de color *(mejillas, etc.);* animación: *tr.* encender; *in.* estar candente.

glue [glu:] *s.* cola; *tr.* encolar.

gnaw [nɔ:] *tr.* roer.

go [gou] *s.* curso, energía; éxito; **to have a** — intentarlo; **it's a** — es un trato hecho; **it's all the** — está muy de moda; **on the** — en continuo movimiento; *in.* (*pret.* **went;** *pp.* **gone**) *in.* andar, dirigirse, circular; transcurrir; venderse; **to — about** andar de un sitio para otro.

goal [goul] *s.* meta, objeto, fin, gol.

goalkeeper ['goul,ki:pə*] *s.* portero, guardameta.

goat [gout] *s.* cabra; macho cabrío.

goatee ['gou'ti:] *s.* perilla.

goblet ['goblit] *s.* copa *(para licor);*

god [god] *s.* dios; *n. p.* Dios; **willing —** Dios mediante; **for God's sake** por el amor de Dios.

godchild ['godtʃaild] *s.* *(pl.* **godchildren)** ahijado, ahijada.

godfather ['god,fɑ:ðə*] *s.* padrino.

godmother ['god,mʌðə*] *s.* madrina, comadre.

godson ['god,sʌn] *s.* ahijado.

gold [gould] *s.* oro; dinero.

gone [gon] *adj.* agotado; débil; arruinado.

good [gud] *adj.* bueno, sano; conveniente, apto, útil, adecuado; verdadero.

good bye [gud'bai] *s.* adiós.

good evening [gud'i:vniŋ] *s.* buenas tardes, buenas noches.

gore [go:*] *s.* sangre; *tr.* herir con los cuernos.

gorge ['go:dʒ] *s.* garganta, desfiladero.

gospel ['gospəl] *s.* evangelio.

gossip ['gosip] *s.* murmuración.

gourd [guəd] *s.* calabaza.

gourmet ['guəmei] *s.* gastrónomo.

gout [gaut] *s.* (Pat.) gota.

govern ['gʌvn] *tr.* e *intr.* gobernar.

gown [gaun] *s.* vestido; *tr.* vestir con toga.

grade [greid] *s.* grado; calidad; escalón; **at —** a nivel; *tr.* graduar; clasificar.

gradient ['greidiənt] *s.* declive; inclinación.

graduate ['grædjueit] *tr.* graduar.

graft [grɑ:ft] *s.* injerto; (fam.) soborno político; ganancia ilícita.

grain [grein] *s.* grano, cereal.

grammar ['græmə*] *s.* gramática; **— school** (Ingl.) Colegio de Segunda Enseñanza.

granary ['grænəri] *s.* *(pl.* **-ries)** granero.

grand [grænd] *adj.* grande.

grandad ['grændæd] *s.* abuelo.

grandchild ['grændtʃaild] *s.* (*pl.* **-children**) nieto, nieta.

granddaughter ['grænd,-dɔ:tə*] *s.* nieta.

grandfather ['grænd,fɑ:-ðə*] *s.* abuelo.

grandma ['grændmɑ:] *s.* abuela.

grandmother ['grænd,-mʌðə*] *s.* abuela; **great — bisabuela.

grandson ['grændsʌn] *s.* nieto.

grange [greindʒ] *s.* granja.

granny ['græni] *s.* (*pl.* **-nnies**) abuelita.

grant [grɑ:nt] *s.* concesión; beca, subvención; *tr.* otorgar.

grape [greip] *s.* uva.

grass [grɑ:s] *s.* hierba.

grate [greit] *s.* reja, verja; *tr.* enrejar.

grateful ['greitful] *adj.* agradecido.

graveyard ['greivjɑ:d] *s.* cementerio.

gravy ['greivi] *s.* (*pl.* **-vies**) jugo, salsa.

gray [grei] *adj.* gris, pardo.

graze [greiz] *s.* roce; rasguño.

grease [gri:z] *tr. s.* grasa; engrasar;

great [greit] *adj.* grande, enorme.

greatness ['greitnis] *s.* grandeza.

greed [gri:d] *s.* codicia.

greedines ['gri:dinis] *s.* hambre.

greedy ['gri:di] *adj.* (*compar.* **-ier; superl. -iest**) ambicioso.

green [gri:n] *adj.* verde.

greengrocer ['gri:n,grou-sə*] *s.* verdulero.

greet [gri:t] *tr.* saludar.

greeting ['gri:tiŋ] *s.* salutación; bienvenida.

grid [grid] *s.* tendido eléctrico.

grief [gri:f] *s.* aflicción, pena.

grievance ['gri:vəns] *s.* agravio.

grieve [gri:v] *tr.* afligir, oprimir.

grievous ['gri:vəs] *adj.* cruel, atroz.

grill [gril] *s.* parrilla; *tr.* asar en parrillas.

grille [gril] *s.* reja, parrilla.

grim [grim] *adj.* cruel; ceñudo.

grimness ['grimnis] *s.* crueldad.

grin [grin] *in.* sonreír.

grip [grip] *s.* agarradero, asidero; apretón de manos; *tr.* agarrar, (U.S.) maletín, maleta.

grit [grit] *s.* arena.

groan [groun] *s.* gemido; *in.* gemir.

grocer ['grousə*] *s.* tendero de ultramarinos.

groin [grɔin] *s.* (An.) ingle, (Arq.) arista de encuentro.

groom [grum] *s.* novio; caballerizo.

groove [gru:v] *s.* ranura, encaje.

grope [group] *tr.* tentar; *in.* palpar.

gross [grous] *adj.* grueso, espeso.

ground [graund] *s.* tierra, fundamento; *s. pl.* terrenos; jardines.

groundless ['graundlis] *adj.* sin fundamento.

groundnut ['graundnʌt] *s.* (Bot.) cacahuete.

groundwork ['graundwə:k] *s.* cimiento.

group [gru:p] *s.* grupo; *tr.* agrupar; *in.* agruparse.

grove [grouv] *s.* arboleda.

grow [grou] *tr.* (*pret.* **grew** *pp.* **grown**) cultivar; producir; *in.* crecer, brotar.

growing ['grouiŋ] *adj.* creciente; *s.* crecimiento; cultivo.

grown [groun] *adj.* crecido; adulto.

grudge [grʌdʒ] *s.* rencor; *tr.* envidiar.

gruff [grʌf] *adj.* rudo.

grumble ['grʌmbl] *s.* gruñido.

guarantee ['gærənti] *s.* garantía, fianza; *tr.* garantizar.

guard [gɑ:d] *s.* guarda; *tr.* guardar; *in.* estar de centinela.

guardianship ['gɑ:djənʃip] *s.* protección.

guess [ges] *s.* adivinación; *tr.* adivinar.

guest [gest] *s.* huésped.

guidance ['gaidəns] *s.* guía, gobierno.

guide [gaid] *s.* guía, dirección; *tr.* guiar.

guild [gild] *s.* gremio, comunidad.

guildhall [gild'hɔ:l] *s.* ayuntamiento.

guile [gail] *s.* astucia.

guileless ['gaillis] *adj.* sencillo.

guise [gaiz] *s.* disfraz.

guitar [gi'tɑ:*] *s.* guitarra.

gulf [gʌlf] *s.* golfo.

gull [gʌl] *s.* gaviota.

gulp [gʌlp] *trago; *tr.* engullir.

gun [gʌn] *s.* fusil.

gunpowder ['gʌn,pau-de*] *s.* pólvora.

gush [gʌʃ] *s.* chorro; *tr.* derramar a borbollones.

gutter ['gʌtə*] *s.* gotera; *tr,* acanalar.

guy [gai] *s.* viento; *tr.* sujetar con tirantes.

guzzle ['gʌzl] *tr.* e *int.* beber mucho.

gypsum [d'ʒipsəm] *s.* yeso.

gypsy ['dʒipsi] *adj.* (*compar.* **-ier**; *superl.* **-iest**) y *s.* gitano.

gyrate [,dʒai'reit] *intr.* girar.

h

habit ['hæbit] s. hábito; costumbre.

hack [hæk] s. corte, hacha; tos seca; tr. cortar, acuchillar.

hackney ['hækni] s. caballo de silla; coche de alquiler; adj. de alquiler; tr. gastar; embotar.

haft [hɑ:ft] s. mango, puño.

haggle ['hægl] s. regateo; in. regatear.

hail [heil] s. llamada; granizo; tr. granizar; aclamar, saludar; llamar (con voces); in. granizar.

hair [heə*] s. pelo; vello; cabellos.

hairbrush ['heəbrʌsh] s. cepillo de cabeza.

haircut ['heəkʌt] s. corte de pelo.

hairdresser ['heə,dresə*] s. peluquero, peinador (a).

hairless ['heəlis] adj. calvo.

hairlock ['heəlɔk] s. rizo.

hairline ['heəlain] s. raya.

hairpin ['heəpin] s. horquilla para el pelo.

hake [heik] s. merluza.

halcyon ['hælsiən] adj. sereno, tranquilo.

half [hɑ:f] s. (pl. halves) mitad, medio; adj. medio a medias.

hall [hɔ:l] s. vestíbulo.

hallo [hə'lou] s. inj. ¡hola! ¡oiga!

halt [hɔ:lt] adj. cojo, renco; s. alto, parada; tr. parar, detener; in. hacer alto; cojear, tartamudear.

ham [hæm] s. jamón.

hamlet ['hæmlit] s. caserío.

hammer ['hæmə*] s. martillo.

hand [hænd] s. mano; mano de obra, aguja (reloj); adj. de mano; manual; — **bag** bolso de señora; — **writing** carácter de la letra; — **shake** apretón de manos; — **to be** — **in glove with** ser uña y carne con; — **short** — taquigrafía; tr. entregar, dar; poner en manos de.

handicraft ['hændikrɑ:ft] s. destreza o habilidad manual, mano de obra.

handiwork ['hændiwə:k] s. trabajo manual.

handkerchief ['hæŋkətʃif] s. pañuelo.

handle ['hændl] s. asa; puño; tr. tocar; manejar.

handmaid(en) ['hændmeid(n)] s. asistenta.

handsome ['hænsəm] adj. hermoso; elegante; liberal.

handy ['hændi] adj. (compar. **-ier**; superl. **-iest**) manual, manejabre.

hangman ['hæŋmən] s. ejecutor de la justicia.

haphazard ['hæp'hæzəd] adj. casual; s. casualidad, accidente.

happen ['hæpən] in. acontecer.

happy ['hæpi] adj. (compar. **-ppier**; superl. **ppiest**) feliz, dichoso, contento.

harass ['hærəs] tr. acosar; fatigar, cansar.

harbour ['ha:bə*] s. puerto; adj. portuario.

hard [ha:d] adj. duro; difícil; adv. duramente, fuertemente, difícilmente.

harden ['ha:dn] tr. endu-

recer; curtir; in. endurecerse; consolidarse.

hardines ['ha:dinis] s. ánimo, valor.

hardship ['ha:dʃip] s. apuro, penalidad, estrechez; injusticia.

hardware ['ha:dweə*] s. quincalla; ferretería.

hare [heə*] s. (Zool.) liebre.

haricot ['hærikou] s. (Bot.) haba.

harm [ha:m] s. daño; perjuicio; tr. dañar; perjudicar.

harmless ['ha:mlis] adj. inofensivo.

harry ['hæri] tr. (pret. y pp. **-ried**) acosar; atormentar.

harsh [ha:ʃ] adj. áspero.

hart [ha:t] s. ciervo.

harvest ['ha:vist] s. cosecha; tr. cosechar.

haste [heist] s. prisa.

hasten ['heisn] tr. apresurar; in. apresurarse, darse prisa.

hat [hæt] s. sombrero.

hate [heit] s. odio, aversión; tr. odiar.

haul [hɔ:l] s. tirón; trayecto; ganancia; tr. acarrear, transportar; in.. tirar; retirarse.

haunch [hɔ:ntʃ] s. cadera.

have [hæv] [həv, əv] tr.

(*pret.* y *pp.* **had**) haber (*v. auxiliar*), tener; tomar (*comidas*); (fam.) llevar ventaja; **to — on** llevar puesto (*prenda de vestir*); **to — to** tener que.

havoc ['hævək] *s.* destrucción; *tr.* destruir.

haystack ['heistæk] *s.* pajar.

hazard ['hæzəd] *s.* peligro; riesgo; *tr.* arriesgar.

haze [heiz] *s.* confusión; niebla; *in.* nublarse.

hazel ['heizl] *s.* (Bot.) avellano.

he [hi:] [hi, i, i:] *pron. pers.* (3.ª *pers. sing. masc.*) él; *pron. indef.* aquel que, el que; como prefijo ante un nombre de mamífero o ave designa su sexo masculino; **hebear** oso; **he-fox** zorro.

head [hed] *s.* cabeza; encabezamiento, título; *adj.* delantero; más alto; *tr.* acaudillar, dirigir.

headstone ['hedstoun] *s.* lápida.

heal [hi:l] *tr.* curar; cicatrizar.

health [helθ] *s.* salud, sanidad.

heap [hi:p] *s.* montón; *tr.* amontonar.

hear [hiə*] *tr.* e *in.* (*pret.* y *pp.* **heard**) oír; decir.

hearing ['hiəriŋ] *s.* audiencia; audición; oído (*sentido*); (Der.) vista.

hearsay ['hiəsei] *s.* rumor.

heart [ha:t] *s.* corazón; **by —** de memoria; **to get the — of** profundizar.

hearten ['ha:tn] *tr.* animar.

heartfelt ['ha:tfelt] *adj.* cordial.

hearth [ha:θ] *s.* chimenea, brasero.

hearty ['ha:ti] cordial, robusto.

heat [hi:t] *s.* calor; ardor; *tr.* calentar; *in.* calentarse; excitarse.

heater ['hi:tə*] *s.* estufa; radiador.

heave [hi:v] *s.* esfuerzo; *tr* (*pret.* y *pp.* **heaved** o **hove**) levantar.

heaven ['hevn] *s.* cielo, paraíso.

heaviness ['hevinis] *s.* densidad.

hedge [hedʒ] *s.* cercado.

heed [hi:d] *s.* atención.

heedful ['hi:dful] *adj.* atento, cuidadoso.

heel [hi:l] *s.* (An.) talón, calcañar.

heifer ['hefə*] *s.* novilla.

height [hait] *s.* altura.

heighten ['haitn] *tr.* elevar.

heir [ɛə*] *s.* heredero.

hell [hell] *s.* infierno.

help [help] *s.* ayuda, socorro; *inj.* ¡socorro!; *tr.* ayudar.

helpful ['helpful] *adj.* útil.

helpmate ['helpmeit] *s.* compañero.

hem [hem] *s.* borde; dobladillo; *tr.* poner bastilla.

hemp [hemp] *s.* (Bot.) cáñamo.

hen [hen] *s.* gallina.

hence [hens] *adv.* desde, de aquí que.

henceforward [hens'fə:wəd] *adv.* de aquí en adelante.

her [hə:*] *adj.* su (*de ella*); *pron.* la; ella.

herald ['herəld] *s.* heraldo; precursor; *tr.* anunciar.

herb [hə:b] *s.* hierba.

herd [hə:d] *s.* manada, *tr.* reunir en manada, ir en manada.

herdsman ['hə:dzmən] *s.* pastor.

here [hiə*] *adv.* aquí; acá.

herein ['hiərin] *adv.* aquí dentro.

heretofore ['hiətu'fə:*] *adv.* hasta ahora.

hereupon ['hiərə'pɔn] *adv.* sobre esto.

herewith ['hiə'wið] *adv.* con esto; de este modo.

hers [hə:z] *pron. poss.* el suyo.

herself [hə:'self] *pron.* ella misma.

hesitate ['heziteit] *intr.* vacilar.

hew [hju:] *tr.* (*pret.* **hewed** *pp.* **hewed** o **hewn**) cortar; labrar (*piedra*).

hibernate ['haibə:neit] *in.* (Biol.); invernar.

hiccup ['hikʌp] *s.* hipo; *tr.* decir con hipo.

hick [hik] *adj.* y *s.* (vulg.) campesino.

hickory ['hikəri] *s.* (*pl.* **-ries**) (Bot.) nuez dura; nogal americano.

hide [haid] *s.* cuero; *tr.* (*pret.* **hid**; *pp.* **hidden** o **hid**) esconder; encubrir; *in.* esconderse, ocultarse.

hideous ['hidiəs] *adj.* feo.

hiding ['haidiŋ] *s.* escondite; (fam.) paliza.

hi-fi ['haifai] *adj.* de alta fidelidad.

higgle ['higl] *intr.* regatear.

high [hai] *adj.* alto.

highly ['haili] *adv.* sumamente; en sumo grado.

highness ['hainis] s. altura.

highwayman ['haiweimən] s. bandido.

hiker ['haikə*] s. (fam.) caminante.

hill [hill] s. colina; tr. amontonar.

hilt [hilt] s. puño.

him [him] pron. pers. m. él; le, lo, a él.

himself [him'self] pron. pers. reflex. m. él, él mismo, se, sí mismo; **by** — solo, por sí mismo.

hinder ['hində*] tr. impedir.

hindrance ['hindrəns] s. estorbo.

hinge [hindʒ] s. bisagra.

hint [hint] s. insinuación; tr. apuntar; in. echar indirectas.

hip [hip] s. (An.) cadera.

hire ['haiə*] s. alquiler; jornal; tr. alquilar, asalariar.

his [hiz] adj. poss. m. su, sus (de él); pron. poss. m. el suyo, el de él, suyo.

hiss [his] s. silbido; tr. silbar.

hit [hit] s. golpe; éxito; tr. (pret. y pp. **hit**) golpear, acertar; censurar.

hither ['hiðə*] adv. acá.

hitherto ['hiðə'tu:] adv. hasta aquí.

hoard [hɔ:d] s. cúmulo; depósito; tr. atesorar.

hoarse [hɔ:s] adj. ronco.

hoax [houks] s. engaño; tr. engañar.

hobble ['hɔbl] s. cojera; in. cojear.

hobby ['hɔbi] s. (pl. **-bies**) tema; afición.

hobgoblin ['hɔbgɔblin] s. duende.

hog [hɔg] s. (Zool.) cerdo.

hogshead ['hɔgzhed] s. pipa, bocoy, medida de capacidad equivalente a 63 galones nortamericanos (238,5 litros).

hoist [hɔist] s. grúa; tr. alzar; colgar.

hold [hould] s. asa, mango; sujeción; autoridad.

holding ['houldiŋ] s. posesión.

hole [houl] s. agujero.

holiday ['hɔlədi] s. día de fiesta; adj. festivo, de fiesta; **—s** vacaciones.

holiness ['houlinis] s. santidad.

hollow ['hɔlou] adj. hueco; ahuecado; s. cavidad; hoyo.

holy ['houli] adj. santo, sagrado.

home [houm] s. hogar, domicilio; suelo, patria chica; adj. casero; nativo; adv. en casa; **— land**

patria, país natal; **Home Office** Ministerio del Interior o de la Gobernación; — **rule** autonomía; — **work** deberes (escuela).

homestead ['houmsted] s. heredad; casa solariega.

honest ['ɔnist] adj. honrado.

honey ['hʌni] s. miel; dulzura; (fam.) querido; tr. endulzar con miel.

honeymoon ['hʌnimu:n] s. luna de miel.

hood [hud] s. capucha; **Little Red Riding** — Caperucita Roja.

hoodwink ['hudwiŋk] tr. vendar los ojos a.

hook [huk] s. gancho; tr. enganchar; pescar.

hoot [hu:t] s. grito; tr. silbar; in. resoplar.

hop [hɔp] s. brinco; in. brincar.

hope [houp] s. esperanza, confianza; tr. e in. esperar.

hopeful ['houpful] adj. esperanzado.

horde ['hɔ:d] s. multitud.

horizon [hə'raizn] s. horizonte.

horn [hɔ:n] s. cuerno.

hornet ['hɔ:nit] s. avispón, moscardón.

horse [hɔ:s] s. caballo; — **laugh** risotada; **racing** — caballo de carrera.

horseman ['hɔ:smən] s. jinete.

horsepower ['hɔ:s, pauə*] s. caballo de vapor; fuerza motriz.

hose [houz] s. media; calcetín; manga.

host [houst] s. patrón, huésped, hostia, forma.

hostel ['hɔstəl] s. hostería, albergue.

hotess ['houstis] s. ama, dueña, patrona; (Av.) azafata.

hot [hɔt] adj. caliente; apasionado; violento; reciente, fresco.

hot-dog ['hɔtdɔg] s. salchicha, perritos calientes.

hound [haund] s. podenco; perro; tr. cazar con perros.

hour ['auə*] s. hora; momento.

house [haus] s. casa, residencia, edificio; (Com.) casa de comercio; adj. casero; tr. alojar; **full** o — **full** (Tt.) lleno, no hay billetes (entradas); **boarding** — pensión; **public** — cantina.

household ['haushould] *s.* familia.

housekeeper ['haus,ki pə*] *s.* ama de llaves.

housing ['hausiŋ] *s.* albergue.

hovel ['hɔvəl] *s.* cobertizo; cabaña; *tr.* abrigar en cabaña.

hover ['houvə*] *tr.* cubrir con las alas; *in.* revolotear.

how [hau] *cnj. int.* y *adv.* cómo, de qué modo; a cómo; cuánto.

however [hau'evə*] *cnj.* sin embargo; *adv.* como sea.

howl [haul] *s.* chillido; *tr.* decir a gritos; *intr.* chillar.

huddle ['hʌdl] *s.* pelotón, confusión; (fig.) reunión secreta; *tr.* e *in.* amontonar.

hue [hju:] *s.* tinte, matiz.

huff [hʌf] *s.* enfado; *tr.* encolerizar; *intr.* hincharse.

hug [hʌg] *s.* abrazo.

huge ['hju:dʒ] *adj.* enorme.

hull [hʌl] *s.* casco; cáscara.

human ['hju:mən] *adj.* humano.

humble ['hʌmbl] *adj.* humilde; *tr.* humillar.

humbug ['hʌmbʌg] *s.* farsa, camelo.

humid ['hju:mid] *adj.* húmedo.

humour ['hju:mə*] *s.* humor, carácter; *tr.* mimar.

hump [hʌmp] *s.* joroba; *tr.* encorvar; **humpbacked** jorobado.

hundred ['hʌndrəd] *adj.* cien, ciento; *s.* cien, ciento, centenar.

hunger ['hʌngə*] *s.* hambre.

hungry ['hʌngri] *adj.* (compar. **-ier;** superl. **-iest**) hambriento, deseoso.

hunt [hʌnt] *s.* caza; *tr.* cazar; buscar; perseguir.

hurdle ['hɔ:dl] *s.* cañizo; *in.* saltar vallas.

hurl ['hɔ:l] *s.* lanzamiento; *tr.* e *in.* tirar, lanzar, arrojar.

hurried ['hʌrid] *adj.* hecho de prisa, precipitado.

hurry ['hʌri] *s.* prisa, premura; *tr.* (pret. y pp. **-ried**) activar; *in.* correr.

hurt [hɔ:t] *s.* daño; herida; *tr.* (pret. y pp. **hurt**) dañar.

husband ['hʌzbənd] *s.* marido; *tr.* ahorrar.

husbandry ['hʌzbəndri] s. (*pl.* **-ries**) agricultura, labranza.

hush [hʌʃ] *inj.* ¡silencio!; s. quietud; *tr.* apaciguar, acallar; *in.* estar quieto.

husk [hʌsk] s. cáscara, pellejo.

hustle ['hʌsl] s. prisa; *tr.* apresurar; mezclar; *in.* apresurarse.

hut [hʌt] s. choza.

hydrant ['haidrənt] s. boca de agua.

hyphen ['haifən] s. guión (-).

I [ai] *pron. pers.* Yo.

ice [ais] *s.* hielo; capa de azúcar; *adj.* de hielo; glacial; *tr.* cubrir con capa de azúcar.

icebox ['aisbɔks] *s.* nevera.

icecream ['ais'kri:m] *s.* mantecado.

icy ['aisi] *adj.* helado, glacial.

identity [ai'dentiti] *s.* (*pl.* **-ties**) identidad; — **card** carnet de identidad.

idle ['aidl] *adj.* ocioso; *tr.* gastar ociosamente; *in.* holgar.

idol ['aidl] *s.* ídolo.

if [if] *s.* hipótesis; *cnj. cond.* si, en caso que; **as** — como si...

ignite [ig'nait] *tr.* encender; *in.* encenderse.

ignore [ig'nɔ:*] *tr.* no hacer caso de; hacer caso omiso (Der.) rechazar; desconocer.

ill [il] *adj.* enfermo, doliente; *adv.* mal.

illiterate [i'litərit] *adj.* ignorante.

illness ['ilnis] *s.* enfermedad.

illuminate [i'lju:mineit] *tr.* iluminar.

illumine [i'lju:min] *tr.* iluminar, alumbrar; *in.* iluminarse.

illustrate ['iləstreit] *tr.* ilustrar.

illustrious [i'lʌstriəs] *adj.* ilustre, célebre.

image ['imidʒ] *s.* imagen; símbolo.

imagine [i'mædʒin] *tr.* e *in.* imaginar, pensar, discurrir, suponer.

imbibe [im'baib] *tr.* beber, chupar; *intr.* beber.

imitate ['imiteit] *tr.* imitar, copiar.

immerse [i'mə:s] *tr.* inmergir, sumergir.

immovable [i'mu:vəbl] *adj.* inmóvil, inmovible; (Der.) inmueble.

imp [imp] *s.* diablillo, duende.

impar [im'peə*] *tr.* deteriorar, dañar.

impart [im'pɑ:t] *tr.* hacer saber; comunicar.

impeach [im'pi:tʃ] *tr.* acusar; desacreditar.

impeachment [im'pi:ʃmənt] *s.* juicio; acusación.

impede [im'pi:d] *tr.* impedir; dificultar.

impel [im'pel] *tr.* (*pret.* y *pp.* **-pelled**) impulsar, empujar.

imperfect [im'pə:fikt] *adj.* imperfecto; defectuoso.

imperil [im'peril] *tr.* (*pret.* y *pp.* **-iled** o **-illed**) exponer; arriesgar.

impersonate [im'pə:səneit] *tr.* personificar.

impish ['impiʃ] *adj.* endiablado, travieso.

implement ['implimənt] *s.* instrumento, herramienta.

implicate ['implikeit] *tr.* implicar.

implore [im'plɔ:*] *tr.* implorar, rogar.

imply [im'plai] *tr.* (*pret.* y *pp.* **-plied**) implicar, incluir en esencia; dar a entender, significar, entrañar, querer decir.

import ['impɔ:t] *s.* importación; — **duties** derechos de entrada.

import [im'pɔ:t] *tr.* importar.

importune [im'pɔtju:n] *tr.* importunar, porfiar.

impose [im'pouz] *tr.* imponer; *in.* imponerse.

imposture [im'pɔstʃə*] *s.* impostura, engaño.

impoverish [im'pɔvəriʃ] *tr.* empobrecer.

impregnate [im'pregneit] *tr.* impregnar; imbuir.

impress ['impres] *s.* impresión, señal, marca; huella; divisa, lema.

impress [im'press] *tr.* imprimir, grabar.

imprison [im'prizn] *tr.* aprisionar.

impromptu [im'promptju:] *s.* improvisación; *adv.* de improviso.

improper [im'prɔpə*] *adj.* impropio.

improve [im'pru:v] *tr.* perfeccionar; reformar, (Com.) subir los precios; *in.* avanzar, progresar.

impudent ['impjudənt] *adj.* descarado, impúdico.

impugn [im'pju:n] *tr.* impugnar, rechazar.

impute [im'pju-t] *tr.* imputar, atribuir.

in [in] *adv.* dentro; hacia adentro; *prep.* en; dentro de; sobre; entre.

inaccuracy [in'ækjurəsi] *s.* (*pl.* **-cies**) inexactitud,

inaccurate [in'ækjurit] *adj.* inexacto.

inactive [in'æktiv] *adj.* inactivo.

inadequacy [in'ædikwəsi] *s.* insuficiencia.

inasmuch [,inəz'mʌtʃ] *cnj.* por cuanto, en cuanto; puesto que, ya que.

inaugurate [i'nɔ:gjureit] *tr.* inaugurar.

inauspicious [,inɔ:s'piʃəs] *adj.* impropicio.

inborn ['in'bɔ:n] *adj.* innato, nativo.

incapable [in'keipəbl] *adj.* incapaz.

incarnate ['inkɑ:neit[*tr.* encarnar.

incautious [in'kɔ:ʃəs] *adj.* incauto.

incertain [in'sə:tn] *adj.* incierto.

inch [intʃ] *s.* pulgada; (fig.) pizca.

incite [in'sait] *tr.* incitar, animar.

incline [in'klain] *s.* declive, pendiente; *tr.* inclinar; *in.* inclinarse.

include [in'klu:d] *tr.* incluir, comprender, englobar.

income ['inkəm] *s.* ingresos.

inconvenience [,inkəen'vi:njəns] *s.* inconveniencia; *tr.* molestar.

incorporate [in'kɔ:pəreit]
tr. incorporar; *intr.* incorporarse.

incorrect [,inkə'rekt] *adj.* incorrecto, falso.

incorrupt [,inkə'rʌpt] *adj.* incorrupto.

increase ['inkri:s] *s.* aumento, incremento.

increase [in'kri:s] *tr.* aumentar, incrementar.

increasing [in'kri:siŋ] *adj.* creciente; *s.* acrecimiento.

incubate ['inkjubeit] *tr.* e *in.* incubar.

inculcate ['inkʌlkeit] *tr.* inculcar.

inculpate ['inkʌlpeit] *tr.* inculpar.

incur [in'kə:*] *tr.* incurrir en.

indebted [in'detid] *adj.* adeudado.

indeed [in'di:d] *adv.* verdaderamente, en realidad.

indefatigable [,indi'fætigəbl] *adj.* infatigable.

indemnify [in'demnifai] *tr.* indemnizar.

index ['indeks] *s.* (*pl.* **indices**) índice, exponente.

India-rubber ['indjə'rʌbə*] *s.* caucho.

indicate ['indikeit] *tr.* indicar, señalar.

indict [in'dait] *tr.* (Der.)
procesar.

indigenous [in'didʒinəs]
adj. indígena, innato.

indispose [,indis'pouz] *tr.*
indisponer.

individual [,indi'vidjuəl]
adj. individual, solo, único; *s.* individuo.

indolent ['indələnt] *adj.*
indolente, holgazán.

indoor ['indɔ:*] *adj.* interior.

indoors ['in'dɔ:z] *adv.*
dentro.

indorse [in'dɔ:s] *tr.* endo-
sar.

induce [in'dju:s] *tr.* inducir, mover.

inducement [in'dju:s-
mənt] *s.* incentivo,
estímulo.

induct [in'dʌkt] *tr.* introducir.

indult [in'dʌlt] *s.* dispensa.

inequality [,ini(:)'kwɔli-
ti] *s.* (*pl.* **-ties**) desigual-
dad.

inert [i'nə:t] *adj.* inerte,
flojo.

inexhaustible [,inig'zɔ:s-
təbl] *adj.* inagotable.

inexpensive [,iniks'pen-
siv] *adj.* barato.

infant ['infənt] *s.* infante,
criatura; *adj.* infantil;
— **school** escuela de
párvulos.

infatuate [in'fætjueit] *tr.*
apasionar, cegar; *adj.*
apasionado.

infect [in'fekt] *tr.* infectar.

infer [in'fə:] (*tr.*, *pret.* y *pp.*
-ferred) inferir, dedu-
cir.

infernal [in'fə:nl] *adj.* infernal.

infest [in'fest] *tr.* infestar.

infiltrate ['infiltreit] *tr.*
infiltrar.

infirm [in'fə:m] *adj.* enfermizo; inválido.

inflame [in'fleim] *tr.* inflamar.

inflate [in'fleit] *tr.* inflar.

inflect [in'flekt] *tr.* torcer;
modular; (Gram.) de-
clinar.

inflic [in'flitk] *tr.* infligir.

influence ['influəns] *s.* in-
fluencia; *tr.* influenciar;
influir, impresionar.

inform [in'fɔ:m] *adj.* informe; *tr.* informar, avisar.

infurate [in'fjurieit] *tr.* enfurecer.

ingot ['iŋgɔt] *s.* lingote.

ingraftment [in'grɑːft-
mənt] *s.* injerto.

ingrain ['in'grein] *tr.* fijar, impregnar.

ingratiate [in'greiʃieit] *tr.*
hacer aceptable.

inhabit [in'hæbit] *tr.* habitar.

inherit [in'herit] *tr.* e *in.* heredar.

inimical [i'nimikəl] *adj.* enemigo.

initiate [i'niʃieit] *tr.* comenzar.

inject [in'dʒekt] *tr.* inyectar.

injunction [in'dʒʌŋkʃən] *s.* mandato, precepto.

injure ['indʒə*] *tr.* injuriar.

ink [iŋk] *s.* tinta; **inkpot** tintero.

inkling ['iŋkliŋ] *s.* sospecha.

inkstand ['iŋkstænd] *s.* tintero.

inland ['inlənd] *adj.* interior, del país, regional.

inlet ['inlet] *s.* estuario, ría.

inmate ['inmeit] *s.* inquilino; preso.

inmost ['inmoust] *adj.* interior.

inn [in] *s.* posada, mesón.

inner ['inə*] *adj.* interno.

innkeeper ['in,ki:pə*] *s.* posadero.

innovate ['inəveit] *tr.* innovar.

input ['input] *s.* (Mec.) fuerza necesaria.

inquest ['inkwest] *s.* encuesta.

inquire [in'kwaiə*] *tr.* inquirir.

insert [in'sə:t] *tr.* insertar, introducir.

inshore ['in'ʃɔ:*] *adj.* cercano a la orilla.

inside [in'said] *s.* interior, de dentro; forro; *adv.* dentro; *adj.* interno.

insight ['insait] *s.* penetración.

insinuate [in'sinjueit] *tr.* insinuar, indicar.

insist [in'sist] *in.* insistir, exigir.

insomuch [,insou'mʌtʃ] *adv.* de tal modo, hasta tal punto.

inspect [in'spekt] *tr.* inspeccionar, reconocer.

inspire [in'spaiə*] *tr.* e *intr.* inspirar, sugerir.

install [in'stɔ:l] *tr.* instalar, colocar.

instant ['instənt] *adj.* inmediato; *s.* instante.

instead [in'sted] *adv.* en cambio.

institute ['institju:t] *s.* instituto, establecimiento; *tr.* instituir.

instruct [in'strʌkt] *tr.* instruir, educar.

insulate ['insjuleit] *tr.* aislar.

insult [in'sʌlt] *tr.* insultar, ofender.

insure [in'ʃuə*] *tr.* asegurar o garantizar.

intact [in'tækt] *adj.* intacto.

integrate ['intigreit] *tr.* integrar.

intellect ['intilekt] *s.* intelecto.

intend [in'tend] *tr.* pensar, intentar.

intensify [in'tensifai] *tr.* intensificar.

inter [in'tə:*] *tr.* (*pret.* y *pp.* **-terred**) enterrar.

intercalate [in'tə:kəleit] *tr.* intercalar.

intercede [,intə(:)'si:d] *intr.* interceder.

intercept [,intə(:)'sept] *tr.* interceptar, atajar.

intercourse ['intə(:)kɔ:s] *s.* intercambio, comercio.

interdict [,intə(:)'dikt] *tr.* prohibir, vedar.

interest ['intrist] *s.* interés, beneficio; *tr.* interesar.

interlude ['intə(:)lu:d] *s.* intervalo, intermedio.

interment [in'tə:mənt] *s.* entierro, funeral.

intermission [,intə(:)'mifən] *s.* intermisión, pausa.

interplay ['intə(:)'plei] *s.* interacción.

interpose [,intə(:)'pouz] *tr.* e *in.* interponer.

interpret [in'tə:prit] *tr.* interpretar.

interrupt [,intə'rʌpt] *tr.* interrumpir, estorbar.

intersect [,intə(:)'sekt] *tr.* entrecortar, cruzarse.

intersperse ['intə(:)'spə:s] *tr.* entremezclar, salpicar.

intervene [,intə(:)'vi:n] *intr.* intervenir.

intimidate [in'timideit] *tr.* intimidar.

into ['intu] *prep.* en, dentro.

intoxicate [in'tɔksikeit] *tr.* intoxicar.

introduce [,intrə'dju:s] *tr.* introducir, insertar.

intrude [in'tru:d] *in.* entremeterse; estorbar.

inundate ['inʌndeit] *tr.* inundar, abrumar.

inure [i'njuə*] *tr,* acostumbrar.

invade [in'veid] *tr.* invadir

invalidate [in'vælideit] *tr.* invalidar, anular.

invective [in'vektiv] *s.* invectiva; *adj.* ofensivo, injurioso.

inveigle [in'vi:gl] *tr.* engatusar, seducir.

invent [in'vent] *tr.* inventar, descubrir.

inventor [in'ventə*] *s.* inventor, autor.

invert [in'və:t] *tr.* invertir, volverse al revés.

invest [in'vest] *tr.* investir.

investigate [in'vestigeit] *tr.* investigar, explorar.

investment [in'vestmənt] *s.* inversión *(de dinero);* cerco.

invidious [in'vidiəs] *adj.* injusto, abominable.

invigorate [in'vigəreit] *tr.* vigorizar.

invite [in'vait] *tr.* invitar, brindar.

invoice ['invɔis[*s.* (Com.) factura, *tr.* facturar.

invoke [in'vouk] *tr.* invocar.

involve [in'vɔlv] *tr.* envolver, comprometer.

inward ['inwəd] *adj.* interno.

I.O.U. ['aiou'ju:] *s.* pagaré, vale; abreviatura de **I owe you** yo le debo a Vd.

irksome ['ə:ksəm] *adj.* fastidioso, cansado.

iron ['aiən] *s.* hierro, *adj.* férreo; *tr.* herrar; **cast** — hierro fundido; **pig** — hierro bruto; — **curtain** (fig.) telón de acero; — **horse** locomotora; — **ware** ferretería.

irradicate [i'rædikeit] *tr.* arraigar.

irrelevant [i'relivənt] *adj.* impertinente.

irrigate ['irigeit] *tr*, irrigar, regar.

irritate ['iriteit] *tr.* irritar.

island ['ailənd] *s.* isla; *adj.* isleño.

isolate ['aisəleit] *tr.* aislar, incomunicar.

insolation [,aisə'leiʃən] *s.* aislamiento.

issue ['isju:] *s.* edición, tirada; producto; *tr.* salir, emitir; dar, publicar.

it [it] *pron. neutro (pl.* **-they)** él, ella; le, la, lo.

itch [itʃ] *s.* picor; prurito; (Med.) sarna; *tr.* picar.

item ['aitəm] *s.* ítem; artículo.

its [its] *adj.,* pose. neutro su; *pron. pos.* neutro el suyo.

itself [it'self[*pron. refl.* mismo; sí mismo; *(sólo para cosas).*

ivory ['aivəri] *s.* marfil.

j

jack [dʒæk] s. individuo; marinero; sota *(naipe)*; (Mec.) gato, liche; *tr.* alzar con gato.

Jack [dʒæk] n. p. de John, Juanito.

jackass ['dʒækæs] s. asno.

jacket ['dʒækit] s. chaqueta, cazadora.

jackknife ['dʒæknaif] s. navaja de bolsillo.

jade [dʒeid] s. mujeruela, picarona; *adj.* verde; *tr.* cansar, embotar.

jag [dʒæg] s. diente, púa; **to have a — on** (vulg.) estar borracho.

jail [dʒeil] s. cárcel; *tr.* encarcelar; **— bird** preso.

jam [dʒæm] s. compota, mermelada; congestión *(tráfico)*; *tr.* apretar; obstruir; *in* agolparse.

janitor ['dʒænitə*] s. portero.

January ['dʒænjuəri] s. enero.

jar [dʒɑ:*] s. jarro; sonido discordante; *tr.* e *in.* chocar.

jaundice ['dʒɔ:ndis] s. (Pat.) ictericia; celos, envidia.

jaunt [dʒɔ:nt] s. caminata, excursión; *tr.* e *intr.* corretear.

jaunty ['dʒɔ:nti] adj. (*compar.* **-ier;** *superl.* **-iest**) airoso, gallardo.

jaw [dʒɔ:] s. mandíbula; (vulg.) chismes; *tr.* (vulg.) reñir; *in.* charlar.

jeans [dʒi:nz] s. pl. pantalones o guardapolvos.

jeer [dʒiə*] s. mofa, burla; **jeopardize** ['dʒepədaiz] *tr.* arriesgar, exponer.

jerk [dʒɔ:k] s. tirón, sacudida, *tr.* mover de un tirón; *intr.* moverse a tirones.

jest [dʒest] s. broma; *intr.* bromear.

jet [dʒet] s. chorro; surtidor; **— plane** (Av.) avión de propulsión a chorro; *tr.* (*pret.* y *pp.* **jetted**) echar, arrojar *(en chorro)*; *intr.* brotar en chorro.

Jew [dʒu:] *adj.* y s. judío; **Jew's eye** (fig.) un ojo de la cara.

jewel ['dʒu:əl] s. joya.

jingle ['dʒiŋgl] s. cascabel.

job [dʒɔb] s. trabajo, tarea.

jog [dʒɔg] s. empujoncito; tr. empujar.

join [dʒɔin] s. tr. juntar, unir.

joint [dʒɔint] s. empalme; grieta; adj. común, mutuo; colectivo; tr. articular; unir, juntar; **— heir** coheredero; **— owner** copropietario; **— stock** capital social; **— stock company** compañía por acciones, sociedad anónima.

joke [dʒouk] s. broma; tr. burlarse de; in. bromear.

joker ['dʒoukə*] s. bromista, comodín (naipe).

jolt [dʒoult] s. traqueteo; golpe; tr. sacudir; intr. dar saltos.

journal ['dʒə:nl] s. diario, periódico.

journey ['dʒə:ni] s. viaje; in. viajar.

joy [dʒɔi] s. alegría.

judge [dʒʌdʒ] s. juez, magistrado; tr. e in. juzgar, censurar.

jug [dʒʌg] s. jarra; (vulg.) chirona, cárcel; tr. (pret. y pp. **jugged**) (vulg.) encarcelar; in. cantar.

juggle ['dʒʌgl] s. juego de manos; intr. hacer juegos de manos; hacer trampas.

juice [dʒu:s] s. jugo, zumo; (vulg.) electricidad, gasolina.

juiceless ['dʒu:slis] adj. seco, sin jugo.

juicy ['dʒu:si] adj. (compar. **-ier;** superl. **-iest**) jugoso, zumoso.

juke box ['dʒu:kbɔks] s. tocadiscos que funciona con tragamonedas.

July [dʒu(:)'lai] s. julio (mes).

jumble ['dʒʌmbl] s. mezcla; tr. emburujar, revolver.

jump [dʒʌmp] s. salto; subida repentina de precios; tr. saltar, brincar; intr. saltar;

June [dʒu:n] s. junio.

junior ['dʒu:njə*] adj. juvenil; más joven; s. joven.

junk [dʒʌŋk] s. chatarra.

juror ['dʒuərə*] s. jurado (individuo).

jury ['dʒuəri] s. jurado (cuerpo e institución); **— box** tribuna del jurado; **— man** miembro del jurado.

just [dʒʌst] adj. justo.

justify ['dʒʌstifai] tr. (pret. y pp. **-fied**) justificar, probar.

k

keel [ki:l] s. quilla; tr. volcar.

keen [ki:n] adj. agudo, afilado.

keep [ki:p] s. manutención, subsistencia; torre; **to earn one's —** (fam.) ganarse la vida; tr. (pret. y pp. **kept**) guardar; tener; mantenerse firme en (su puesto).

keeper ['ki:pə*] s. encargado; guarda.

keeping ['ki:piŋ] s. custodia, cuidado.

ken [ken] s. alcance de la vista o del saber.

kennel ['kenl] s. perrera.

kerb [kə:b] s. bordillo de las aceras.

kerchief ['kə:tʃif] s. pañuelo.

kernel ['kə:nl] s. grano; almendra.

kettle ['ketl] s. caldera, olla; cafetera, tetera.

key [ki:] s. llave; clavija; adj. principal, fundamental

kick [kik] s. puntapié; coz.

kid [kid] s. (Zool.) cabrito, chivo; (fam.) niños, chicos; tr. (pret. y pp. **kidded**) intr. bromear.

kidnap ['kidnæp] tr. (pret. y pp. **-naped** o **-napped**) secuestrar, raptar.

kidnapper ['kidnæpə*] s. secuestrador, raptor de niños.

kidnapping ['kidnæpiŋ] s. secuestro.

kidney ['kidni] s. (An.) riñón; especie.

kill [kil] s. tr. matar, destruir.

killing ['kiliŋ] s. matanza, caza; éxito arrollador; adj. destructivo; irresistible.

kiln [kiln] s. horno.

kilt [kilt] s. falda escocesa.

kin [kin] adj. pariente.

kind [kaind] adj. bueno; amable; s. género, especie, clase.

kindergarten ['kində,gɑ:tn] s. jardín de la infancia.

kindle ['kindl] tr. encender; in. encenderse.

king [kiŋ] s. rey; **— size** de tamaño largo (cigarrillo).

kingdom ['kiŋdəm] *s.* reino, monarquía.

kipper ['kipə*] *s.* sardinas ahumadas.

kiss [kis] *s.* beso; dulce, merengue; roce, ligero contacto; *tr.* besar; *intr.* besar.

kit [kit] *s.* equipaje; (fig.)

kitchen ['kitʃin] *s.* cocina.

knack [næk] *s.* costumbre.

knapsack ['næpsæk] *s.* mochila.

knavish ['neiviʃ] *adj.* bribón.

knead [ni:d] *tr.* amasar.

knee [ni:] *s.* (An.) rodilla.

kneel [ni:l] *in.* (*pret.* y *pp.* **knelt** o **kneeled**) arrodillarse.

knickers ['nikəz] *s. pl.* calzones cortos; bragas.

knife [naif] *s.* (*pl.* **knives**) *s.* cuchillo; *tr.* acuchillar.

knight [nait] *s.* caballero *(de una orden);* caballo *(de ajedrez).*

knitting ['nitiŋ] *s.* trabajo de punto.

knob [nɔb] *s.* bulto.

knock [nɔk] *s.* golpe; censura, crítica; *tr.* golpear; vencer; desmontar; *intr.* llamar; (vulg.) criticar, censurar.

knoll [noul] *s.* toque de campanas.

knot [nɔt] *s.* nudo; *tr.* (*pret.* y *pp.* **knotted**) anudar; *intr.* anudarse.

know [nou] *tr.* e *intr.* (*pret.* **knew**; *pp.* **known**) saber, conocer, entender.

know-how ['nou-'hau] *s.* destreza.

knur [nə:*] *s.* nudo de la madera.

lab [læb] s. (fam.) laboratorio.

label ['leibl] s. rótulo, etiqueta; tr. rotular.

labo(u)r ['leibə*] s. labor, trabajo.

laboratory [lə'bɔrətəri] s. laboratorio, taller.

labo(u)rer ['leibərə*] s. trabajador, obrero.

lac [læk] s. laca, barniz.

lace [leis] s. encaje, puntilla; tr. atar; enlazar; in. apretarse.

lack [læk] s. carencia, falta; tr. necesitar.

lad [læd] s. muchacho, chico.

ladder ['lædə*] s. escalera de mano.

ladle ['leidl] s. cucharón, cazo.

lady ['leidi] s. (pl. **-dies**) señora, señorita, dama.

ladylike ['leidilaik] adj. afeminado.

ladyship ['leidiʃip] s. señoría (persona, título).

lag [læg] adj. rezagado; s. retraso; tr. revestir;

lager ['lɑ:gə*] s. cerveza reposada.

lagoon [lə'gu:n] s. laguna.

lake [leik] s. lago, laguna.

lamb [læm] s. cordero.

lame [leim] adj. cojo; débil pobre; tr. cojear.

lamp [læmp] s. lámpara (fig.) astro; **street —** farola; **— shade** pantalla.

lampholder ['læmp'houldə*] s. portalámparas.

land [lænd] s. tierra; país; adj. terrestre; tr. desembarcar; in. saltar a tierra; apearse.

landholder ['lænd,-houldə*] s. terrateniente.

landing ['lændiŋ] s. aterrizaje; desembarcos.

landlady ['læn,leidi] s. (pl. **-dies**) propietaria, ama.

landlord ['lændlɔ:d] s. propietario, dueño.

landscape ['lændskeip] s. paisaje.

languaje ['læŋgwidʒ] s. lenguaje.

lank [læŋk] adj. largo, flaco.

lap [læp] s. falda, seno.

lapel [lə'pel] s. solapa.

lapse [læps] s. lapso; caída

in. recaer; (*Der.*) caducar.

larceny ['lɑ:sni] *s.* (*pl.* **-nies**) robo.

larder ['lɑ:də*] *s.* despensa.

large [lɑ:dʒ] *adj.* grande, abultado.

lark [lɑ:k] *s.* alondra; (*fam.*) parranda.

lash [læʃ] *s.* látigo; *tr.* fustigar.

lass [læs] *s.* muchacha (*fig.*) novia.

lasso ['læsou] *s.* lazo.

last [lɑ:st] *adj.* último, postrero, final; *s.* última (*persona o cosa*); *in.* durar; — **night** anoche; **at long** — a la postre.

latch [lætʃ] *s.* picaporte, pestillo.

late [leit] *adj.* tardío; lejano; avanzado; difunto; *adv.* tarde; **of** — recientemente.

latent ['leitənt] *adj.* latente.

later ['leitə*] *adj.* y *adv. compar.* de **late** más tarde.

latest [leitist] *superl.* de **late,** el último, el más reciente.

lather [lɑ:ðə*] *s.* espuma de jabón; *tr.* enjabonar; *in.* echar espuma.

lattice ['lætis] *tr.* enrejar; *s.* enrejado; celosía.

laud [lɔ:d] *s.* alabanza; *tr.* alabar.

laugh [lɑ:f] *s.* risa; *in.* reir, reírse.

launch [lɔ:ntʃ] *s.* botadura (*de un buque*); *tr.* botar (*un buque*).

laundry ['lɔ:ndri] *s.* (*pl.* **-ries**) lavadero; (*fam.*) ropa lavada o por lavar.

lavatory ['lævətəri] *s.* (*pl.* **-ries**) lavado; water, retrete.

lavish ['læviʃ] *adj.* pródigo, gastador; *tr.* prodigar, malgastar.

law [lɔ:] *s.* ley; derecho.

lawful ['lɔ:ful] *adj.* legal legítimo.

lawless ['lɔ:lis] *adj.* ilegal.

lawn [lɔ:n] *s.* césped.

lay [lei] *adj.* (*pret.* de **to lie*); *tr.* (*pret.* y *pp.* **laid**); poner, depositar; enterrar; tender (*un cable*); extender; aplicar; cubrir; trazar (*un plan*); poner (*la mesa*); imponer (*castigos*); apostar; presentar.

layer ['leiə*] *s.* lecho; gallina ponedora.

laying [leiŋ] *s.* capa; tendido (*de un cable*); instalación.

layman ['leimən] s. (pl. -men) lego, seglar.

laziness ['leiznis] s. pereza.

lazy ['leizi] adj. (compar. -ier; superl. -iest) perezoso.

lead [li:d] s. primacía, primer lugar.

lead [led] s. plomo; — **box** caja de lápices.

leader ['li:də*] s. líder, caudillo; guía; (Mús.) director; artículo de fondo; **leaders** s. pl. puntos suspensivos.

leadership ['li:dəʃip] s. dirección.

leading ['li:diŋ] adj. director.

leaf [li:f] s. (pl. **leaves**) hoja (de libro); hoja, pétalo (de planta, flor);

league [li:g] s. liga; tr. e in. asociar.

leak [li:k] s. gotera; fuga; tr. dejar escapar, dejar salir (agua); intr. tener fugas o escapes (una tubería); **to — out** divulgarse.

lean [li:n] s. carne magra; inclinación; tr. e in. (pret. y pp. **leaned** o **leant**) inclinar.

leanness ['li:nnis] s. flaqueza; pobreza.

leap [li:p] s. salto; tr. (pret. y pp. **leaped** o **leapt**) saltar, brincar.

learn [lə:n] tr. (pret. y pp. **learned** o **learnt**) aprender; oír decir.

learned ['lə:nid] adj. docto; culto.

learner ['lə:nə*] s. aprendiz.

lease [li:s] s. arrendamiento. tr. arrendar.

least [li:st] adj. (superl. **little**) más pequeño; adv. menos; **not in the —** de ningún modo.

leather ['leðə*] s. cuero.

leave [li:v] s. licencia; despedida; **by your —** con permiso de Vd.; **to take —** despedirse; tr. (pret. y pp. **left**) dejar.

lecherous ['letʃərəs] adj. lujurioso.

lecture ['lektʃə*] s. conferencia, discurso; tr. dar lecciones a; **in —** dar una conferencia.

ledge [ledʒ] s. repisa.

ledger ['ledʒə*] s. losa; (Com.) libro mayor; traviesa de andamio.

lee [li:*] s. mirada de reojo.

lees [li:z] s. pl. heces, sedimento.

left [left] adj. izquierdo; s. izquierda (mano).

leg [leg] s. pierna.

legate ['legit] s. legado, embajador.

legend ['ledʒənd] s. leyenda, letrero.

legislate ['ledʒisleit] tr.. legislar.

leisure ['leʒə*] s. ocio; adj. desocupado.

lemonade [,lemə'neid] s. limonada, gaseosa.

lend [lend] tr. (pret. y pp. **lent**) prestar.

lending ['lendiŋ] s. prestación, préstamo.

length [leŋθ] s. largo; **full — de** cuerpo entero.

lengthen ['leŋθən] tr. alargar.

leniency ['li:niənsi] s. (pl. **-cies**) clemencia.

lens [lenz] s. lente.

Lent [lent] s. Cuaresma.

leper ['lepə*] s. leproso.

less [les] adj. compar. de **little** menor; adv. menos.

lessen ['lesn] tr. disminuir, reducir.

lesser ['lesə*] adj. compar. de **little,** menor.

lesson ['lesn] s. lección, enseñanza; tr. instruir.

lest [lest] cnj. no sea que.

let [let] tr. (pret. y pp. **let**) permitir; conceder; arrendar; pasar o salir; sacar (sangre); s. estorbo; **to — alone** dejar solo; **to — down** dejar;

to — known hacer saber; **to — loose** soltar; **to — off** disparar; **to — slip** soltar.

letter ['letə*] s. carta; letra; tr. rotular.

lettuce ['letis] s. (Bot.) lechuga.

level ['levl] s. nivel; llanura; adj. llano; tr. (pret. y pp. **-eled** o **-elled**) igualar; apuntar (un arma); **— crossing** s. paso a nivel.

lever ['li:və*] s. palanca, manivela; **hand —** palanca de mano; tr. e intr. apalancar.

lewd [lu:d] adj. lascivo.

liability [laiə'biliti] s. (pl. **-ties**) riesgo; deuda; responsabilidad.

liable ['laiəbl] adj. sujeto, responsable.

liaison [li(:)'eizɔ:ŋ] s. enlace.

liar ['laiə*] s. mentiroso.

liberate ['libereit] tr. libertar.

liberty ['libəti] s. (pl. **-ties**) libertad.

librarian [lai'brɛəriən] s. bibliotecario.

library ['laibrəri] s. (pl. **-ies**) biblioteca.

lid [lid] s. tapa; (An.) párpado.

lie [lai] s. mentira; in.

(*pret.* **lay** *pp.* **lain**) mentir; *intr.* tenderse, echarse.

lieutenant [lef'tenənt] *s.* teniente.

life· [laif] *s.* (*pl.* **lives**) vida; **to bring to** — reanimar; **to come to** — volver a la vida; **to take one's** — **in one's hand** jugarse la vida; **for** — para toda la vida.

lifelike ['laif'laik] *adj.* natural, vivo.

lifeless ['laiflis] *adj.* muerto.

lifelong ['laifloŋ] *adj.* de toda la vida; *s.* toda la vida; *adv.* durante toda la vida.

lift [lift] *s.* elevación; alzar, levantar; (Ingl.) ascensor; *tr.* limpiar.

light [lait] *s.* luz; **to bring to** — sacar a luz; farol; fuego (*para encender*); *adj.* luminoso; — **wave** onda luminosa; *tr.* (*pret.* y *pp.* **lit**) encender; alumbrar; *in.* encende. :er, apearse.

lighten ['laitn] *tr.* aligerar, iluminar; *in.* regocijarse; iluminarse.

lighter ['laitə*] *s.* encendedor; lancha.

lightning ['laitniŋ] *s.* relámpago.

like [laik] *adj.* igual, parecido, semejante; **to look** — **rain** parece que va a llover; *adv. prep., conj.* como, del mismo modo que; *tr.* querer, tener simpatía a, gustar de.

likely ['laikli] *adj.* probable.

likeness ['laiknis] *s.* semejanza.

liking ['laikiŋ] *s.* gusto.

lily ['lili] *s.* (*pl.* **-ies**) (Bot.) lirio; flor de lis.

limb [lim] *s.* miembro (*extremidad*); miembro (*de una comunidad*); rama (*de árbol*).

lime [laim] *s.* cal.

limp [limp] *s.* cojera.

line [lain] *s.* línea; verso; cuerda; **dotted** — línea de punto; **to come into** — alinearse; (fig.) de acuerdo, dispuesto; *tr.* rayar; delinear.

lineage ['liniidʒ] *s.* linaje, raza.

liner ['lainə*] *s.* transatlántico.

ling [liŋ] *s.* bacalao.

linger ['liŋgə*] *intr.* demorar, ir despacio.

lining ['lainiŋ] *s.* forro.

link [liŋk] *s.* eslabón; *tr.* enlazar.

linnet ['linit] *s.* jilguero.

lion ['laiən] *s.* león.

lioness ['laiənis] *s.* leona.

lip ['lip] *s.* labio; *tr.* besar; susurrar.

liquid ['likwid] *adj.* líquido.

liquidate ['likwideit] *tr.* liquidar.

liquor ['likə*] *s.* licor.

list [list] *s.* lista; *tr.* registrar.

listen ['lisn] *intr.* escuchar, oír.

lithe [laið] *adj.* flexible.

litre ['li:tə*] *s.* litro.

litter ['litə*] *s.* litera.

little ['litl] *adj.* (*compar.* **less;** *superl.* **least**) pequeño, poco.

live [laiv] *adj.* vivo; de actualidad.

live [liv] *in.* vivir, existir; habitar; *tr.* lleva *(tal vida);* vivir *(una aventura, etc.).*

liver ['livə*] (An.) hígado.

livestock ['laivstɔk] *s.* ganado.

living ['liviŋ] *s.* modo de vivir; *adj.* vivo, animado; **everything** — (fam.) todo bicho viviente; — **room** cuarto de estar.

lizard ['lizəd] *s.* (Zool.) lagarto.

load [loud] *s.* carga.

loaf [louf] *s.* (*pl.* **loaves**) hogaza de pan; **small** — bollo, panecillo; —**s and fishes** ganancias.

loan [loun] *s.* préstamo; *tr.* e *intr.* prestar.

loathe [louð] *tr.* aborrecer.

lobby ['lɔbi] *s.* (*pl.* **-bies**) salón de entrada, vestíbulo.

lobster ['lɔbstə*] *s.* (Zool) langosta.

localise ['loukəlaiz] *tr.* localizar.

locate [lou'keit] *tr.* poner; establecer.

lock [lɔk] *s.* cerradura; rizo; —**s** cabellos; *tr.* e *in.* cerrar con llave; encerrarse.

locust ['loukəst] *s.* langosta; cigarra.

lode [loud] *s.* (Min.) filón.

lodge [lɔdʒ] *s.* casa de campo; logia *(de masones);* *tr.* alojar; *in.* alojarse.

loft [lɔft] *s.* desván; pajar.

lofty ['lɔfti] *adj.* alto; excelso.

log [lɔg] *s.* leño, tronco; *tr.* cortar troncos; *in.* extraer madera.

loggerhead ['lɔgəhed] *s.* (Zool.) tortuga de mar; *adj.* necio.

loin [lɔin] *s.* lomo; solomillo.

loll [lɔl] *tr.* colgar; *intr.* colgar.

lollipop, lollypop ['lɔlipɔp,] *s.* dulce o caramelo.

loneliness ['lounlinis] *s.* soledad.

long [lɔŋ] *adj.* largo, extenso; **in the — run** a la larga; **so —** hasta pronto; **— range** a largo plazo; *adv.* mucho; **before —** en breve; **as — as, so — as** mientras, *intr.* (**for, after, to**) ansiar, annelar.

longing ['lɔŋiŋ] *s.* deseo.

longways, longwise ['lɔŋweiz, 'lɔŋwaiz] *adv.* a lo largo.

look [luk] *s.* mirada; semblante; *tr.* mirar; expresar o indicar con la mirada; **to — up** buscar (*en un diccionario,* etc.); *in.* mirar; parecer; **to — forward** mirar al porvenir;

lookingglass ['lukiŋglɑːs] *s.* espejo.

lookout ['luk'aut] *s.* vigilancia.

loony ['luːni] *adj.* (*compar.* **-ier**; *superl.* **-iest.**) y *s.* (*vulg.*) loco.

loop [luːp] *s.* lazo; presilla; *tr.* enlazar.

loose [luːs] *adj.* flojo; a granel; *s.* relajamiento; *tr.* soltar.

loosen ['luːsn] *tr.* desatar; *in* desatarse.

loot [luːt] *s.* botín; *tr.* e *in.* saquear.

lop [lɔp] *s. tr.* podar; *in.* colgar.

lord [lɔːd] *s.* señor; lord, título.

lordship ['lɔːdʃip] *s.* señoría; **your —** Usía.

lorry ['lɔri] *s.* camión.

lose [luːz] *tr.* (*pret.* y *pp.* **lost**) perder.

lost [lɔst] *adj.* perdido.

lot [lɔt] *s.* solar; *tr.* dividir echando suertes.

loud [laud] *adj.* alto; fuerte; llamativo; *adv.* en alta voz; **— speaker** altavoz.

lounge [laundʒ] *s.* salón de tertulia; *tr.* gastar ociosamente; *in.* pasear perezosamente.

lovable ['lʌvəbl] *adj.* amable.

love [lʌv] *s.* amor; (*fam.*) preciosidad; *tr.* amar, querer.

lover ['lʌve*] *s.* amante, novio.

low [lou] *adj.* bajo; común; *s.* mugido; *adv.* bajo; *intr.* mugir, berrear

lower ['louə*] *tr.* bajar; abatir.

lower ['lauə:*] *intr.* fruncir el ceño.

loyal ['lɔiəl] *adj.* leal, fiel.

luck [lʌk] *s.* suerte, azar.

luckless ['lʌklis] *adj.* desgraciado.

lucky ['lʌki] *adj.* (*compar.* **-ier**; *superl.* **-iest**) afortunado, feliz.

ludicrous ['lu:dikrəs] *adj.* absurdo.

luggage ['lʌgidʒ] *s.* equipaje.

lukewarn ['lju:kwɔ:m] *adj.* tibio.

lull [lʌl] *tr.* arrullar.

lullaby ['lʌləbail] *s.* nana.

lumber ['lʌmbə*] *s.* madera de construcción;
tr. amontonar trastos viejos; *intr.* cortar y aserar madera.

lunch [lʌntʃ] *s.* almuerzo, merienda.

lung [lʌŋ] *s.* (An.) pulmón.

lure [ljuə*] *s.* cebo.

lurid ['ljuərid] *adj.* ardiente.

lurk [lə:k] *s.* escondite; *in.* acechar.

lush [lʌʃ] *adj.* jugoso.

lust [lʌst] *s.* codicia; lujuria; *intr.* codiciar.

lusty ['lʌsti] *adj.* (*compar.* **-ier**; *superl.* **-iest**) robusto.

luxury ['lʌkʃəri] *s.* lujo.

lying ['laiiŋ] *s.* mentira.

m

mace [meis] s. maza.

machine [mə'ʃi:n] s. máquina, aparato; — **gun** ametralladora.

mackintosh ['mækintɔʃ] s. impermeable.

mad [mæd] adj. (compar. **madder**; superl. **maddest**) loco; tr. enloquecer.

madam ['mædəm] s. señora.

madden ['mædn] tr. enloquecer.

made [meid] adj. hecho fabricado.

madhouse ['mædhaus] s. manicomio.

magazine [,mægə'zi:n] s. revista; almacén.

magic ['mædʒik] adj. mágico; s. magia.

magistrate ['mædʒistrit] s. magistrado.

magnet ['maegnit] s. imán.

magnify ['mægnifai] tr. (pret. y pp. **-fied**) amplificar.

mahogany [mə'hɔgəni] s. (Bot.) caoba.

maid [meid] s. criada; virgen.

mail [meil] s. correo, correspondencia; tr. enviar por correo

maim [meim] tr. mutilar.

main [mein] s. océano, alta mar; adj. principal.

mainland ['meinlənd] s. tierra firme.

mainly ['meinli] adv. mayormente.

maintain [mein'tein] tr. mantener.

maize [meiz] s. (Bot.) maíz.

majesty ['mædʒisti] s. majestad.

major ['meidʒə*] adj. mayor.

majority [mə'dʒɔriti] adj. mayoría.

make [meik] s. hechura; constitución; obra, fabricación; producción; marca (de fábrica); tr. (pret. y pp. **made**) hacer, fabricar; **to — way** hacer o abrir paso; **to — angry** enfadar, enojar.

maker ['meikə*] s. fabricante.

makeshift ['meikʃift] adj. provisional.

make-up ['meikʌp] s.

composición; maquilla-
je.

maladroit [,mælə'drɔit]
adj. torpe.

malady ['mælədi] *s.* (*pl.*
-dies) mal, enfermedad.

male [meil] *s.* varón, macho; *adj.* masculino.

malefactor ['mælifæk-
tə*] *s.* malhechor.

malice ['mælis] *s.* malicia.

malign [mə'lain] *adj.* maligno; *tr.* calumniar.

mall [mɔ:l] *s.* alameda.

malpractice ['mæl'præk-
tis] *s.* inmoralidad.

malt [mɔlt] *s.* malta.

maltreat [mæl'tri:t] *tr.*
maltratar.

mammal ['mæməl] *s.*
(Zool.) mamífero.

man [mæn] *s.* (*pl.* **men**)
hombre; **merchant** —
buque mercante; *tr.* tripular.

manacle ['mænəkl] *s.* ma-
nilla; **manacles** *s. pl.*
esposas; (fig.) estorbo; *tr.*
esposar.

manage ['mænidʒ] *tr.* manejar.

management ['mænidʒ-
mənt] *s.* manejo.

manager ['mænidʒə*] *s.*
gerente, entrenador
(*fútbol*).

mannequin, manikin
['mænikin] *s.* maniquí.

manful ['mænful] *adj.* va-
ronil.

manger ['meindʒə*] *s.*
pesebre.

mangy ['meindʒi] *adj.*
(*compar.* **-ier**; *superl.*
-iest) sarnoso.

manhood ['mænhud] *s.*
masculinidad.

manifest ['mænifest] *adj.*
y *s.* manifiesto; *tr.* manifestar.

manifold ['mænifould]
adj. múltiple.

mankind [mæn'kaind] *s.*
humanidad; *s.* sexo mas-
culino.

manliness [mænlinis] *s.*
valentía.

manly ['mænli] *adj.* varo-
nil.

mannerly ['mænəli] *adj.*
cortés.

manoeuvre [mə'nu:və*]
s. maniobra; *tr.* manio-
brar.

manor ['mænə*] *s.* feudo.

manslaughter ['mæn,-
slɔ:tə*] *s.* homicidio.

mantle ['mæntl] *s.* manto; *tr.* tapar, envolver;
in. extenderse.

manure [mə'njuə*] *s.* estiércol, abono; *tr.* abonar.

many ['meni] *adj.* muchos;
too — demasiados.

map [mæp] *s.* mapa.

mar [mɑ:r] *tr.* (*pret.* y *pp.* **marred**) estropear.

marble ['mɑ:bl] *s.* mármol.

march [mɑ:tʃ] *s.* marcha; *s.* marzo; *tr.* e *in.* poner en marcha.

mare [meə*] *s.* yegua.

margarin(-e) [,mɑ:dʒə'ri:n] *s.* margarina.

mark [mɑ:k] *s.* marca; huella; *tr.* marcar; calificar (*un examen*).

market ['mɑ:kit] *s.* mercado; bolsa; *intr.* comercial.

marmalade ['mɑ:məleid] *s.* mermelada de naranja.

maroon [mə'ru:n] *adj.* marrón.

marriage ['mæridʒ] *s.* matrimonio, boda.

married ['mærid] *adj.* casado.

marrow ['mærou] *s.* (An.) médula, esencia.

marry ['mæri] *tr.* casar; *in.* casarse.

marsh [mɑ:ʃ] *s.* pantano.

marshal ['mɑ:ʃəl] *s.* maestro de ceremonias.

mart [mɑ:t] *s.* emporio.

marvel ['mɑ:vəl] *s.* maravilla; *in.* (*pret.* y *pp.* **-veled** o **-velled**) maravillarse.

marvel(l)ous ['mɑ:vələs] *adj.* maravilloso.

Mary ['meəri] *n. p.* María.

marzipan [,mɑ:zi'pæn] *s.* mazapán.

mash [mæʃ] *s.* masa; *tr.* amasar.

mask [mɑ:sk] *s.* máscara; *tr.* enmascarar.

mason ['meisn] *s.* albañil.

masonry ['meisnri] *s.* masonería.

mass [mæs] *s.* masa, gran cantidad; misa; **to hear — ** oír misa; **the —s** la gente, la multitud; *tr.* juntar en masas.

massacre ['mæsəkə*] *s.* carnicería, destrozo; *tr.* destrozar, matar.

massage ['mæsɑ:ʒ] *s.* masaje; *tr.* dar masaje.

massif ['mæsif] *s.* macizo.

mast [mɑ:st] *s.* (Náut.) mástil.

master ['mɑ:stə*] *s.* patrón: amo; *tr.* dominar.

masterly ['mɑ:stəli] *adj.* magistral; *adv.* magistralmente.

masterwork ['mɑ:stə,wə:k] *s.* obra maestra.

mastery ['mɑ:stəri] *s.* maestría.

masticate ['mæstikeit] *tr.* masticar.

mat [mæt] *s.* estera; *adj.* mate; *tr.* (*pret.* y *pp.*

matted enmarañar.

match [mætʃ] s. cerilla; compañero; tr. hermanar; in. pegar, hacer juego.

matchless ['mætʃlis] adj. sin igual.

mate [meit] s. compañero, socio.

matins ['mætinz] s. oración matinal.

matter ['mætə*] s. cuestión, asunto; tr. importar.

mattress ['mætris] s. colchón; **spring —** sommier.

mature [mə'tjuə*] adj. maduro; tr. madurar.

maudlin ['mɔ:dlin] adj. sentimental.

mauve [mouv] adj. de color malva.

maxim ['mæksim] s. máxima, sentencia.

may [mei] intr. (pret. **might**); poder (de autorización), permiso; **it — be** puede ser.

May [mei] s. mayo (mes); (fig.) juventud, prima-/vera.

maybe ['meibi:] adv. quizá.

mayor ['meə*] s. alcalde.

maze [meiz] s. laberinto, confusión.

me [mi:] pron. pers. me; mí; **with —** conmigo.

mead [mi:d] s. pradera.

meal [mi:l] s. comida; harina.

mean [mi:n] adj. bajo, humilde; s. medio, moderación; pl. medios, posibles recursos; tr. (pret. y pp. **meant**) significar, querer decir; in. tener intención; **by any —s** sea como sea; **by no —s** de ningún modo.

meaning ['mi:niŋ] s. significado; adj. significativo.

meantime ['mi:n'taim] adv. mientras tanto; s. interín.

measles ['mi:zlz] s. (Pat.) sarampión.

measure ['meʒə*] s. medida, dimensión.

meat [mi:t] s. carne; **cold — carne** fiambre; **roast — asado; stewed —** estofado; **minced —** picadillo.

medal ['medl] s. medalla.

meddle ['medl] intr. entremeterse.

medical ['medikəl] adj. médico, medicinal.

medicine ['medsin] s. medicina; medicamento.

meditate ['mediteit] tr.

e *intr.* meditar, considerar.

medium ['mi:diəm] *s.* (*pl.* **media**) medio, intermediario; *adj.* mediano.

medley ['medli] *s.* mescolanza.

meek [mi:k] *adj.* manso.

meet [mi:t] *s. tr.* (*pret.* y *pp.* **met**) encontrar; entrevistarse con; ir a recibir; *in.* unirse.

meeting ['mi:tiŋ] *s.* reunión.

mellow ['melou] *adj.* maduro; *tr.* madurar.

melody ['melədi] *s.* (*pl.* **-dies**) melodía, canción.

melt [melt] *s. tr.* derretir; disolver *(azúcar)*; *intr.* derretirse.

membership ['membə-ʃip] *s.* asociación.

memorial [me'mɔ:riəl] *adj.* conmemorativo; *s.* monumento conmemorativo.

men [men] *s. pl.* de **man** hombres.

menace ['menəs] *s.* amenaza; *tr.* e *intr.* amenazar.

mend [mend] *s. tr.* remendar.

mention ['menʃən] *s.* mención; *tr.* mencionar, hablar de.

menu ['menju:] *s.* menú, lista de platos.

merciful ['mə:siful] *adj.* misericordioso.

merciless ['mə:silis] *adj.* despiadado.

mercy ['mə:si] *s.* (*pl.* **-cies**) gracia, perdón.

mere [miə*] *adj.* solo; *s.* lago.

merge [mə:dʒ] *tr.* fusionar.

merit ['merit] *s.* mérito; *tr.* merecer.

mermaid [,mə:meid] *s.* sirena.

merrily ['merili] *adv.* alegremente.

merriment ['merimənt] *s.* alegría.

merry ['meri] *adj.* (*compar.* **-ier**; *superl.* **-iest**) alegre, gozoso.

mesh [meʃ] *s.* malla; *tr.* enredar; engranar; *in.* enredarse.

mesmerise ['mezməraiz] *tr.* hipnotizar.

mess [mes] *s.* revoltijo; *tr.* dar rancho.

message ['mesidʒ] *s.* mensaje.

messieurs, *abrev.* **Messrs** ['mesəz] *s. pl.* de **mister** señores.

messy ['mesi] *adj.* (*compar.* **-ier**; *superl.* **-iest**) sucio.

meter ['mi:tə*] *s.* metro, medidor.

method ['meθəd] *s*. método.

mettle ['metl] *s*. ánimo.

mew [mju:] *s*. maullido.

mewl [mju:l] *intr*. lloriquear.

mice [mais] *pl*. de **mouse** ratones.

mid [mid] *adj*. medio; *prep*. entre;

middleman ['midlmæn] *s*. intermediario.

midnight ['midnait] *s*. medianoche; *adj*. de media noche.

midway ['midwei] *s*. medio camino.

midwife ['midwaif] *s*. comadrona.

mien [mi:n] *s*. porte.

might [mait] *s*. fuerza.

mighty ['maiti] *adj*. fuerte.

migrate [mai'greit] *intr*. emigrar.

mike [maik] *s*. (vulg.) micrófono; *n*. *p*. diminutivo de Michael.

mild [maild] *adj*. suave, dulce.

mile [mail] *s*. milla (1.609 m.).

milk [milk] *s*. leche; *tr*. ordeñar.

milky ['milki] *adj*. (compar. **-ier**; superl. **-iest**), lechoso.

mill [mil] *s*. molino; taller; *tr*. moler; triturar.

mince [mins] *s*. *tr*. desmenuzar; picar.

mind [maind] *s*. mente, espíritu; *tr*. notar, observar; *intr*. atender, preocuparse.

minded ['maindid] *adj*. inclinado, dispuesto.

mindful ['maindful] *adj*. atento.

mine [main] *adj*. *poss*. mi; *pron*. *poss*. mío; *s*. mina; *tr*. extraer.

miner ['mainə*] *s*. minero; (Mil.).

mineral ['minərəl] *adj*. y *s*. mineral.

mingle ['miŋgl] *tr*. mezclar; *intr*. mezclarse.

miniature ['mimjətʃə*] *s*. miniatura; *adj*. miniatura.

minimize ['minimaiz] *tr*. reducir al mínimo.

minion ['miniən] *s*. valido, favorito; *adj*. lindo.

minister ['ministə*] *s*. ministro.

ministry ['ministri] *s*. (pl. **-tries**) ministerio; sacerdocio.

mink [miŋk] *s*. (Zool.) visión.

minority [mai'nɔriti] *s*. (pl. **-ties**) minoría; *adj*. minoritario.

minster ['minstə*] *s*. mo-

nasterio; basílica, cate-
dral.

mint [mint] *s.* (Bot.) menta; casa de moneda;
tr. acuñar.

minute [mai'nju:t] *adj.*
diminuto; **minutes** *s.*
pl. acta; *tr.* levantar acta
de.

mirage ['mirɑ:ʒ] *s.* espe-
jismo.

mire ['maiə*] *s.* lodo,
cieno.

mirror ['mirə*] *s.* espejo;
tr. reflejar.

mirth [mə:θ] *s.* alegría,
risa.

misadventure ['misəd'
ventʃə*] *s.* desventura.

miscalculate ['mis'kælk-
juleit] *tr.* e *intr.* calcular
mal.

miscarriage [mis'kæ-
ridʒ] *s.* aborto.

miscarry [mis'kæri] *intr.*
(*pret.* y *pp.* **-ried**) ma-
lograrse.

mischance [mis'tʃɑ:ns] *s.*
desgracia.

mischief ['mis-tʃif] *s.* daño; malicia.

misdeed ['mis'di:d] *s.* fe-
choría.

misdemeano(u)r [,mis-
di'mi:nə*] *s.* mala con-
ducta.

misdirect ['misdi'rekt] *tr.*

dirigir equivocadamen-
te.

misdoer ['mis'duə*] *s.*
criminal.

misdoing ['mis'du(:)iŋ]
s. maldad.

miser ['maizə*] *s.* avaro,
tacaño.

miserly ['maizəli] *adj.* mísero.

misfortune [mis'fɔ:tʃən]
s. desventura.

misgiving [mis'giviŋ] *s.*
duda.

misgovern ['mis'gʌvən]
tr. desgobernar.

misguide ['mis'gaid] *tr.*
dirigir mal.

mishandle ['mis'hændl]
tr. manejar mal.

mishap ['mishæp] *s.* accidente.

mislay [mis'lei] *tr.* (*pret.*
y *pp.* **-laid**) traspapelar,
perder.

misplace [mis'pleis] *tr.*
colocar mal.

misprint ['mis'print] *s.*
errata de imprenta; *tr.*
imprimir con erratas.

miss [mis] *s.* falta, extravío; señorita; *tr.* echar
de menos; errar; *in.*
errar *(el tiro).*

misshape ['mis'ʃeip] *tr*
deformar.

missing ['misiŋ] *adj.* des-
aparecido.

misspend ['mis'spend] *tr.* malgastar.

mist [mist] *s.* niebla; llovizna.

mistake [mis'teik] *s.* error; *tr.* interpretar mal; *in.* equivocarse.

mister ['mistə*] *s.* señor.

mistletoe ['misltou] *s.* (Bot.) muérdago.

mistress ['mistris] *s.* señora; ama de casa; (vulg.) amada.

mistrust ['mis'trʌst] *s.* desconfianza; *intr.* sospechar.

misunderstand ['misʌndə'stæd] *tr.* e *intr.* entender mal.

misunderstanding ['misʌndə'stændiŋ] *s.* mal entendido, equivocación

misusage [mis'ju:zidʒ] *s.* abuso.

misuse ['mis'ju:s] *s.* abuso; *tr.* usar mal.

mitigate ['mitigeit] *tr.* mitigar.

mix [miks] *s.* mezcla; *tr.* mezclar; *intr.* mezclarse; asociarse.

moan [moun] *s.* gemido, lamento; *tr.* lamentar; *in.* lamentarse.

moat [mout] *s.* foso.

mob [mɔb] *s.* gentío; *tr.* promover alborotos.

mobilise ['moubilais] *tr.* movilizar.

mock [mɔk] *s.* mofa, burla; *adj.* fingido, simulado.

mock-up ['mɔkʌp] *s.* maqueta.

mode [moud] *s.* moda; forma.

model ['mɔdl] *s.* modelo; *adj.* modelo, ejemplar; *tr.* modelar.

moderate ['mɔdəreit] *tr.* moderar; *in.* moderarse.

modern ['mɔdən] *adj.* y *s.* moderno.

modify ['mɔdifai] *tr.* modificar, cambiar.

moist [mɔist] *adj.* húmedo, jugoso.

moisten ['mɔisn] *tr.* humedecer.

molest [mə'lest] *tr.* molestar.

mollify ['mɔlifai] *tr.* ablandar.

molten ['moultən] *adj.* derretido.

moment ['moumənt] *s.* momento; ocasión.

Monday ['mʌndi] *s.* lunes.

money ['mʌni] *s.* dinero, plata capital, riqueza.

mongrel ['mʌŋgrəl] *adj.* y *s.* mestizo, cruzado.

monk [mʌŋk] *s.* monje.

monkey ['mʌŋki] *s.* (Zool.) mono; mona;

— **wrench** llave inglesa.

monopolise [mə'nɔpəlaiz] *tr.* monopolizar.

monotony [mə'nɔtni] *s.* monotonía.

monster ['mɔnstə*] *s.* monstruo; *adj.* monstruoso.

month [mʌnθ] *s.* mes.

monthly ['mʌnθli] *adj.* mensual; *s.* revista mensual; *adv.* mensualmente.

monument ['mɔnjumənt] *s.* monumento.

mood [mu:d] *s.* (Gram.) modo; humor.

moodily ['mu:dili] *adv.* caprichosamente.

moon [mu:n] *s.* luna, **full** — luna llena.

moor [muə*] *s.* moro; páramo; *tr.* (Náut.) amarrar, anclar.

mop [mɔp] *s.* estropajo; *tr.* fregar.

mope [moup] *s.* apático, abatido.

moral ['mɔrəl] *adj.* moral; *s.* moraleja; *pl.* honestidad.

moralise ['mɔrəlaiz] *tr.* moralizar.

morass [mə'ræs] *s.* pantano, marisma.

noreover [mɔː'rouvə*] *adv.* además, también.

morning ['mɔːniŋ] *s.* la mañana; *adj.* de la mañana.

morose [mə'rous] *adj.* moroso.

morsel ['mɔːsəl] *s.* pedazo.

mortal ['mɔːtl] *adj.* mortal; *s.* ser humano.

mortar ['mɔːtə*] *s.* mortero, hormigón.

mortgage ['mɔːgidʒ] *s.* hipoteca; *tr.* hipotecar.

mortify ['mɔːtifai] *tr.* (*pret* y *pp.* **-fied**) mortificar; *intr.* mortificarse.

mortuary ['mɔːtjuəri] *adj.* mortuorio, funerario; *s.* (*pl.* **-ries**) depósito de cadáveres.

mosaic [mə'zeiik] *s.* y *adj.* mosaico, encaje.

mosque [mɔsk] *s.* mezquita.

mosquito [məs'kitou] *s.* (*pl.* **-toes** o **-tos**) mosquito; *adj.* de mosquito.

most [moust] *adj.* más; la mayor parte; *adv.* más; *s.* los más.

moth [mɔθ] *s.* (*pl.* **moths**) polilla; (fig.) anticuado.

mother ['mʌðə*] *s.* madre; *adj.* materno.

motherhood ['mʌðə,hud] *s.* maternidad.

motif [mou'tiːf] *s.* motivo asunto.

motion ['mouʃən] *s.* moción; movimiento; — **pictures** cine; *intr.* hacer señas.

motionless ['mouʃənlis] *s.* inmóvil.

mottle ['mɔtl] *s.* mancha; *tr.* motear, jaspear.

motto ['mɔtou] *s.* lema, divisa.

mould [mould] *s.* molde; moldura; mantillo; *tr.* moldear; *intr.* enmohecerse.

moulding ['mouldiŋ] *s.* moldura.

mound [maund] *s.* montón de tierra; *tr.* amontonar.

mount [maunt] *s.* monte; montaje; *tr.* subir; cabalgar; *in.* elevarse a, subir.

mountain ['mauntin] *s.* montaña.

Mr. ['mistə*] *s.* señor.

Mrs. ['misiz] *s.* señora.

mourn [mɔːn] *tr.* lamentar, llorar.

mournful ['mɔːnful] *adj.* dolorido, triste.

mourning ['mɔːniŋ] *s.* lamento; luto.

mousetrap ['maustræp] *s.* ratonera, trampa.

mousseline [muːsˈliːn] *s.* muselina *(tejido).*

mouth [mauθ] *s.* boca; desembocadura *(de un río);* tragante; mueca.

mouthful ['mauθful] *s.* bocado.

mouthpiece ['mauθpiːs] *adj.* boquilla; (fig.) portavoz.

movable ['muːvəbl] *adj.* movible; *s.* mueble.

move [muːv] *s.* movimiento; gestión; *tr.* mover; *intr.* moverse; mudarse.

movie ['muːvi] *s.* cine; *pl.* **movies** películas.

mow [mou] *s. tr.* segar, cortar la hierba.

M.P. ['em,piː] siglas de **member of Parliament** procurador en Cortes.

much [mʌtʃ] *adj.* mucho; *adv.* mucho; casi; **how** — ? ¿cuánto?; *s.* mucho; **to make — of** tener en mucho, dar importancia a.

mucous ['mjuːkəs] *s.* moco.

mud [mʌd] *s.* barro, lodo; *tr.* embarrar.

muddle ['mʌdl] *s.* confusión; *tr.* confundir.

mudguard ['mʌdgaːd] *s.* guardabarros.

muffle ['mʌfl] *s.* amortiguador de sonido; *tr.* amortiguar.

mummy ['mʌmi] s. (pl. -mies) momia; s. dim. de **mamma** mamá.

munch [mʌntʃ] tr. mascar.

mural ['mjuərəl] adj. mural; s. pintura mural.

murder ['mə:də*] s. asesinato; tr. asesinar.

murky ['mə:ki] adj. lóbrego.

murmur [ˈmə:mə*] s. murmullo; tr. e in. susurrar; murmurar.

muse [mju:z] s. musa; intr. meditar.

museum [mju(:)'ziəm] s. museo.

mushroom ['mʌʃrum] s. (Bot.) seta.

music ['mju:zik] s. música; — **hall** salón de variedades; — **stand** atril.

musing ['mju:ziŋ] adj. meditabundo.

mussel ['mʌsl] s. (Zool.) mejillón.

mussy ['mʌsi] adj. (fam.) desaliñado; desordenado.

must [mʌst] v. defectivo, deber, tener que.

muster ['mʌstə*] s. asamblea; reunión; tr. juntar, reunir.

mute [mju:t] adj. mudo; s. mudo.

mutilate ['mju:tileit] tr. mutilar.

mutineer ['mju:ti'niə*] s. amotinado; intr. amotinarse.

mutiny ['mju:tini] s. (pl. -nies) motín; intr. (pret. y pp. -nied) amotinarse.

mutter ['mʌtə*] s. murmullo; tr. e intr. murmurar.

mutton ['mʌtn] s. carnero; adj. de carnero.

my [mai] adj. poss. mi, mis.

myrrh [mə:] s. mirra.

myself [mai'self] pron. pers. yo mismo; mí, mismo, a mí, me.

mystery ['mistəri] s. (pl. -ies) misterio; (Tt.) auto drama.

myth [miθ] s. mito; fábula.

mythus ['miθəs] s. mito.

n

nag [næg] *s.* jaca; *intr.* regañar.

nail [neil] *s.* uña; clavo; — **clippers** cortauñas; *tr.* clavar.

naïve [nai'i:v] *adj.* cándido, ingenuo.

naked ['neikid] *adj.* desnudo.

name [neim] *s.* nombre, fama; **by** — de nombre; **Christian** — nombre de bautismo o de pila; **full** — nombre y apellido; **surname** apellido; **nick** — mote; *tr.* llamar; nombrar.

nameless ['neimlis] *adj.* anónimo.

namely ['neimli] *adv.* es decir.

nap [næp] *s.* lanilla, borra; *intr.* dormirar, echar la siesta; **after-dinner** — siesta.

nape [neip] *s.* nuca.

napkin ['næpkin] *s.* servilleta; pañal.

narrow ['nærou] *adj.* estrecho; minucioso; *tr.* estrechar, disminuir, escoger.

nastiness ['nɑ:stinis] *s.* suciedad.

nasty ['nɑ:sti] *adj.* sucio, asqueroso.

national ['næʃnl] *adj.* y *s.* nacional; — **anthem** himno nacional.

naturalise ['nætʃrəlaiz] *tr.* naturalizar, habituar.

nature ['neitʃə*] *s.* naturaleza; modo de ser.

naught [nɔ:t] *s.* nada; cero.

naughty ['nɔ:ti] *adj.* desobediente, travieso.

navigate ['nævigeit] *tr.* e *intr.* navegar.

navy ['neivi] *s.* (*pl.* **-dies**) marina de guerra, armada; — **blue** azul marino.

nay [nei] *s.* no, voto en contra; *adv.* no, de ningún modo.

neap [ni:p] *adj.* ínfimo.

near [niə*] *adj.* próximo; *adv.* cerca; *prep.* cerca de; *tr.* acercarse a.

nearly ['niəli] *adv.* casi, cercanamente.

neat [ni:t] *adj.* pulcro, limpio; *s.* res vacuna.

necessitate [ni'sesiteit] *tr.* necesitar.

neck [nek] *s.* cuello, mástil.

necklace ['neklis] *s.* collar.

necktie ['nektai] *s.* corbata.

need [ni:d] *s.* necesidad; *tr.* necesitar.

needle ['ni:d] *s.* aguja.

needlewoman ['ni:dl,wumən] *s.* costurera,

needy ['ni:di] *adj.* (*compar.* **-ier;** *superl.* **-iest**) necesitado, pobre.

ne'er ['neə*] *adv.* var. de **never** nunca.

negative ['negətiv] *adj.* negativo; *s.* negativa; *tr.* denegar.

neglect [ni'glekt] *s.* negligencia; *tr.* descuidar.

negotiate [ni'gouʃieit] *tr.* e *intr.* negociar.

negro ['ni:grou] *s.* (*pl.* **-groes**) negro; (*hombre*) *adj.* negro.

neigh [nei] *s.* relincho, *intr.* relinchar.

neighbour ['neibə*] *s.* vecino; prójimo.

neighbouring ['neibəriŋ] *adj.* cercano.

neither ['naiðə*] *pron. indef.* ningún; *adj. indef.* ninguno; *cnj.* ni.

nephew ['nevju(:)] *s.* sobrino.

nerve [nə:v] *s.* nervio.

nest [nest] *s.* nido; *intr.* anidar.

nestle ['nesl] *in.* recostarse.

net [net] *s.* red; malla; *adj.* neto.

network ['netwə:k] *s.* malla.

neuter ['nju:tə*] *adj.* neutro.

never ['nevə*] *adv.* nunca.

nevertheless [,nevəðə'les] *adv.* sin embargo.

new [nju:] *adj.* nuevo.

newborn ['nju:bɔ:n] *adj.* recién nacido.

newcomer ['nju:'kʌmə*] *s.* recién llegado.

newly ['nju:li] *adv.* nuevamente.

newness ['nju:nis] *s.* novedad.

news [nju:z] *s.* noticias, novedades; — **boy** vendedor de periódicos.

newspaper ['nju:s,-peipə*] *s.* periódico.

next [nekst] *adj.* próximo, inmediato.

nib [nib] *s.* pico (*de ave*); pluma.

nice [nais] *adj.* bonito, guapo.

nickel ['nikl] *s.* (Qm.) níquel.

niece [ni:z] *s.* sobrina.

niggard ['nigəd] *adj.* y *s.* tacaño.

nigger ['nigə*] *s.* negro.

nigh [nai] *adj.* próximo, cercano.

night [nait] *s.* noche; **good — buenas noches.

nightingale ['naitiŋgeil] *s.* ruiseñor.

nightly ['naitli] *adj.* nocturno; *adv.* por la noche.

nightmare ['naitmeə*] *s.* pesadilla.

nil [nil] *s.* nada.

nimble ['nimbl] *adj.* ágil, ligero.

nine [nain] *adj. y s.* nueve; **to the nines** a la perfección.

ninth ['nainθ] *adj.* noveno, nono.

nip [nip] *s.* pellizco, mordisco; *tr.* pellizcar; mordiscar; (vulg.) coger, robar.

nipple ['nipl] *s.* (An.) pezón; tetilla *(del biberón)*.

no [nou] *adv.* no.

noble ['noubl] *adj. y s.* noble.

nobody ['noubədi] *s.* nadie; *pron. indef.* ninguno.

nod [nɔd] *s.* reverencia; cabezada *(del que duerme sentado)*.

noise [nɔiz] *s.* ruido; *tr.* divulgar.

noiseless ['nɔizlis] *adj.* silencioso.

nomad ['nɔməd] *adj. y s.* nómada.

nominate ['nɔmineit] *tr.* nominar.

none [nʌn] *pron. indef.* ninguno, nadie.

nonplus ['nɔn'plʌs] *s.* estupefacción; *tr.* dejar estupefacto.

nonsense ['nɔnsəns] *s.* tontería, bobada.

nonskid ['nɔnskid] *adj.* antideslizante.

nonstop ['nɔn'stɔp] *adj.* directo, sin parada; *adv.* sin parar.

nook [nuk] *s.* rincón.

noon [nu:n] *s.* mediodía.

noose [nu:s] *s.* lazo o nudo corredizo.

nor [nɔ:*] *cnj.* ni, tampoco.

normalise ['nɔ:məlaiz] *tr.* normalizar.

north [nɔ:θ] *s.* norte; *adj.* del norte, septentrional; *adv.* al norte.

nose [nouz] *s.* nariz; pico o boca de cafetera; *tr.* oler, olfatear.

nosey ['nouzi] *adj.* (fig.) curioso.

nostalgia [nɔs'tældʒiə] *s.* nostalgia.

nostril ['nɔstril] *s.* nariz.

not [nɔt] *adv.* no.

notch [nɔtʃ] *s.* muesca, paso, desfiladero (U.S.);

tr. hacer muescas en, entallar.

note [nout] *s.* nota, apunte; signo; *tr.* notar; marcar.

notebook ['noutbuk] *s.* libro de notas, agenda.

nothing ['nʌθiŋ] *s.* nada; *pron. indef.* nada; *adv.* de ninguna manera.

notify ['noutifai] *tr.* notificar, comunicar.

notwithstanding ['nɔtwiθ'stændiŋ] *adv.* no obstante; *prep.* a pesar de; *cnj.* a pesar de que.

nought [nɔːt] *s.* nada, cero.

noun [naun] *s.* nombre, sustantivo.

nourish ['nʌriʃ] *tr.* nutrir, abrigar.

novel ['nɔvəl] *s.* novela; *adj.* nuevo.

novelty ['nɔvəlti] *s.* novedad; innovación.

November [nə'vembə*] *s.* noviembre.

novice ['nɔvis] *s.* novicio, principiante.

now [nau] *adv.* ahora, actualmente.

nowadays ['nauədeiz] *s.* actualidad; *adv.* hoy en día.

nowhere [nouwɛə*] *adv.* en ninguna parte.

nude [njuːd] *adj.* desnudo.

nudge [nʌdʒ] *s.* codazo ligero; *tr.* empujar ligeramente con el codo.

nuissance ['njuːsns] *s.* molestia, estorbo.

null [nʌl] *adj.* nulo; *tr.* anular.

nullify ['nʌlifai] *tr.* (*pret.* y *pp.* **-fied**) anular, invalida.

numb [nʌm] *adj.* entorpecido; *tr.* adormecer.

number ['nʌmbə*] *s.* número; *adj.* de número; *tr.* numerar.

nun [nʌn] *s.* monja, religiosa.

nurse [nəːs] *s.* ama, nodriza; *tr.* criar, cuidar (*a un enfermo*).

nursery ['nəːsri] *s.* (*pl.* **-ies**) crianza; cuarto de los niños; (Agr.) semillero.

nurture ['nəːtʃə*] *s.* crianza, educación; *tr.* nutrir, alimentar.

nut [nʌt] *s.* (Bot.) nuez; (Mec.) tuerca; (vulg.) cabeza, chola.

nutcracker ['nʌt,krækə*] *s.* cascanueces.

nutmeg [nʌtmeg] *s.* nuez moscada.

O

oafish [ˈoufiʃ] *adj.* idiota.
oak-tree [ouk, ˈouk-tri:] *s.* (Bot.) roble, encina; **corn** — alcornoque.
oar [ɔ:*] *s.* remo; *intr.* remar.
oat [out] *s.* (Bot.) avena.
oath [ouθ] *s.* juramento.
oatmeal [ˈoutmi:l] *s.* harina de avena.
obdurate [ˈɔbdjurit] *adj.* obstinado; duro.
obeisance [əˈbeisəns] *s.* obediencia, homenaje.
obey [əˈbei] *tr.* e *intr.* obedecer.
obfuscate [ˈɔbfʌskeit] *tr.* ofuscar.
object [ˈɔbʒikt] *s.* objeto, materia; (Gram.) complemento.
object [əbˈdʒekt] *tr.* e *in.* objetar.
oblige [əˈblaidʒ] *tr.* obligar; complacer.
obliging [əˈblaidʒiŋ] *adj.* complaceinte.
oblique [əˈbli:k] *adj.* oblicuo.
obliterate [əˈblitəreit] *tr.* obliterar.
oblivion [əˈbliviən] *s.* olvido.

obnoxious [əbˈnɔkʃəs] *adj.* detestable.
obscurity [əbˈskjuəriti] *s.* (*pl.* **-ties**) oscuridad; olvido.
obsequious [əbˈsi:kwiəs] *adj.* obsequioso, servicial, zalamero.
observance [əbˈzə:vəns] *s.* observancia.
observe [əbˈzə:v] *tr.* observar; guardar, celebrar.
obsolete [ˈɔbsoli:t] *adj.* anticuado.
obstruct [əbˈstrʌkt] *tr.* obstruir, atascar.
obtain [əbˈtein] *tr.* obtener, adquirir; *in.* prevalecer.
obtuse [əbˈtju:s] *adj.* obtuso, romo.
obviate [ˈɔbvieit] *tr.* obviar, impedir.
occasion [əˈkeiʒən] *tr.* ocasionar; dar lugar a; *s.* ocasión.
occident [ˈɔksidənt] *s.* occidente, oeste.
occult [ɔˈkʌlt] *adj.* oculto; secreto.
occupy [ˈɔkjupai] *tr.* ocupar, dar ocupación.

o'clock [ə'klɔk] contracción de **of the clock** adv. por el reloj ; **it is five** — son las cinco.

October [ɔk'toubə*] s. octubre.

octopus ['ɔktəpəs] s. pulpo.

odd [ɔd] adj. raro ; impar ; singular ; y pico, tantos ; **fifty and** — cincuenta y tantos.

odds and ends ['ɔdzæn'-endz] s. pl. trozos sobrantes ; retales.

odorous ['oudərəs] adj. oloroso.

odour ['oudə*] s. olor, fragancia.

o'er [ɔə*] adv. y prep. var de **over** sobre ; por encima de.

of [ɔv] prep. de.

off [ɔf] adv. lejos, a distancia, fuera ; adj. apartado, alejado ; inj. ¡fuera!, ¡vamos!

offend [ə'fend] tr. e intr. ofender.

offer ['ɔfə*] s. oferta ; tr. ofrecer ; intr. hacer una ofrenda.

offhand, offhanded ['ɔ-:fhænd, 'ɔ:fhændid] adj. hecho de improviso ; brusco.

office ['ɔfis] s. oficina ; oficio, cargo ; **booking** —

taquilla ; **Home** — Ministerio de la Gobernación ; **Foreing** — Ministerio de Asuntos Exteriores.

offing ['ɔfiŋ] s. (Náut.) alta mar.

offshoot ['ɔ:fʃu:t] s. vástago ; ramal.

offspring ['ɔ:fspriŋ] s. sucesión.

often [ɔfn] adv. a menudo ; **not** — pocas veces.

oil [ɔil] s. aceite ; petróleo ; engrase ; — **gauge** indicador del nivel de aceite ; — **painting** pintura al óleo.

oilskin ['ɔil-skin] s. impermeable.

ointment ['ɔintmənt] s. ungüento.

O. K. ['ou'kei] abrev. de **all correct** está bien ; V.º B.º

old [ould] adj. viejo ; añejo ; de edad ; usado.

olive ['ɔliv] s. aceituna ; adj. de oliva ; — **grove** olivar.

omelet(-te) ['ɔmlit] s. tortilla.

omen ['oumen] s. agüero.

omit [ə'mit] tr. (pret y pp. **omitted**) omitir.

omphalic [ɔm'fælik] adj. umbilical.

on [ɔn] adv. en, sobre, encima de; *prep.* según, sobre; **later** — más tarde.

once [wʌns] *adv.* y *s.* una vez; — **and again** una y otra vez; — **more** otra vez; **all at** — de súbito, de repente; — **upon a time** había una vez, érase una vez; *cnj.* una vez que.

one [wʌn] *adj.* uno, una; primero; único; *pron.* uno, una; *s.* uno, la unidad.

onerous [ˈɔnərəs] *adj.* oneroso, molesto.

oneself [wʌnˈself] *pron.* uno mismo.

one-way [ˈwʌnwei] *adj.* de una sola dirección.

onion [ˈʌnjən] *s.* (Bot.) cebolla.

onlooker [ˈɔnˌlukə*] *s.* mirón, espectador.

only [ˈounli] *adj.* solo, único; *adv.* sólo, solamente.

onset [ˈɔnset] *s.* arremetido, embestida.

onshore [ˈɔnʃɔ:*] *adj.* de tierra; *adv.* hacia la tierra.

onward [ˈɔnwəd] *adj.* hacia adelante; *adv.* hacia adelante.

ooze [u:z] *s.* rezumo; cieno; *tr.* rezumar; *in.* rezumarse; fluir.

open [ˈoupən] *adj.* abierto;

descubierto; libre;— **secret** secreto a voces; *s.* claro; *tr.* abrir; declarar.

opener [ˈoupənə*] *s.* abridor; **tinopener** abrelatas.

opening [ˈoupniŋ] *s.* abertura, apertura.

operate [ˈɔpəreit] *tr.* actuar; efectuar; *in.* operar; funcionar.

opponent [əˈpounənt] *adj.* oponente; *s.* opositor.

opportune [ˈɔpətju:n] *adj.* oportuno.

oppose [əˈpouz] *tr.* oponer; objetar.

opposite [ˈɔpəzit] *adj.* opuesto; *s.* lo contrario; *prep.* en frente de.

oppress [əˈpres] *tr.* oprimir.

oppugn [ɔˈpju:n] *tr.* opugnar, combatir.

optician [ɔpˈtiʃən] *s.* óptico.

optional [ˈɔpʃnl] *adj.* optativo, facultativo.

or [ɔ:*] *cnj.* o, u; de otro modo.

orange [ˈɔrindʒ] *s.* naranja, color de naranja.

oration [ɔ:ˈreiʃən] *s.* oración, discurso.

orator [ˈɔrətə*] *s.* orador.

oratory [ˈɔrətəri] *s.* (*pl.*

-ries) oratoria, capilla; oratoria.

orb [ɔ:b] *s.* orbe; círculo.

orbit [ˈɔ:bit] *s.* órbita.

orchard [ˈɔ:tʃəd] *s.* huerto.

orchestra [ˈɔ:kistrə] *s.* orquesta.

ordain [ɔ:ˈdein] *tr.* ordenar.

order [ˈɔ:də*] *s.* orden; clase social; orden *(sacramento)*; encargo; **in good** — en buen estado; **out of** — estropeado; *tr.* ordenar.

ordinary [ˈɔ:dnri] *adj.* ordinario, usual; **out of the** — extraordinario.

ordnance [ˈɔ:dnəns] *s.* (Mil.) artillería, cañones.

ore [ɔ:*] *s.* (Min.) mena, mineral.

organ [ˈɔ:gən] *s.* órgano.

organise [ˈɔ:gənaiz] *tr.* organizar.

orient [ˈɔ:riənt] *s.* oriente; *tr.* orientar; *intr.* orientarse.

orientate [ˈɔ:rienteit] *tr.* orientar; *intr.* orientarse.

original [əˈridʒənl] *adj.* original; *s.* original.

ornate [ɔ:ˈneit] *adj.* ornado; florido.

orphan [ˈɔ:fən] *adj.* y *s.*

huérfano; (Amér.) gaucho.

ostrich [ˈɔstritʃ] *s.* avestruz.

other [ˈʌθə*] *adj.* y *pron. indef.* otro; **the — one** el otro; **every — day** cada dos días.

otherwise [ˈʌðəwaiz] *adj.* diferente; *adv.* de otro modo.

ought [ɔ:t] *aux. defectivo* deber *(moralmente)*, ser necesario.

our [ˈauə*] *adj. poss.* nuestro, -a, -os, -as.

ours [ˈauəz] *pron. poss.* nuestro, -a, -os, -as.

ourselves [ˌauəˈselvz] *pron. reflex.* nosotros mismos; nos.

oust [aust] *tr.* desahuciar.

out [aut] *adv.* fuera; **a way** — una salida; **speak** — hable claro, sin rodeos; loco; — **of date** anticuado; — **of hope** desesperanzado; — **of money** sin dinero; *prep.* fuera de, más allá de; *inj.* ¡fuera!; *s.* exterior, parte de afuera.

outbid [autˈbid] *tr.* pujar, ofrecer más que.

outbreak [ˈautbreik] *s.* tumulto, motín.

outcast [ˈautkɑ:st] *adj.* desterrado; *s.* paria.

outclass [aut'klɑ:s] *tr.* ser superior a.

outcry ['autkrai] *s.* grito; griterío.

outdoor ['autdɔ:*] *adj.* al aire libre.

outer ['autə*] *adj.* exterior.

outfit ['autfit] *s.* equipo; menesteres; *tr.* equipar, habilitar.

outing ['autiŋ] *s.* excursión, paseo.

outlander ['aut,lændə*] *s.* extranjero.

outlast [aut'lɑ:st] *tr.* durar más que.

outlaw ['autlɔ:] *s.* bandido; *tr.* proscribir.

outlay [aut'lei] *s.* desembolso; *tr.* desembolsar.

outlet ['autlet] *s.* salida.

outline ['autlain] *s.* contorno; perfil; *tr.* perfilar, delinear.

outlive [aut'liv] *tr.* sobrevivir a.

outlook ['autluk] *s.* perspectiva; aspecto.

outlying ['aut,laiiŋ] *adj.* remoto.

outmatch [aut'mætʃ] *tr.* aventajar.

outnumber [aut'nʌmbə*] *tr.* excederse en número.

output ['autput] *s.* producción, rendimiento.

outrage ['autreidʒ] *s.* atro-

cidad, ultraje; *tr.* maltratar, violentar, violar.

outright ['autrait] *adv.* enteramente.

outrun [aut'rʌn] *tr.* aventajar, dejar atrás.

outset ['autset] *s.* principio, inauguración.

outside ['aut'said] *adj.* exterior; ajeno; *s.* exterior; *adv.* fuera; *prep.* fuera de.

outsider ['aut'saidə*] *s.* forastero; intruso.

outskirts ['autskə:ts] *s. pl.* cercanías, suburbios.

oustand [aut'stænd] *intr.* sobresalir.

outstanding [aut'stændiŋ] *adj.* saliente; notable.

outstretched [aut'stretʃt] *adj.* extendido.

outstrip [aut'strip] *tr.* pasar, aventajar.

outward ['autwəd] *adj.* exterior, externo; *adv.* exteriormente.

outwear [aut'wɛə*] *tr.* gastar; consumir.

outweigh [aut'wei] *tr.* pesar más que.

oval ['ouvəl] *adj.* oval; *s.* óvalo.

oven ['ʌvn] *s.* horno, hornillo.

over ['ouvə*] *adv.* encima, por encima.

overall ['ouvərɔ:l] *s*. mono, guardapolvo.

overawe [,ouvər'ɔ:] *tr*. intimidar.

overbalance [,ouvə'bæləns] *s*. exceso de *(peso o valor)* ; *tr*. e *in*. preponderar.

overbear [,ouvə'bεə*] *tr*. dominar; derribar; *in*. dar demasiados frutos.

overbearing [,ouvə'bεəriŋ] *adj*. dominador.

overboard ['ouvəbɔ:d] *adj*. (Náut.) al agua; por la borda; *adv*. al agua, al mar; **man —** ¡hombre al agua!

overburden [,ouvə'bə:dn] *tr*. cargar excesivamente.

overcast ['ouvə'ka:st] *adj*. nublado; *tr*. nublar, oscurecer.

overcharge ['ouvə't∫a:dʒ] *s*. cargo excesivo; *tr*. recargar.

overcoat ['ouvəkout] *s*. abrigo.

overcome [,ouvə'kʌm] *tr*. vencer; superar.

overdo [,ouvə'du:] *tr*. exagerar; agobiar; *in*. excederse en el trabajo.

overfeed ['ouvə'fi:d] *tr*. sobrealimentar.

overflow ['ouvəflou] *s*. desbordamiento; inundación; *tr*. inundar; *in*. rebasar, desbordarse.

overgrow ['ouvə'grou] *tr*. cubrir *(con plantas o hierba)* ; *in*. crecer o desarrollarse con demasiada rapidez.

overgrown ['ouvə'groun] *adj*. demasiado desarrollado.

overhang ['ouvəhæŋ] *s*. proyección; *tr*. sobresalir por; *intr*. estar colgando.

overhaul ['ouvəhɔ:l] *tr*. examinar; *s*. revisión.

overhead ['ouvəhed] *adv*. por encima.

overhear ['ouvə'hiə*] *tr*. oír por casualidad.

overheat ['ouvə'hi:t] *tr*. recalentar.

overjoy [,ouvə'dʒɔi] *s*. alboroto; *tr*. alborozar.

overland ['ouvə'lænd] *adj*. y *adv*. por tierra.

overlay ['ouvəlei] *s*. cubierta; *tr*. cubrir; abrumar.

overleaf ['ouvə'li:f] *adv*. al dorso.

overlook [,ouvə'luk] *tr*. vigilar; pasar por alto; cuidar de.

overlord ['ouvələ:d] *s*. jefe supremo.

overnight ['ouvə'nait] *adj.* de noche; *adv.* toda la noche.

overpass [,ouvə'pɑːs] *s.* viaducto; paso elevado; *tr.* atravesar; exceder; pasar por alto.

overpower ['ouvə'pauə*] *tr.* dominar.

override [,ouvə'raid] *tr.* recorrer; fatigar.

overrule [ouvə'ruːl] *tr.* anular, revocar.

overrun [,ouvə'rʌn] *tr.* cubrir enteramente; infectar.

oversea ['ouvə'siː] *adj.* de ultramar; *adv.* ultramar.

oversee ['ouvə'siː] *tr.* dirigir, revisar.

overseer ['ouvəsiə*] *s.* director, inspector.

overshadow [,ouvə'ʃædou] *tr.* sombrear.

oversight ['ouvəsait] *s.* inadvertencia, omisión.

oversleep [ouvə'sliːp] *intr.* dormir demasiado.

overstate ['ouvə'steit] *tr.* exagerar.

overstep ['ouvə'step] *tr.* exceder, pasar.

overt ['ouvəːt] *adj.* abierto, manifiesto.

overtake [,ouvə'teik] *tr.* alcanza; sobrepasar.

overthrow [,ouə'θrou] *s.* derrocamiento; *tr.* derrocar; trastornar.

overtime ['ouvətaim] *adj.* y *adv.* en horas extraordinarias; *s.* horas extraordinarias.

overtop ['ouvə'tɔp] *tr.* descollar sobre, exceder en.

overturn ['ouvətəːn] *s.* vuelco; *tr.* volcar; derrocar; *in.* volcar.

overwhelm [,ouvə'welm] *tr.* abrumar.

overwork ['ouvə'wəːk] *s.* exceso de trabajo.

overwrought ['ouvə'rɔːt] *adj.* abrumado de trabajo.

owe [ou] *tr.* deber, adeudar.

owl [aul] *s.* buho, lechuza.

own [oun] *adj.* propio, particular; *intr.* confesar.

owner ['ounə*] *s.* dueño, propietario.

ownership ['ounəʃip] *s.* posesión.

ox [ɔks] *s.* (*pl.* oxen) (Zool.) buey; — **eyed** de ojos grandes.

oyster ['ɔistə*] *s.* (Zool.) ostra.

pa [pɑ:] *s.* (fam.) papá.

pace [peis] *s.* paso; *tr.* medir a pasos; marcar el paso; *in.* andar; ampliar.

pacify ['pæsifai] *tr.* pacificar, calmar.

pack [pæk] *s.* lío; paquete; manada; baraja; *tr.* empaquetar; conservar en latas; apretar; *in.* hacer la maleta.

package ['pækidʒ] *tr.* empaquetar; *s.* paquete.

packet ['pækit] *s.* paquete; *tr.* empaquetar.

pack-mule ['pæk,mju:l] *s.* mula de carga.

pact [pækt] *s.* pacto, convenio; *tr.* pactar.

pad [pæd] *s.* cojinete, almohadilla; postizo, caderillas; *tr.* rellenar, forrar.

padding ['pædiŋ] *s.* relleno; guata.

paddle ['pædl] *intr.* remar.

paddock ['pædək] *s.* dehesa; cercado para caballos.

padlock ['pædlɔk] *s.* candado; *tr.* cerrar con candado.

page [peidʒ] *s.* página; paje; *tr.* paginar.

pageant ['pædʒənt] *s.* espectáculo público; representación al aire libre.

paid [peid] *adj.* pagado, asalariado.

pail [peil] *s.* cubo, balde.

pain [pein] *s.* dolor, sufrimiento; *tr.* doler.

painless ['peinlis] *adj.* sin dolor; sin penas.

paint [peint] *s.* pintura; *tr.* pintar; *in.* ser pintor; pintarse.

painting ['peintiŋ] *s.* pintura; cuadro.

pair [pɛə*] *s.* par; pareja; *tr.* e *in.* emparejar.

pajamas [pə'dʒɑ:məz] *s. pl.* pijama (EE.UU.).

pal [pæl] *s.* (vulg.) compañero.

palate ['pælit] *s.* paladar.

pale [peil] *adj.* pálido; *in.* palidecer.

paling ['peiliŋ] *s.* estaca.

palliate ['pælieit] *tr.* paliar, encubrir.

palm [pɑ:m] *s.* palma; *tr.* esconder en la palma de la mano, manipular.

palpitate ['pælpiteit] *intr.* palpitar.

palsy ['pɔ:lzi] *s.* (Pat.) parálisis; *tr.* paralizar.

paltry ['pɔ:ltri] *adj.* (*comparativo* **-ier;** *superlativo* **-iest**) vil, ruin.

pamper ['pæmpə*] *tr.* mimar; atracar.

pamphlet ['pæmflit] *s.* folleto.

pan [pæn] *s.* cazuela, cazo.

pane [pein] *s.* cristal.

pang [pæŋ] *s.* dolor agudo.

pannier ['pæniə*] *s.* serón, cesta grande.

pansy ['pænzi] *s.* (*pl.* **-sies**) (Bot.) pensamiento, suspiro.

pant [pænt] *s.* palpitación; **pants** *s. pl.* (fam.) calzoncillos, pantalones; *intr.* palpitar; anhelar.

pantaloon [,pæntə'lu:n] *s.* bufón; pantalón.

pantry ['pæntri] *s.* (*pl.* **-tries**) despensa, repostería.

panzer ['pænzə*] *adj.* (Mil.) blindado.

paper ['peipə*] *s.* papel; documento; periódico; *adj.* de papel; *tr.* empapelar.

par [pɑ:] *s.* paridad; par; *adj.* a la par.

parable ['pærəbl] *s.* parábola.

parachute ['pærəʃu:t] *s.* paracaídas.

parade [pə'reid] *s.* desfile, cabalgata; *in.* desfilar; pasearse.

paradise ['pærədais] *s.* paraíso.

paragraph ['pærəgrɑ:f] *s.* párrafo; artículo corto.

parallel ['pærəlel] *adj.* paralelo; *s.* paralela; *tr.* paralelizar.

paralyse ['pærəlaiz] *tr.* paralizar.

paramount ['pærəmaunt] *adj.* superior.

paramour ['pærəmuə*] *s.* amante.

parapet ['pærəpit] *s.* parapeto.

parasite ['pærəsait] *s.* parásito; gorrón.

parasol ['pærəsɔl] *s.* quitasol, sombrilla.

parcel ['pɑ:sl] *s.* paquete, lío; *pl.* (Der.) demarcación; *tr.* empaquetar; parcelar.

parch [pɑ:tʃ] *tr.* tostar; abrasar.

parchesi, parchisi [pɑ:'tʃisi] *s.* parchís.

parchment ['pɑ:tʃmənt] *s.* pergamino.

pardon ['pɑ:dn] *s.* perdón, indulto; *tr.* perdonar, dispensar.

pare [peə*] *tr.* mondar.

parent ['pɛərənt] s. padre o madre.

parentage ['pɛərəntidʒ] s. parentela.

parish ['pæriʃ] s. parroquia.

parishioner [pə'riʃənə*] s. parroquiano.

park [pɑːk] s. parque, jardín; tr. aparcar.

parking ['pɑːkiŋ] s. terreno habilitado para parque; estacionamiento, aparcamiento.

parley ['pɑːli] s. parlamento; intr. parlamentar.

parlour ['pɑːlə*] s. sala; locutorio.

parody ['pærədi] s. (pl. -dies) parodia; tr. parodiar.

parole [pə'roul] s. palabra de honor; régimen de libertad provisional.

parry ['pæri] s. (pl. -ries) parada; tr. rechazar.

parsley ['pɑːsli] s. (Bot.) perejil.

parson ['pɑːsn] s. cura, sacerdote, pastor.

part [pɑːt] s. parte; pieza —s; adj. parcial; adv. parte en parte; tr. dividir, partir; intr. separarse.

partake [pɑː'teik] tr. compartir; comer, beber; intr. partcipar.

participate [pɑː'tisipeit] tr. e intr. participar.

particle ['pɑːtikl] s. partícula.

parting ['pɑːtiŋ] s. partida; punto de partida; adj. de partida.

partisan [,pɑːti'zæn] adj. y s. partidario.

partition [pɑː'tiʃən] s. partición; tr. repartir.

partly ['pɑːtli] adv. en parte.

partner ['pɑːtnə*] s. compañero; cónyuge.

partnership ['pɑːtnəʃip] s. asociación.

partridge ['pɑːtridʒ] s. (Zool.) perdiz.

party ['pɑːti] s. (pl. -ties) partida; partido (político); grupo; reunión, convite, tertulia; adj. de partido.

pass [pɑːs] s. paso; nota de aprobado; tr. pasar; pasar de largo; aprobar; in. pasar; pasarse; aprobar.

passable ['pɑːsəbl] adj. pasable.

passenger ['pæsindʒə*] s. pasajero.

passer-by ['pɑːsə'bai] s. transeúnte.

passing ['pɑːsiŋ] adj. pasajero; corriente; s.

paso; transcurso; apro-
bación.

passionate ['pæʃinit] *adj.*
apasionado.

Passover ['pɑːsˌouvə*] *s.*
Pascua de los judíos.

passport ['pɑːspɔːt] *s.* pasaporte.

password ['pɑːswəːd] *s.*
santo y seña.

past [pɑːst] *adj.* concluido;
adv. más allá; *prep.* más
allá de; más de; des-
pués de; *s.* pasado; pre-
térito.

paste [peist] *s.* pasta, engrudo; *tr.* pegar, em-
pastar.

pastime ['pɑːstaim] *s.* pa-
satiempo.

pastry ['peistri] *s.* (*pl.*
-tries) pastelería.

pasture ['pɑːstʃə*] *s.* pasto; dehesa; *tr.* pastorear,
pastar.

pat [pæt] *adj.* bueno, apto,
exacto; *adv.* oportuna-
mente; *tr.* dar golpeci-
tos.

patch [pætʃ] *s.* parche;
remiendo; *tr.* remendar.

patent ['peitənt] *s.* patente; *adj.* patentado; *tr.* pa-
tentar.

path [pɑːθ] *s.* senda, sen-
dero, vereda.

pathless ['pɑːθlis] *adj.* in-
transitable.

patience ['peiʃəns] *s.* paciencia.

patient ['peiʃənt] *adj.* y *s.*
paciente, resignado.

patrol [pəˈtroulǁ] *s.* patru-
lla; ronda; *tr.* e *intr.* rondar; patrullar.

patron ['peitrən] *s.*
patrono; patrocinador;
adj. patrocinador.

patronage ['pætrənidʒ] *s.*
patrocinio, protección.

pattern ['pætən] *s.* patrón, modelo; *tr.* mo-
delar.

pauper ['pɔːpə*] *s.* pobre.

pave [peiv] *tr.* empedrar,
pavimentar.

pavilion [pəˈviljən] *s.* pa-
bellón, quiosco.

paw [pɔː] *s.* pata; *tr.* patear, sobar.

pawn [pɔːn] *s.* peón; *tr.*
dar en prenda, empeñar.

pay [pei] *s.* salario, sueldo;
tr. (*pret.* y *pp.* **paid**) pagar.

paymaster ['pei,mɑːstə*]
s. pagador, habilitado.

pea [piː] *s.* (Bot.) guisante;
peanut cacahuete.

peace [piːs] *s.* paz, descanso.

peaceful ['piːsful] *adj.* pa-
cífico, tranquilo.

peach [piːtʃ] *s.* melocotón.

peak [pi:k] *s.* cumbre, pico, cima.

peal [pi:l] *s.* estruendo, fragor; *tr.* e *intr.* repicar; resonar; vocear.

pear [pɛə*] *s.* pera.

pearl [pə:l] *s.* perla, margarita.

peasant ['pezənt] *adj.* y *s.* campesino, labrador.

peat [pi:t] *s.* turba.

pebble ['pebl] *s.* guijarro, china.

peck [pek] *s.* picotazo; *tr.* picotear; picar.

pedagogy ['pedəgɔdʒi] *s.* pedagogía.

pedal ['pedl] *adj.* del pie; *s.* pedal; *tr.* (*pret.* y *pp.* **-aled** o **-alled**) mover los pedales de; *intr.* pedalear.

pedestal ['pedistl] *s.* pedestal.

pedestrian [pi'destriən] *adj.* pedrestre; *s.* peatón.

pedigree ['pedigri:] *s.* árbol genealógico.

pedlar ['pedlə*] *s.* revendedor.

peel [pi:l] *s.* piel, cáscara; *tr.* e *in.* pelar, mondar.

peer [piə*] *s.* par, igual; *intr.* mirar con atención, asomar; **House of —s** Cámara de los pares o lores.

peerage ['piəridʒ] *s.* dignidad de par.

peevishness ['pi:viʃnis] *s.* mal humor, desagrado.

peg [peg] *s.* clavija, pinza.

pellmell ['pel'mel] *adv.* confusamente.

pelt [pelt] *s.* cuero, piel.

pen [pen] *s.* pluma; **quill** pluma de ave; **fountain** — pluma estilográfica; *tr.* enjaular, encerrar.

penal ['pi:nl] *adj.* penal.

penalise ['pi:nəlaiz] *adj.* penar, castigar.

penalty ['penlti] *s.* (*pl.* **-ties**) pena, sanción.

penance ['penəns] *s.* penitencia.

pence [pens] *s. pl.* peniques.

pencil ['pensl] *s.* lápiz; (fig.) pincel.

pencil-sharpener ['pensl 'ʃɑ:pnə*] *s.* sacapuntas.

pend [pend] *intr.* estar pendiente de.

pending ['pendiŋ] *adj.* indeciso.

penetrate ['penitreit] *tr.* e *intr.* penetrar; conmover.

penetrating ['penitreitiŋ] *adj.* penetrante.

penguin ['pengwin] *s.* (Zool.) pingüino.

penitence ['penitns] *s.* penitencia.

penknife ['pennaif] *s.* cortaplumas.

pennant ['penənt] *s.* banderín, insignia.

penniles ['penilis] *adj.* pobre; sin blanca.

penny ['peni] *s.* penique; centavo *(de dólar)*; cantidad pequeña; *adj.* de penique, de poco valor.

pension ['penʃən] *s.* pensión, retiro; *tr.* jubilar.

pensive ['pensiv] *adj.* pensativo, triste.

pent [pent] *adj.* acorralado, encerrado.

penury ['penjuri] *s.* penuria, escasez.

people ['pi:pl] *s.* pueblo, gente; *tr.* poblar.

peppermint ['pepəmint] *s.* (Bot.) menta.

per [pə:*] *prep.* por.

perambulate [pə'ræmbjuleit] *tr.* recorrer, transitar por.

perceive [pə'si:v] *tr.* percibir, conocer.

perch [pə:tʃ] *s.* percha; *tr.* colocar en un sitio alto; *intr.* encaramarse.

perchance [pə'tʃɑ:ns] *adv.* por ventura.

peremptory [pə'remptəri] *adj.* perentorio; autoritario.

perennial [pə'renjəl] *adj.* perenne.

perfect ['pə:fikt] *adj.* perfecto.

perfect [pə'fekt] *tr.* perfeccionar.

perforate ['pə:fəreit] *tr.* perforar, taladrar.

perform [pə'fɔ:m] *tr.* efectuar, ejecutar; *intr.* actuar.

performance [pə'fɔ:məns] *s.* funcionamiento; actuación.

performer [pə'fɔ:mə*] *s.* ejecutante; actor; músico.

perfume [pə'fju:m] *tr.* perfumar, embalsamar.

perhaps [pə'hæps] *adv.* quizá, acaso, tal vez.

peril ['peril] *tr.* poner en peligro, arriesgar; *intr.* peligrar, correr peligro; *s.* peligro, riesgo.

perilous ['periləs] *adj.* peligroso.

period ['piəriəd] *s.* período, época.

periodical [,piəri'ɔdikəl] *adj.* periódico; *s.* periódico.

perish ['periʃ] *intr.* perecer; sucumbir.

perjure ['pə:dʒə*] *intr.* perjurar.

permanent ['pə:mənənt] *adj.* permanente estable.

permeate ['pə:mieit] *tr.*

e *intr.* penetrar, calar, atravesar.

permit [pə'mit] *tr.* permitir, consentir.

perpetrate ['pə:pitreit] *tr.* perpetrar, cometer.

perpetual [pə'petjuəl] *adj.* perpetuo.

perpetuity [,pə:pi'tju(:)iti] *s.* perpetuidad.

perplex [pə'pleks] *tr.* dejar perplejo, confundir.

persecute ['pə:sikju:t] *tr.* perseguir, acosar.

persevere [,pə:si'viə*] *intr.* perseverar, persistir.

perseving [,pə:si'viəriŋ] *adj.* perseverante.

persist [pə'sist] *intr.* persistir, porfiar.

persistence [pə'sistəns] *s.* persistencia, insistencia.

person ['pə:sn] *s.* persona; **no** — nadie; **in** — en persona, personalmente; —**in change** encargado.

personal ['pə:snl] *adj.* personal, en persona; *s. pl.* bienes o cosas de uso personal.

personality [,pə:sə'næliti] *s.* (*pl.* **-ties**) personalidad.

personalise ['pə:sənælaiz] *tr.* personalizar.

personify [pə:'sɔnifai] *tr.* personificar.

personnel [,pə:sə'nəl] *s.* personal *(empleados)*.

perspicacious [,pə:spi'keiʃəs] *adj.* perspicaz, sutil.

perspire [pəs'paiə*] *tr.* e *intr.* transpirar, sudar.

persuade [pə'sweid] *tr.* persuadir.

pert [pə:t] *adj.* atrevido, insolente.

pertain [pə:'tein] *intr.* pertenecer.

pertinent ['pə:tinənt] *adj.* pertinente.

pertness ['pə:tnis] *s.* frescura, impertinencia.

perturb [pə'tə:b] *tr.* perturbar.

peruse [pə'ru:z] *tr.* leer.

pervade [pə:'veid] *tr.* penetrar, esparcirse por.

pervet [pə'və:t] *tr.* pervertir; *intr.* caer en el error.

pest [pest] *s.* peste; (fig.) plaga.

pester ['pestə*] *tr.* molestar, importunar.

pet [pet] *s.* animal doméstico; *adj.* favorito, querido, *tr.* mimar, acariciar.

petal ['petl] *s.* (Bot.) pétalo.

petard [pə'tɑ:d] *s.* petardo.

Peter ['pi:tə*] *n. p.* Pedro.

petition [pi'tiʃən] *s.* petición, solicitud; *tr.* suplicar; solicitar.

petrify ['petrifai] *tr.* petrificar; *intr.* petrificarse.

petrol ['petrəl] *s.* gasolina; — **station** gasolinera.

petticoat ['petikout[*s.* enaguas; falda; mujer; *adj.* de mujer.

petty ['peti] *adj.* pequeño, menor.

pew [pju:] *s.* banco de iglesia.

phantom ['fæntəm] *s.* fantasma; coco.

pheasant ['feznt] *s.* (Zool.) faisán.

phone [foun] *s.* teléfono; *tr.* e *intr.* telefonear.

phonetics [fo'netiks] *s.* fonética.

photo ['foutou] *s.* (*pl.* -**tos**) foto, retrato; *abrev.* de **photograph.**

physical ['fizikəl] *adj.* físico, natural.

physician [fi'ziʃən] *s.* físico, médico.

physique [fi'zik] *s.* físico (*de una persona*), presencia.

piano ['pja:nou] *s.* (*pl.* -**os**) piano.

pick [pik] *s.* pico; punzón; *tr.* escoger; recoger; picar; cavar con un pico.

pickle ['pikl] *s.* escabeche; *pl.* encurtido; *tr.* escabechar, adobar.

picklock ['piklɔk] *s.* ganzúa; ladrón nocturno.

picnic ['piknik] *s.* jira campestre, día de campo; *intr.* ir de merienda.

picture ['piktʃə*] *s.* pintura, cuadro; *tr.* dibujar; pintar.

pie [pai] *s.* pastel, torta, empanada.

piece [pi:s] *s.* pedazo, retazo; pieza.

pier [piə*] *s.* estribo; muelle; rompeolas.

pierce [piəs] *tr.* agujerear; taladrar.

piercing ['piəsiŋ] *adj.* penetrante, agudo.

piety ['paiəti] *s.* piedad, religiosidad.

pig [pig] *s.* (Zool.) cerdo, cochino.

pigeon ['pidʒin] *s.* paloma, pichón.

piggy ['pigi] *adj.* glotón, niño sucio.

pigheaded ['pig'hedid] *adj.* cabezudo, terco.

pigtail ['pigteil] *s.* trenza, coleta.

pilchard ['piltʃəd] s. aguja *(pez)*.

pile [pail] s. pila, montón, mole; *tr.* apilar, amontonar.

pilfer ['pilfə*] *tr.* e *intr.* ratear, sisar.

pilgrim ['pilgrim] s. peregrino.

pill [pil] s. píldora.

pillage ['pilidʒ] s. pillaje, robo; *tr.* e *intr.* saquear, robar.

pillar ['pilə*] s. pilar, poste; — **box** buzón.

pillow ['pilou] s. almohada, cojín.

pilot ['pailət] s. piloto; *tr.* pilotar; — **lamp** lámpara piloto de comprobación.

pimple ['pimpl] s. grano, pupa.

pin [pin] s. alfiler; clavija; *tr.* prender; sujetar.

pincers ['pinsez] s. pinzas.

pinch [pintʃ] s. pellizco; aprieto; *tr.* pellizcar; apretar; *intr.* apretar; economizar.

pine [pain] s. (Bot.) pino.

ping [piŋ] s. silbido de bala, zumbido.

pink [pink] adj. sonrosado; s. (Bot.) clavel.

pinky [piŋki] adj. (com-

parativo **-ier**; *superlativo* **-iest**) rosado.

pioneer [,paiə'niə*] s. explorador; promotor; *intr.* explorar.

pipe [paip] s. caño; conducto.

piping ['paipiŋ] s. cañería, tubería.

piquant ['pi:kənt] adj. picante, áspero.

pique [pi:k] *tr.* picar, provocar; excitar.

piracy ['paiərəsi] s. *(pl.* **-cies**) piratería.

pirate ['paiərit] s. pirata; *tr.* robar; plagiar.

pistol ['pistl] s. pistola, revólver; *tr.* tirar con pistola.

piston ['pistən] s. pistón, émbolo.

pit [pit] s. hoyo; abismo; foso.

pitch [pitʃ] s. pez, alquitrán; tiro; grado de inclinación; paso de rosca; *tr.* embrear; echar, lanzar; *intr.* inclinarse.

pitcher ['pitʃə*] s. cántaro, jarro.

pitiless ['pitilis] adj. despiadado, inhumano.

pity ['piti] s. *(pl.* **-ties**) piedad, misericordia, lástima; *tr.* apiadarse de, compadecer.

pivot ['pivət] s. espiga, pivote, eje de rotación.

placard ['plæka:d] s. cartel; edicto.

place [plais] s. sitio, lugar; local; distrito; decimal; tr. poner, colocar; acordarse bien de.

placid ['plæsid] adj. plácido, sosegado.

plague [pleig] s. plaga; peste; tr. plagar; apestar; infectar.

plain [plein] adj. llano; claro; sincero; feo; s. llano, llanura.

plaintiff ['pleintif] s. (Der.) demandante.

plait [plæt] s. trenza; pliegue; tr. trenzar; plegar.

plan [plæn] s. plan, proyecto; tr. planear, proyectar; intr. hacer proyectos.

plane [plein] adj. plano; s. plano; (Av.) avión; tr. allanar, igualar.

plank [plæŋk] s. tablón.

plant [pla:nt] s. planta; equipo; instalación, taller; tr. plantar, sembrar.

plaster ['pla:stə*] s. emplasto; yeso; tr. emplastar; enyesar.

plastic ['plæstik] adj. plástico; s. plástico.

plate [pleit] s. plato; vajilla; cubierto.

plateau ['plætou] s. meseta, altiplanicie.

platinum ['plætinəm] s. platino.

platitude ['plætitju:d] s. trivialidad, vulgaridad.

play [plei] s. juego; pieza, obra dramática; **foul** — trampa, juego sucio; **fair** — juego limpio; — **mate** compañero de juego; — **house** teatro; — **ground** campo de juego; tr. jugar (Mús.) tocar; intr. jugar; correr.

player ['pleiə*] s. actor, jugador.

plea [pli:] s. súplica, ruego; argumento.

plead [pli:d] tr. alegar; defender en juicio; intr. abogar; suplicar.

pleasant ['pleznt] adj. agradable, simpático.

please [pli:z] tr. e intr. gustar; agradar; por favor.

pleasure ['pleʒə*] s. placer, deleite.

pleat [pli:t] s. pliegue; tr. plegar, arrugar.

pledge [pledʒ] s. promesa; voto; fianza; tr. prometer; brindar por.

pleintiful ['pleintiful] adj. abundante.

plenty ['plenti] s. copia, profusión.

pliable ['plaiəbl] *adj.* flexible, dócil.

pliers ['plaiəz] *s. pl.* alicates, pinzas.

plot [plɔt] *s.* complot; (Tt.) argumento, solar; cuadro *(de flores u hortalizas)*; *tr.* fraguar, tramar.

plough [plau] *s.* arado; *tr.* e *intr.* arar; surcar.

pluck [plʌk] *s.* ánimo, valor, coraje; *tr.* dar un tirón; pelar.

plug [plʌg] *s.* taco; boca de agua; (Elec.) enchufe; (Aut.) bujía; *tr.* tapar.

plum [plʌm] *s.* (Bot.) ciruela.

plumb [plʌm] *s.* plomada; *adj.* vertical; *tr.* aplomar.

plumber ['plʌmə*] *s.* fontanero.

plump [plʌmp] *adj.* regordete, rechoncho; *adv.* bruscamente; *tr.* engordar; *intr.* desplomarse.

plunder ['plʌndə*] *s.* robo; botín; *tr.* saquear, pillar.

plunge [plʌndʒ] *s.* zambullida; *intr.* zambullirse.

plus [plʌs] *s.* más *(signo)*; *adj.* más.

ply [plai] *s.* capa; cordón,

cable; *tr.* manejar; ejercer; *intr.* avanzar.

p. m. ['pi:'em] después de mediodía *(post meridian)*. **(P.M.)** Primer Ministro.

pneumatic [nju(:)'mætik] *adj.* neumático.

poacher ['poutʃə*] *s.* cazador o pescador furtivo.

pocket ['pɔkit] *s.* bolsillo; saco; *tr.* embolsar.

poem ['poem] *s.* poema.

poet ['pouit] *s.* poeta.

poignant ['pɔinənt] *adj.* picante.

point [pɔint] *s.* punta; pico; gracia *(del chiste)*; *tr.* aguzar; sacar punta a; *intr.* apuntar.

pointed ['pɔintid] *adj.* agudo, puntiagudo.

pointer ['pɔintə*] *s.* indicador; manecilla *(de reloj)*; fiel *(de balanza)*.

poise [pɔiz] *s.* equilibrio, serenidad; *tr.* equilibrar; *intr.* equilibrarse.

poison ['pɔizn] *s.* veneno; *tr.* envenenar; corromper.

poke [pouk] *s.* empuje, codazo; *tr.* atizar; *intr.* husmear, fisgar.

pole [poul] *s.* poste; asta.

police [pə'li:s] *s.* policía; guardia; **revenue frontier** — carabinero.

policy ['pɔlisi] *s.* (*pl.* **-cies**)

política, plan de acción; póliza *(de seguros)*; lotería (U.S.).

polish ['poliʃ] *s.* pulimento; cultura; elegancia; *tr.* pulir.

polished ['poliʃt] *adj.* fino, refinado, galante; culto.

polite [pəlait] *s.* culto; cortés, político.

poll [poul] *s.* votación; encuesta; *tr.* empadronar; obtener *(votos)*.

pollute [pə'lu:t] *tr.* corromper.

pollution [pə'lu:ʃən] *s.* contaminación, corrupción.

pomade [pə'ma:d] *s.* pomada.

pommel ['pʌml] *s.* pomo, *tr.* cascar.

pomp [pomp] *s.* pompa, ceremonia.

pond [pond] *s.* estanque; pántano.

ponder ['pondə*] *tr. e in.* ponderar; meditar.

poniard ['ponjəd] *s.* puñal; *tr.* apuñalar.

pony ['pouni] *s.* (*pl.* **-nies**) jaca, caballito.

poodle ['pu:dl] *s.* perro de lanas.

pool [pu:l] *s.* charco; balsa; *tr.* mancomunar, pagar a escote.

poor [puə*] *adj.* pobre, necesitado.

pope [poup] *s.* papa.

poplar ['poplə] *s.* álamo, chopo.

poppy ['popi] *s.* (*pl.* **-pies**) (Bot.) amapola.

populate ['popjuleit] *tr.* poblar.

population [,popju'leiʃən] *s.* población, vecindario.

porcelain ['po:slin] *s.* porcelana.

porch [po:tʃ] *s.* porche; portal.

pore [po:*] *s.* poro; *intr.* reflexionar.

pork [po:k] *s.* carne de cerdo.

porous ['po:rəs] *adj.* poroso.

port [po:t] *s.* puerto; vino de Oporto.

portable ['po:təbl] *adj.* portátil.

portcullis [po:t'kʌlis] *s.* rastrillo.

portend [po:'tend] *tr.* presagiar.

portent [po:'tent] *s.* prestigio.

portentous [po:'tentəs] *adj.* portentoso, extraordinario.

porter ['po:tə*] *s.* portero, conserje.

portly ['po:tli] *adj.* corpulento.

portrait [pɔ:trit] *s.* retrato.

pose [pouz] *s.* pose, postura; *tr.* colocar en cierta postura.

possess [pə'zes] *tr.* poseer; reunir.

possible ['pɔsəbl] *adj.* posible, permitido.

post [poust] *s.* poste; puesto, cargo; correo; *tr.* echar al correo; *tr.* timbrar *(el correo);* **P. O. Box** apartado de correos; **— paid** franco de porte.

postage ['poustidʒ] *s.* franqueo.

poster ['poustə*] *s.* cartel, letrero.

posterior [pɔs'tiəriə*] *adj.* posterior; *s.* nalgas, trasero.

postpone [poust'poun] *tr.* aplazar.

postscrip ['pousskript] *s.* postdata.

pot [pɔt] *s.* pote, puchero.

potato [pə'teitou] *s. (pl.* **-toes)** patata; **sweet —** batata.

potent ['poutənt] *adj.* potente.

pothole ['pɔthoul] *s.* bache, hoyo.

pouch [pautʃ] *s.* bolsa; cartuchera.

poultry ['poultri] *s.* aves de corral.

pounce [pauns] *s.* arenilla, *tr.* espolvorear con grasilla o arenilla.

pound [paund] *s.* libra *(peso);* libra esterlina; *tr.* golpear.

poundage ['paundidʒ] *s.* impuesto.

pour [pɔ:*] *tr.* verter, derramar; *intr.* fluir; llover torrencialmente.

poverty ['pɔvəti] *s.* pobreza.

powder ['paudə*] *s.* polvo, polvos de tocador; *tr.* pulverizar empolvar; *intr.* empolvarse.

powder-blue ['paudə *blu:] *s.* azul pálido.

power ['pauə*] *s.* poder; (fig.) energía; *tr.* accionar.

powerless ['pauəlis] *adj.* impotente.

practice, practise ['præktis] *s.* práctica; *tr.* practicar.

practitioner [præk'-tiʃnə*] *s.* profesional; médico o abogado.

prairie ['preəri] *s.* pradera, llanura.

praise [preiz] *s.* alabanza; *tr.* alabar.

pram [præm] *s.* cochecito de niño.

prattle ['prætl] *s.* charla. *intr.* charlar.

pray [prei] *tr.* rogar; *intr.* rezar.

prayer [preə*] *s.* oración.

preach [pri:tʃ] *tr.* e *intr.* predicar, sermonear; *tr.* predicar.

precede [pri(:)'si:d] *tr.* e *intr.* preceder.

precinct ['pri:siŋkt] *s.* recinto.

precious ['preʃəs] *adj.* precioso; querido.

precipice ['presipis] *s.* precipicio.

precipitate [pri'sipiteit] *tr.* precipitar.

precise [pri'sais] *adj.* preciso.

preclude [pri'klu:d] *tr.* excluir.

precocious [pri'kouʃəs] *adj.* precoz.

predict [pri'dikt] *tr.* predecir.

predominate [pri'dɔmineit] *intr.* predominar.

prefer [pri'fə:*] *tr.* preferir; promover.

preferment [pri'fə:mənt] *s.* ascenso, promoción.

pregnancy ['pregnənsi] *s.* preñez, embarazo.

prejudice ['predʒudis] *s.* prejuicio, preocupación; *tr.* prevenir.

prelate ['prelit] *s.* prelado.

prelude ['prelju:d] *s.* preludio; *tr.* e *intr.* preludiar.

premier ['premjə*] *adj.* primero; principal; *s.* jefe del estado.

premonition [,pri:mə'niʃən] *s.* advertencia, aviso.

prentice ['prentis] *s.* aprendiz.

prepare [pri'pɛə*] *tr.* preparar, prevenir; *intr.* prepararse, disponerse.

preponderante [pri'pɔndəreit] *intr.* preponderar.

prepossess [,pri:pə'zes] *tr.* predisponer.

prepossessing [,pri:pə'zesin] *adj.* simpático, agradable.

preposterous [pri'pɔstərəs] *adj.* absurdo.

prerequisite ['pri:'rekwizit] *adj.* previamente necesario; *s.* requisito previo.

prerogative [pri'rɔgetiv] *adj.* privilegiado; *s.* prerrogativa.

presage ['presidʒ] *s.* presagio; *tr.* presagiar.

presbiter ['prezbitə*] *s.* presbítero, sacerdote.

prescind [pri'sind] *intr.* prescindir.

prescribe [pris'kraib] *tr.* e *intr.* prescribir.

present ['preznt] *adj.* presente; *s.* regalo.

present [pri'zent] *tr.* presentar.

preserve [pri'zə:v] *s.* conserva; *tr.* preservar; conservar.

preside [pri'zaid] *intr.* presidir, gobernar.

press [pres] *s.* apretón; presión; prisa; prensa; imprenta; *tr.* apretar; prensar; planchar *(la ropa)*; apresurar.

pressing ['presiŋ] *adj.* apremiante.

prestige [pres'ti:ʒ] *s.* prestigio.

presume [pri'zju:m] *tr.* presumir.

pretence [pri'tens] *s.* pretensión.

pretend [pri'tend] *tr.* aparentar.

pretty ['priti] *adj.* (*compar.* **-ier**; *superl.* **-iest**) bonito; bello.

prevail [pri'veil] *intr.* estar en boga o de moda.

prevaricate [pri'værikeit] *intr.* engañar.

prevent [pri'vent] *tr.* impedir; evitar; *intr.* obstar.

pre-view ['pri:vju] *s.* inspección previa; avance;

tr. ver o inspeccionar de antemano.

prey [prei] *s.* presa, botín; *intr.* cazar.

price [prais] *s.* precio, valor; *tr.* apreciar; valorar.

priceless ['praislis] *adj.* inapreciable.

prick [prik] *s.* pinchazo. *tr.* pinchar, picar.

prickle ['prikl] *s.* pincho, púa; *intr.* sentir una punzada, sentir picazón.

pride [praid] *s.* orgullo; soberbia; *tr.* enorgullecer.

priest [pri:st] *s.* sacerdote; cura.

priggish ['prigiʃ] *adj.* pedante.

prim [prim] *adj.* estirado.

prime [praim] *adj.* primero; básico; primario.

primeval [prai'mi:vəl] *adj.* primitivo, original.

primrose ['primrouz] *s.* (Bot.) primavera; color amarillo verdoso claro; *adj.* de color amarillo claro.

princess [prin'ses] *s.* princesa.

principle ['prinsəpl] *s.* principio, causa; fundamento.

print [print] *s.* tipo, letra de molde; impresión; **out of** — agotado; *tr.*

imprimir, estampar; publicar.

printed matter ['printid? mætə*] s. impresos.

printing ['printiŋ] s. impresión; edición; imprenta.

prisoner ['priznə*] s. preso.

privacy ['praivəsi] s. (pl. **-cies**) aislamiento; habitación privada.

private ['praivit] adj. privado, particular; clandestino; s. soldado raso.

privy ['privi] s. (pl. **-ies**) excusado, retrete.

prize [praiz] s. premio; botín; adj. premiado; tr. apreciar.

probation [prə'beiʃən] s. prueba, ensayo.

probe [proub] s. sonda; exploración; tr. sondar; sondear.

procedure [prə'si:dʒə*] s. procedimiento.

proceed [prə'si:d] intr. proceder, avanzar.

proceeds ['prousi:dz] s. pl. resultado, réditos.

process ['prouses] s. procedimiento; proceso; adj. de elaboración; tr. citar, procesar; fotografiar.

proclaim [prə'kleim] tr. proclamar.

procrastinate [prou'kræstineit] tr. diferir; intr. tardar, no decidirse.

procreate ['proukrieit] tr. procrear.

procure [prə'kjuə*] tr. lograr, obtener.

prod [prɔd] s. empuje; tr. pinchar.

prodigal ['prɔdigəl] adj. pródigo; s. pródigo.

prodigious [prə'didʒəs] adj. prodigioso.

produce [prə'dju:s] tr. producir; presentar al público.

producer [prə'dju:sə*] s. productor.

production [prə'dʌkʃən] s. producción.

profane [prə'fein] adj. profano; s. profano; tr. profanar.

profess [prə'fes] tr. e intr. profesar.

proffer ['prɔfə*] s. oferta, propuesta; tr. ofrecer.

proficiency [prə'fiʃənsi] s. pericia, destreza.

proficient [prə'fiʃənt] adj. perito, hábil; s. perito.

profile ['proufail] s. perfil, contorno; tr. perfilar.

profit ['prɔfit] s. provecho, beneficio; tr. servir, aprovechar; intr. aprovecharse.

profitable ['prɔfitəbl] *adj.* provechoso.

profiteer [prɔfi'tiə*] *s.* usurero.

progeny ['prɔdʒini] *s.* (**-nies**) prole, linaje.

progress ['prougres] *s.* progreso.

prohibit [prə'hibit] *tr.* prohibir, privar.

project ['prɔdʒekt] *s.* proyecto, plan.

project [prə'dʒekt] *tr.* proyectar; arrojar, despedir; *intr.* salir fuera.

proliferate [prɔ'lifəreit] *tr.* (Biol.) multiplicar; *intr.* proliferar.

prolix ['prouliks] *adj.* difuso, prolijo.

prolong [prə'lɔŋ] *tr.* prolongar.

promenade [,prɔmi'nɑ:d] *s.* paseo, vuelta.

promise ['prɔmis] *s.* promesa; *tr.* e *intr.* prometer.

promising ['prɔmisiŋ] *adj.* prometedor.

promote [prə'mout] *tr.* promover.

prompt [prɔmpt] *adj.* pronto, puntual; *tr.* incitar, mover.

prone [proun] *adj.* inclinado.

proneness ['prounnis] *s.* postración; disposición.

prong [prɔŋ] *s.* púa, punta; gajo.

pronoun ['prounaun] *s.* pronombre.

pronounce [prə'nauns] *tr.* pronunciar.

proof [pru:f] *s.* prueba; evidencia.

propagate ['prɔpəgeit] *tr.* e *in.* propagar.

propel [prə'pel] *tr.* propulsar.

proper ['prɔpə*] *adj.* propio.

properness ['prɔpənis] *s.* propiedad.

property ['prɔpəti] *s.* (*pl.* **-ties**) propiedad; *adj.* de propiedad.

prophesy ['prɔfisai] *tr.* e *intr.* profetizar.

proposal [prə'pouzəl] *s.* oferta; declaración.

propose [prə'pouz] *tr.* proponer, *intr.* declararse.

propound [prə'paund] *tr.* proponer.

propriety [prə'praiəti] *s.* corrección.

prosaic,-al [prə'zeiik,-əl] *adj.* prosaico.

proscribe [prəs'kraib] *tr.* proscribir.

prosecute ['prɔsikju:t] *tr.* (Der.) procesar.

prosecutor ['prɔsikju:-tə*] *s.* fiscal.

prospect ['prɔskpekt] s. perspectiva.

prospect [prəs'pekt] tr. explorar; intr. prometer.

prospecting [prɛs'pektiŋ] s. sondeo.

prosper ['prɔspə*] tr. e intr. prosperar.

prostitute ['prɔstitjuːt] s. prostituta; tr. vender, prostituir; intr. prostituirse.

prostrate ['prɔstreit] adj. postrado.

prostrate [prɔs'treit] tr. postrar.

protect [prə'tekt] tr. proteger.

protest [proutest] s. protesta.

protest [prə'test] tr. e intr. protestar.

protestant ['prɔtistənt] adj. y s. protestante; (Amér.) canuto.

protract [prə'trækt] tr. prolongar.

protrude [prə'truːd] intr. resaltar.

proud [praud] adj. orgulloso.

prove [pruːv] tr. probar.

provide [prə'vaid] tr. proporcionar; suministrar.

provided [prə'vaidid] cnj. a condición de que.

provoke [prə'vouk] tr. provocar, indignar.

prow [prau] s. (Náut.) proa.

prowess ['prauis] s. proeza.

prowl [praul] tr. e intr. rondar.

proximity [prɔk'simiti] s. (pl. -ties) proximidad.

proxy ['prɔksi] s. (pl. -xies) poder; apoderado, delegado.

prudent ['pruːdənt] adj. sensato, prudente.

prune [pruːn] s. ciruela pasa; tr. mondar, podar.

pry [prai] s. (pl. pries) inspección.

psalm [saːm] s. salmo.

pub [pʌb] s. taberna.

public ['pʌblik] s. público; adj. público.

publish ['pʌbliʃ] tr. publicar; editar.

publisher ['pʌbliʃə*] s. editor.

pucker ['pʌkə*] s. arruga; tr. plegar mal.

puff [pʌf] s. soplo; adj. de soplo; inj. ¡bah!, intr. soplar, resoplar.

puffy ['pʌfi] s. adj. hinchado.

pull [pul] s. tirón, estirón; tr. tirar; coger, abatir; intr. tirar con esfuerzo

pulley ['puli] s. (Mec.) polea.

pullman ['pulmən] s. coche-cama.

pull-over ['pulouvə*] s. jersey.

pulp [pʌlp] s. pulpa, carne.

pulpit ['pulpit] s. púlpito.

pulsate [pʌl'seit] intr. pulsar.

pulse [pʌls] s. pulso, latido.

pulverise ['pʌlvəraiz] tr. pulverizar.

pump [pʌmp] s. bomba; adj. de bomba; tr. impeler.

pumpkin ['pʌmpkin] s. (Bot.) calabaza.

pun [pʌn] s. equívoco.

punch [pʌntʃ] s. puñetazo.

punctual ['pʌŋktjuəl] adj. puntual.

puncture ['pʌŋktʃə*] s. pinchazo; tr. pinchar.

pungent ['pʌndʒent] adj. picante.

punish ['pʌniʃ] tr. castigar.

punt [pʌnt] s. batea, barca plana; intr. cazar.

puny ['pju:ni] adj. (compar. **-ier**; superl. **-iest**) encanijado, débil.

pupil ['pju:pl] s. alumno.

puppet ['pʌpit] s. títere, muñeco; (fig.) maniquí.

puppy ['pʌpi] s. (pl. **-ies**) cachorro.

purchase ['pə:tʃəs] s. compra, adquisición; tr. comprar, adquirir.

pure [pjuə*] adj. puro, limpio.

purée ['pjuəreil] s. puré.

purge [pə:dʒ] tr. purgar.

purify ['pjuərifai] tr. purificar.

purple ['pə:pl] s. púrpura; adj. purpúreo.

purport ['pə:pət] s. significado, idea principal; tr. significar.

purpose ['pə:pəs] s. intención, objeto, fin.

purposely ['pə:pəsli] adv. adrede.

purse [pə:s] s. bolsa.

pursue [pə'sju:] tr. perseguir; continuar.

pursuer [pə'sju:ə*] s. seguidor.

pursuit [pə'sju:t] s. seguimiento; adj. de prosecución, de caza.

purvey [pə:'vei] tr. proveer, abastecer.

purveyance [pə:'veiəns] s. abastecimiento.

pus [pʌs] s. pus, podredumbre.

push [puʃ] s. empujón; embestida; tr. empujar.

pushing ['puʃiŋ] adj. emprendedor, activo.

pussy ['pusi] s. (pl. **-sies**) minino.

put [put] adj. puesto; tr. poner; proponer; imponer.

putty ['pʌti] s. (pl. **-ties**) masilla, pasta, cemento.

puzzle ['pʌzl] s. enigma; acertijo; tr. confundir, desconcertar, embrollar; int. estar perplejo o confuso.

python ['paiθən] s. (Zool.) pitón, serpiente boa.

q

quack [kwæk] *s.* charlatán; curandero.

quadrille [kwəˈdril] *s.* cuadrilla.

quaff [kwɑːf] *s.* trago grande; *tr.* e *intr.* beber a grandes tragos.

quail [kweil] *s.* codorniz; *intr.* acobardarse.

quaint [kweint] *adj.* curioso, raro.

quake [kweik] *s.* temblor; *intr.* temblar.

qualified [ˈkwɔlifaid] *adj.* calificado, apto.

qualify [ˈkwɔlifai] *tr.* calificar; capacitar; *intr.* capacitarse.

qualm [kwɑːm] *s.* escrúpulo, duda.

quarantine [ˈkwɔrəntiːn] *s.* cuarentena.

quarrel [ˈkwɔrəl] *s.* disputa, riña; cincel; *intr.* disputar, reñir.

quart [kwɔːt] *s.* cuarto de galón.

quarter [ˈkwɔːtə*] *adj.* cuarto; *s.* cuarto; trimestre; **—s** morada, vivienda; *tr.* descuartizar; hospedar; *intr.* alojarse, hospedarse.

quarterly [ˈkwɔːtəli] *adj.* trimestral.

quartz [kwɔːts] *s.* cuarzo.

quash [kwɔʃ] *tr.* sofocar, aplastar.

quaver [ˈkweivə*] *s.* temblor, vibración; *intr.* temblar, vibrar.

quay [kiː] *s.* muelle, desembarcadero.

queen [kwiːn] *s.* reina.

queer [kwiə*] *adj.* curioso, raro.

quell [kwel] *tr.* sofocar.

quench [kwentʃ] *tr.* extinguir.

query [ˈkwiəri] *s.* (*pl.* **-ries**) pregunta; *intr.* hacer preguntas.

quest [kwest] *s.* búsqueda; *tr.* e *intr.* buscar, averiguar.

question [ˈkwestʃən] *s.* cuestión; pregunta; *tr.* e *intr.* preguntar, examinar.

queue [kjuː] *s.* cola o fila; *intr.* hacer cola.

quibbling [ˈkwibliŋ] *s.* juego de palabras.

quick [kwik] *adj.* rápido.

quicken [ˈkwikən] *tr.* acelerar.

quicklime ['kwiklaim] *s.* cal viva.

quickly ['kwikli] *adv.* rápidamente.

quicksand ['kwiksænd] *s.* arena movediza.

quiet ['kwaiət] *adj.* tranquilo; silencioso; *adv.* silenciosamente; *tr.* calmar; *m.* reposarse.

quill [kwil] *s.* pluma de ave.

quilt [kwilt] *s.* cobertor.

quince [kwins] *s.* (Bot.) membrillo.

quip [kwip] *s.* sutileza.

quit [kwit] *adj.* libre, sin obligaciones; dejar *(libre)*; *intr.* irse.

quite [kwait] *adv.* completamente.

quiver ['kwivə*] *s.* temblor, estremecimiento; *intr.* temblar.

quotation [kwou'teiʃən] *s.* cotización.

quote [kwout] *tr.* cotizar.

r

rabbit ['ræbit] s. conejo; **rabbit-warren** conejera.

rabble ['ræbl] s. chusma; multitud.

rabid ['ræbid] adj. rabioso, violento.

rabies ['reibii:z] s. rabia, hidrofobia.

race [reis] s. raza, casta; tr. correr, desafiar; — **ground** campo de carreras; — **horse** caballo de carreras.

rack [ræk] s. estante; percha; tr. atormentar, torturar.

racket ['rækit] s. raqueta, pala.

radiate ['reidieit] adj. radiado; tr. radiar; intr. radiar, centellear.

radical ['rædikəl] adj. radical, fundamental.

radio ['reidiou] s. radio; —**station** emisora.

raffle ['ræfl] s. rifa, lotería; tr. rifar, sortear.

raft [rɑːft] s. balsa.

rag [ræg] s. trapo, harapo; adj. de trapo; — **doll** muñeca de trapos; tr. romper, hacer jirones.

rage [reidʒ] s. rabia; ardor, entusiasmo; intr. rabiar, encolerizarse.

ragged ['rægid] adj. andrajoso, harapiento.

raid [reid] s. invasión, ataque inesperado; tr. atacar por sorpresa.

rail [reil] s. carril, raíl; tr. poner barrera o barandilla; intr. quejarse amargamente.

railing ['reiliŋ] s. barandilla, pasamano.

railroad ['reilroud] s. ferrocarril; adj. ferroviario.

railway ['reilwei] s. ferrocarril; adj. ferroviario.

rain [rein] s. lluvia; intr. llover.

rainbow ['reinbou] s. arco iris.

raincoat ['reinkout] s. impermeable.

rainfall ['reinfɔːl] s. aguacero.

rainstorm ['reinstɔːm] s. tempestad de lluvia.

raise [reiz] s. aumento, alza (de precios, salarios, etcétera); tr. levantar; subir; exaltar; promover.

raisin ['reizn] *s.* pasa *(uva seca).*

rake [reik] *s.* rastro, rastrillo; calavera; *tr.* rastrillar; raspar.

rally ['ræli] *s.* *(pl.* **-lies)** reunión popular, reunión política; *tr.* reunir.

ram [ræm] *s.* carnero; *tr.* atacar.

ramble ['ræmbl] *s.* paseo, excursión; *intr.* pasear; divagar.

rampant ['ræmpənt] *adj.* exuberante, excesivo.

rampart ['ræmpɑ:t] *s.* terraplén; muralla.

ranch [rɑ:ntʃ] *s.* hacienda, rancho.

ranco(u)r ['reæŋkə*] *s.* rencor.

random ['rændəm] *s.* azar, acaso; *adj.* casual.

range [reindʒ] *s.* fila, hilera; viaje; *intr.* alinearse; variar.

rank [ræŋk] *s.* fila; (Mil.) grado; rango; *adj.* exuberante; denso; *tr.* alinear, ordenar; *intr.* formar o marchar en filas.

ransack ['rænsæk] *tr.* registrar, explotar.

ransom ['rænsəm] *s.* rescate; *tr.* rescatar.

rap [ræp] *s.* manotón; censura; *tr.* e *intr.* golpear; *tr.* criticar duramente.

rape [reip] *s.* rapto; violación; *tr.* raptar; violar.

rapier ['reipjə*] *s.* estoque, espadín.

rapport [ræ'pɔ*] *s.* relación; informe.

rapture ['ræptʃə*] *s.* rapto; arrebato.

rarefy ['reərifai] *tr.* enrarecer; *intr.* enrarecerse.

rascal ['rɑ:skəl] *s.* bribón, canalla.

rash [ræʃ] *adj.* aventurero; *s.* brote.

rasp [rɑ:sp] *s.* ronquido; ronquera; *tr.* raspar.

rat [ræt] *s.* rata.

rate [reit] *s.* cantidad, grado; *tr.* valuar, estimar.

ratepayer ['reit,peiə*] *s.* contribuyente.

rather ['rɑ:ðə*] *adv.* bastante, mejor, más; *inj.* ¡claro!, ¡ya lo creo!

ratify ['rætifai] *tr.* ratificar.

ration ['ræʃən] *s.* ración; *tr.* racionar.

rattle ['rætl] *s.* carraca; sonajero; *tr.* traquetear; decir, proferir rápidamente; *intr.* repiquetear.

ravage ['rævidʒ] *s.* estrago; *tr.* destruir.

rave [reiv] *intr.* desvariar, delirar.

raven ['reivn] *s.* cuervo.

ravenous ['rævinəs] *adj.* voraz, hambriento.

ravine [rə'vi:n] *s.* hondonada, barranco.

ravish ['ræviʃ] *tr.* encantar.

ray [rei] *s.* rayo *(de luz); tr.* irradiar; *intr.* radiar.

raze [reiz] *tr.* arrasar, asolar.

razor ['reizə*] *s.* navaja de afeitar.

reach [ri:tʃ] *s.* alcance; extensión; *tr.* alargar, extender.

react [ri(:)'ækt] *intr.* reaccionar.

read [red] *adj.* leído, instruido.

read [ri:d] *tr.* leer; interpretar.

readable ['ri:dəbl] *adj.* legible, ameno.

reader ['ri:də*] *s.* lector; conferenciante.

reading ['ri:diŋ] *adj.* lector; para leer; *s.* lectura.

ready ['redi] *adj.* listo, preparado.

reaffirm ['ri:ə'fə:m] *tr.* reafirmar.

real [riəl] *adj.* real, verdadero.

reality [ri(:)'æliti] *s.* realidad.

realise ['riəlaiz] *tr.* comprender, ver.

really ['riəli] *adv.* realmente.

realm [relm] *s.* reino, país.

reap [ri:p] *tr.* e *in.* segar.

rear [riə*] *adj.* posterior; trasero; *tr.* levantar; elevar; criar, educar; *intr.* empinarse.

rearmost ['riəmoust] *adj.* último.

reason ['ri:zn] *s.* razón, entendimiento; *tr.* e *in.* razonar.

rebate [ri'beit] *s.* descuento; *tr.* descontar; *intr.* hacer una rebaja.

rebel [ri'bel] *intr.* rebelarse, sublevarse.

rebuff [ri'bʌf] *s.* desaire, rechazo; *tr.* rechazar.

rebuild ['ri:'bild] *tr.* reconstruir.

rebuke [ri'bju:k] *s.* reprensión, reproche.

recall [ri'kɔ:l] *s.* llamada o aviso; *tr.* hacer volver; revocar.

recede [ri(:)'si:d] *intr.* retroceder, recular.

receipt [ri'si:t] *s.* abono, recibo.

receive [ri'si:v] *tr.* recibir; tomar.

recent ['ri:snt] *adj.* reciente, moderno.

recess [ri'ses] *s.* intermisión, tregua; *s.* hora de recreo.

recipe ['resipi] *s.* fórmula, receta.

recite [ri'sait] *tr.* recitar.

reckless ['reklis] *adj.* descuidado.

reckon ['rekən] *tr.* considerar; calcular.

reckoning ['rekəniŋ] *s.* cómputo, cuenta.

reclaim [ri(:)'kleim] *tr.* reclamar; ganar terreno al mar.

recline [ri'klain] *tr.* reclinar; *intr.* reclinarse.

recluse [ri'klu:s] *adj.* retirado, solitario; *s.* ermitaño.

recognise ['rekəgnaiz] *tr.* reconocer.

recoil [ri'kəil] *s.* retroceso, reculada; *intr.* recular, retroceder.

recollect [,rekə'lekt] *tr.* e *intr.* recordar.

reconcile ['rekənsail] *tr.* reconciliar.

reconnoiter [,rekə'nɔitə*] *tr.* e *intr.* (Mil.) reconocer.

record ['rekə:d] *s.* récord, marca; registro, anotación; acta, historia; disco; **records** *s. pl.* memorias, anales; — **player** tocadiscos.

recount ['ri:'kaunt] *tr.* contar de nuevo.

recount [ri'kaunt] *tr.* referir.

recover [ri'kʌvə*] *tr.* recuperar.

recreate ['ri:krieit] *tr.* recrear, divertir.

recruit [ri'kru:t] *s.* recluta; *tr.* reclutar; abastecer.

rectify ['rektifai] *tr.* rectificar.

recur [ri'kə:*] *intr.* volver a ocurrir, repetirse.

red [red] *adj.* rojo; revolucionario.

redden ['redn] *tr.* enrojecer; *intr.* ruborizarse.

redeem [ri'di:m] *tr.* redimir.

redoubtable [ri'dautəbl] *adj.* formidable.

redress [ri'dres] *tr.* enderezar, reparar.

redskin ['redskin] *s.* piel roja, indio.

reduce [ri'dju:s] *tr.* reducir.

re-echo [ri(:)'ekou] *intr.* resonar.

reel [ri:l] *s.* carrete; *tr.* devanar, enrollar.

re-elect ['ri:i'lekt] *tr.* reelegir.

re-enforce ['ri:in'fɔ:s] *tr.* reforzar.

reenlist ['ri:in'list] *tr.* reenganchar.

re-establish [ˈriːisˈtæbliʃ] *tr.* restablecer.

refer [riˈfəː*] *tr.* referir, dirigir; *intr.* aludir; recurrir a.

referee [ˈrefəˈriː] *s.* árbitro; *tr.* e *intr.* arbitrar.

refill [ˈriːˈfil] *tr.* rellenar.

refine [riˈfain] *tr.* refinar, purificar.

reflect [riˈflekt] *tr.* reflejar; repercutir; *intr.* reflexionar.

reflection [riˈflekʃən] *s.* reflexión; reflejo, imagen.

refrain [riˈfrein] *s.* estribillo; (fig.) cantinela; *tr.* refrenar, contener.

refresh [riˈfreʃ] *tr.* refrescar; reanimar.

refresher course [riˈfreʃəkəːs] *s.* curso de repaso.

refund [riːˈfʌnd] *s.* reembolso; *tr.* reembolsar, devolver.

refuse [ˈrefjuːs] *s.* basura, desecho.

refuse [riˈfjuːz] *tr.* rehusar, rechazar.

refute [riˈfjuːt] *tr.* refutar.

regain [riˈgein] *tr.* recobrar.

regale [riˈgeil] *tr.* regalar; recrear.

regard [riˈgɑːd] *s.* mirada; consideración; *tr.* mi-

rar, contemplar; respetar.

regardless [riˈgɑːdlis] *adj.* descuidado, desatento.

regent [ˈriːdʒənt] *adj.* regente; *s.* regente, gobernador; *tr.* regentar.

regiment [ˈredʒimənt] *s.* (Mil.) regimiento; *pl.* informe militar.

register [ˈredʒistə*] *s.* registro *(libro)*; archivo; inscripción; *adj.* de registro; *tr.* registrar, inscribir.

regret [riˈgret] *s.* pesar, pena; *intr.* sentir, lamentar.

regretful [riˈgretful] *adj.* pesaroso.

regrettable [riˈgretəbl] *adj.* lamentable.

regulate [ˈregjuleit] *tr.* regular, ajustar.

rehearse [riˈhəːs] *tr.* ensayar.

reign [rein] *s.* reino; reinado, *intr.* reinar.

reimburse [ˌriːimˈbəːs] *tr.* reembolsar, indemnizar.

rein [rein] *s.* rienda.

reindeer [ˈreindiə*] *s.* (Zool.) reno.

reiterate [riːˈitəreit] *tr.* reiterar, repetir.

reject [riˈdʒekt] *tr.* rechazar.

rejoice [ri'dʒɔis] *tr.* alegrar, regocijar.

rejoin [ri'dʒɔin] *tr.* reunirse con; *tr. e intr.* responder.

rejoinder [ri'dʒɔində*] *s.* respuesta.

relapse [ri'læps] *s.* recaída; *intr.* recaer.

relate [ri'leit] *tr.* relatar, referir; *intr.* relacionarse.

relative ['relətiv] *adj.* relativo; *s.* pariente.

relax [ri'læks] *tr.* relajar, soltar; *intr.* relajarse; esparcirse.

relaxation [ˌriːlæk'seiʃən] *s.* relajación, aflojamiento.

relay ['riːlei] *s.* relevo; parada; *adj.* de relevos; *tr.* relevar, mudar.

release [ri'liːs] *s.* liberación; alivio; *tr.* libertar, soltar.

relent [ri'lent] *intr.* ablandarse, aplacarse.

relevant ['relivənt] *adj.* pertinente.

reliable [ri'laiəbl] *adj.* fidedigno, veraz.

reliance [ri'laiəns] *s.* confianza.

relic ['relik] *s.* reliquia, vestigio.

relief [ri'liːf] *s.* ayuda, auxilio.

relieve [ri'liːv] *tr.* relevar, auxiliar.

relinquish [ri'liŋkwiʃ] *tr.* abandonar, dejar.

relish ['reliʃ] *s.* buen sabor, gusto; *tr.* saborear, paladear.

reload ['riː'loud] *tr.* recargar.

reluctance [ri'lʌktəns] *s.* aversión, repugnancia.

remain [ri'mein] *intr.* quedar, sobrar.

remark [ri'mɑːk] *s.* observación, nota; *tr.* observar, notar.

remedy ['remidi] *s.* (*pl.* **-dies**) remedio, medicamento; *tr.* remediar, curar.

remember [ri'membə*] *tr.* recordar, acordarse de.

remind [ri'maind] *tr.* acordar, recordar.

remiss [ri'mis] *adj.* remiso, descuidado.

remit [ri'mit] *tr.* (*pret. y pp.* **-mitted**) remitir, restituir.

remittance [ri'mitəns] *s.* remesa, envío, giro.

remonstrance [ri'mɔnstrəns] *s.* protesta, amonestación.

remonstrate [ri'mɔnstreit] *intr.* protestar, censurar.

remorseless [ri'mɔːslis] *adj.* implacable.

removal [ri'muːvəl] *s.* traslado; mudanza.

remove [ri'muːv] *s. tr.* trasladar, extraer; *intr.* mudarse, cambiar de domicilio.

Renaissance [rə'neisəns] *s.* Renacimiento.

rend [rend] *tr.* desgarrar.

render ['rendə*] *s.* pago; primera capa de enlucido; *tr.* rendir.

rendezvous ['rɔndivuː] *s.* cita.

renegade ['renigeid] *adj.* y *s.* renegado.

renew [ri'njuː] *tr.* renovar; *intr.* renovarse.

renounce [ri'nauns] *tr.* renunciar, abdicar.

renovate ['renoveit] *tr.* renovar.

rent [rent] *s.* renta, arrendamiento; *tr.* alquilar; *intr.* alquilarse.

reopen ['riː'oupən] *tr.* reabrir; reanudar.

repair [ri'pɛə*] *s.* reparación, reparo; *tr.* reparar, restaurar.

repast [ri'pɑːst] *s.* comida, comilona.

repay [riː'pei] *tr.* reembolsar; compensar.

repayment [riː'peimənt] *s.* reembolso.

repeat [ri'piːt] *s.* repetición; *tr.* e *intr.* repetir.

repeatedly [ri'piːtidli] *adv.* repetidamente.

repel [ri'pel] *tr.* repeler, repulsar.

repent [ri'pent] *tr.* arrepentirse de.

repetition [,repi'tiʃən] *s.* repetición, vuelta.

replace [riː'pleis] *tr.* reemplazar, substituir.

replenish [ri'pleniʃ] *tr.* llenar, henchir.

reply [ri'plai] *s.* (*pl.* **-plies**) respuesta; *tr.* e *intr.* responder, contestar.

report [ri'pɔːt] *s.* noticia, reportaje, información; *tr.* e *in.* informar; relatar.

repose [ri'pouz] *s.* reposo; *tr.* descansar; *intr.* descansar.

represent [,repri'zent] *tr.* representar, simbolizar.

repress [ri'pres] *tr.* reprimir, contener.

reprieve [ri'priːv] *s.* suspensión; indulto; *tr.* suspender la ejecución de.

reprint ['riː'print] *s.* reimpresión; tirada aparte; *tr.* reimprimir.

reprisal [ri'praizəl] *s.* represalia.

reproduce [,ri:prə'dju:s] *tr.* reproducir.

reprove [ri'pru:v] *tr.* reprobar, censurar.

repudiate [ri'pju:dieit] *tr.* repudiar, rechazar.

repulse [ri'pʌls] *s.* rechazo; repulsa; *tr.* repulsar, rechazar.

reputable ['repjutəbl] *adj.* de buena reputación.

reputation [,repju(:)'teiʃən] *s.* reputación, fama.

repute [ri'pju:t] *tr.* reputar, juzgar.

request [ri'kwest] *s.* petición, ruego.

require [ri'kwaiə*] *tr.* requerir, pedir.

requiste ['rekwiʒit] *adj.* necesario, preciso; *s.* requisito.

requite [ri'kwait] *tr.* corresponder, pagar.

rescind [ri'sind] *tr.* rescindir.

rescue ['reskju:] *s.* rescate; liberación; *tr.* rescatar; libertar.

research [ri'sə:tʃ] *s.* investigación; indagación; *tr.* e *intr.* investigar.

resell [ri:'sel] *tr.* revender.

resemble [ri'zembl] *tr.* asemejarse a.

resent [ri'zent] *tr.* resentirse de.

resentful [ri'zentful] *adj.* resentido.

reserve [ri'zə:v] *s.* reserva, silencio. *tr.* reservar, retirar.

reservoir ['rezəvwɑ:*] *s.* depósito, estanque.

reshuffle ['ri:'ʃʌfl] *s.* recomposición; *tr.* revolver otra vez.

reside [ri'zaid] *intr.* residir.

residence ['rezidəns] *s.* residencia, domicilio.

residue ['rezidju:] *s.* residuo, resto, sobrante.

resign [ri'zain] *tr.* renunciar, dimitir.

resilient [ri'ziliənt] *adj.* elástico.

resist [ri'zist] *tr.* e *intr.* resistir, oponerse.

resolute ['rezəlu:t] *adj.* resuelto.

resolve [ri'zɔlv] *s.* resolución; *tr.* resolver.

resolved [ri'zɔlvd] *adj.* resuelto.

resonant ['reznənt] *adj.* resonante.

resort [ri'zɔ:t] *s.* concurrencia; recreo; *intr.* acudir, frecuentar.

resound [ri'zaund] *tr.* hacer resonar; *intr.* resonar.

resounding [ri'zaundiŋ] *adj.* sonoro.

respect [ris'pekt] *s.* respecto; atención; *tr.* respetar, estimar.

respectful [ris'pektful] *adj.* respetuoso.

respecting [ris'pektiŋ] *prep.* con respecto a.

respiration [,respə'reiʃən] *s.* respiración.

respite ['respait] *s.* respiro; tregua; *tr.* dar tregua a.

resplendent [ris'plendənt] *adj.* resplandeciente.

respond [ris'pond] *intr.* responder, contestar.

responsible [ris'ponsəbl] *adj.* responsable, solvente.

rest [rest] *s.* descanso; reposo; *tr.* descansar; parar; *intr.* descansar; residir.

restitute ['restitju:t] *tr.* restituir.

restive ['restiv] *adj.* intranquilo; alborotado.

restlessness ['restlisnis] *s.* intranquilidad, desasosiego.

restock ['ri:'stɔk] *tr.* reaprovisionar; repoblar.

restoration ['restə'reiʃən] *s.* restauración.

restore [ris'tɔ:*] *tr.* restaurar; instaurar.

restrain [ris'trein] *tr.* refrenar; aprisionar.

restraint [ris'treint] *s.* limitación, restricción.

restrict [ris'trikt] *tr.* restringir, limitar.

result [ri'zʌlt] *s.* resultado; *intr.* resultar.

resume [ri'zju:m] *tr.* reasumir.

resurge [ri'zə:dʒ] *intr.* resurgir.

resurrect [,resə'rekt] *in.* resucitar.

retail [ri:'teil] *s.* venta al por menor.

retain [ri'tein] *tr.* retener, guardar.

retainer [ri'teinə*] *s.* dependiente; partidario.

retaliate [ri'tælieit] *intr.* vengarse.

retaliation [ri,tæli'eiʃən] *s.* venganza.

retard [ri'tɑ:d] *tr.* retardar, retrasar.

retention [ri'tenʃən] *s.* retención.

reticence ['retisəns] *s.* reserva.

retinue ['retinju:] *s.* séquito.

retire [ri'taiə*] *tr.* retirar; jubilar.

retirement [ri'taiəmənt] *s.* retiro; jubilación.

retiring [ri'taiəriŋ] *adj.* retraído.

retort [ri'tɔːt] *s.* retorta; *tr.* rebatir; *intr.* replicar.

retrace [ri'treis] *tr.* repasar.

retract [ri'trækt] *tr.* e *in.* retractar; retraer.

retreat [ri'triːt] *s.* retirada; retiro, retraimiento.

retrench [ri'trentʃ] *tr.* atrincherar; suprimir; *intr.* reducirse, moderarse.

retrieve [ri'triːv] *s.* recuperación; cobra [en la caza); *tr.* reparar; desquitarse de.

retrocede [,retrou'siːd] *tr.* hacer retrocesión de.

return [ri'tɔːn] *s.* retorno; devolución; respuesta; ganancia; *tr.* volver, devolver; responder; *intr.* regresar.

reunite ['riːjuː'nait] *tr.* e *in.* reunir, juntar.

revalue [riː'væljuː] *tr.* revalorizar.

reveal [ri'viːl] *tr.* revelar.

reveille [ri'væli] *s.* (Mil.) toque de diana.

revel ['revl] *s.* regocijo.

revenge [ri'vendʒ] *s.* venganza; *tr.* vengar; *intr.* vengarse.

revenue ['revinjuː] *s.* renta, rédito.

reverberate [ri'vɔːbəreit] *tr.* reflejar.

revere [ri'viə*] *tr.* reverenciar.

reverend ['revərənd] *adj.* reverendo, venerable; *s.* (fam.) clérigo; **most —** reverendísimo.

reverent ['revərənt] *adj.* reverente.

reverie ['revəri] *s.* ensueño.

reverse [ri'vɔːs] *adj.* invertido, inverso; opuesto; *s.* revés; contrario; *tr.* invertir, trastrocar.

revert [ri'vɔːt] *intr.* volver atrás.

review [ri'vjuː] *s.* revista; reseña; *tr.* revisar.

revile [ri'vail] *tr.* ultrajar.

revise [ri'vaiz] *tr.* revisar; corregir.

revive [ri'vaiv] *tr.* reanimar; resucitar, restablecer.

revivify [ri(ː)'vivifai] *tr.* hacer revivir; *intr.* reanimarse.

revoke [ri'vouk] *tr.* revocar, retirar.

revolt [ri'voult] *s.* rebelión, sublevación; *intr.* rebelarse.

revolutionise [,revə'luː-ʃnaiz] *tr.* revolucionar.

revolve [ri'vɔlv] *tr.* revolver; dar vueltas; *intr.* girar.

revolver [ri'vɔlvə*] *s.* revólver.

revolving [ri'vɔliŋ] *adj.* giratorio.

revue [ri'vju] *s.* (Tt.) revista.

reward [ri'wɔ:d] *s.* premio, recompensa; *tr.* premiar.

rhetoric ['retərik] *s.* retórica.

rheum(a) [ru:m] *s.* (Pat.) reuma.

rhyme [raim] *s.* rima; *tr.* e *intr.* rimar.

rib [rib] *s.* costilla; varilla *(de paraguas, etc.)*; nervio *(del ala de un insecto)*.

ribald ['ribəld] *adj.* obsceno, blasfemo.

ribbon ['ribən] *s.* cinta.

rice [rais] *s.* (Bost.) arroz;

rich [ritʃ] *adj.* rico, acomodado; azucarado; *s. pl.* riqueza.

richness ['ritʃnis] *s.* riqueza, opulencia.

rickety ['rikiti] *adj.* (Pat.) raquítico.

rid [rid] *tr.* librar, desembarazar.

riddle ['ridl] *s.* enigma, misterio; *tr.* adivinar; descifrar.

ride [raid] *s.* paseo a caballo o en coche; *tr.* e *intr.* montar.

rider ['raidə*] *s.* jinete, caballero; ciclista; cláusula añadida a un proyecto de ley.

ridge [ridʒ] *s.* espinazo.

ridicule ['ridikju:l] *s.* ridículo; *tr.* ridiculizar.

riding ['raidiŋ] *s.* cabalgata, paseo a caballo o en coche.

rife [raif] *adj.* frecuente; abundante.

rifle ['raifl] *s.* rifle, fusil, carabina; *tr.* hurtar, despojar.

rift [rift] *s.* raja, abertura; *tr.* rajar, dividir; *intr.* rajarse, partirse.

rig [rig] *s.* aparejo; equipaje; *tr.* aparejar; equipar.

rigging ['rigiŋ] *s.* aparejo; avíos.

right [rait] *adj.* derecho; directo, en línea recta; en buen estado, sano, cuerdo; correctamente, bien; *inj.* **all** — ¡está bien! ¡conforme!; *s.* derecho, justicia; *tr.* hacer justicia a; enderezar; corregir, rectificar.

rightabout face ['raitəbautfeis] *s.* media vuelta a la derecha.

righteous ['raitʃəs] *adj.* recto, justo.

rightful ['raitful] *adj.* justo; legítimo.

rightly ['raitli] *adv.* rectamente, derechamente.

rigid ['ridʒid] *adj.* rígido, tieso.

rigour ['rigə*] *s.* rigor, dureza.

rill [ril] *s.* arroyuelo, riachuelo; *intr.* correr formando un arroyuelo.

rim [rim] *s.* canto, borde.

rind [raind] *s.* corteza; peladura.

ring [riŋ] *s.* anillo, sortija; redondel; ring, cuadrilátero; círculo; *tr.* sonar; repicar; anunciar; *intr.* sonar, tañer; resonar.

ringing ['riŋiŋ] *adj.* resonante; *s.* toque.

rinse [rins] *tr.* enjuagar, aclarar.

riot ['raiət] *s.* tumulto; desenfreno; motín; *intr.* armar alboroto.

rioter ['raiətə*] *s.* alborotador.

rip [rip] *s.* rasgadura; *tr.* rasgar, romper.

ripe [raip] *adj.* maduro, sazonado.

ripen ['raipən] *tr.* madurar, sazonar.

riposte [ri'poust] *s.* respuesta; réplica; *intr.* responder.

ripple ['ripl] *s.* rizo, ondulación; *tr.* ondular, rizar; *intr.* rizarse, agitarse.

rise [raiz] *s.* subida; elevación; ascenso; *tr.* levantar, ver aparecer.

rising ['raiziŋ] *adj.* ascendiente; naciente; *s.* subida, ascensión, levantamiento.

risk [risk] *s.* riesgo; *tr.* arriesgar, aventurar.

risky ['riski] *adj.* arriesgado, peligroso.

rite [rait] *s.* rito.

rival ['raivəl] *s.* rival, competidor, *tr.* competir, emular.

rivarly ['raivəlri] *s.* rivalidad, competencia.

rive [raiv] *tr.* rajar, hender; *intr.* rajarse.

river ['rivə*] *s.* río; *adj.* fluvial.

rivulet ['rivjulit] *s.* riachuelo, arroyo.

roach [routʃ] *s.* (Zool.) cucaracha.

road [roud] *s.* carretera; camino.

roadhouse ['roudhaus] *s.* posada en el camino, parador.

roadside ['roudsaid] *s.* borde del camino.

roadway ['roudwei] *s.* calzada.

roam [roum] *intr.* rodar, vagar.

roar [rɔ:*] *s.* rugido, bramido; *intr.* rugir, bramar; hacer estruendo; alborotar.

roast [roust] *s.* asado; carne para asar; *tr.* asar; tostar.

roaster ['rousta*] *s.* asador; tostador; cocinero que asa.

rob [rɔb] *tr.* robar, saquear.

robe [roub] *s.* ropaje, traje talar; *s. pl.* vestido *(de mujer); tr. e in.* vestirse de gala.

robust [rɔ'bʌst] *adj.* robusto.

rock [rɔk] *s.* roca, peña; *tr.* mecer, acunar.

rocker ['rɔkə*] *s.* mecedora.

rocket ['rɔkit] *s.* cohete; *intr.* subir o elevarse como un cohete.

rod [rɔd] *s.* vara; varilla; bastón.

rodent ['roudənt] *adj.* y *s.* (Zool.) roedor.

rogue [roug] *s.* pícaro, bribón.

roguish ['rougiʃ] *adj.* bellaco, pícaro.

roisterer ['rɔistərə*] *s.* fanfarrón.

role [roul] *s.* papel *(en el teatro, etc.).*

roll [roul] *s.* rollo; pergamino, documento; *tr.* arrollar; envolver; hacer rodar; *intr.* rodar, bambolearse; balancearse.

roller skate ['rouləskeit] *s.* patín de ruedas.

rolling ['rouliŋ] *adj.* rodante; girante; *s.* rodadura; balanceo.

Roman ['roumən] *adj.* y *s.* romano; *s.* latín.

romance [rə'mæns] *adj.* romance; *s.* romance; novela, historia.

romantic,-al [rəmæntik,-əl] *adj.* romántico; encantado; sentimental.

rood [ru:d] *s.* cruz, crucifijo.

roof [ru:f] *s.* techo, tejado; bóveda.

roofless ['ru:flis] *adj.* sin techo; desamparado.

rook ['ruk] *s.* grajo.

room [rum] *s.* habitación, cuarto; ocasión; espacio, sitio.

roomy ['rumi] *adj.* amplio, espacioso.

rooster ['ru:stə*] *s.* gallo.

root [ru:t] *s.* raíz; origen; *tr.* plantar firmemente.

rope [roup] *s.* cuerda, soga; *tr.* atar.

rosace ['rouzeis] s. rosetón.

rosary ['rouzeri] s. rosario.

rose [rouz] s. rosa; (Bot.) rosal.

rosebud ['rouzbʌd] s. (Bot.) capullo.

rostrum ['rɔstrəm] s. tribuna.

rosy ['rouzi] adj. sonrosado; florido, risueño.

rot [rɔt] s. podredumbre; tontería; intr. pudrirse, corromperse.

rotate [rou'teit] tr. hacer girar; alternar; intr. girar, rodar.

rote [rout] s. rutina.

rotten ['rɔtn] adj. podrido.

rotund [rou'tʌnd] adj. redondo de cuerpo.

rouge [ru:ʒ] s. arrebol; tr. pintar, dar de colorete.

rough [rʌf] adj. áspero; tempetuoso; rudo; chapucero; alborotador; s. matón; tr. e intr. poner o ponerse áspero; tr. labrar toscamente.

roughly ['rʌfli] adv. ásperamente; aproximadamente.

roughness ['rʌfnis] s. aspereza, tosquedad.

round [raund] adj. redondo; rechoncho; fuerte, adv. alrededor; acá y allá; por todas partes; prep. alrededor de, en torno de; s. redondo; círculo; circuito, recorrido; tr. redondear; doblar; cercar.

roundabout ['raundəbaut] adj. indirecto; s. modo indirecto, rodeo.

rouse [rauz] tr. despertar, provocar; intr. despertar.

rout [raut] s. rota, derrota; séquito; tr. derrotar, poner en fuga.

route [ru:t] s. ruta, itinerario.

rover ['rouvə*] s. vagabundo; veleta.

row [rau] s. riña, pelotera; alboroto, bullicio; intr. pelearse.

row [rou] s. fila, línea; intr. remar, bogar.

royal ['rɔiəl] adj. real, regio; magnífico.

royalty ['rɔiəlti] s. realeza; derechos de autor.

rub [rʌb] s. rozadura; frotación; obstáculo; tr. frotar; restregar.

rubber ['rʌbə*] s. goma, caucho.

rubbish ['rʌbiʃ] s. basura, desperdicios; disparate.

rubdown ['rʌbdaun] s. masaje.

ruby ['ru:bi] s. (pl. **-bies**) rubí.

ruck [rʌk] tr. arrugar.

rudder ['rʌdə*] s. timón.

rude [ru:d] adj. rudo; tosco.

rudiment ['ru:dimənt] s. rudimento; pl. naciones.

rue [ru:] s. (Bot.) ruda; amargura; tr. lamentar, sentir; intr. arrepentirse.

ruffle ['rʌfl] s. arruga; ondulación; enojo; tr. arrugar; enojar; intr. arrugarse; enojarse.

rug [rʌg] s. alfombra; felpudo.

ruin [ruin] s. ruina; destrucción; tr. arruinar; estropear.

rule [ru:l] s. regla, precepto, ley; autoridad; tr. gobernar, dirigir; contener.

rum [rʌm] s. ron, aguardiente.

rumble ['rʌmbl] s. rumor, retumbo; tr. pronunciar con un sonido sordo; intr. retumbar.

ruminant ['ru:minənt] adj. y s. rumiante.

ruminate ['ru:mineit] tr. e intr. rumiar, masticar.

rummage ['rʌmidʒ] s. búsqueda.

rummy ['rʌmi] adj. raro, extraño.

rumo(u)r ['ru:mə*] s. rumor, decir, fábula; tr. rumorear.

rump [rʌmp] s. anca, nalga.

rumpus ['rʌmpəs] s. alboroto, bulla.

run [rʌn] s. carrera; curso; progreso; tr. tener como candidato; gobernar; intr. correr; rodar.

runaway ['rʌnəwei] adj. desbocado; s. fugitivo.

rung [rʌŋ] s. peldaño, travesaño; barrote.

runner ['rʌnə*] s. corredor; mensajero.

runner-up ['rʌnər ʌp] s. subcampeón.

running ['rʌniŋ] s. carrera, corrida.

rupee [ru:'pi:] s. rupia (moneda).

rupture ['rʌptʃɛ*] s. ruptura; tr. romper, quebrar, fracturar.

ruse [ru:z] s. ardid, astucia; estafa.

rush [rʌʃ] s. ímpetu, acometida; presión, prisa; precipitación; tr. acometer, atacar violentamente; intr. lanzarse; ir de prisa.

rust [rʌst] *s.* orín, herrumbre, moho; *tr.* enmohecer.

rustic [rʌstik] *adj.* y *s.* rústico, rural, agreste; labriego, paleto.

rustle [rʌsl] *s.* susurro, crujido; *tr.* hacer susurrar o crujir.

rusty [rʌsti] *adj.* oxidado, mohoso.

rut [rʌt] *s.* rodado, surco; rutina, costumbre; *tr.* surcar, hacer rodadas en; *intr.* estar en celo.

ruthless [ru:θlis] *adj.* despiadado.

rye [rai] *s.* (Bot.) centeno.

sabbath ['sæbəθ] *s.* día de descanso.

sabotage ['sæbəta:ʒ] *s.* sabotaje; *tr.* sabotear.

sabre ['seibə*] *s.* sable; *tr.* acuchillar.

sack [sæk] *s.* saco, medida de capacidad; saqueo; *tr.* ensacar, envasar.

sacrament ['sækrəmənt] *s.* sacramento.

sacred ['seikrid] *adj.* sagrado.

sacrifice ['sækrifais] *s.* sacrificio; inmolación; *tr.* e *intr.* sacrificar, inmolar.

sad [sæd] *adj.* triste, mustio.

sadden ['sædn] *tr.* entristecer.

saddle ['sædl] *s.* silla *(de montar)*; sillín.

sadistic [sə'distik] *adj.* sádico.

sadness ['sædnis] *s.* tristeza.

safe [seif] *adj.* seguro; *s.* arca, caja de caudales.

safeguard ['seifga:d] *s.* salvaguardia; carta de seguridad; *tr.* proteger.

safety ['seifti] *s.* seguridad, resguardo.

saffron ['sæfrən] *s.* (Bot.) azafrán.

sagacious [sə'geifəs] *adj.* sagaz.

sage [seidʒ] *s.* (Bot.) salvia; *adj.* sabio, cuerdo.

sail [seil] *s.* (Náut.) vela, paseo o excursión en barco.

sailing ['seiliŋ] *s.* navegación; barco de vela.

sailor ['seilə*] *s.* marinero.

saint [seint] *s.* y *adj.* santo, santa.

sake [seik] *s.* causa, motivo.

salad ['sæləd] *s.* ensalada.

salary ['sæləri] *s.* salario, sueldo.

sale [seil] *s.* venta; salida.

salesman ['seilzmən] *s.* (*pl.* **-men**) vendedor, viajante de comercio.

saliva [sə'laivə] *s.* saliva.

sallow ['sælou] *adj.* pálido.

sally ['sæli] *s.* salida; excursión; *intr.* hacer una salida

saloon [sə'lu:n] *s.* salón,

(U. S.) taberna o bar de lujo.

salt [sɔ:lt] *s.* (Qm.) sal; *pl.* sales; *tr.* salar; sazonar.

salute [sɔ'lu:t] *s.* saludo; *tr.* e *intr.* saludar; *intr.* (Mil.) cuadrarse.

salvage ['sælvidʒ] *s.* salvamento; *tr.* salvar.

salve [sælv] *s.* ungüento, pomada; *tr.* curar con ungüentos.

same [seim] *adj.* mismo, igual; *adv.* **the —** del mismo modo.

sameness ['seimnis] *s.* igualdad, identidad.

sample ['sɑ:mpl] *s.* (Com.) muestra, modelo; *tr.* sacar una muestra.

sanctify ['sæŋktifai] *tr.* santificar.

sanction ['sæŋkʃɔn] *s.* sanción, ratificación; *tr.* sancionar, ratificar, aprobar.

sanctuary ['sæŋktjuəri] *s.* (*pl.* **-ries**) santuario, templo; asilo.

sand [sænd] *s.* arena; *adj.* de arena; **— hill** duna.

sandal ['sændl] *s.* sandalia.

sandwich ['sændwidʒ] *s.* emparedado, bocadillo.

sandy ['sændi] *adj.* arenoso.

sane [sein] *adj.* sano.

sangfroid ['sɑ:ŋ'frwɑ:] *s.* sangre fría.

sanguine ['sæŋgwin] *adj.* colorado, rubicundo.

sanitary ['sænitəri] *adj.* sanitario; higiénico.

sap [sæp] *s.* savia; vigor; *tr.* extraer la savia de; minar.

sash [sæʃ] *s.* faja, ceñidor; (carp.) marco de ventana.

satchel ['sætʃl] *s.* saco de mano, maletín.

sate [seit] *tr.* saciar.

satiate ['seiʃieit] *adj.* saciado, harto; *tr.* saciar; hartar.

satin ['sætin] *s.* raso.

satirise ['sætəraiz] *tr.* satirizar.

satisfy ['sætisfai] *tr.* satisfacer; contentar.

saturate ['sætʃəreit] *tr.* saturar.

Saturday ['sætədi] *s.* sábado.

sauce [sɔ:s] *s.* salsa, condimento; *tr.* aderezar, sazonar.

saucepan ['sɔ:spæn] *s.* cacerola.

saucer ['sɔ:sɔ*] *s.* platillo.

sauciness ['sɔ:sinis] *s.* descaro, gracia.

saunter ['sɔːntə*] *s.* paseo; *intr.* pasear.

sausage ['sɔsidʒ] *s.* embutido.

savage ['sævidʒ] *adj.* salvaje; inculto.

savanna(h) [sə'vænə] *s.* sabana, pampa.

save [seiv] *prep.* salvo, excepto; *tr.* salvar, librar.

saving ['seiviŋ] *adj.* ahorrativo, económico; *s.* ahorro, economía.

savo(u)r ['seivə*] *s.* sabor, gusto; *tr.* saborear.

savo(u)ry ['seivəri] *adj.* apetitoso.

saw [sɔː] *s.* sierra; refrán; *tr.* e *intr.* serrar.

sawdust ['sɔːdʌst] *s.* serrín.

Saxon ['sæksn] *adj.* y *s.* sajón; anglosajón.

say [sei] *s.* dicho, afirmación; *tr.* decir, recitar.

saying ['seiiŋ] *s.* dicho, aserto, relato.

scab [skæb] *s.* (Med.) costra, postilla.

scabbard ['skæbəd] *s.* vaina.

scabies ['skeibiːz] *s.* (Med.) sarna.

scaffold ['skæfəld] *s.* andamio; tablado; *tr.* construir andamios.

scaffolding ['skæfəldiŋ] *s.* andamiaje.

scald [skəːld] *tr.* escaldar; abrasar, quemar.

scale [skeil] *s.* balanza, báscula romana; (Zool.) (Bot.) y (Med.) escama; *tr.* pesar, escamar, quitar las escamas; *intr.* pesarse; soltar las escamas; desconcharse.

scalp [skælp] *s.* cuero cabelludo; *tr.* arrancar la cabellera, (U. S.) comprar y revender; *intr.* tropezar.

scalpel ['skælpəl] *s.* bisturí.

scamp [skæmp] *s.* golfo, bribón; *tr.* chapucear.

scamper ['skæmpə*] *s.* fuga precipitada; *intr.* huir.

scan [skæn] *tr.* repasar, escudriñar.

scandal ['skændl] *s.* escándalo.

scandalise ['skændəlaiz] *tr.* escandalizar.

scant [skænt] *adj.* escaso, corto; *tr.* escatimar, reducir.

scanty ['skænti] *adj.* escaso, limitado.

scapegrace ['skeipgreis] *s.* pícaro; *adj.* incorregible.

scar [skɑː*] *s.* cicatriz.

scarcely ['skeəsli] *adv.* apenas.

scarceness ['skɛəsnis] *s.* escasez, penuria.

scare [skɛə*] *s.* susto; pánico; *tr.* asustar, alarmar.

scarecrow ['skɛəkrou] *s.* espantapájaros.

scarf [ska:f] *s.* pañuelo (*para la cabeza o el cuello*); bufanda.

scatter ['skætə*] *tr.* dispersar, poner en fuga; *intr.* desparramarse.

scatterbrained ['skætəbreind] *s.* y *adj.* ligero de cascos.

scavenger ['skævindʒə*] *s.* basurero.

scene [si:n] *s.* escena; escenario.

scenery ['si:nəri] *s.* escenario, paisaje, (Tt.) decorado.

scent [sent] *s.* olfato; olor; *tr.* oler, olfatear, husmear; sospechar.

schedule ['ʃedju:l] *s.* lista, catálogo; *tr.* catalogar, planear.

scheme [ski:m] *s.* esquema; *tr.* proyectar, idear, trazar; *intr.* formar planes.

schism ['sizəm] *s.* cisma.

scholar ['skɔlə*] *s.* escolar, alumno, colegial.

scholarship ['skɔləʃip] *s.*

saber, ciencia; educación literaria.

school [shu:l] *s.* escuela; clase, día de clase.

schooling ['sku:liŋ] *s.* instrucción, enseñanza.

schooner ['sku:nə*] *s.* (Mar.) goleta; (U. S.) vaso grande para cerveza.

science ['saiəns] *s.* ciencia, sabiduría.

scintillate ['sintileit] *intr.* centellear, chispear; *tr.* lanzar.

scion ['saiən] *s.* vástago, renuevo.

scission ['siʒən] *s.* corte, división.

scissors ['sizəz] *s. pl.* tijeras.

scoff [skɔf] *s.* mofa, burla; *intr.* mofarse de.

scold [skould] *s.* regañón; *tr.* e *intr.* regañar.

scone [skɔn] *s.* especie de bizcocho.

scoop ['sku:p] *s.* cucharón grande, cazo; *tr.* sacar con pala o cuchara; obtener (*ganancias*);.

scooter ['sku:tə*] *s.* patinete; embarcación de motor.

scope [skoup] *s.* alcance (*de un arma*).

scorbutus [skɔː'bjuːtəs] *s.* escorbuto.

scorch [skɔːtʃ] *tr.* chamuscar, abrasar.

scorching ['skɔːtʃiŋ] *adj.* ardiente, abrasador.

score [skɔː*] *s.* veintena; muesca, incisión; *adj.* de tanteo; *tr.* marcar o señalar con rayas o muescas.

scorn [skɔːn] *s.* desdén, desprecio; *tr.* desdeñar, despreciar.

scorpion ['skɔːpiən] *s.* (Zool.) escorpión, alacrán.

Scot [skɔt] *s.* escocés.

scotch [skɔtʃ] *s.* corte, incisión, muesca; *tr.* cortar hacer muescas en; calzar.

scoundrel ['skaundrəl] *s.* granuja, bribón.

scour ['skauə*] *tr.* fregar, restregar; limpiar.

scourge ['skəːdʒ] *s.* látigo, azote; *tr.* azotar; castigar.

scout [skaut] *s.* (Mil.) explorador; buque de observación; avión de reconocimiento; *tr.* e *intr.* explorar, reconocer.

scowl [skaul] *s.* ceño, sobrecejo; *intr.* mirar con ceño.

scrabble ['skræbl] *s.* garabatos, borrón; *tr.* e *intr.* garabatear, emborronar.

scraggy ['skrægi] *adj.* desigual.

scramble ['skræmbl] *s.* lucha, contienda; *intr.* trepar, gatear.

scrap [skræp] *s.* fragmento, trozo; *pl.* sobras, desechos; *tr.* desechar, descartar, echar a la basura.

scrape [skreip] *s.* raspadura; lío aprieto, apuro; *tr.* raspar, rascar.

scraper ['skreipə*] *s.* raspador.

scratch [skrætʃ] *s.* arañazo, rasguño; *tr.* arañar, rasguñar.

scream [skriːm] *s.* chillido, grito; *intr.* chillar.

screen [skriːn] *s.* pantalla; biombo, mampara; *tr.* ocultar, encubrir, tapar.

screw [skruː] *s.* tornillo, rosca; tuerca; espiral; *tr.* atornillar, apretar.

scribble ['skribl] *s.* escrito desmañado; *tr.* escribir de prisa.

Scripture ['skriptʃə*] *s.* Sagrada Escritura, Biblia.

scroll [skroul] *s.* rollo; escrito.

scrub [skrʌb] s. fregado; tr. fregar.

scrubby ['skrʌbi] adj. desmirriado, bajo.

scruff [skrʌf] s. pescuezo, nuca.

scruple ['skru:pl] s. escrúpulo; intr. tener escrúpulo.

scrutinise ['skru:tinaiz] tr. escrutar, escudriñar.

scuffle ['skʌfl] s. lucha, riña; intr. luchar.

scuffy ['skʌfi] adj. ajado, marchito.

sculptor ['skʌlptə*] s. escultor.

sculpture ['skʌlptʃə*] s. escultura; tr. esculpir.

scum [skʌm] s. espuma; escoria; tr. espumar.

scurf [skə:f] s. caspa.

scurrilous ['skʌriləs] adj. chabacano.

scurvy ['skə:vi] s. (pl. -ies) escorbuto.

scutcheon ['skʌtʃən] s. escudo de armas.

scuttle ['skʌtl] s. escotillón, trampa; cubo del carbón.

scythe [saið] s. guadaña.

sea [si:] s. mar, océano; adj. marino, del mar, marítimo.

seal [si:l] s. sello; sigilo, (Zool.) foca; tr. sellar, precintar; lacrar.

sealskin ['si:lskin] s. piel de foca.

seam [si:m] s. costura; grieta; tr. coser.

seaplane ['si:plein] s. hidroplano.

search [sə:tʃ] s. busca, búsqueda, investigación; tr. e intr. buscar; examinar, registrar.

searching ['sə:tʃin] adj. escrutador.

seashore ['si:'ʃɔ*] s. playa, costa.

seaside ['si:'said] s. playa, costa.

seasickness ['si:'siknis] s. mareo.

season ['si:zn] s. estación, temporada; tr. sazonar; acostumbrar; curar; intr. sazonarse; secarse.

seasonable ['si:znəbl] adj. oportuno, tempestivo.

seasonal ['si:znl] adj. estacional; de temporada.

seasoning ['zi:znin] s. condimento, aliño.

seat [si:t] s. asiento; sillín; trono; tr. sentar, asentar; acomodar en asientos.

seaward ['si:wəd] adv. hacia el mar.

secede [si'si:d] intr. separarse.

secluded [si'klu:did] adj. retirado.

seclusion [si'klu:ʒən] *s.* retraimiento, apartamiento.

second ['sekənd] *adj.* segundo; — **self** otro yo; *s.* segundo; ayudante; *adv.* en segundo lugar; *tr.* secundar, ayudar.

secrecy ['si:krisi] *s.* secreto.

secretariat [‚sekrə'tɛəriət] *s.* secretaría.

secretary ['sekrətri] *s.* (*pl.* **-ries**) secretario; ministro del Gobierno.

secrete [si'kri:t] *tr.* esconder, ocultar.

secretion [si'cri:ʃən] *s.* segregación.

secretive [si'kri:tiv] *adj.* callado.

sect [sekt] *s.* secta, grupo.

section ['sekʃən] *s.* sección trozo; *tr.* seccionar.

secularise ['sekjuləraiz] *tr.* secularizar; *intr.* secularizarse.

secure [si'kjuə*] *adj.* seguro; tranquilo; *tr.* asegurar.

sedate [si'deit] *adj.* sereno, ecuánime.

sediment ['sedimənt] *s.* sedimento.

sedition [si'diʃən] *s.* sedición.

seduce [si'dju:s] *tr.* seducir, camelar.

seducer [si'dju:sə*] *s.* seductor.

see [si:] *tr.* ver.

seed [si:d] *s.* (Bot.) semilla, simiente.

seeing ['si:iŋ] *s.* vista, acción de ver; *adj.* vidente.

seek [si:k] *tr.* buscar; inquirir; pedir; ambicionar.

seem [si:m] *intr.* parecer.

seeming ['si:miŋ] *adj.* aparente, fingido.

seemly ['si:mli] *adj.* (*compar.* **-ier;** *superl.* **iest**) decente, correcto.

seep [si:p] *tr.* colar, pasar.

seer [si(:)ə*] *s.* profeta, vidente.

seesaw ['si:'sɔ:] *s.* columpio de tabla; balanceo.

seethe [si:ð] *intr.* hervir.

seether ['si:ðə*] *s.* olla, caldera.

seize [si:z] *tr.* coger, tomar; *intr.* atascarse.

seizer ['si:zə*] *s.* agarrador.

seizure ['si:ʒə*] *s.* captura, detención.

seldom ['seldəm] *adv.* raramente.

select [si'lekt] *adj.* selecto, escogido; *tr.* escoger, elegir.

self [self] *adj.* mismo, idéntico; uniforme *(color)*.

selfish ['selfiʃ] *adj.* interesado, egoísta.

selfishness ['selfiʃnis] *s.* egoísmo, amor propio.

sell [sel] *s.* (fam.) engaño, estafa; *tr.* vender, enajenar.

semblance ['sembləns] *s.* semejanza; aspecto, forma.

semicolon ['semi'koulən] *s.* punto y coma.

seminary ['seminəri] *s.* (*pl.* **-ries**) semillero, plantel.

senate ['senit] *s.* senado.

send [send] *tr.* enviar, mandar, expedir; lanzar, despedir.

sender ['sendə*] *s.* remitente; (Elec.) transmisor.

senior ['si:njə*] *adj.* mayor, de mayor edad, primero, padre.

sensational [sen'seiʃnl] *adj.* sensacional; efectista.

sense [sens] *s.* sentido, juicio.

senseless ['senslis] *adj.* insensible, inerte.

sensibility [,sensi'biliti] *s.* sensibilidad.

sensitive ['sensitiv] *adj.* sensitivo.

sensuous ['sensjuəs] *adj.* voluptuoso, sensible.

sentence ['sentəns] *s.* sentencia, fallo; dictamen, (Gram.) oración, período; *tr.* sentenciar.

sentient ['senʃənt] *adj.* sensible; sensitivo; *s.* ser sensible.

sentinel ['sentinl] *s.* centinela.

sentry ['sentri] *s.* (*pl.* **-tries**) (Mil.) centinela; — **box** garantía.

separate ['sepəreit] *tr.* separar; despegar, desprender; *intr.* separarse.

separatist ['sepərətist] *s.* desidente.

september [sep'tembə*] *s.* septiembre.

sepulcher, sepulchre ['sepəlkə*] *s.* sepulcro, tumba.

sequel ['si:kwəl] *s.* secuela; conclusión.

sequence ['si:kwəns] *s.* serie, sucesión.

sequestrate [si'kwestreit] *tr.* secuestrar.

serenade [,seri'neid] *s.* serenata; *tr.* obsequiar con una serenata; *intr.* dar o tocar una serenata.

serene [si'ri:n] *adj.* sereno, claro.

serf [sə:f] *s.* ciervo, esclavo.

serfdom ['sə:fdəm] *s.* servidumbre.

sergeant ['sɑ:dʒənt] s. (Mil.) sargento; escudero.

serial ['siəriəl] adj. de serie, en serie.

series ['siəri:z] s. serie, sucesión, progresión.

serious ['siəriəs] adj. serio, formal.

serpent ['sə:pənt] s. (Zool.) serpiente.

serrate(d) ['serit,se'reitid] adj. dentellado, serrado.

serried ['serid] adj. apretado, apiñado.

serry ['seri] tr. apiñar.

serum ['siərəm] s. suero.

servant ['sə:vənt] s. sirviente, criado.

service ['sə:vis] s. servicio.

serviceable ['sə:visəbl] adj. servible; útil.

servile ['sə:vail] adj. servil, bajo; s. esclavo.

servitude ['sə:vitju:d] s. servidumbre, trabajo forzado.

session ['seʃən] s. junta, sesión.

set [set] s. juego, servicio, equipo; grupo, clase; forma, actitud; adoquín; grapa; adj. resuelto, determinado; tr. sentar, asentar.

setback ['setbæk] s. revés, contrariedad.

settee [se'ti:] s. banco, sofá.

setting ['setiŋ] s. puesta, ocaso; fraguado; adj. poniente.

settle ['setl] s. escaño, banco; tr. colocar, asentar; intr. posarse, asentarse.

settled ['setld] adj. fijado, establecido.

settlement ['setlmənt] s. establecimiento; colonización.

settler ['setlə*] s. poblador, colono.

seven ['sevn] adj. y s. siete.

seventeen ['sevn'ti:n] adj. y s. diecisiete.

seventh ['sevnθ] adj. séptimo; siete (del mes); s. séptimo, la séptima parte.

seventy ['sevnti] adj. y s. setenta.

sever ['sevə*] tr. separar, dividir.

several ['sevrəl] adj. varios; pron. indef. algunos.

severe [si'viə*] adj. severo, grave.

sew [sou] tr. e intr. coser.

sewage ['sju(:)idʒ] s. aguas de alcantarilla.

sewer ['sjuə*] s. colector, alcantarilla; tr. alcantarillar, desaguar.

sewing ['souiŋ] *s.* costura.

sex [seks] *s.* sexo, naturaleza.

sexless ['sekslis] *adj.* asexual, neutro.

sexton ['sekstən] *s.* sacristán; enterrador.

shabby ['ʃæbi] *adj. (compar.* **-ier;** *superl.* **-iest**) raído, gastado; andrajoso.

shack [ʃæk] *s.* cabaña, choza.

shade [ʃeid] *s.* sombra; color oscuro; espíritu, aparición; pantalla *(de lámpara)* ; visillo, visera; *tr.* sombrear, oscurecer.

shadow ['ʃædou] *s.* sombra, oscuridad; *tr.* sombrear, oscurecer.

shaft [ʃɑ:ft] *s.* astil; asta; (Arq.) aguja; chimenea; (Mec.) eje, árbol; pozo.

shaggy ['ʃægi] *adj.* lanudo, peludo.

shake [ʃeik] *s.* meneo, sacudida; *tr.* sacudir, menear, agitar; *intr.* temblar, retemblar; vibrar, trepidar.

shaky ['ʃeiki] *adj.* trémulo, tembloroso.

shall [ʃæl] *aux.* se usa como auxiliar para formar el futuro de otros verbos y como defectivo con la significación de,

deber, tener que: **I —
go** yo iré; **he — go**
tiene que ir.

shallow [ʃælou] *adj.* bajo, poco profundo.

sham [ʃæm] *s.* simulación, farsa; *adj.* fingido, simulado; *tr.* e *intr.* fingir.

shame [ʃeim] *s.* vergüenza, bochorno; *tr.* avergonzar, abochornar.

shamefaced ['ʃeimfeist] *adj.* tímido, vergonzoso.

shamrock ['ʃæmrɔk] *s.* (Bot.) trébol.

shape [ʃeip] *s.* forma, figura; estado, condición; giro, aspecto; *tr.* formar, dar forma.

shapeless ['ʃeiplis] *adj.* deforme.

share [ʃɛə*] *s.* parte, porción; interés; *tr.* dividir, distribuir; *intr.* participar, tomar parte.

shareholder ['ʃɛə,houldə*] *s.* (Com.) accionista.

shark [ʃɑ:k] *s.* (Zool.) tiburón; usurero; *intr.* estafar.

sharp [ʃɑ:p] *adj.* agudo, cortante.

sharpen ['ʃɑ:pn] *tr.* afilar, aguzar.

shatter ['ʃætə*] *s.* fragmento, astilla: *tr.* estrellar, romper; *intr.* estrellarse.

shave [[eiv] *s.* corte *(de la hierba)*; rebanada fina; *tr.* afeitar, rasurar; *intr.* afeitarse.

shawl [[ɔːl] *s.* chal, toquilla.

she [[iː] *pron. pers.* ella.

shear [[iə*] *tr.* cortar, esquilar.

sheath [[iːθ] *s.* vaina, funda.

shed [[ed] *s.* cobertizo, refugio; *tr.* verter, derramar.

sheen [[iːn] *s.* lustre, brillo.

sheep [[ːp] *s.* (Zool.) oveja; ovejas; rebaño, congregación de fieles.

sheet [[iːt] *s.* hoja, lámina.

shelf [[elf] *s.* estante; anaquel.

shell [[el] *s.* (Zool.) concha, caparazón; *tr.* descascarar, desvainar.

shellfish ['[elfi[] *s.* marisco.

shelter ['[eltə*] *s.* resguardo, protección; *tr.* resguardar, proteger.

shepherd ['[epəd] *s.* pastor, ovejero; *adj.* de pastor; *tr.* pastorear.

sherry ['[eri] *s.* vino de Jerez.

shield [[iːld] *s.* escudo,

adarga; *tr.* escudar, resguardar.

shift [[ift] *s.* esfuerzo; evasiva, subterfugio; muda *(de ropa)*; *tr. e in.* cambiar, mudar; mover.

shilling ['[ili**ŋ**] *s.* chelín.

shin [[in] *s.* espinilla.

shine [[ain] *s.* brillo, resplandor; *intr.* brillar, resplandecer; *tr*

ship [[ip] *s.* (Náut.) buque, barco, nave; *tr.* embarcar; enviar.

shipwreck ['[iprek] *s.* naufragio, desastre; *tr.* hacer naufragar.

shirk [[ə:k] *tr.* eludir, evitar.

shirt [[ə:t] *s.* camisa *(de hombre)*.

shiver ['[ivə*] *s.* temblor, escalofrío, tiritón; *intr.* temblar; *tr.* hacer temblar.

shoal [[oul] *s.* bajo; muchedumbre; banco *(de peces)*; *adj.* poco profundo.

shock [[ɔk] *s.* golpe, choque; *adj.* de choque, para choques; *tr.* chocar, ofender; *intr.* chocar.

shoe [[uː] *s.* zapato, bota; *tr.* calzar; herrar.

shoemaker ['[uːmeikə*] *s.* zapatero.

shoot [ʃu:t] s. (Bot.) vástago, pimpollo; tr. herir o matar; disparar; intr. tirar, disparar.

shooting ['ʃu:tiŋ] s. caza con escopeta.

shop [ʃɔp] s. tienda, comercio; intr. ir de compras.

shopwindow ['ʃɔp'window] s. escaparate; vidriera.

shore [ʃɔ:*] s. orilla, costa, playa.

short [ʃɔ:t] adj. corto, pequeño; adv. brevemente; secamente.

shortage ['ʃɔ:tidʒ] s. escasez.

shorten ['ʃɔ:tn] tr. acortar, reducir.

shorthand ['ʃɔ:thænd] s. taquigrafía.

shortly [ʃɔ:tli] adv. en breve.

should [ʃud] pret. de **shall;** se usa como auxiliar para formar el potencial de otros verbos; se usa como defectivo con la significación de deber o haber de; tener que.

shoulder ['ʃouldə*] s. hombro; codo; intr. echarse sobre las espaldas.

shout [ʃaut] s. grito, exclamación; tr. e intr. gritar, vocear.

shove [ʃʌv] s. empujón; tr. e intr. empujar.

shovel ['ʃʌvl] s. pala; tr. mover con palas.

show [ʃou] s. presentación, exhibición; tr. mostrar, enseñar; intr. mostrarse, aparecer.

shower [ʃouə*] s. el que muestra o exhibe.

shower ['ʃauə*] s. chubasco, charparón; tr. regar, mojar; intr. llover, caer chubascos.

showy ['ʃoui] adj. vistoso, ostentoso.

shred [ʃred] s. tira, trozo largo; tr. hacer tiras.

shrewish ['ʃru:iʃ] adj. regañón.

shrill [ʃril] adj. agudo, penetrante; tr. e intr chillar.

shrine [ʃrain] s. urna, relicario.

shrivel ['ʃrivl] tr. arrugar, fruncir; intr. arrugarse.

shroud [ʃraud] s. mortaja, sudario; tr. amortajar.

shrub [ʃrʌb] s. arbusto.

shrug [ʃrʌg] tr. e intr. encoger los hombros.

shuck [ʃʌk] s. cáscara, exterior; tr. descascarar.

shudder ['ʃʌdə*] s. temblor, estremecimiento; *intr.* temblar.

shun [ʃʌn] *tr.* huir, rehuir.

shut [ʃʌt] *adj.* cerrado; *tr.* cerrar.

shy [ʃai] *adj.* tímido, vergonzoso, cauteloso; *intr.* hacerse a un lado, retroceder.

sick [sik] *adj.* enfermo, indispuesto.

sicken [ˈsikn] *tr.* enfermar, cansar.

sickliness [ˈsiklnis] *s.* indisposición.

side [said] *s.* lado, costado, parte; orilla; *tr.* ponerse o estar al lado de, apartar, echar a un lado; *intr.* estar por, ser partidario de.

sideboard [ˈsaidbɔːd] *s.* aparador, bufete.

sidelong [ˈsaidlɔŋ] *adj.* oblicuo, inclinado.

sidewalk [ˈsaidwɔːk] *s.* acera, andén.

sideward [ˈsaidwəd] *adv.* de lado.

siege [siːdʒ] *s.* sitio, asedio.

sieve [siv] *s.* tamiz; *tr.* cerner; criba.

sift [sift] *tr.* cerner, cribar; examinar minuciosamente.

sigh [sai] *s.* suspiro; *intr.* suspirar.

sight [sait] *s.* vista; vis-

lumbre; *tr.* avistar, vislumbrar.

sightless [ˈsaitlis] *adj.* ciego.

sign [sain] *s.* signo; señal; *tr.* firmar, suscribir.

signalise [ˈsignəlaiz] *tr.* señalar, distinguir.

signature [ˈsignitʃə*] *s.* firma, rúbrica.

signify [ˈsignifai] *tr.* significar; indicar.

silence [ˈsailəns] *s.* silencio; *tr.* imponer silencio a, hacer callar.

silk [silk] *s.* seda; *pl.* sedería, géneros de seda.

sill [sil] *s.* umbral de puerta.

silliness [ˈsilinis] *s.* tontería.

silver [ˈsilvə*] *s.* plata; *adj.* de plata; *tr.* platear; blanquear.

silversmith [ˈsilvəsmiθ] *s.* joyero.

simmer [ˈsimə] *tr.* hacer cocer a fuego lento; *intr.* hervir con poco fuego.

simp [simp] *s.* bobo, mentecato.

simper [ˈsimpə*] *s.* sonrisa tonta.

simple [ˈsimpl] *adj.* simple, sencillo; *s.* simple, simplón.

simplify ['simplifai] *tr.* simplificar.

sin [sin] *s.* pecado, culpa; *intr.* pecar; *tr.* cometer *(un pecado).*

since [sins] *prep.* desde, después de; *adv.* desde entonces; *cnj.* desde que.

sinew ['sinju:] *s.* (An.) tendón; energía; *tr.* fortalecer.

sing [siŋ] *tr.* e *intr.* cantar; *intr.* murmurar; zumbar.

singe [sindʒ] *s.* chamusco; *tr.* chamuscar.

singer ['siŋə*] *s.* cantante.

single ['siŋgl] *adj.* sólo, único; soltero; *tr.* singularizar, escoger.

singsong ['siŋsɔŋ] *s.* cadencia uniforme; *adj.* monótono.

sinister ['sinistə*] *adj.* izquierdo, siniestro.

sink [siŋk] *s.* sumidero, vertedero; *tr.* hundir, echar a pique, excavar; *intr.* hundirse, sumergirse.

sinless ['sinlis] *adj.* puro, libre de pecado.

sinner ['sinə*] *s.* pecador.

sinous ['sinjuəs] *adj.* sinuoso; tortuoso.

sir [sə*] *s.* señor, caballero.

sire ['saiə*] *s.* señor, padre, abuelo.

siren ['saiərən] *s.* (Ant.), (Fís.) (fig.) sirena.

sirloin ['sə:loin] *s.* solomillo.

sister ['sistə*] *s.* hermana; sor.

sisterhood ['sistəhud] *s.* hermandad, comunidad de monjas.

sit [sit] *tr.* sentar; empollar *(huevos);* cabalgar; *intr.* sentarse.

site [sait] *s.* sitio, lugar.

sitting ['sitiŋ] *s.* asentada, sentada.

situate ['sitjueit] *tr.* situar.

six [siks] *adj.* y *s.* seis; — **o'clock** las seis.

sixpence ['sikspəns] *s.* moneda de medio chelín.

sixteen ['siks'ti:n] *adj.* y *s.* dieciséis.

sixty ['siksti] *adj.* y *s.* sesenta.

size [saiz] *s.* medida, tamaño; talla; *tr.* disponer o clasificar según tamaño.

skate [skeit] *s.* patín; *intr.* patinar.

skeleton ['skelitn] *s.* esqueleto, osamenta.

sketch [sketʃ] *s.* boceto, esbozo; *tr.* esbozar.

skew [skju:] *adj.* oblicuo,

inclinado; *s.* oblicuidad; *tr.* sesgar, torcer; *intr.* tomar una dirección oblicua.

skid [skid] **non** — antideslizante; *intr.* patinar.

skiful ['skilful] *adj.* hábil, mañoso.

skill [skil] *s.* conocimiento práctico.

skilled [skild] *adj.* práctico.

skimpy ['skimpi] *adj.* escaso, tacaño.

skin [skin] *s.* (An.) piel; pellejo; nata, cutícula; *adj.* de piel; *tr.* desollar, despellejar.

skip [skip] *s.* salto, brinco; *intr.* saltar, brincar.

skipper ['skipə*] *s.* saltador, patrón.

skirt [skə:t] *s.* falda, saya; faldón; *tr.* e *intr.* bordear, ladear; *tr.* escapar por poco a.

skit [skit] *s.* parodia; *intr.* asustarse; *tr.* denigrar, ridiculizar.

skulk [skʌlk] *intr.* esconderse, andar escondido, *tr.* e. *intr.* huir del cumplimiento del deber.

skull [skʌl] *s.* cráneo; calavera; cerebro.

sky [skai] *s.* cielo, firmamento.

skylark ['skaila:k] *s.* alondra.

slab [slæb] *s.* tabla, plancha, losa; *tr.* cubrir de losas.

slack [slæk] *adj.* flojo, débil, poco firme.

slacken ['slækn] *tr.* aflojar relajar.

slag [slæg] *s.* escoria.

slake [sleik] *tr.* apagar, extinguir.

slam [slæm] *s.* portazo; *tr.* cerrar de golpe.

slander ['sla:ndə*] *s.* calumnia; *tr.* calumniar.

slang [slæŋ] *s.* lenguaje vulgar.

slant [sla:nt] *s.* sesgo, inclinación.

slap [slæp] *s.* palmada, manotazo; *tr.* pegar, abofetear.

slash [slæʃ] *s.* cuchillada; *tr.* acuchillar.

slate [sleit] *s.* pizarra.

slaughter ['slɔ:tə*] *s.* muerte, matanza; *tr.* matar, hacer una carnicería.

slave [sleiv] *s.* esclavo; *tr.* esclavizar.

slavish ['sleiviʃ] *adj.* servil, bajo.

slay [slei] *tr.* matar.

sledge [sledʒ] *s.* trineo.

sleek [sli:k] *adj.* liso; *tr.* pulir.

sleep [sli:p] *s.* sueño; *intr.* dormir.

sleeper ['sli:pə*] *s.* durmiente; traviesa; (U. S.) (f.c.) coche-cama.

sleet [sli:t] *s.* aguanieve.

sleeve [sli:v] *s.* manga.

sleight [slait] *s.* destreza, habilidad.

slender ['slendə*] *adj.* delgado, tenue.

slice [slais] *s.* rebanada, tajada; *tr.* rebanar.

slide [slaid] *s.* deslizamiento; *intr.* resbalar, deslizarse.

slight [slait] *adj.* ligero, leve; pequeño; *tr.* despreciar, menospreciar.

slim [slim] *adj.* delgado, esbelto; *tr.* ponerse a régimen para adelgazar.

slimy ['slaimi] *adj.* viscoso, limoso.

slip [slip] *s.* resbalón; desliz, traspiés; *intr.* resbalar, deslizarse; escurrirse; *tr.* deslizar; soltar, desenganchar.

slipper ['slipə*] *s.* zapatilla.

slit [slit] *s.* abertura, estrecha; *tr.* hender, rajar.

sloop [slu:p] *s.* (Náut.) balandro.

slope [sloup] *s.* cuesta, ladera; *intr.* inclinarse; *tr.* inclinar.

slot [slɔt] *s.* hendedura, abertura.

sloth [slouθ] *s.* pereza, galbana.

sloven ['slʌvn] *adj.* desaseado.

slovenly ['slʌvnli] *adj.* desaliñado.

slow [slou] *adj.* lento, pausado; *adv.* despacio; *tr.* retardar; *intr.* hacerse más lento.

sluggish ['slʌgiʃ] *adj.* flojo, perezoso.

sluice [slu:s] *s.* acequia; *tr.* dar salida a.

slum [slʌm] *s.* barrio o calle miserable.

slumber ['slʌmbə*] *s.* sueño.

slump [slʌmp] *s.* hundimiento; *intr.* hundirse; *tr.* dejar caer de golpe.

slur [slə:] *s.* mancha, borrón; *tr.* manchar; *intr.* borrarse.

slut [slʌt] *s.* mujerzuela.

sly [slai] *adj.* astuto; travieso.

smack [smæk] *s.* sabor; cachete; *intr.* y *tr.* chasquear el látigo.

small [smɔ:l] *adj.* pequeño; menudo.

smallpox ['smɔ:lpɔks] *s.* (Med.) viruelas.

smart [smɑ:t] *adj.* vivo,

sniff

duro; *s.* punzada, escozor; *intr.* picar, escocer.

smash [smæʃ] *s.* rotura, destrozo; choque; *tr.* romper, destrozar; *intr.* romperse, destrozarse.

smashing ['smæʃiŋ] *adj.* extraordinario.

smattering ['smætəriŋ] *s.* barniz.

smeary ['smiəri] *adj.* graso.

smell [smel] *s.* olfato, olor; *tr.* oler.

smelt [smelt] *tr.* fundir.

smile [smail] *s.* sonrisa; *intr.* sonreírse.

smite [smait] *tr.* golpear, herir; *intr.* dar golpes.

smith [smiθ] *s.* forjador, herrero.

smock [smɔk] *s.* camisa, bata.

smoke [smouk] *s.* humo; *adj.* de humo.

smoking ['smoukiŋ] *s.* acción de fumar; *adj.* humeante; de fumar.

smooth [smu:ð] *adj.* liso, llano; *tr.* alisar; allanar.

smother ['smʌðə*] *s.* humareda; *tr.* sofocar, ahogar; *intr.* ahogarse.

smug [smʌg] *adj.* pulido; satisfecho.

smuggle ['smʌgl] *tr.* pasar de contrabando.

smut [smʌt] *s.* suciedad, mancha; *tr.* ensuciar, manchar.

snack [snæk] *s.* porción, parte; sorbo.

snag [snæg] *s.* nudo *(en la madera)*; tronco flotante.

snail [sneil] *s.* (Zool.) caracol.

snake [sneik] *s.* (Zool.) culebra, serpiente.

snappy ['snæpi] *adj.* chispeante; vivo.

snapshot ['snæpʃɔt] *s.* (Fot.) instantánea; *tr.* e *intr.* hacer una instantánea.

snare [sneə*] *s.* lazo, trampa; *tr.* atrapar, coger en un lazo.

snarl [sna:l] *s.* gruñido; regaño; *intr.* regañar; gruñir

sneak [sni:k] *s.* persona ruin, cobarde; *intr.* entrar, salir o moverse furtivamente, deslizarse.

sneer [sniə*] *s.* risa, sonrisa; *intr.* reírse, mirar con burla o desprecio; *tr.* expresar o decir con desprecio.

sneeze [sni:z] *s.* estornudo.

sniff [snif] *s.* olfateo, husmeo; *tr.* olfatear, husmear; *intr.* y *tr.* absorber ruidosamente el aire por la nariz.

snip ['snip] *s.* incisión, corte; *tr.* cortar, recortar.

sniper ['snaipə*] *s.* buen tirador.

snivel ['snivl] *s.* moco.

snort [snɔ:t] *s.* resoplido, bufido.

snout [snaut] *s.* trompa *(de elefante).*

snow [snou] *s.* nieve.

snub [snʌb] *s.* repulsa, desaire; *tr.* reprender.

snuffle ['snʌfl] *s.* inspiración ruidosa por la nariz; *intr.* respirar con la nariz obstruida.

snug [snʌg] *adj.* cómodo, abrigado.

snuggle ['snʌgl] *intr. y tr.* arrimar.

so [sou] *adv.* así, de este modo; *prom.* cosa así, poco más o menos; *conj.* con tal que, siempre que *(inj.)* bueno, bien.

soak [souk] *s.* remojo; *tr.* empapar, calar; *intr.* empaparse.

soap [soup] *s.* jabón; *tr.* enjabonar, dar jabón, adular.

soar [sɔ:*] *s.* vuelo, remonte; *tr.* elevarse; *intr.* elevarse.

sob [sɔb] *s.* sollozo; *intr.* sollozar.

sober ['soubə] *adj.* sobrio, moderado.

sock [sɔk] *s.* calcetín.

socket ['sɔkit] *s.* hueco en que encaja una cosa.

sodden ['sɔdn] *adj.* mojado, empapado; *tr.* mojar, empapar.

soever ['souvə*] *adv.* por mucho, por más que sea.

soft [sɔft] *adj.* blando, dúctil.

soften ['sɔfn] *tr.* ablandar, reblandecer; *intr.* ablandarse, reblandecerse.

softness ['sɔftnis] *s.* blandura, ductilidad.

soggy ['sɔgi] *adj.* mojado, hecho una sopa.

soil [sɔil] *s.* tierra, terreno, suelo; *tr.* ensuciar, manchar.

soiree ['swɑ:rei] *s.* reunión nocturna.

sojourn ['sɔdʒə:n] *s.* estancia; *intr.* estar, permanecer.

solace ['sɔləs] *s.* consuelo, alivio; *tr.* consolar, confortar.

solder ['sɔldə*] *s.* soldadura; *tr.* soldar, estañar.

soldiery ['souldʒəri] *s.* profesión o ejercicio militar.

sole [soul] *s.* planta *(del pie);* suela *(del zapato);*

adj. solo, único; *tr.* echar suelas a.

solemnise ['sɔləmnaiz] *tr.* solemnizar.

solicit [sə'lisit] *tr.* solicitar, pedir.

solicitor [sə'lisitə*] *s.* (Der.) abogado; agente, corredor.

solid ['sɔlid] *adj.* sólido, macizo.

solidify [sə'lidifai] *tr.* sodificar; consolidar.

solidity [sə'liditi] *s.* solidez; consistencia.

solitude ['sɔlitju:d] *s.* soledad.

solve [sɔlv] *tr.* resolver, aclarar.

sombre ['sɔmbə*] *s.* sombrío.

some [sʌm] *adj.* un, algún, cierto, unos; *pron. indef.* alguno, algunos; parte, una parte; *adv.* algo, un poco.

somebody ['sʌmbədi] *s.* alguien.

someday ['sʌmdei] *adv.* algún día.

somehow ['sʌmhau] *adv.* de algún modo o manera.

someone ['sʌmwʌb] *s.* alguien.

somersault ['sʌmɔsɔ:lt] *s.* salto mortal; *intr.* dar un salto mortal.

something ['sʌmθiŋ] ɾ algo, alguna cosa.

sometime ['sʌmtaim] *adv.* algún día.

sometimes ['sʌmtaimz] *adv.* algunas veces, a veces.

somewhat ['sʌmwɔt] *s.* algo, alguna cosa, una parte; *adv.* algo.

somewhere ['sʌmweə*] *adv.* en alguna parte.

son [sʌn] *s.* hijo.

song [sɔŋ] *s.* canto; copla, poesía.

sonorous [sə'nɔ:rəs] *adj.* sonoro; armonioso.

soon [su:n] *adv.* pronto, presto.

soot [su:t] *s.* hollín, tizne; *tr.* cubrir de hollín.

soothe [su:ð] *tr.* aliviar, suavizar; tranquilizar.

soothsayer ['su:θ,seiə*] *s.* adivino.

sorcerer ['sɔ:sərə*] *s.* hechicero.

sordid ['sɔ:did] *adj.* interesado; bajo, vil.

sore [sɔ:*] *adj.* penoso, doloroso, delicado; *s.* úlcera, disgusto.

sorrow ['sɔrou] *s.* dolor, pesar; *intr.* afligirse.

sorrowful ['sɔrouful] *adj.* afligido, pesaroso.

sorry ['sɔri] *adj.* afligido.

sort [so:t] *s.* clase, especie; *tr.* ordenar, arreglar.

soul [soul] *s.* alma, espíritu.

sound [saund] *adj.* sano; ileso, cabal; *s.* son, tañido; *intr.* sonar, hacer ruido; *tr.* sonar, tocar; cantar, entonar; sondear tantear.

soup [su:p] *s.* sopa.

sour ['sauə*] *adj.* ácido, agrio; *tr.* e *in.* agriar. avinagrar; cortarse (*la leche*).

source [so:s] *s.* origen, causa.

souse [saus] *s.* escabeche; encurtido; (U.S.) borrachín; *tr.* escabechar; (U. S.) beber con exceso.

south [sauθ] *s.* sur.

southeast ['sauθi:st] *adj.* y *s.* sudeste.

southwest ['sauθ'west] *adj.* y *s.* sudoeste.

souvenir ['su:vənie*] *s.* recuerdo.

sovereign ['sovrin] *adj.* soberano.

sow [sou] *tr.* sembrar, esparcir.

soy [soi] *s.* (Bot.) soja.

spa [spɑ] *s.* balneario.

space [speis] *s.* espacio; trecho; *tr.* espaciar; dividir en espacios.

spade [speid] *s.* pala, azada.

span [spæn] *s.* palmo, extensión.

Spaniard ['spænjəd] *s.* español, hispano.

Spanish ['spæniʃ] *adj.* español, hispano, hispánico; *s.* lengua española, castellano (*el idioma*).

spare [spɛə*] *adj.* de reserva, de recambio.

sparing ['spɛəriŋ] *adj.* escaso, parco.

spark [spɑ:k] *s.* chispa; centella; *intr.* chispear.

sparrow ['spærou] *s.* (Zool.) gorrión, pardal.

sparse [spɑ:s] *adj.* esparcido, esparramado.

spasm ['spæzəm] *s.* (Med.) espasmo.

spat [spæt] cría de las ostras, almejas, etc.; *tr.* dar una palmada, un golpecito; *intr.* (fam.) disputar, reñir.

spate [speit] *s.* aguacero, chaparrón; *tr.* inundar.

spatter ['spætə*] *s.* salpicadura; chapoteo; *tr.* salpicar, rociar.

speak [spi:k] *intr.* hablar; *tr.* pronunciar; proferir.

speaker ['spi:kə*] *s.* orador, locutor.

spear [spiə*] *s.* lanza,

arpón; *tr.* atravesar con arpón.

specialise ['speʃəlaiz] *tr.* especializar; detallar.

specie ['spi:ʃi] *s.* efectivo, metálico; *pl.* especie.

specific, -al [spi'sifik, -əl] *adj.* específico.

specify ['spesifai] *tr.* especificar.

specimen ['spesimin] *s.* muestra, ejemplar.

speck, speckle [spek, 'spekl] *s.* manchita; *tr.* manchar.

specs [speks] *s. pl,* (fam.) gafas.

spectacle ['spektəkl] *s.* espectáculo.

spectator [spek'teitə*] *s.* espectador.

speculate ['spekjuleit] *intr* especular.

speech [spi:tʃ] *s.* palabra, habla; idioma, dialecto;

speechless ['spi:tʃlis] *adj.* sin habla, mudo.

speed [spi:d] *s.* rapidez, prontitud; *tr.* acelerar, dar prisa.

speedy ['spi:di] *adj.* ligero, rápido.

spell [spel] *s.* hechizo, encanto; *tr.* hechizar, encantar.

spellbind ['spelbaind] *tr.* hechizar, encantar.

spend [spend] *tr.* gastar; consumir.

spendthrift ['spendθrift] *adj.* derrochador.

spew [spju:] *tr.* e *intr.* vomitar.

sphere [sfiə*] *s.* esfera.

spick-and-span ['spikən-dspæn] *adj.* nuevo, reciente.

spicy ['spaisi] *adj.* sazonado con especias.

spider ['spaidə*] *s.* (Zool.) araña.

spike [spaik] *s.* pincho, púa; *tr.* clavar.

spiky ['spaiki] *adj.* puntiagudo.

spill [spil] *s.* vuelco; *tr.* e *in.* verter, derramar.

spin [spin] *tr.* e *intr.* hilar; *tr.* tejer; *intr.* rodar.

spinach ['spinidʒ] *s.* (Bot.) espinaca.

spindrift ['spindrift] *s.* rocío.

spineless ['spainlis] *adj.* invertebrado.

spinster ['spinstə*] *s.* solterona.

spire ['spaiə*] *s.* (Arq.) aguja.

spirit ['spirit] *s.* espíritu; aparición.

spirited ['spiritid] *adj.* vivo, brioso.

spirt [spə:t] *s.* chorro,

surtidor; *tr.* arrojar a chorro.

spit [spit] *s.* saliva; *tr.* escupir; echar.

spiteful ['spaɪtful] *adj.* rencoroso, maligno.

splattered [splætəd] *adj.* estrellado.

splay [spleɪ] *s.* extensión, *tr.* extender.

spleen [spli:n] *s.* (An.) bazo; bilis.

splendo(u)r ['splendə*] *s.* brillo, resplandor.

splint [splint] *s.* astilla; tablilla; *tr.* entablillar.

splinter ['splintə*] *s.* astilla, raja; cacho; *tr.* hacer astillas.

split [split] *s.* hendedura; división, cisma; *adj.* hendido; *tr.* hender, partir.

splotch [splɔtʃ] *s.* mancha; *tr.* manchar, salpicar.

spoil [spoil] *s.* despojo, botín; *tr.* despojar; saquear; *intr.* dañarse.

spokesman ['spouksmən] *s.* portavoz.

sponsor ['spɔnsə*] *s.* fiador, patrocinador.

spool [spu:l] *s.* carrete, bobina.

spoon [spu:n] *s.* cuchara; *tr.* sacar con cuchara; *tr.* e *intr.* pescar con anzuelo de cuchara.

sport [spɔ:t] *s.* deporte; juego; *tr.* ostentar, hacer alarde de; *intr.* jugar, divertirse.

sporting ['spɔ:tiŋ] *adj.* deportivo.

spot [spɔt] *s.* mancha, lunar; sitio, punto; *tr.* manchar, ensuciar; *intr.* mancharse.

spotless ['spɔtlis] *adj.* limpio, sin mancha.

spotlight ['spɔtlait] *s.* reflector *(de teatros)*.

spout [spaut] *s.* caño, tubo *tr.* echar, arrojar; *intr.* chorrear, borbotar.

sprain [sprein] *s.* (Med.) torcedura; *tr.* (Med.) torcer, distender.

sprawl [sprɔ:l] *intr.* yacer, caer; *tr.* abrir, extender.

spray [sprei] *s.* líquido pulverizado; *tr.* rociar.

spread [spred] *adj.* extendido; *tr.* extender, desplegar; abrir, separar; *intr.* extenderse, desplegarse.

spree [spri:] *s.* diversión, fiesta; *intr.* divertirse.

spring [spriŋ] *s.* primavera; manantial; *intr.* brincar, saltar; surgir, brotar; *tr.* hacer saltar; hacer brotar.

sprinkle ['spriŋkl] *tr.* rociar, salpicar.

sprite [sprait] s. duende, hada.

spud [spʌd] s. pl. patatas.

spur [spəː] s. espuela; aguijón; tr. picar; aguijar.

spurn [spəːn] tr. e intr. despreciar.

spurt [spəːt] s. chorro, borbotón.

spy [spai] s. espía; tr. espiar, acechar.

squall ['skwɔːl] s. racha, chubasco; intr. y tr. chillar.

squalor ['skwɔlə*] s. suciedad, miseria.

squander ['skwɔndə*] tr. malgastar, despilfarrar.

square [skwɛə*] adj. cuadrado; en cuadro; tr. cuadrar; dar figura de cuadro; intr. concordar, conformarse.

squash ['skwɔʃ] s. calabaza; pulpa; tr. aplastar, machacar.

squat [skwɔt] adj. sentado en cuclillas; intr. agacharse.

squatty ['skwɔti] adj. regordete.

squeal [skwiːl] s. chillido; intr. chillar.

squeamish ['skwiːmiʃ] adj. delicado, escrupuloso.

squeeze [skwiːz] s. apretón, abrazo estrecho; tr. apretar, exprimir.

squire ['skwaiə*] s. escudero; (Ingl.) hacendado; (U. S.) juez de paz.

squirm [skwəˑːm] intr. retorcerse.

squirrel ['skwirəl] s. (Zool.) ardilla.

stab [stæb] s. puñalada; tr. dar puñaladas.

stabilise ['steibilaiz] tr. estabilizar.

stack [stæk] s. pila, montón; tr. apilar.

staff [staːf] s. palo, pértiga; tr. proveer de personal.

stag [stæg] s. (Zool.) ciervo.

stage [steidʒ] s. (Tr.) escenario, tablas; tr. exhibir al público.

stagger ['stægə*] intr. hacer eses.

stagnate [stæg'neit] intr. estancarse, detenerse.

staid [steid] adj. grave, serio.

stainless ['steinlis] adj. limpio.

stair [stɛə*] s. escalón, peldaño; pl. escalera.

stake [steik] s. estaca, hoguera; tr. estacar; apostar, aventurar.

stale [steil] *adj.* pasado; viejo.

stalk [stɔ:k] *s.* (Bot.) tallo, caña; *tr.* cazar al acecho.

stall [stɔ:l] *s.* establo, cuadra; *tr.* poner o tener en establo o cuadra; *intr.* estar en un establo.

stallion ['stæljən] *s.* semental.

stalwart ['stɔ:lwət] *adj.* fornido.

stamina ['stæminə] *s.* vitalidad.

stamp [stæmp] *s.* estampa, huella; *tr.* estampar, sellar.

stampede [stæm'pi:d] *s.* huida en desorden; *tr.* ahuyentar.

stanch [sta:ntʃ] *tr.* estancar.

stand [stænd] *s.* situación, posición; *intr.* ponerse en pie, levantarse; *tr.* sufrir, tolerar; soportar; resistir.

standard ['stændəd] *s.* norma, criterio; nivel, medida *(normales)*.

standing ['stændiŋ] *adj.* derecho, en pie; parado; estancado; *s.* situación, sitio; reputación, crédito.

standpoint ['stændpoint] *s.* punto de vista.

standstill ['stændstil] *s.* alto, descanso.

staple ['steipl] *s.* grapa; *tr.* sujetar *(papeles)* con grapa.

star [sta:*] *s.* estrella, lucero; *tr.* sembrar; marcar con asterisco; *intr.* brillar.

starboard ['sta:bəd] *s.* (Náut.) estribor; *adj.* de estribor.

starch [sta:tʃ] *s.* almidón; *tr.* almidonar.

stare [steə*] *s.* mirada fija.

stark [sta:k] *adj.* tieso, rígido.

start [sta:t] *s.* sobresalto; susto; *intr.* moverse súbita y rápidamente; *tr.* levantar *(la caza)*, poner en marcha.

startle ['sta:tl] *tr.* asustar; *intr.* sobresaltarse.

starvation [sta:'veiʃən] *s.* hambre.

starve [sta:v] *intr.* morir de hambre; *tr.* matar de hambre.

state [steit] *s.* estado, situación; *tr.* exponer, declarar.

stated ['steitid] *adj.* establecido.

statement ['steitmənt] *s.* declaración, manifestación.

statesman ['steitsmən] s. estadista.

station ['steiʃən] s. estación; tr. estacionar, situar.

stationery ['steiʃnəri] s. papelería; artículos de escritorio.

statistics [stə'tistiks] s. estadística.

statue ['stætju:] s. estatua, imagen.

stature ['stætʃə*] s. estatua, talla.

status ['staitəs] s. estado legal.

statute ['stætju:t] s. ley decreto.

staunch [stɔ:tʃ] adj. firme, constante.

stay [stei] s. estancia; sostén, puntal; pl. corsé; tr. sostener, apoyar; intr. estar de pie.

stead [sted] s. sitio; servicio.

steadfast ['stedfəst] adj. firme.

steadines ['stedinis] s. estabilidad, seguridad.

steak [steik] s. bistec, filete

steal [sti:l] s. hurto; tr. e intr. hurtar, robar.

stealth [stelθ] s. disimulo.

steam [sti:m] s. vapor; tr. evaporar.

steel [sti:l] s. acero; adj.

de acero, siderúrgico; tr. acerar; endurecer.

steep [sti:p] adj. empinado, pendiente; s. cuesta; tr. empapar; intr. estar en remojo.

steeple ['sti:pl] s. aguja, campanario.

steer [stiə*] s. novillo; tr. (Náut.) gobernar; dirigir; intr. navegar.

steerage ['stiəridʒ] s. gobierno, dirección.

steersman ['stiəzmən] s. piloto, timonero.

stem [stem] s. (Bot.) tallo, tronco.

step [step] s. paso; escalón; estribo; intr. dar un paso; correr; tr. poner, sentar, plantar.

sterile ['sterail] adj. estéril, infecundo.

stern [stə:n] adj. duro, vigoroso; s. popa (de un barco).

stew [stju:] s. cocido; tr. estrofar, guisar.

steward [stjuəd] s. mayordomo; administrador.

stick [stik] s. palo, garrote; palillo (de tambor); arco (de violín, etc.); pl. ramitas; tr. clavar, hundir; intr. estar clavado, pegado.

sticking-plaster ['stikiŋ-plɑ:stə*] s. esparadrapo.

sticky ['stiki] *adj.* pegajoso, tenaz.

stiff [stif] *adj.* rígido; duro, firme; almidonado.

stiffen ['stifn] *tr.* atiesar, dar rigidez; *intr.* ponerse tieso.

stiffness ['stifnis] *s.* rigidez; tirantez.

stifle ['staifl] *tr.* ahogar, sofocar.

stigma ['stigmə] *s.* estigma; mancha.

still [stil] *adj.* quieto, inmóvil; suave; muerto; *adv.* aún, todavía; *cnj.* no obstante, sin embargo; *s.* silencio, quietud; *tr.* acallar, apaciguar.

stillness ['stilnis] *s.* quietud, inmovilidad.

stilt [stilt] *s.* zanco; poste.

stimulate ['stimjuleit] *tr.* estimular; incitar.

sting [stiŋ] *s.* punzada, mordedura *(de serpiente);* remordimiento; *tr.* e *intr.* picar, pinchar.

stingy [stindʒi] *adj.* avaro, tacaño.

stink [stiŋk] *s.* corrupción; *intr.* oler mal.

stipulate ['stipjuleit] *tr.* estipular; especificar; *intr.* pactar.

stir [stə:*] *s.* movimiento, agitación; *tr.* mover,

menear; *intr.* moverse, rebullir.

stirrup ['stirəp] *s.* estribo, peldaño; *adj.* del estribo.

stitch [stitʃ] *s.* puntada; *intr.* coser, bordar.

stock [stɔk] *s.* tronco; linaje; soporte; inventario; *pl.* valores públicos; *tr.* tener existencias de; almacenar.

stockholder ['stɔk,houldə*] *s.* accionista.

stocking ['stɔkiŋ] *s.* media, calceta.

stockist ['stɔkist] *s.* almacenista.

stockpile ['stɔkpail] *s.* reserva o depósito de existencias; *tr.* acumular.

stoker ['stoukə*] *s.* fogonero.

stomach ['stʌmək] *s.* (An.) estómago; ánimo.

stone [stoun] *s.* piedra; (Med.) cálculo, piedra; *adj.* de piedra.

stonework ['stounwə:k] *s.* obra de sillería; mampostería.

stony ['stouni] *adj.* pedregoso; duro.

stool [stu:l] *s.* taburete.

stoop [stu:p] *intr.* agacharse; inclinarse.

stop [stɔp] *s.* alto, parada; (Gram.) punto; *tr.*

detener, parar; *intr.* pararse, detenerse.

stoppage ['stɔpidʒ] *s.* detención.

stopper ['stɔpə*] *s.* tapón, estorbo.

store [stɔ:*] *s.* copia, abundancia; tesoro; *tr.* abastecer, proveer.

storehouse ['stɔ:haus] *s.* almacén.

storekeeper ['stɔ:,ki:pə*] *s.* almacenero.

storey ['stɔ:ri] *s.* piso, planta.

stork [stɔ:k] *s.* (Zool.) sigüeña.

storm [stɔ:m] *s.* tempestad, temporal; *tr.* tomar por asalto; *intr.* haber tempestad.

story [stɔ:ri] (*pl.* **-ries**) *s.* historia; leyenda; (fam.) chisme.

stoup [stu:p] *s.* frasco, jarro.

stout [staut] *adj.* fuerte, recio; resistente.

stoutness ['stautnis] *s.* fuerza, vigor.

stove [stouv] *s.* estufa; cocina económica.

stow [stou] *tr.* apretar; *intr.* embarcarse clandestinamente.

straggle ['strægl] *intr.* rodar, andar perdido.

straight [streit] *adj.* recto, derecho.

straighten ['streitn] *tr.* enderezar.

straightforward ['streit-fɔ:wəd] *adj.* recto; honrado.

straightway ['streitwei] *adv.* inmediatamente.

strain [strein] *s.* tensión, torcedura; raza, linaje, descendencia; *tr.* extender; *intr.* esforzarse.

strainer ['streinə*] *s.* colador, filtro.

strait [streit] *adj.* estrecho, angosto; *s.* estrecho; pasaje, canal.

straiten ['streitn] *tr.* estrenar.

strange [streindʒ] *adj.* extraño, raro.

stranger ['streindʒə*] *s.* extraño, extranjero.

strangle ['stræŋgl] *tr.* estrangular, asfixiar.

strap [stræp] *s.* correa.

stratum ['streitəm] *s.* (Geol.), (An.) estrato, capa.

straw [strɔ:] *s.* paja.

strawberry ['strɔ:bəri] *s.* (Bot.) fresa.

stray [strei] *adj.* descarriado; *intr.* desviarse.

streak [stri:k] *s.* raya, línea; *tr.* rayar, listar; *intr.* ir como un rayo.

stream [stri:m] s. corriente; río; intr. correr, fluir; tr. verter, derramar.

street [stri:t] s. calle, vía pública.

strength [streŋθ] s. fuerza, energía.

stress [stres] s. fuerza; peso; tr. cargar, dar importancia.

stretch [stretʃ] s. extensión; tensión; tr. extender, alargar; intr. extenderse; alargarse.

stricken ['strikən] adj. golpeado, herido.

strict [strikt] adj. estricto, absoluto.

stride [straid] s. paso largo, tranco; intr. andar a trancos.

strife [straif] s. disputa, contienda.

strike [straik] s. golpe; huelga; tr. e in. golpear.

striking ['straikiŋ] adj. relevante, chocante.

string [striŋ] s. cordón, cinta.

stringent ['strindʒənt] adj. convincente.

strip [strip] s. tira, lista, faja; tr. e in. despojar.

stripe [straip] s. raya, lista.

strive [straiv] intr. esfor-

zarse, hacer todo lo posible.

stroke [strouk] s. golpe, choque; carrera; palpitación; (Med.) ataque; tr. acariciar.

stroll [stroul] s. paseo, vuelta; intr. callejear.

strong [strɔŋ] adj. fuerte; robusto; grande, poderoso.

struck [strʌk] adj. herido, afectado.

struggle ['strʌgl] s. esfuerzo, lucha; intr. luchar, bregar.

strumpet ['strʌmpit] s. ramera, prostituta.

strut [strʌt] s. manera de andar; intr. andar con aire orgulloso.

stub [stʌb] s. cepa; persona rechoncha.

stubborn ['stʌbən] adj. obstinado, terco.

stuck-up ['stʌk'ʌp] adj. (fam.) tieso, estirado.

stud [stʌd] s. poste, montante (de tabique); tr. tachonar, clavetear.

student ['stju:dent] s. estudiante.

studio ['stju:diou] s. estudio, taller.

study ['stʌdi] s. estudio; despacho, gabinete de trabajo; tr. e intr. estudiar; meditar.

subtility

stuff [stʌf] s. material, carácter, capacidad; tr. henchir, llenar; tapar, hartar; intr. atacarse.

stuffy ['stʌfi] adj. mal ventilado; resfriado; (fam.) soso.

stumble ['stʌmbl] s. tropiezo, tropezón.

stun [stʌn] s. aturdimiento; tr. aturdir.

stupefy ['stju:pifai] tr. causar estupor; intr. atontarse.

stupendous [stju(:)'pendəs] adj. estupendo.

sturdiness ['stə:dinis] s. robustez, fuerza.

sturdy ['stə:di] adj. robusto, fornido.

stutter ['stʌtə*] s. tartamudeo; intr. tartamudear.

sty [stai] s. pocilga.

style [stail] s. estilo; título; tr. llamar, nombrar.

stylish ['stailiʃ] adj. elegante.

suave [swɑ:v] adj. suave, afable.

subdue [səb'dju:] tr. sojuzgar, someter.

subject ['sʌbdʒikt] adj. sometido, dominado; s. súbdito; sujeto.

subject [səb'dʒekt] tr. sujetar, someter.

subjection [səb'dʒekʃen] s. sometimiento.

subjugate ['sʌbdʒugeit] tr. subyugar, dominar.

subjunctive [səb'dʒʌŋktiv] adj. y s. (Gram.) subjuntivo.

submerge [səb'mə:dʒ] tr. sumergir, hundir; intr. sumergirse.

submit [səb,mit] tr. someter, remitir; intr. y ref. someterse, rendirse.

subordinate [sə'bɔ:dineit] tr. subordinar.

suborn [sʌ'bɔ:n] tr. sobornar, cohechar.

subscribe [səb'skraib] tr. subsistir, firmar.

subscription [səb'skripʃən] s. firma.

subside [səb'said] intr. menguar, disminuir.

subsidence ['sʌbsidəns] s. hundimiento, descenso.

subsidise ['sʌbsidaiz] tr. subvencionar.

subsist [səb'sist] intr. subsistir; existir.

substantial [səb'stænʃəl] adj. sustancial; verdadero.

substantiate [səb'stænʃieit] tr. probar, establecer.

subtility [sʌb'tiliti] s. sutileza.

subtle [ˈsʌtl] *adj.* sutil, raro, fino; apto, hábil.

subtract [səbˈtrækt] *tr.* sustraer; restar.

suburb [ˈsʌbəːb] *s.* suburbio; *pl.* periferia.

subway [ˈsʌbwei] *s.* paso o conducto subterráneo; (U. S.) ferrocarril metropolitano.

succeed [səkˈsiːd] *intr.* suceder; tener éxito.

success [səkˈses] *s.* éxito, fortuna.

successful [səkˈsesful] *adj.* próspero, dichoso.

succo(u)r [ˈsʌkə*] *s.* socorro, auxilio; *tr.* socorrer, asistir.

such [sʌtʃ] *adj.* tal, semejante.

suchlike [ˈsʌtʃlaik] *adj.* tal, semejante.

suck [sʌk] *s.* chupada, mamada; *tr.* e *intr.* chupar.

suckle [ˈsʌkl] *tr.* amamantar; *intr.* mamar.

suddenly [ˈsʌdnli] *adv.* de repente.

suddenness [ˈsʌdnnis] *s.* precipitación.

suds [sʌdz] *s. pl.* jabonaduras; espuma.

sue [sjuː] *tr.* e *intr.* demandar, poner pleito.

suffer [ˈsʌfə*] *tr.* e *intr.* sufrir, padecer.

suffice [səˈfais] *intr.* bastar, ser suficiente.

sufficiency [səˈfiʃənsi] *s.* suficiencia.

suffrage [ˈsʌfridʒ] *s.* sufragio, voto.

suffuse [səˈfjuːz] *tr.* bañar, cubrir.

sugar [ˈʃugə*] *s.* azúcar; *tr.* azucarar, confitar.

suggest [səˈdʒest] *tr.* sugerir, insinuar.

suicide [ˈsjuisaid] *s.* suicidio.

suit [sjuːt] *s.* solicitación, súplica; *tr.* e *intr.* convenir, acomodar; contener.

suitable [ˈsjuːtəbl] *adj.* propio, conveniente.

suiting [ˈsjuːtiŋ] *s.* tela para trajes.

suitcase [ˈsjuːtkeis] *s.* maleta.

suite [swiːt] *s.* serie; séquito, tren.

suitor [ˈsjuːtə*] *s.* (Der.) demandante.

sullen [ˈsʌlən] *adj.* hosco, arisco.

sully [ˈsʌli] *s.* mancha, mancilla; *tr.* manchar, ensuciar.

sulphur [ˈsʌlfə*] *s.* azufre; (poét.) trueno, rayo.

sultry [ˈsʌltri] *adj.* bochornoso.

sum [sʌm] s. (Mat.) suma, adición; tr. sumar.

summarize ['sʌməraiz] tr. resumir.

summer ['sʌmə*] s. verano, estío; intr. veranear.

summit ['sʌmit] s. cúspide, cima.

summon ['sʌmən] tr. llamar; requerir, convocar.

sun [sʌn] s. sol.

sunbeam ['sʌnbi:m] s. rayo de sol.

sunburning ['sʌnbə:niŋ] s. quemadura del sol.

Sunday ['sʌndi] s. domingo; adj. del domingo.

sundries ['sʌndris] s. pl. (Com.) varios, géneros diversos.

sunflower ['sʌn‚flauə*] s. girasol.

sunny ['sʌni] adj. soleado, lleno de sol.

sunrise ['sʌnraiz] s. amanecer.

sunset ['sʌnset] s. ocaso, puesta del sol; atardecer.

sunshade ['sʌnʃeid] s. parasol, sombrilla.

sunshine ['sʌnʃain] s. sol (luz o calor del sol).

sup [sʌp] s. sorbo; intr. y tr. dar de cenar; beber.

superb [sju(:)'pə:b] adj. soberbio, magnífico.

superintend [‚sju(:)prin'tend] tr. vigilar, dirigir.

superior [sju(:)'piəriə*] adj. y s. superior, rector.

superiority [sju(:)‚piəri'ɔriti] s. (pl. **-ties**) supremacía.

supersede [‚sju(:)pə'si:d] tr. reemplazar.

supervise ['sju:pəvaiz] tr. inspeccionar, intervenir.

supervision [‚sju(:)pə'viʒən] s. inspección, revisión.

supervisor ['sju:pəvaizə*] s. inspector, interventor.

supper ['sʌpə*] s. cena; intr. cenar, dar de cenar.

supplant [sə'plɑ:nt] tr. suplantar.

supple ['sʌpl] adj. suave, flexible.

supplicate ['sʌplikeit] tr. e intr. suplicar, pedir.

supplier [sə'plaiə*] s. suministrador, proveedor.

supply [sə'plai] s. suministro, abastecimiento; s. pl. **supplies** materiales, víveres; tr. suministrar.

support [sə'pɔ:t] s. soporte, apoyo, ayuda; tr. soportar, sostener.

supporter [sə'pɔ:tə*] s. mantenedor, soportador.

suppose [sə'pouz] *tr.* suponer, dar por sentado.

suppress [sə'pres] *tr.* suprimir; omitir.

suppresion [sə'preʃən] *s.* supresión, omisión.

supreme [sju(:)'pri:m] *adj.* supremo, sumo.

surcharge ['sə:tʃa:dʒ] *s.* sobrecarga.

sure [ʃuə*] *adj.* seguro; cierto; *adv.* ciertamente.

surety ['ʃuərəti] *s.* (*pl.* **-ties**) seguridad; certeza.

surf [sə:f] *s.* marejada, resaca.

surface ['sə:fis] *s.* superficie; cara.

surfeit ['sə:fit] *s.* exceso; empacho; *tr.* hartar, saciar.

surge [sə:dʒ] *s.* ola, oleada.

surgeon ['sə:dʒən] *s.* cirujano; médico *(del ejército)*.

surgery ['sə:dʒəri] *s.* cirugía; clínica.

surgy ['sə:dʒi] *adj.* agitado.

surmise ['sə:maiz] *s.* conjetura, suposición; *tr.* conjeturar, suponer.

surmount [sə:'maunt] *tr.* vencer; coronar.

surname ['sə:neim] *s.* apellido; *tr.* apellidar

surpass [sə:'pɑ:s] *tr.* sobrepujar, aventajar.

surpassing [sə:'pɑ:siŋ] *adj.* superior, excelente.

surplus ['sə:pləs] *s.* sobrante, exceso.

surprise [sə'praiz] *s.* sorpresa; *tr.* sorprender.

surrender [sə'rendə*] *s.* rendición, sumisión; *tr.* rendir, entregar.

surreptitious [,sɐrəp'ti-ʃəs] *adj.* subrepticio.

surround [sə'raund] *tr.* rodear, cercar.

surtax ['sə:tæks] *s.* impuesto suplementario; recargo; *tr.* gravar con recargo.

survey ['sə:vei] *s.* medición, estudio.

survey [sə:'vei] *tr.* medir, levantar.

survive [sə'vaiv] *tr.* sobrevivir.

suspect [səs'pekt] *tr.* sospechar, recelar.

suspend [səs'pend] *tr.* suspender, colgar.

suspense [səs'pens] *s.* suspensión, interrupción.

suspicion [səs'piʃən] *s.* sospecha; recelo.

sustain [səs'tein] *tr.* sostener, aguantar.

suzerain ['su:zərein] *s.* soberano.

syllable

swaddle ['swɔdl] s. envoltura de niños.

swallow ['swɔlou] s. bocado, trago; (Zool.) golondrina; tr. tragar.

swamp ['swɔmp] s. pantano, marisma; tr. atollar; sumergir; intr. empantanarse.

swan [swɔn] s. (Zool.) cisne.

sward [swɔ:d] s. césped.

swarm [swɔ:m] s. enjambre; intr. enjambrar.

swathe [sweið] s. faja, venda; pl. pañales.

sway [swei] s. oscilación, vaivén; intr. oscilar, mecerse.

swear [sweə*] intr. jurar.

sweat [swet] s. sudor; tr. e intr. sudar.

sweep [swi:p] s. barredura; barrendero; tr. barrer

sweet [swi:t] adj. dulce, azucarado; s. dulzura; pl. dulces golosinas.

sweeten ['swi:tn] tr. endulzar.

sweetheart ['swi:thɑ:t] s. novia, prometida.

swell [swel] s. hinchazón; bulto; ola; subida (de precios); tr. hinchar, engrosar; intr. hincharse, inflarse.

swelter ['sweltə*] s. calor sofocante; tr. sofocar.

swerve [swə:v] s. desviación; tr. desviar, apartar.

swift [swift] adj. veloz, rápido.

swim [swim] s. nadar, nado; intr. nadar; flotar.

swimmer ['swimə*] s. nadador.

swindle ['swindl] tr. estafar, timar.

swine [swain] s. sing. y pl. (Zool.) cerdo, marrano.

swing [swiŋ] s. balanceo, oscilación; tr. e in. balancear, mecer.

swirl [swə:l] s. remolino; tr. hacer girar; intr. arremolinar.

switch [switʃ] s. vara flexible; adj. agujas de cambio; tr. azotar.

switchboard [switʃbɔ:d] s. cuadro de mandos.

swollen ['swoulən] adj. hinchado; crecido (río, etcétera).

swoon [swu:n] s. síncope, desfallecimiento; intr. desmayarse.

sword [sɔ:d] s. espada.

swot [swɔt] intr. empollar (estudiar).

syllable ['siləbl] s. sílaba.

syllabus ['siləbəs] *s.* sumario, compendio.

symbol ['simbəl] *s.* símbolo; signo.

symbolise ['simbəlaiz] *tr.* simbolizar.

sympathise ['simpəθaiz] *intr.* simpatizar; compadecerse.

sympton ['simptəm] *s.* síntoma.

syringe ['sirindʒ] *s.* jeringa, lavativa; *tr.* poner una inyección.

syrup ['sirəp] *s.* jarabe; almíbar.

system ['sistim] *s.* sistema; método; (Geol.) formación; cuerpo humano.

systematic, -al [sisti'mætik, -əl] *adj.* sistemático, metódico.

table ['teibl] s. mesa; tabla, índice; tr. poner sobre la mesa; dejar un asunto.

tablet ['tæblit] s. tableta, pastilla, comprimido; placa, lápida.

taboo [tə'bu:] s. tabú.

tackle ['tækl] s. equipo, avíos; tr. asir, agarrar.

tact [tækt] s. tacto, discreción.

tactful ['tæktful] adj. discreto, diplomático.

tactics ['tæktiks] s. táctica.

tadpole ['tædpoul] s. (Zool.) renacuajo.

tag [tæg] s. etiqueta; tr. poner membrete o etiqueta.

tail [teil] s. cola; fila.

tailor ['teilə*] s. sastre.

taint [teint] s. mancha; tr. e in. manchar.

take [teik] s. toma; recaudación, entrada; tr. tomar; coger; capturar, quitar; llevarse; comprender; dar (un paso, etcétera); sustraer; intr. arraigar, prender; tomar posesión.

taking ['teikiŋ] s. toma, entrada en posesión; adj. atractivo, encantador; s. pl. ingresos.

tale [teil] s. cuento, fábula.

talk [tɔ:k] s. habla, charla; tr. e intr. hablar; decir.

tall [tɔ:l] adj. alto; exagerado.

tallow ['tælou] s. sebo; tr. ensebar.

tally ['tæli] s. cuenta, etiqueta; tr. e in. llevar la cuenta; marcar.

talon ['tælən] s. garra.

tambourine [,tæmbə'ri:n] s. pandereta.

tame [teim] adj. manso, sumiso, dócil; tr. domar, domesticar.

tamer ['teimə*] s. domador.

tamper ['tæmpə*] s. apisonador; intr. entremeterse; sobornar.

tan [tæn] s. casca (para curtir); color de tostado; tr. curtir, adobar.

tang [tæŋ] s. sabor fuerte y picante.

tangle ['tæŋgl] s. enredo, embrollo; tr. enredar.

tank [tæŋk] s. tanque, depósito.

tankard ['tæŋkəd] s. jarro con tapa y asa.

tanker ['tæŋkə*] (Náut.) buque cisterna.

tantalise ['tæntəlaiz] tr. atormentar.

tantamount ['tæntəmaunt] adj. equivalente.

tap [tæp] s. grifo, caño; palmadita; tr. sangrar (un árbol); abrir un agujero.

tape [teip] s. cinta; tr. atar con cinta; medir con cinta.

taper ['teipə*] s. cerilla, velilla; tr. disminuir, afilar.

tapestry ['tæpistri] s. tapiz; tr. tapizar.

tapeworm ['teipwə:m] s. tenia, solitaria.

tapeworm ['teipwə:m] s. tenia, solitaria.

tar [ta:*] s. brea, alquitrán; tr. alquitranar.

tardy ['ta:di] adj. tardío, lento.

target ['ta:git] s. blanco, objetivo.

tarry ['ta:ri] adj. alquitranado, embreado; tr. esperar; intr. esperar; tardar.

tart [ta:t] s. tarta; adj. agrio.

task [ta:sk] s. tarea, labor; tr. atarear; abrumar (con trabajo).

tassel ['tæsəl] s. borla.

taste [teist] s. gusto, sabor; tr. gustar, saborear; intr. tener cierto sabor.

tasteful ['teistful] adj. de buen gusto.

tasteless ['teistlis] adj. de mal gusto.

tattoo [tə'tu:] s. tatuaje; tr. tatuar; intr. tocar retreta.

taunt [tɔ:nt] s. mofa, pulla; tr. provocar con insultos.

taut [tɔ:t] adj. tirante, tieso.

tavern ['tævən] s. taberna; mesón.

tawdry ['tɔ:dri] adj. charro, llamativo.

tax [tæks] s. contribución, tributo; tr. poner impuestos; pl. gastos de aduana.

tea [ti:] s. (Bot.) té.

teach [ti:tʃ] tr. e intr. enseñar.

teacher ['ti:tʃə*] s. maestro, profesor.

teaching ['ti:tʃiŋ] adj. docente; s. enseñanza.

team [ti:m] s. yunta (de bueyes); equipo; tr. enganchar, unir.

tear ['tiə*] s. lágrima.

tear [tɛə] s. rasgón, desgarro; tr. rasgar, desgarrar; intr. rasgarse, precipitarse, correr.

tease [ti:z] s. aburrimiento, broma continua; tr. molestar, importunar.

teat [ti:t] s. pezón; teta.

technique [tek'ni:k] s. técnica.

teddybear ['tedi,bɛə*] s. oso de juguete.

teddy boy ['tedibɔi] s. gamberro.

teem [ti:m] intr. abundar; (fam.) llover a cántaros.

teen-ager ['ti:neidʒə*] s. joven de trece a diecinueve años de edad.

teeth [ti:z] s. pl. de **tooth** dientes.

tell [tel] tr. decir; contar; distinguir, conocer; intr. hablar; (fam.) denunciar, delatar.

temper ['tempə*] s. temple; genio.

temporary ['tempərəri] adj. temporal, provisional, interino.

tempt [tempt] tr. tentar; inducir.

ten [ten] adj. y s. diez.

tenable ['tenəbl] adj. defendible.

tenacity [ti'næsiti] adj. tenacidad, tesón.

tenant ['tenənt] s. arrendatario, inquilino.

tend [tend] tr. cuidar, vigilar; intr. tender.

tender ['tendə*] s. oferta; adj. tierno, afable; tr. ofrecer, proponer.

tenderness ['tendənis] s. ternura, sensibilidad.

tenement ['tenimənt] s. habitación.

tenet ['ti:net] s. credo, dogma.

tense [tens] adj. tirante; s. (Gram.) tiempo.

tension ['tenʃən] s. tensión, esfuerzo mental.

tent [tent] s. tienda; tr. acampar bajo tiendas.

tenuous ['tenjuəs] adj. tenue; raro.

tepid ['tepid] adj. tibio, templado.

term [tə:m] s. término, vocablo; plazo, s. pl. términos, condiciones, honorarios.

terminate ['tə:mineit] tr. e intr. terminar.

termite ['tə:mait] s. termita, hormiga.

terrace ['terəs] s. terraplén; terraza.

terrain ['terein] s. terreno.

terrify ['terifai] tr. aterrorizar, espantar.

terse [tə:s] adj. breve.

test [test] s. prueba, ensayo; *tr.* probar; examinar.

testify ['testifɔi] *tr.* e *intr.* testificar.

tête-á-tête ['teitɑ:'teit] *s.* a solas entre dos; *adv.* cara a cara.

tether ['teðə*] *s.* traba, maniobra.

than [ðæn] *cnj.* que; de.

thank [θæŋk] *tr.* agradecer, dar las gracias a; *s. pl.* gracias.

thankful ['θænful] *adj.* agradecido.

thankless ['θæŋklis] *adj.* ingrato.

thanksgiving [θæŋks'giviŋ] *s.* acción de gracias.

that [ðæt,] *adj. dem.* ese, esa, eso; aquel, aquella; aquello; *pron. rel.* qué, quién, el cual, el que; *adv.* tan; *cnj.* que; para que; modo de.

thatch [θætʃ] *s.* paja; techo de paja; *tr.* cubrir de paja.

thaw [θɔ:] *s.* deshielo; *tr.* e *intr.* deshelar.

the [ðə, ði:] *art. def.* el, la, los, las, lo; *adv.* cuanto.

theft [θeft] *s.* hurto, robo.

their [ðeə*] *adj. pos.* su, sus *(de ellos, de ellas).*

theirs [ðeəz] *pron. poss.* el

suyo, el de ellos *(de ellas),* suyo, de ellos.

them [ðem] *pron. pers.* los, las, les, ellos, ellas.

themselves [ðəm'selvz] *pron. pers.* ellos mismos; se; sí, sí mismos.

then [ðen] *adv.* entonces; después, luego; además.

thence [ðens] *adv.* desde allí; desde entonces.

thenceforth ['ðens'fɔ:θ] *adv.* de allí en adelante.

there [ðeə*] *adv.* ahí, allí, allá; *inj.* ¡eso es!

thereabout ['ðeərəbaut] *adv.* por ahí, por allí.

thereafter [ðeər'ɑ:ftə*] *adv.* después de eso, de allí en adelante.

thereby ['ðeə'bai] *adv.* con eso, con lo cual; así; por allí cerca.

therefor, therefore [ðeəfɔ:*] *adv.* por lo tanto, por consiguiente.

theretofore [,ðeə'tu:fɔ:*] *adv.* hasta entonces.

thereupon ['ðeərə'pɔn] *adv.* sobre eso, encima de eso; por eso; por consiguiente; desde luego.

therewith [ðeə'wiθ] *adv.* con esto.

these [ði:z] *adj. dem. pl.* de **this**; estos, estas; *pron. dem.* éstos, éstas.

thews [θju:z] *s. pl.* músculos.

they [ðei] *pron. pers.* ellos, ellas.

thick [θik] *adj.* espeso, grueso; *s.* espesor, grueso.

thicken ['θikən] *tr. e intr.* espesar.

thicket ['θikit] *s.* espesura, soto, matorral.

thief [θi:f] *s.* ladrón.

thigh [θai] *s.* (An.) muslo.

thighbone ['θaiboun] *s.* (An.) fémur.

thimble ['θimbl] *s.* dedal.

thin [θin] *adj.* delgado; *tr.* adelgazar.

thing [θin] *s.* cosa.

think [θiŋk] *tr.* pensar; creer, estimar; *intr.* pensar.

thinness ['θinnis] *s.* delgadez.

third [θə:d] *adj.* tercero; *s.* tercero; tercera parte, tercio.

thirst [θə:st] *s.* sed; *intr.* tener sed.

thirsty ['θə:sti] *adj.* sediento.

thirteen ['θə:'ti:n] *adj.* y *s.* trece.

thirty ['θə:ti] *adj.* treinta; *s.* (*pl.* **-ties**) treinta.

this [ðis] *adj. dem.* (*pl.* **these**) este, esta, esto;

prom. dem. éste, ésta, ésto; *adv.* tan.

thither ['ðiðə*] *adv.* allá, hacia allá.

thong [θɔŋ] *s.* correa.

thorn [θɔ:n] *s.* espina, púa.

thoroughfare ['θʌrəfɛə*] *s.* carretera.

those [ðouz] *adj. dem.* (*pl.* **that**) esos, esas, aquellos, aquellas; *pron. dem. pl.* ésos, ésas; aquéllos, aquéllas.

though [ðou] *adv.* sin embargo; *cnj.* aun cuando, aunque.

thought [θɔ:t] *s.* pensamiento.

thoughtless ['θɔ:tlis] *adj.* irreflexivo.

thousand ['θauzənd] *adj.* y *s.* mil.

thrash [θræʃ] *tr. e in.* trillar; azotar.

thrashing ['θræʃin] *s.* trilla; (*vul.*) paliza.

thread [θred] *s.* hilo, fibra, *tr.* enhebrar.

threaten [θretn] *tr. e intr.* amenazar.

three [θri:] *adj.* y *s.* tres.

threepence ['θrepəns] *s.* moneda de tres peniques.

threshold ['θreʃhould] *s.* umbral.

thrice [θrais] *adv.* tres veces.

thrift [θrift] s. economía.

thrill [θril] s. emoción, exaltación; tr e in. emocionar; estremecerse.

thriller ['θrilə*] s. persona o cosa emocionante.

thrive [θraiv] intr. ['θrivn] prosperar, adelantar.

throat [θrout] s. garganta.

throb [θrəb] s. latido, palpitación; intr. latir, palpitar.

throe [θrou] s. dolor, congoja.

throne [θroun] s. trono.

throng [θrɔŋ] s. gentío, tropel; tr. e in. apretar, atestar.

throttle ['θrɔtl] s. garganta; acelerador (de automóvil); tr. ahogar, sofocar.

through [θru] adj. de paso; directo; adv. a través de, un lado a otro; prep. por, a través de; mediante.

throughout [θru(:)'aut] adv. en todas partes; por todas partes; por todas partes; prep. en todo; durante todo.

throw [θrou] s. tirada, lance; riesgo; tr. lanzar, disparar.

thrust [θrʌst] s. empuje; acometida; puñalada; tr

e in empujar; acometer; atravesar; hincar.

thug [θʌg] s. malhechor, ladrón.

thumb [θʌm] s. pulgar, dedo gordo.

thump [θʌmp] s. golpazo, porrazo; tr. golpear, aporrear; intr. dar un porrazo.

thunder ['θʌndə*] s. trueno; estruendo; tr. fulminar (censuras, etc.) intr. tronar.

Thursday ['θə:zdi] s. jueves.

thus [ðʌs] adv. así, tal; de este modo.

thwart [θwɔ:t] s. riestra; adj. transversal; adv. de través; tr. desbaratar, frustrar.

thyme [taim] s. (Bot.) tomillo.

ticket ['tikit] s. billete, entrada; tr. rotular, marcar.

tickle ['tikl] s. cosquillas; tr. hacer cosquillas.

tidbit ['tidbit] s. buen bocado.

tide [taid] s. (Náut.) marea; temporada; tr. llevar.

tidings [taidiŋz] s. pl. noticias, informes.

tidy ['taidi] s. pañito bordado; adj. aseado, limpio; *tr.* asear, limpiar; *intr.* poner las cosas en orden.

tie [tai] *s.* atadura; lazo; corbata; empate; *tr.* atar, liar; enlazar; *intr.* atar.

tier [tiə] *s.* fila; *tr.* apilar.

tight [tait] *adj.* apretado, estrecho.

tighten ['taitn] *tr.* apretar; estirar; *intr.* apretarse.

tightness ['taitnis] *s.* tensión, tirantez.

tile [tail] *s.* azulejo; baldosa; *tr.* azulejar.

till [til] *s.* cajón o gaveta del dinero; *prep.* hasta; *cnj.* hasta que; *tr.* labrar.

tiller ['tilə*] *s.* agricultor.

tilt [tilt] *s.* inclinación; *tr.* inclinar, volcar.

tilth [tilθ] *s.* labranza.

timber ['timbə*] *s.* madera *(de construcción).*

time [taim] *s.* tiempo, la hora; período, época. *adj.* de tiempo; *tr.* calcular el tiempo de.

timeless ['taimlis] *adj.* eterno, infinito

timid ['timid] *adj.* tímido, temeroso.

tin [trin] *s.* estaño, hojalata; *tr.* estañar, enlatar.

tincture ['tiŋktʃə*] *s.* tinte, baño; *tr.* teñir.

tinder ['tində*] *s.* yesca, mecha.

tinge [tindʒ] *s.* matiz, tinte; *tr.* colorear, teñir.

tingle ['tiŋgl] *s.* comezón; *tr.* producir comezón u hormigueo a.

tinker ['tiŋkə*] *s.* calderero remendón; *tr.* remendar chapuceramente.

tinkle ['tiŋkl] *s.* retintín; *tr.* e *in.* sonar.

tinwork ['tinwə:k] *s.* hojalatería.

tiny ['taini] *adj.* diminuto, menudo.

tip [tip] *s.* extremo, extremidad; *tr.* inclinar, ladear; *intr.* dar una propina o propinas.

tipsy ['tipsi] *adj.* vacilante; achispado.

tiptoe ['tip'tou] *s.* punta del pie; *intr.* andar de puntillas.

tiptop ['tip'tɔp] *s.* cumbre, cima; *adj.* (fam.) superior, excelente.

tire ['taiə*] *s.* adorno; *tr.* cansar; *intr.* cansarse.

tireless ['taiəlis] *adj.* incansable.

tiresome ['taiəsəm] *adj.* cansado, aburrido.

tithe [taið] *s.* décimo, diezmo.

title [taitl] *s.* título, inscripción; *tr.* titular; roturar

titter ['titə*] *s.* risita ahogada o disimulada; *intr.* reír con disimulo.

tittle-tattle ['titl͵tætl] *s.* charla, chismes; *intr.* chismorrear.

to [tu:] *prep.* a, hacia; para; por; hasta.

toast [toust] *s.* tostada; *tr.* tostar; brindar.

today [tə'dei] *adv.* y *s.* hoy.

toe [tou] *s.* dedo del pie; pezuña.

together [tə'geðə*] *adv.* juntos; juntamente; a un tiempo.

toil [tɔil] *s.* afán, fatiga; *intr.* sudar, afanarse.

toilet ['tɔilit] *s.* tocador; utensilio de tocador.

token ['toukən] *s.* señal, símbolo.

tolerable ['tɔlərəbl] *adj.* tolerable, llevadero.

tolerate ['tɔləreit] *tr.* tolerar, aguantar.

toll [toul] *s.* tañido, doble de campanas; peaje; *tr.* cobrar o pagar como peaje.

tomato [tə'mɑ:tou] *s.* tomate.

tomb [tu:m] *s.* tumba.

tomstone ['tu:mstoun] *s.* lápida o piedra sepulcral.

tomcat ['tɔm'kæt] *s.* gato.

tomorrow [tə'mɔrou] *adv.* y *s.* mañana.

ton [tʌn] *s.* tonelada.

tone [toun] *s.* tono; *tr.* entonar; *intr.* armonizar.

tongs [tɔnz] *s. pl.* tenazas; pinzas.

tongue [tʌn] *s.* lengua, idioma.

tonight o **to-night** [tə'nait] *adv.* y *s.* esta noche.

tonnage ['tʌnidʒ] *s.* tonelaje.

tonsil ['tɔnsl] *s.* amígdala.

too [tu:] *adv.* también, además; demasiado.

tool [tu:l] *s.* utensilio, herramienta.

tooth [tu:θ] *s.* diente, muela; *tr.* dentar; *intr.* endentar.

toothless ['tu:θlis] *s.* palillo.

top [tɔp] *s.* cima; cumbre; copa *(de un árbol)*; peón, (fam.) moño; cimero; máximo; último *(piso)*; superior; *tr.* rematar, coronar; *intr.* predominar.

topic ['tɔpik] *s.* asunto, tema.

topple ['tɔpl] *tr.* derribar, volcar; *intr.* derribarse, volcarse.

torch [tɔ:tʃ] *s.* antorcha, linterna.

torment [tɔ:'ment] *tr.* atormentar.

torpedo [tɔ:'pi:dou] *s.* torpedo; *tr.* torpedear.

tortoise ['tɔ:təs] *s.* (Zool.) tortuga.

torture ['tɔ,tʃə*] *s.* tortura; *tr.* torturar.

tory ['tɔ:ri] *s.* conservador.

toss [tɔs] *s.* lanzamiento *(acción)*; *tr.* sacudir; agitar; lanzar; hablar mucho de; *intr.* moverse, agitarse.

toss-up ['tɔs'ʌp] *s.* cara y cruz.

total ['toutl] *adj.* y *s.* total, entero; *tr.* sumar; ascender.

totter ['tɔtə*] *s.* tambaleo; *intr.* tambalearse.

touch [tʌtʃ] *s.* toque; tacto; *tr.* tocar; conmover.

touching ['tʌtʃiŋ] *adj.* conmovedor, enternecedor; *prep.* tocante a.

touchstone ['tʌtʃstoun] *s.* (Min.) y (fig.) piedra de toque.

touchwood ['tʌtʃwud] *s.* yesca.

touchy ['tʌtʃi] *adj.* quisquilloso.

tough [tʌf] *adj.* duro; recio.

toughen ['tʌfn] *tr.* endurecer; dificultar; *intr.* endurecerse.

tour ['tuə*] *s.* paseo, viaje largo, excursión.

touring ['tuəriŋ] *s.* turismo.

tournament ['tuənəmənt] *s.* torneo, campeonato.

tow [tou] *s.* remolque; estopa; *tr.* remolcar.

toward, towards [tə'wo:d, tə'wo:dz] *prep.* hacia; cerca de.

towel ['tauəl] *s.* toalla.

tower ['tauə*] *s.* torre; *intr.* encumbrarse, elevarse.

town [taun] *s.* ciudad, villa.

toy [tɔi] *s.* juguete; *intr.* jugar; divertirse.

trace [treis] *s.* rastro, pisada; *tr.* rastrear, seguir la pista de; atravesar.

tract [trækt] *s.* espacio; trecho.

trade [treid] *s.* comercio, oficio; *tr.* trocar, cambiar; *intr.* negociar, comerciar.

trader ['treidə*] *s.* comerciante, traficante.

traduce [trə'dju:s] *tr.* calumniar; difamar.

traffic ['træfik] *s.* tráfico; *intr.* traficar.

trail [treil] *s.* huella; pista; *tr.* arrastrar, rastrear.

trailer ['treilə*] *s.* persona o animal que sigue la pista; coche-habitación; remolque.

train [trein] s. tren; tr. adiestrar.

training ['treiniŋ] s. instrucción, preparación.

trait [treit] s. rasgo, característica.

tram [træm] s. trama; tranvía.

trammel ['træml] s. impedimento, obstáculo; tr impedir, estorbar.

tramp [træmp] s. vagabundo; marcha pesada; tr. pisar con fuerza; intr. patrullar; andar o viajar a pie.

trample ['træmpl] s. pisoteo; tr. atropellar, pisotear.

trance [trɑ:ns] s. rapto, arrobamiento.

transact [træn'zækt] tr. tramitar.

transcend [træn'send] tr. exceder.

transfer ['trænsfə(:)] s. traslado; transbordo.

transfer [træns'fə:*] tr. trasladar, transferir; intr. cambiar de tren.

transfix [træns'fiks] tr. traspasar.

transform [træns'fɔ:m] tr. transformar, transfigurar.

trangress [træns'gres] tr. violar, quebrantar.

transient ['trænziənt] adj. pasajero; s. transeúnte.

translate [træns'leit] tr. traducir; cambiar.

traslator [træns'leitə*] s. traductor.

transmit [trænz'mit] tr. e intr. transmitir, traspasar.

transparency [træns'pɛərənsi] s. (pl. -cies) transparencia; diapositiva.

transport [træns'pɔ:t] tr. transportar, deportar.

trap [træp] s. trampa; cepo; pl. equipaje; tr. atrapar.

trash [træʃ] s. broza; basura; tr. podar.

travel ['trævl] s. viaje; intr. viajar, caminar.

traveller ['trævlə*] s. viajero.

traverse ['trævə(:)s] s. paso, pasaje; travesía; adj. transversal; tr. atravesar.

tray [trei] s. bandeja.

tread [tred] s. pisada; peldaño; tr. pisar; pisotear; intr. andar, caminar.

treasure ['treʒə*] s. tesoro, caudal; tr. atesorar.

treat [tri:t] s. regalo, obsequio; tr. tratar, escribir sobre algo; intr. tratar de, versar sobre.

treble ['trebl] adj. triple; (Mús.) atiplado; s. (Mús.) triple; tr. triplicar.

tree [tri:] s. árbol.

tremble ['trembl] intr. temblar.

trench [trentʃ] s. foso, zanja; tr. excavar.

trenchant ['trentʃənt] adj. agudo.

trend [trend] s. dirección, tendencia; intr. dirigirse, tender.

tress [tres] s. trenza, rizo.

trial ['traiəl] s. ensayo, prueba.

triangle ['traiæŋgl] s. triángulo.

tribe [traib] s. tribu, casta.

trice [trais] s. tris, instante.

trick [trick] s. maña; truco; adj. ingenioso; tr. burlar, engañar.

trickery ['trikəri] s. malas mañas; fraude.

trickle ['trikl] intr. gotear.

tricky ['triki] adj. tramposo.

trigger ['trigə*] s. disparador.

trim [trim] s. adorno; aseo; adj. acicalado,

compuesto; tr. ajustar, adaptar; adornar.

trimming ['trimiŋ] s. guarnición, adorno.

trinket ['triŋkit] s. dije, joya.

trip [trip] s. viaje; excursión; tr. echar la zancadilla a; estorbar el paso a; intr. ir a prisa; tropezar.

tripe [traip] s. pl. callos.

triumph ['traiəmf] s. triunfo; intr. triunfar.

trolley ['trɔli] s. tranvía; volquete.

troop [tru:p] s. tropa; (Mil.) escuadrón; intr. agruparse.

trooper ['tru:pə*] s. soldado de caballería.

trot [trɔt] s. trote; paso vivo; tr. hacer trotar.

troth [trɔθ] s. fe; verdad.

trouble ['trʌbl] s. apuro, dificultad; tr. apurar; estorbar; intr. apurarse; inquietarse.

troublous ['trʌbləs] adj. agitado, confuso.

trough [trɔf] s. artesa, pila.

trousers ['trauzəz] s. pl. pantalones.

trousseau ['tru:sou] s. ajuar, equipo de novia.

trout [traut] s. trucha.

truce [tru:s] s. tregua.

truck [trʌk] *s.* carro; camión; *tr.* transportar.

trudge [trʌdʒ] *s.* marcha; *intr.* viajar a pie.

true [tru:] *adj.* verdadero; exacto.

trunk [trʌŋk] *s.* tronco; baúl.

trust [trʌst] *s.* confianza; esperanza; crédito; *tr.* confiar; vender a crédito; *intr.* confiar; fiar.

trustee [trʌs'ti] *s.* administrador.

truth [tru:θ] *s.* verdad, fidelidad.

try [trai] *s.* prueba, intento; *tr.* intentar, ensayar.

trying ['traiiŋ] *adj.* penoso.

tube [tju:b] *s.* tubo.

tuck [tʌk] *s.* pliegue, alforza.

Tuesday ['tju:zdi] *s.* martes.

tuft [tʌft] *s.* copete; moño.

tumble ['tʌmbl] *s.* caída; *tr.* derribar, derrocar; *intr.* caer o caerse; voltear.

tumbler ['tʌmblə*] *s.* vaso, cubilete. —

tun [tʌn] *s.* tonel, barril; *tr.* envasar.

tune [tju:n] *s.* tonada; armonía; *tr.* acordar, afinar; armonizar.

tunnel ['tʌnl] *s.* túnel; (Min.) galería; *tr.* construir un túnel a través de.

tunny ['tʌni] *s.* (Zool.) atún.

turbid ['tə:bid] *adj.* turbio, borroso.

turbine ['tə:bin] *s.* turbina.

turkey ['tə:ki] *s.* (Zool.) pavo.

turmoil ['tə:mɔil] *s.* alboroto; tumulto.

turn [tə:n] *s.* vuelta; turno; *tr.* volver; dar vuelta a.

turning ['tə:niŋ] *adj.* giratorio, rotatorio; *s.* vuelta, rodeo.

turpitude ['tə:pitju:d] *s.* torpeza.

turret ['tʌrit[*s.* torrecilla; (Arq.) torreón.

turtle ['tə:tl] *s.* (Zool.) tortuga.

tusk [tʌsk] *s.* colmillo *(del elefante)*; *tr.* herir con los colmillos.

tussle ['tʌsl] *s.* agarrada, riña; *intr.* reñir.

twang [twæŋ] *s.* tañido; timbre nasal; *intr.* producir un sonido agudo.

tweed [twi:d] *s.* mezcla de lana.

twelfth [twelfθ] *adj.* duodécimo; *s.* duodécimo; doce *(en las fechas).*

twelve [twelv] *adj.* doce.

twenty ['twenti] *adj.* y *s.* veinte.

twice [twais] *adv.* dos veces; doble.

twin [twin] *adj.* y *s.* gemelo mellizo.

twine [twain] *s.* bramante; *tr.* enroscar.

twirl [twə:l] *s.* vuelta, giro; *tr.* hacer girar; *intr.* girar, dar vueltas.

twist [twist] *s.* torcedura; enroscadura; *tr.* torcer; retorcer; *intr.* torcerse; retorcerse.

twitch [twitʃ] *s.* estirón repentino; *tr.* arrancar;

mover de un tirón; *intr.* crisparse.

two [tu:] *adj.* y *s.* dos.

twofold ['tu:fould] *s.* doble, duplicado.

twopence ['tʌpəns] *s.* moneda de dos peniques.

type [taip] *s.* tipo; letras impresas; *tr.* escribir a máquina.

typewriter ['taip,raitə*] *s.* máquina de escribir.

tyrannise ['tirənaiz] *tr.* e *intr.* tiranizar.

tyre [taiə] *s.* llanta, cubierta *(de ruedas de coche, etc.).*

tyro ['taiərou] *s.* novicio, novato.

U

udder ['ʌde*] s. ubre.

ugliness ['ʌglinis] s. fealdad, afeamiento; (U. S.) mal genio.

ugly ['ʌgli] adj. feo, disforme.

ulcer ['ʌlsə*] s. (Pat.) úlcera.

umbrage ['ʌmbridʒ] s. sombra, umbría.

umbrella [ʌm'brelə] s. paraguas.

umpire ['ʌmpaiə*] s. árbitro, juez; tr. e intr. arbitrar.

unabashed ['ʌnə'bæʃt] adj. desvergonzado.

unable ['ʌn'eibl] adj. incapaz, inhábil.

unacceptable ['ʌnək'septəbl] adj. inaceptable.

unaccomplished ['ʌnə'kɔmpliʃt] adj. incompleto.

unaccountable ['ʌnə'kauntəbl] adj. inexplicable.

unaccustomed ['ʌnə'kʌstəmd] adj. insólito.

unacquainted ['ʌnə'kweintid] adj. ignorado.

unaffected [²ʌnə'fektid] adj. infectado.

unanswerable ʃʌn'ɑ:nsərəbl] adj. incontestable.

unarmed ['ʌn'ɑ:md] adj. desarmado.

unattached ['ʌnə'tætʃt] adj. suelto.

unauthorized ['ʌn'ɔ:θəraizd] adj. desautorizado.

unaware ['ʌnə'wɛə*] adj. inconsciente; adv. de improviso.

unawares ['ʌnə'wɛəs] adv. de improviso.

unbelievable [,ʌnbi'li:vəbl] adj. increíble.

unbending ['ʌn'bendiŋ] adj. inflexible.

unbind ['ʌn'baind] tr. desatar, desligar.

unbosom [ʌn'buzəm] tr. confesar.

unbreakable ['ʌn'breikəbl] adj. irrompible.

unbroken ['ʌn'broukən] adj. intacto.

unburden [ʌn'bə:dn] tr. descargar.

unbutton ['ʌn'bʌtn] tr. desabotonar.

uncanny [ʌn'kæni] adj. misterioso.

uncertain [ʌn'sə:tn] *adj.* incierto, dudoso.

uncertainty [ʌn'sə:tnti] *s.* incertidumbre.

uncle ['ʌŋkl] *s.* tío.

unclean ['ʌn'kli:n] *adj.* sucio.

unclouded ['ʌn'klaudid] *adj.* despejado.

uncomfortable [ʌn'kʌmfətəbl] *adj.* incómodo.

uncompromising [ʌn'kɔmprəmaiziŋ] *adj.* inflexible.

unconcern ['ʌnkən'sə:n] *s.* indiferencia.

uncork ['ʌn'kɔ:k] *tr.* descorchar, destapar.

uncouple ['ʌn'kʌpl] *tr.* desatraillar *(los perros)*; desconectar.

uncouth [ʌn'ku:θ] *adj.* tosco, rústico.

uncover [ʌn'kʌvə*] *tr.* destapar, descubrir; *intr.* descubrirse.

unction ['ʌŋʃən] *s.* unción, extremaunción.

uncultivated ['ʌn'kʌltiveitid] *adj.* baldío, silvestre.

undeceive ['ʌndi'si:v] *tr.* desengañar.

undecided ['ʌndi'saidid] *adj.* indeciso.

under ['ʌndə*] *adj.* inferior; *adv.* debajo; *prep.* bajo; debajo de.

underclothes ['ʌndəklouðz] *s.* ropa interior.

underestimate ['ʌnder'estimeit] *tr.* menospreciar.

underground ['ʌndəgraund] *adj.* subterráneo; secreto; *adv.* bajo tierra.

underlie ['ʌndə'lai] *tr.* estar debajo de.

underline ['ʌndəlain] *tr.* subrayar.

underling ['ʌndəliŋ] *s.* inferior, subordinado.

undermine [,ʌndə'main] *tr.* socavar.

undermost ['ʌndəmoust] *adj.* ínfimo; *adv.* debajo de todo.

underneath [,ʌndə'ni:θ] *s.* parte baja; *adj.* inferior; *adv.* debajo; *prep.* debajo de.

underpay [,ʌndə'pei] *s.* pago insuficiente; *tr.* e *intr.* pagar insuficientemente.

underrate [,ʌndə'reit] *tr.* menospreciar.

undersoil ['ʌndəsɔil] *s.* subsuelo.

understand ['ʌndə'stænd] *tr.* comprender, entender; *intr.* comprender.

undertake [,ʌndə'teik] *tr.* emprender; comprometerse.

undertaking [ˌʌndə'tei-kiŋ] s. empresa; empeño.

undertone ['ʌndətoun] s. voz baja.

undervalue ['ʌndə'vælju] tr. estimar demasiado bajo.

underwater ['ʌndə'wɔ-tə*] adj. submarino.

underwear ['ʌndə'wɛə*] s. ropa interior.

underwood ['ʌndəwud] s. maleza.

undeserved ['ʌndi'zə:vd] adj. inmerecido.

undesirable ['ʌndi'zaiə-rəbl] adj. y s. indeseable.

undigested ['ʌndi'dʒes-tid] adj. indigesto.

undo ['ʌn'du:] tr. deshacer; anular.

undoubted [ʌn'dautid] adj. indudable.

undress ['ʌn'dres] tr. desnudar.

uneasiness [ʌn'i:zinis] s. intranquilidad, desasosiego.

uneasy [ʌn'i:zi] adj. intranquilo.

uneducated ['ʌn'edju-keitid] adj. ineducado, ignorante.

unending [ʌn'endiŋ] adj. inacabable.

unequal ['ʌn'i:kwəl] adj. desigual.

uneven ['ʌn'i:vn] adj. desnivelado.

unevennes ['ʌn'i:vnnis] s. desnivel.

unexpected ['ʌniks'pek-tid] adj. inesperado, fortuito.

unfair ['ʌn'fɛə] adj. inicuo, injusto.

unfaithful ['ʌn'feiθful] adj. infiel.

unfesten ['ʌn'fɑ:sn] tr. desatar, soldar.

unfeigned [ʌn'feind] adj. sincero, real.

unfit [ʌn'fit] adj. incapaz, inhábil; tr. inhabilitar.

unfold [ʌn'fould] tr. e intr. desplegar.

unforeseen ['ʌnfɔ:'si:in] adj. imprevisto.

unfortunate [ʌn'fɔ:tʃnit] adj. infeliz, desgraciado.

unfrequented ['ʌnfri-kwentid] adj. solitario.

unfriendly ['ʌn'frendli] adj. enemigo.

unfurl [ʌn'fə:l] tr. desenrollar.

unhappily [ʌn'hæpili] adv. infelizmente.

unhealthy [ʌn'helθi] adj. malsano; enfermizo.

unheard ['ʌn'hə:d] adj. que no se ha oído.

unholy [ʌn'houli] adj. impío, malo.

unhurt ['ʌn'hə:t] *adj.* sin daños, ileso.

unify ['ju:nifai] *tr.* unificar, unir.

unison ['ju:nizn] *s.* concordancia, armonía.

unite [ju:'nait] *tr.* e *in.* unir, juntar.

unjust ['ʌn'dʒʌst] *adj.* injusto.

unkempt ['ʌn'kempt] *adj.* despeinado.

unkind [ʌn'kaind] *adj.* duro, intratable.

unlace ['ʌn'leis] *tr.* desenlazar.

unlatch ['ʌn'lætʃ] *tr.* abrir, quitar el cerrojo.

unlawful ['ʌn'lɔ:ful] *adj.* ilegal.

unless [ən'les] *cnj.* a menos que.

unlike ['ʌn'laik] *adj.* desigual, distinto.

unload ['ʌn'loud] *tr.* descargar.

unlock ['ʌn'lɔk] *tr.* abrir *(una cerradura)*; revelar secretos.

unloose ['ʌn'lu:s] *tr.* desatar, desencadenar.

unlucky [ʌn'lʌki] *adj.* de mala suerte.

unmake ['ʌn'meik] *tr.* deshacer, destruir.

unmask ['ʌn'mɑ:sk] *tr.* descubrir, desenmascarar.

unmixed ['ʌn'mikst] *adj.* sin mezcla.

unnerve ['ʌn'ə:v] *tr.* acobardar.

unpack ['ʌn'pæk] *tr.* desembalar.

unpleasant [ʌn'pleznt] *adj.* antipático, desagradable.

unravel [ʌn'rævəl] *tr.* desenredar, deshilar.

unreal ['ʌn'riəl] *adj.* irreal, falso.

unrest ['ʌn'rest] *s.* intranquilidad.

unrighteous [ʌn'raitʃəs] *adj.* injusto.

unripe ['ʌn'raip] *adj.* verde *(no maduro)*; crudo.

unroll ['ʌn'roul] *tr.* desenrollar.

unruffled ['ʌn'rʌfld] *adj.* tranquilo, sereno.

unscrew ['ʌn'skru:] *tr.* desatornillar.

unseasonably [ʌn'si:znbli] *adv.* a destiempo.

unseemly [ʌn'si:mli] *adj.* impropio, indecoroso.

unseen ['ʌn'si:n] *adj.* invisible, oculto.

unsettle ['ʌn'setl] *tr.* desarreglar, descomponer; *intr.* desarreglar.

unsightly [ʌn'saitli] *adj.* feo.

unsound ['ʌn'saund] *adj.* poco firme.

unsparing [ʌn'speəriŋ]
adj. liberal, generoso,
pródigo.

unsuspecting ['ʌnsəs'-
pektiŋ] *adj.* confiado,
desprevenido.

unthinking [ʌn'θiŋkiŋ]
adj. irreflexivo.

unthought ['ʌn'θɔ:t] *adj.*
imprevisto, inesperado.

untidy [ʌn'taidi] *adj.* sucio, desaliñado.

untie [ʌn'tai] *tr.* desatar,
desamarrar.

until [ən'til] *prep.* hasta;
cnj. hasta que.

untimely [ʌn'taimli] *adj.*
intempestivo; prematu-
ro.

unto ['ʌntu] *prep.* a, en,
dentro, hacia.

untold ['ʌn'tould] *adj.*
nunca dicho.

untrained ['ʌn'treind] *adj.*
inexperto.

untrue ['ʌn'tru:] *adj.* falso.

unveil [ʌn'veil] *tr.* descubrir.

unwary [ʌn'weəri] *adj.*
incauto.

unwell ['ʌn'wel] *adj.* enfermo, indispuesto.

unwise ['ʌn'waiz] *adj.* im-
prudente.

unwrap ['ʌn'ræp] *tr.* desenvolver.

unyielding [ʌn'ji:ldiŋ]

adj. implacable, inque-
brantable.

up [ʌp] *adv.* arriba, en lo
alto; *adj.* ascendente;
alto, elevado.

upbraid [ʌp'breid] *tr.*
echar en cara, reprochar,

upcountry ['ʌp'kʌntri] *s.*
(fam.) interior; *adj.*
(fam.) del interior.

uphill ['ʌp'hil] *adj.* ascendente; penoso; *adv.*
cuesta arriba.

uphold [ʌp'hould] *tr.* levantar en alto.

upholster [ʌp'houlstə*]
tr. tapizar.

uplift ['ʌplift] *s.* levantamiento, elevación.

uplift [ʌp'lift] *tr.* levantar.

upon [ə'pɔn] *prep.* en, sobre, encima de.

upper ['ʌpə*] *adj.* superior, alto.

uppermost ['ʌpəmoust]
adj. (el) más alto, más
elevado.

upraise ['ʌpreiz] *tr.* levantar.

upright ['ʌprait] *adj.* vertical, derecho.

uproar ['ʌprɔ:*] *s.* tumulto.

uproot [ʌp'ru:t] *tr.* des-
arraigar.

upset [ʌp'set] *s.* vuelco;
contratiempo; *adj.* vol-

cado; enfadado; *tr.* volcar; trastornar.

upside ['ʌpsaid] *s.* lo de arriba, parte superior.

upside-down ['ʌpsaid' daun] *adj.* al revés, patas arriba.

upstairs ['ʌp'stɛəz] *adv.* arriba; de arriba.

urchin ['ə:tʃin] *s.* chiquillo.

urge [ə:dʒ] *s.* impulso, instinto; *tr.* urgir; impulsar; *intr.* apresurarse.

urinate ['juərineit] *tr.* orinar; *intr.* orinar u orinarse.

urn [ə:n] *s.* urna.

us [ʌs] *pron. pers.* nos.

use [ju:z] *tr.* usar, emplear; *intr.* acostumbrar; *intr.* soler.

useful ['ju:sful] *adj.* útil.

usher ['ʌʃə*] *s.* acomodador; ujier; conserje. *tr.* acomodar.

usurp [ju:'zə:p] *tr.* usurpar.

utilise ['ju:tilaiz] *tr.* utilizar, aprovechar.

utter ['ʌtə*] *adj.* total, completo; *tr.* proferir, pronunciar.

utterly ['ʌtəli] *adv.* totalmente, completamente.

V

vacancy ['veikənsi] s. (pl. **-cies**) vacío, hueco.

vacant ['veikənt] adj. vacío, hueco.

vacate [və'keit] tr. dejar vacante.

vaccinate ['væksineit] tr. vacunar.

vacuous ['vækjuəs] adj. vacío, desocupado.

vague [veig] adj. vago, incierto.

vain [vein] adj. vano; vanidoso.

valediction [,væli'dikʃən] s. despedida.

valet ['vælit] s. paje, camarero.

valiant ['væljənt] adj. valiente, bravo.

valid ['vælid] adj. válido.

valise [və'li:z] s. maleta, valija.

valley ['væli] s. valle.

valo(u)r ['vælə*] s. valor, valentía.

value ['vælju:] s. valor, importe; tr. valorar, tasar.

valve [vælv] s. válvula.

van [væn] s. carro de carga, camión de mudanzas.

vanilla [və'nilə] s. (Bot.) vainilla.

vanish ['væniʃ] intr. desvanecerse, desaparecer.

vanquish ['væŋkwiʃ] tr. vencer, sujetar.

vapid ['væpid] adj. insípido; soso.

varnish ['va:niʃ] s. barniz, charol; tr. barnizar; encubrir.

vary ['veəri] tr. e intr. variar, cambiar; discrepar.

varying ['veəriiŋ] adj. variante.

vase [va:z] s. florero, jarrón.

vassal ['væsəl] adj. y s. vasallo, súbdito.

vast [va:st] adj. vasto, extenso.

vaticinate [væ'tisineit] intr. vaticinar, adivinar.

vault [vɔ:lt] s. (Arq.) bóveda, cúpula; cueva; tr. abovedar.

vaunt [vɔ:nt] s. jactancia, fanfarronería; tr. e intr. jactarse de, ostentar.

veal [vi:l] s. carne de ternera.

veer ['viə*] *tr.* virar; *intr.* virar; desviarse.

vegetable ['vedʒitəbl] *adj.* vegetal; de hortaliza; *s.* vegetal, planta.

vegetate ['vedʒiteit] *intr.* vegetar.

vehicle ['vi:ikl] *s.* vehículo, carruaje.

veil [veil] *s.* velo; *tr.* velar, cubrir.

vein [vein] *s.* vena; veta, filón; *tr.* vetear.

vellum ['veləm] *s.* vitela, pergamino.

velvet ['velvit] *s.* terciopelo; vello.

veneer [ve'niə*] *s.* chapa, enchapado; *tr.* chapear; cubrir, ocultar.

venerate ['venəreit] *tr.* venerar, reverenciar.

vengeful [vendʒful] *adj.* vengativo.

venom ['venəm] *s.* veneno; malicia.

vent [vent] *s.* orificio, agujero; *tr.* desahogar, descargar.

ventilate ['ventileit] *tr.* ventilar, airear.

venture ['ventʃə*] *s.* aventura, riesgo; *tr.* aventurar, arriesgar; *intr.* aventurarse; emprender.

veracious [və'reiʃəs] *adj.* verídico.

veranda(h) [və'rændə] *s.* terraza, galería.

verb [və:b] *s.* (Gram.) verbo.

verbatim [və:'beitim] *adj.* al pie de la letra.

verdant ['və:dənt] *adj.* verde, verdoso.

verdict ['və:dikt] *s.* veredicto, dictamen.

verge [və:dʒ] *s.* borde, margen; *intr.* acercarse.

verger ['və:dʒə*] *s.* sacristán; alguacil de vara.

verify ['verifai] *tr.* verificar, comprobar, justificar.

vermicelli [və:mi'seli] *s.* fideos.

vermilion [və'miljən] *s.* bermellón; rojo.

vermin ['və:min] *s. pl.* sabandijas, gusanería.

vernacular [və'nækjulə*] *adj.* vernáculo, indígena.

versatile ['və:sətail] *adj.* flexible, hábil.

verse [və:s] *s.* verso; versículo.

versed [və:st] *adj.* versado, práctico.

versify ['və:sifai] *tr.* e *intr.* versificar.

version ['və:ʃən] *s.* versión, traducción.

vertex ['və:tek.] *s.* (Mat.) y (An.) vértice.

very ['veri] *adj.* mismo,

mismísimo; verdadero; *adv.* muy; mucho.

vesper ['vespə*] *s.* anochecer, tarde; *s. pl.* vísperas; *adj.* vespertino.

vessel ['vesl] *s.* vasija, recipiente.

vest [vest] *s.* chaleco; chaquetilla *(de mujer);* vestido, camiseta; *tr.* vestir.

vet [vet] *s.* (fam.) veterano; veterinario; *tr.* (fam.) reconocer *(animales un veterinario);*

veto ['vi:tou] *s. (pl.* **-toes)** veto, prohibición; *tr.* vetar.

vex [veks] *tr.* vejar, molestar.

via ['vaiə] *prep.* vía, por.

viand ['vaiənd] *s.* vianda, carne; *pl.* viandas, platos selectos.

vibrate [vai'breit] *tr.* e *intr.* vibrar, retemblar.

vice [vais] *s.* vicio, falta, defecto; tornillo.

vicinity [vi'siniti] *s.* vecindad; cercanías.

victor ['viktə*] *s.* vencedor, triunfador.

victualler ['vitlə*] *s.* abastecedor, proveedor.

vie [vai] *intr.* competir, rivalizar.

view [vju:] *s.* vista; panorama; *tr.* ver, mirar; contemplar.

viewer ['vju:ə*] *s.* espectador; inspector.

vigour ['vigə*] *s.* vigor, fuerza.

vile [vail] *adj.* vil; repugnante.

vilify ['vilifai] *tr.* difamar, envilecer.

villa ['vilə] *s.* quinta, casa de campo.

village ['vilidʒ] *s.* aldea, pueblo caserío.

villain ['vilən] *s.* malvado, bellaco, pícaro.

vindicate ['vindikeit] *tr.* vindicar.

vine [vain] *s.* vid, parra.

vinegar ['vinigə*] *s.* vinagre.

vineyard ['vinjəd] *s.* viña, viñedo.

vintage ['vintidʒ] *s.* vendimia; cosecha.

violate ['vaiəleit] *tr.* violar, violentar.

violence ['vaiələns] *s.* violencia, fuerza.

viper ['vaipə*] *s.* (Zool.) víbora.

virago [vi'reigou] *s.* marimacho.

virgin ['və:dʒin] *s.* virgen; *adj.* virgen, inmaculado.

virtue ['və:tju:] *s.* virtud.

visa ['vi:zə] *s.* visado.

visage ['vizidʒ] s. cara, semblante.

vis-a-vis ['vi:zɑ:vi:] s. persona que está enfrente; adj. enfrentado; adv. frente a frente; prep. en frente de.

visit ['vizit] s. visita; tr. e in. visitar; inspeccionar.

visitor ['vizitə*] s. visita, visitante.

visor ['vaizə*] s. visera.

vitiate ['viʃieit] tr. viciar.

vituperate [vi'tju:pəreit] tr. vituperar, censurar.

vivify ['vivifai] tr. vivificador, avivar.

vocable ['voukəbl] s. voz, vocablo, palabra.

vociferate [vou'sifereit] tr. e intr. vocear, vociferar.

vogue [voug] s. boga, moda.

voice [vɔis] s. voz; tr. expresar; divulgar; intr. sonorizarse.

void [vɔid] adj. vacío; nulo, inválido; s. vacío; tr. vaciar.

volley ['vɔli] s. descarga,

lluvia (de piedra, balas, etcétera); (Mil.) descarga; tr. volear (tenis); lanzar una descarga.

volt [vɔlt] s. (Elec.) voltio.

vomit ['vɔmit] s. vomito; tr. vomitar, provocar.

voracions [vɔ'reiʃəs] adj. voraz, tragón.

votary ['voutəri] s. partidario; monje, religioso.

vote [vout] s. voto; tr. e in. votar.

vouch [vautʃ] tr. garantizar, atestiguar, certificar; intr. salir fiador.

voucher ['vautʃə*] s. fiador, garante.

vouchsafe [vautʃ'seif] tr. e in. conceder, otorgar.

vow [vau] s. promesa solemne; voto; tr. prometer solemnemente, votar.

vowel ['vauəl] s. vocal.

voyage [vɔiidʒ] s. viaje; tr. atravesar (el mar).

vulture ['vʌltʃə*] s. (Zool.) buitre.

W

wad [wɔd] *s.* taco; guata; *tr.* colocar algodón en; enliar; acolchar.

wadding ['wɔdiŋ] *s.* algodón.

wading ['weidiŋ] *adj.* zancuda *(ave)*.

wafer ['weifə*] *s.* oblea; hostia.

waft [wɑːft] *s.* ráfaga de aire, viento, olor; *tr.* mecer, llevar por el aire; *intr.* moverse o flotar de un sitio a otro.

wag [wæg] *tr.* sacudir, menear; *intr.* menearse, oscilar; *s.* movimiento de cabeza.

wage, wages [weidʒ, 'weidʒiz] *s.* salario, pago, jornal; *tr.* emprender y continuar.

wager ['weidʒə*] *s.* apuesta; *tr.* e *intr.* apostar.

waggery ['wægəri] *s.* broma, chanza.

waggish ['wægiʃ] *adj.* bromista.

waggon ['wægən] *s.* carreta, carromato, vagón.

wagon-lit ['vægɔːnˈliː] *s.* coche-cama *(de ferrocarril)*.

waif [weif] *s.* expósito.

wail [weil] *s.* gemido, lamento; *intr.* gemir, llorar.

waist [weist] *s.* cintura, talle.

waiscoat ['weiskout] *s.* chaleco.

wait [weit] *s.* espera; *tr.* esperar, aguardar.

waiter ['weitə*] *s.* camarero, mozo.

waiting ['weitiŋ] *s.* espera; *adj.* que espera; que sirve.

waiting-room ['weitiŋruːm] *s.* sala de espera.

waitress ['weitris] *s.* camarera, criada.

waive [weiv] *tr.* renunciar a.

wake [weik] *s.* estela *(barco)*; vigilia; *tr.* e *intr.* velar un cadáver.

waken ['weikən] *tr.* e *intr.* despertar.

Wales [weilz] *s.* gales.

walk [wɔːk] *s.* caminata; paseo; *intr.* andar, caminar, ir a pie.

walkie-talkie ['wɔːkiˈtɔːki] *s.* transmisor-receptor portátil.

walkout ['wɔ:kaut] s. (fam.) huelga de obreros.

wall [wɔ:l] s. pared, muro; tr. emparedar; amurallar.

wallet ['wɔlit] s. cartera; mochila.

wallow ['wɔlou] s. revuelco; intr. revolcarse.

walnut ['wɔ:lnət] s. (Bot.) nuez; nogal.

waltz [wɔ:ls] s. vals; adj. de vals.

wan [wɔn] adj. pálido.

wand [wɔnd] s. vara; varilla mágica.

wander ['wɔndə*] tr. (poét.) atravesar o recorrer a la ventura; intr. errar, vagar.

wane [wein] s. mengua, disminución; intr. menguar.

want [wɔnt] s. deseo; necesidad; tr. querer, desear; intr. faltar.

wanting ['wɔntiŋ] adj. falto; defectuoso; adv. sin.

wanton ['wɔntən] adj. insensible, perverso; s. libertino; prostituta.

war [vɔ:*] s. guerra; intr. guerrear.

ward [wɔ:d] s. pupilo; tutela; tr. guardar, defender.

warden ['wɔ:dn] s. guardián; carcelero.

wardrobe ['wɔ:droub] s. guardarropa.

warehouse ['wɛəhaus] s. almacén, depósito; tr. almacenar.

warfare ['wɔ:fɛə*] s. guerra; arte militar.

warines ['wɛərinis] s. cautela.

warm [wɔ:m] adj. caliente; cálido, caluroso; tr. calentar; acalorar; intr. calentarse.

warmth [wɔ:mθ] s. calor moderado; entusiasmo, simpatía.

warn [wɔ:n] tr. avisar, advertir.

warning ['wɔ:niŋ] s. aviso, amonestación.

warrant ['wɔrənt] s. autorización, decreto; tr. autorizar; justificar.

warren ['wɔrən] s. conejera; vivero.

wary ['wɛəri] adj. cauteloso, prudente.

wash [wɔʃ] s. lavado; jabonado; adj. lavable; tr. lavar; bañar; intr. lavarse; lavar la ropa.

washed-out ['wɔʃt-aut] adj. descolorido.

washing ['wɔʃiŋ] s. lavado.

washtand ['wɔʃstænd] s. palangana.

washy ['wɔʃi] adj. aguado, diluido.

wasp [wɔsp] s. (Zool.) avispa.

wastage ['weistidʒ] s. pérdida, derroche.

wasteful ['weistful] s. gastador, derrochador.

wasteless ['weistlis] adj. sin desperdicio.

watch [wɔtʃ] s. vigilancia; velación; tr. mirar; intr. mirar; velar.

watchful ['wɔtʃful] adj. vigilante, cuidadoso.

watch-maker ['wɔtʃ'meikə*] s. relojero.

watchman ['wɔtʃmən] s. sereno.

watchword ['wɔtʃwə:d] s. santo y seña; lema.

water ['wɔ:tə*] s. agua; adj. impermeable; acuático; tr. regar, rociar; aguar el vino; abrevar el ganado; intr. llenarse de agua.

watermelon ['wɔ:tə'melən] s. sandía.

waterspout ['wɔ:təspaut] s. canalón, manga.

watertight ['wɔ:tətait] adj. hermético, estanco.

watery ['wɔ:təri] adj. acuoso, mojado.

wave [weiv] s. onda; ola; tr. agitar, blandir; ondear; hacer señales con (la mano o el pañuelo); intr. ondear.

waver ['weivə*] intr. oscilar, ondear.

wax [wæks] s. cera; tr. tr. encerar; intr. hacerse, ponerse, crecer.

way [wei] s. vía, camino; manera, modo; hábito; dirección.

wayfarer ['wei,fɛərə*] s. caminante.

waylay ['weilei] tr. asechar.

wayside ['weisaid] adj. junto al camino.

we [wi:] pron. pers. nosotros.

weak [wi:k] adj. débil; flojo.

weaken ['wi:kən] tr. debilitar, enflaquecer.

weal [wi:l] s. bienestar, felicidad; cardenal.

wealth [welθ] s. riqueza.

wean [wi:n] tr. destetar.

weapon ['wepən] s. arma.

wear [wɛə*] s. uso (de ropa); desgaste, deterioro; tr. llevar o traer puesto; usar; intr. desgastarse, deteriorarse; durar.

wearer ['wɛərə*] s. portador.

weariness ['wiərinis] s. cansancio.

wearisome ['wiərisəm] adj. aburrido.

weary ['wiəri] adj. cansado; aburrido; tr. cansar; intr. cansarse.

weather ['weðə*] s. tiempo; adj. meteorológico; atmosférico; tr. airear; solear; intr. curtirse a la intemperie.

weave [wi:v] s. tejido; tr. e intr. tejer.

web [web] s. tela, tejido.

wedding ['wediŋ] s. boda, matrimonio.

wedge [wedʒ] s. cuña; tr. acuñar;.

wedlock ['wedlɔk] s. matrimonio.

Wednesday ['wenzdi] s. miércoles.

weed [wi:d] s. mala hierba; s. pl. ropa de luto.

week [wi:k] s. semana.

weekend ['wi:kend] s. fin de semana.

ween [wi:n] intr. creer, pensar.

weep [wi:p] s. tr. llorar; derramar (lágrimas).

weigh [wei] tr. e in. pesar, medir.

weighing ['weiiŋ] s. pesada, peso.

weir [wiə*] s. presa.

weird [wiəd] adj. misterioso, sobrenatural.

welcome ['welkəm] s. bienvenida; adj. bienvenido; inj. ¡bienvenido!; tr. dar la bienvenida.

weld [weld] s. soldadura autógena; tr. soldar con autógena.

welfare ['welfɛə*] s. bienestar.

well [wel] s. pozo, fuente, manantial; adv. bien, muy bien, mucho; **very** — muy bien; inj. vaya, ¡vaya!, ¡toma!, ¡vamos!, ¡bueno!

wench [wentʃ] s. muchacha.

wend [wend] tr. e intr. seguir su camino.

Wesleyan ['wesliən] adj. y s. metodista.

west [west] s. oeste, occidente.

westerly ['westəli] adj. occidental; adj. desde el oeste; hacia el oeste; s. viento del oeste.

western ['westən] adj. occidental; s. película del oeste.

wet [wet] adj. mojado; húmedo; s. humedad; lluvia; tr. mojar; intr. mojarse.

whale [weil] s. (Zool.) ballena.

wharf [wɔ:f] s. muelle, andén.

what [wɔt] pron. intr. ¿qué?,

¿cuál?; *pron. rel.* lo que; *adj. rel.* el *(la, etc.)*... que; *intj.* ¡qué!

whatever [wɔt'evə*] *pron.* lo que, todo lo que, sea lo que sea que; *adj.* cualquier... que.

wheat [wi:t] *s.* (Bot.) trigo.

wheedle ['wi:dl] *tr.* engatusar.

wheel [wi:l] *s.* rueda, disco; *tr.* proveer de ruedas; *intr.* girar, rodar.

when [wen] *adv.* ¿cuándo?; *cnj.* cuándo.

whence [wens] *adv.* ¿de dónde?; por eso, por tanto.

whenever [wen'evə*] *cnj.* cuando, cuando quiera que.

whensoever [,wensou'-evə*] *adv.* cuando quiera; *cnj.* cuando quiera que.

where [weə*] *adv.* dónde, adónde, en dónde.

whereabouts ['weərəbauts] *s.* paradero.

whereas [weər'æz] *cnj.* mientras que.

whereby [weə'bai] *adj.* por donde, por medio del cual.

wherein [weər'in] *adv.* dónde, en qué, cómo; en que, en lo cual.

whereto [weə'tu:] *adj.* adonde.

whereupon [,weərə'pɔn] *adv.* entonces, con lo cual.

wherever [weər'evə*] *adv.* dondequiera que.

whet [wet] *s.* afiladura; aperitivo; *tr.* afilar, aguzar; estimular.

whether [weðə*] *cnj.* si.

whey [wei] *s.* suero de leche.

which [witʃ] *pron. int.* ¿cuál?; *pron. real.* que, el *(la, etc.)* que.

whichever [witʃ'evə*] *pron. rel.* cualquiera; *adj.* cualquier.

whiff [wiʃ] *s.* soplo, ráfaga; *tr.* e *in.* soplar; echar bocanadas.

while [wail] *cnj.* mientras que; al mismo tiempo que; *s.* rato; *tr.* pasar el rato

whilst [wailst] *cnj.* mientras.

whim [wim] *s.* capricho, antojo.

whip [wip] *s.* látigo; azote *(golpe)*; *tr.* azotar, fustigar; *intr.* arrojarse.

whirl [wə:l] *s.* vuelta, giro; *tr.* hacer girar; *intr.* dar vueltas.

whirlpool ['wə:lpu:l] *s.* remolino.

whisk [wisk] *s.* escobilla, cepillo; *tr.* cepillar; barrer.

whisker ['wiskə*] *s.* patilla, pelo de la barba; (fam.) bigote o bigotes.

whisper ['wispə] *s.* cuchicheo; *tr.* decir al oído; *intr.* cuchichear.

whistle ['wisl] *s.* silbido; *tr.* silbar.

whit [wit] *adj.* pizca.

white [wait] *adj.* blanco, pálido; *tr.* blanquear; *intr.* emblanquecerse.

whiten ['waitn] *tr.* blanquear; *intr.* emblanquecerse.

whiter ['wiðə*] *adv.* adonde, hacia donde; a qué parte.

whizz [wiz] *s.* silbido, zumbido; *intr.* silbar, zumbar.

who [hu:] *pron.* quién, quienes.

whoever [hu(:)'evə*] quienquiera que.

whole [houl] *adj.* entero, todo; *s.* conjunto, todo.

wholesale ['houlseil] *s.* venta al por mayor.

wholesome ['houlsəm] *adj.* saludable.

whom [hu:m] *pron.* que, a quien.

whoop [hu:p] *s.* alarido, grito; *tr.* decir a gritos; *intr.* gritar.

whooping cough ['hu:-piŋkɔf] *s.* tos ferina.

whop [wɔp] *tr.* dar una paliza a.

whopping ['wɔpiŋ] *adj.* (fam.) enorme; *s.* paliza.

whore [hɔ:*] *s.* prostituta.

whose [hu:z] *pron.* ¿de quién?

whosoever [hu:sou'evə*] *pron.* quienquiera que.

why [wai] *adv.* ¿por qué?; *cnj.* por qué; por lo que; *s.* porqué; *inj.* ¡toma!

wicker ['wikə*] *s.* mimbre.

wicket ['wikit] *s.* portillo.

wide [waid] *adj.* ancho; extenso; *adv.* lejos de par en par.

widen ['waidn] *tr.* e *in.* ensanchar.

widow [widou] *s.* viuda.

width [widθ] *s.* anchura.

wield [wi:ld] *tr.* empuñar, esgrimir.

wife [waif] *s.* esposa.

wig [wig] *s.* peluca.

wild [waild] *adj.* salvaje; silvestre; *adv.* violentamente; *s.* yermo, desierto.

wildness ['waildnis] *s.* ferocidad, fiereza.

wile [wail] *s.* ardid, engaño; *tr.* engatusar.

will [wil] *s.* voluntad; (Der.) testamento; *tr.* querer; legal; *intr.* querer; *aux.* se emplea para formar el futuro perfecto de indicativo.

willow ['wilou] *s.* (Bot.) sauce.

wilt [wilt] *tr.* e *in.* marchitarse(se).

win [win] *s.* triunfo, éxito; *tr.* ganar, triunfar.

wince [wins] *s.* sobresalto.

wind [wind] *s.* viento, aire, aliento; *tr.* husmear.

wind [waind] *tr.* enrollar; envolver; torcer; sonar; *intr.* enrollarse; dar vueltas; enroscarse; ir con rodeos.

windfall ['windfɔ:l] *s.* rama o fruta caída del árbol.

winding ['waindiŋ] *s.* vuelta; (Elec.) bobinado; *adj.* sinuoso, tortuoso.

windmill ['windmil] *s.* molino de viento.

window ['windou] *s.* ventana; escaparate.

windpipe ['windpaip] *s.* (An.) tráquea.

wine [wain] *s.* vino; *intr.* beber vino.

wing [wiŋ] *s.* ala; paleta de hélice; *tr.* volar; *tr.* dar alas a.

wink [wiŋk] *s.* guiño; parpadeo; *tr.* guiñar; expresar con un guiño; *intr.* guiñar, parpadear.

winner ['winə*] *s.* ganador.

winning ['winiŋ] *adj.* ganancioso; triunfador; *s.* triunfo; *s. pl.* ganancias.

winnow ['winou] *tr.* aventar; entresacar; *intr.* aletear.

winsome ['winsəm] *adj.* atrayente, simpático.

winter ['wintə*] *s.* invierno; *adj.* invernal; *intr.* invernar.

winterless ['wintəlis] *adj.* sin invierno.

wipe [waip] *s.* frotadura; *tr.* enjugar, secar.

wiper ['waipə*] *s.* limpiador; paño.

wire ['waiə*] *s.* alambre; telégrafo; *adj.* de alambre, hecho de alambre; *tr.* proveer de alambres; atar con alambre.

wireless ['waiəlis] *s.* receptor radiofónico.

wiring ['waiəriŋ] *s.* (Elec.) instalación de alambres.

wisdom ['wizdəm] *s.* sabiduría.

wise [waiz] *adj.* sabio, doctor, erudito.

wish [wiʃ] *s.* deseo anhelo; *tr.* desear, querer.

wishful ['wiʃful] *adj.* deseoso.

wishy-washy ['wiʃi,wɔʃi] *adj.* aguado, diluido.

wisp [wisp] *s.* puñado; rastro.

wit [wit] *s.* ingenio; juicio.

witch [witʃ] *s.* bruja, hechicera; *tr.* embrujar, hechizar.

with [wið] *prep.* con; de, en compañía de.

withal [wi'ðɔ:l] *adj.* además, también; por otra parte.

withdraw [wið'drɔ] *tr.* e *in.* retirar, quitar, separar.

wither ['wiðə*] *tr.* e *in.* marchitar.

withhold [wið'houl] *tr.* negar; suspender.

within [wið'in] *adv.* dentro, adentro; *prep.* dentro de.

without [wið'aut] *adv.* fuera; *prep.* fuera de; sin *cnj.* sin que.

withstand [wið'stænd] *tr.* aguantar, soportar.

witness ['witnis] *s.* testigo; testimonio; *tr.* ver, presenciar, atestiguar o testimoniar; *intr.* dar testimonio.

witty ['witi] *adj.* agudo, ingenioso.

wizard ['wizəd] *s.* brujo, hechicero.

woe [wou] *s.* dolor, pena; *inj.* ¡ay!

woeful ['wouful] *adj.* miserable.

wolf [wulf] *s.* (Zool.) lobo.

woman ['wumən] *s.* mujer; *adj.* femenino.

womb [wu:m] *s.* (An.) útero, matriz, seno.

wonder ['wʌndə*] *s.* maravilla; portento; *tr.* preguntarse; *intr.* maravillarse.

wonderful ['wʌndəful] *adj.* maravilloso, prodigioso.

wont [wount] *adj.* habituado; *s.* hábito, costumbre, uso.

wonted ['wountid] *adj.* habitual.

woo [wu:] *tr.* e *intr.* cortejar, galantear.

wood [wud] *s.* madera; bosque.

wooded ['wudid] *adj.* plantado de árboles.

woodland ['wudlænd] *s.* bosque, arbolado; *adj.* silvestre.

woodpecker ['wud,pekə*] *s.* pájaro carpintero.

woodwork ['wudwə:k] *s.*
ebanistería.

woodworm ['wudwə:m]
s. (Zool.) carcoma.

wool [wul] *s.* lana.

word [wə:d] *s.* palabra;
santo y seña; *tr.* redactar; enunciar.

wordless ['wə:dlis] *adj.*
mudo.

work [wə:k] *s.* trabajo, tarea; obra; *s. pl.* **works**
fábrica, taller; *tr.* trabajar, funcionar, obrar;
intr. trabajar; funcionar.

worker ['wə:kə*] *s.* trabajador, obrero.

workhouse ['wə:khaus] *s.*
hospicio, asilo; (U.S.)
reformatorio.

working ['wə:kiŋ] *s.* obra,
trabajo.

workmanlike ['wə:k
mən,laik] *adj.* esmerado.

workmanship ['wə:k
mənʃip] *s.* destreza o
habilidad en el trabajo.

workshop ['wə:kʃɔp] *s.*
taller, fábrica.

world [wə:ld] *s.* mundo.

worm [wə:m] *s.* gusano;
lombriz; *tr.* limpiar de
lombrices; conseguir por
medio de artimañas; *intr.*
arrastrarse.

worn [wɔ:n] *adj.* gastado,
roto.

worry ['wʌri] *s.* inquietud,

preocupación; *tr.* inquietar, preocupar.

worse [wə:s] *adj.* y *adv.*
compar. peor.

worsen ['wə:sn] *tr.* e *intr.*
empeorar.

worship ['wə:ʃip] *s.* ado-
ración, culto; *tr.* e *intr.*
adorar.

worst [wə:st] *adj. superl.*
el peor; *adv.* peor; *s.*
lo peor.

worsted ['wustid] *adj.* y
s. estambre.

worth [wə:θ] *s.* valor;
valía.

worthless ['wə:θlis] *adj.*
sin valor.

would [wud] *aux.* se emplea para formar el con-
dicional.

would-be ['wudbi:] *adj.*
llamado; *s.* presumido.

wound [wu:nd] *s.* herida;
tr. herir.

wrangle ['ræŋgl] *s.* disputa, riña; *tr.* disputar;
intr. disputar.

wrap [ræp] *s.* abrigo; *tr.*
envolver; *tr.* envolver-
se.

wrapper ['ræpə*] *s.* envoltura; funda.

wrath [rɔ:θ] *s.* ira, cólera.

wreak [ri:k] *tr.* descargar.

wreath [ri:θ] *s.* corona.

wreck [rek] *s.* destrucción,

ruina; *tr.* destruir, arruinar; *intr.* arruinarse.

wrench [rentʃ] *s.* llave; torcedura violenta; dolor; *tr.* retorcer, dislocar.

wrest [rest] *s.* torsión violenta; *tr.* torcer, arrancar.

wrestle ['resl] *s.* lucha; *intr.* luchar.

wretch [retʃ] *s.* miserable.

wriggle ['rigl] *intr.* menearse rápidamente.

wring [riŋ] *tr.* (*pret.* y *pp.* **wrung**) torcer; retorcer.

wrinkle ['riŋkl] *s.* arruga; *tr.* arrugar.

wrist [rist] *s.* muñeca.

writ [rit] *s.* escrito; (Der.)

auto, mandato; **Holy — la Sagrada Escritura.**

write [rait] *tr.* (*pret.* **wrote;** *pp.* **written**) escribir.

writing ['raitiŋ] *s.* escritura.

wrong [rɔŋ] *adj.* injusto; equivocado, *tr.* agraviar, ofender.

wrongdoer ['rɔŋ'du(:)ə*] *s.* malvado.

wrongly ['rɔŋli] *adj.* mal, por error.

wrought [rɔːt] *adj.* forjado.

wry [rai] *adj.* (*compar.* **-ier;** *superl.* **-iest**) tuerto.

wryneck ['rainek] *s.* tortícolis.

X

Xmas ['krisməs] *s.* abrev. de **Christmas** Navidad.

X-ray(s) ['eks'rei(z)] *s.* rayos X; *tr.* radiografiar.

yacht [jɔt] *s.* yate; *intr.* pasear en yate; — **race** regata de yates.

Yankee ['jænki] *adj.* y *s.* yanqui, norteamericano.

yard [jɑːd] *s.* yarda *(medida* = 0,914 *metros).;* cercado, corral, patio.

yarn [jɑːn] *s.* hilado; (fam.) cuento; *intr.* inventar y contar historietas.

yean [jiːn] *tr.* e *intr.* parir *(la cabra, la oveja).*

year [jəː*] *s.* año; **every other** — cada dos años; **leap**—año bisiesto.

yearn [jəːn] *intr.* suspirar por.

yeast [jiːst] *s.* levadura.

yell [jel] *s.* grito, voz; *tr.* decir a gritos *intr.* gritar.

yellow ['jelou] *adj.* amarillo.

yeoman ['joumən] *s.* *(pl.* **yeomen**) labrador acomodado.

yes [jes] *adv.* sí, ciertamente.

yesterday ['jestədi] *adv.* y *s.* ayer; **the day before** — anteayer.

yet [jet] *adv.* todavía; *cnj.* con todo, **not** — todavía no.

yield [jiːld] *s.* producción, rendimiento; *tr.* producir, rentar; *intr.* producir, rendir, rendirse.

yoke [jouk] *s.* yugo.

yolk [jouk] *s.* yema de huevo.

yon [jɔn] *adj.* y *adv.* ahí, allá.

yonder ['jɔndə*] *adj.* aquel; de más allá; *adv.* allí a la vista.

yore [jɔː*] *adv.* hace mucho tiempo.

you [juː] *pron. pers. sing.* y *pl.* tú, ti, te; vosotros; usted, ustedes; le, la, les, **with** — contigo; consigo; *pron. indef.* se.

young [jʌŋ] *adj.* joven; temprano; tierno; **with** — en cinta; *s. pl.* hijuelos.

your [jɔː*] *adj. poss.* (*sing.* y *pl.*) tu, vuestro, su, el de usted o de ustedes.

yours [jɔːz] *pron. poss.* (*sing.* y *pl.*) tuyo, vuestro; suyo; de usted, de

ustedes; el tuyo, el vuestro; el suyo; el de usted,
el de ustedes.

yourself [jɔːˈself] *pron. refl.*
tú mismo; usted mismo;
sí mismo; se; sí; **yoursel-**

ves *pl.* vosotros o ustedes mismos.

youth [juːθ] *s.* juventud;
mozo; *s. pl.* jóvenes.

yowl [joul] aullido, alarido; *intr.* aullar, ladrar.

Z

zeal [ziːl] *s.* celo.

zelot [ˈzelət] *s.* fanático.

zenith [ˈzeniθ] *s.* cenit,
apogeo.

zero [ˈziərou] *s.* cero; *adj.*
nulo.

zest [zest] *s.* entusiasmo;
gusto, sabor.

zinc [ziŋk] *s.* cinc; *tr.*

cubrir con cinc, galva-
nizar.

zipper [ˈzipə*] *s.* cierre
de cremallera.

zone [zoun] *s.* zona; *tr.*
dividir en zonas.

zoo [zuː] *s.* parque zoológico.

zounds [zaunds] *inj.* ¡diablo!

ESPAÑOL-INGLÉS

FOREWORD

After tackling the problems that the making of a dictionary, particularly a small dictionary, brings with it, we hope that the public will find in the dictionary we now present, something they were looking for. Due to its size we had to exclude from it those words of not great importance in the language or the narrowly technical ones. We have also excluded many adjectives or substantives easy to recognise, as well as adverbs in **-mente.**

We hope it will fully satisfy you.

SPANISH PRONUNCIATION

After my experience teaching Spanish in some English Schools I have found out that the pronunciation of Spanish does not present great difficulties to English speakers. We shall deal with the very few of these difficulties later on.

As you can see there is not a «figured pronunciation» after the Spanish words.

The reason is simple; being Spanish an almost phonetical language we have thought not necessary to put it.

The first thing I want to point out and ask you to bear in mind is that in Spanish all the vowels have full value no matter where they are placed or where the stress is, and their sound is always the same, at least you try to pronounce it the same. All the letters written are pronounced except **h** and **u** in the groups **gue, gui** and **qu.** In the case of **gue, gui** when the **u** sounds has two dots above it as in **cigüeña** [θi'ɣweŋa].

278

Perhaps the most confusing within the Spanish written language is the change of phoneme that represents **c** and **g** depending on the vowel that follows. We will see it below.

As far as stress is concerned, the spoken accent always goes on the vowel of the last sillable but one and in case it is not so it will have a written accent. **Segundo** has the stress in the **u** [se'γundo]; **amé, apóstoles** have the stress where' indicates [a'me] [a'postoles].

The norms given below can never be a substitute for *a* good teacher.

SPANISH PHONEMES

VOWELS

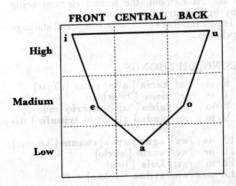

FRONT   CENTRAL   BACK

1. i, y /i/ **piso** ['piso] Mary ['mari] the sound like the English /i:/ in **feet** [fi:t] but short.
2. e /e/ **peso** ['peso]. English in **set**
3. a /a/ **paso** ['paso], like the **a** of **ai** in **my** [mai]
4. o /o/ **poso** ['poso], like /ɔ:/ but short; **horse, sort**
5. u /u/ **puso** [puso], similar to English /u:/ but short.

DIPTHONGS

English dipthongs are «falling» ones i.e. the stress associated with the glide is concentrated on the 1st element, the second element being only ligtly sounded.

In Spanish there are both «rising» and «falling» dipthongs.

RISING DIPTHONGS

6. ia /ja/ **hacia** ['aθja] odiar [o'ðjar]
7. ie /je/ **tiene** ['tjene]
8. io /jo/ **labio** ['laβjo] **murió** [mu'rjo]
9. iu /ju/ **ciudad** [θju'ðað] **triunfo** ['trj-nfo]
10. ua /wa/ **agua** ['aɣwa] **cuanto** ['kwanto]
11. ue /we/ **suelo** ['swelo]
12. ui /wi/ **Luis** ['lwis]
13. uo /wo/ **arduo** ['arðwo]

280

FALLING DIPTHONGS

14. ai /ai/ **aire** ['aire]
15. ei /ei/ **peine** ['peine]
16. oi /oi/ **voy** ['boi]
17. au /au/ **causa** ['kausa]
18. eu /eu/ **feudo** ['feudo] **Europa** [eu'-ropa]
19. ou /ou/ **bou** ['bou]

What matters is where to put the stress. Well, as you see all the dipthongs are made of a mediun or low vowel + a high one and in number 9 and 12 made of two high vowels. Always put the stress on the medium or low vowel or, if you prefer, never put the stress on the high one. In cases 9 and 12 on the second part. (Remember that if a high vowel has a written accent the stress must be on that place, **lío, tía,** etc.)

CONSONANTS

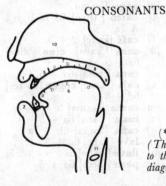

20.	p	/p/	**peso** ['peso] **paso** ['paso] 1 + 2 (*)
21.	b,v,w	/b/	**beso** ['beso] **vaso** ['baso] 1 + 2
		[β]	it is an allophone of /b/ when this goes between vo- wels. **bebo** ['beβo] **una vez** ['una,βeθ]. In these cases it is a bilabial fricative.
22.	t	/t/	**toro** ['toro] 6a + 3
23.	d	/d/	**dinero** [di'nero] 6a + 3
		[ð]	allophone of /d/ between vowels: **dedo** /'deðo]
24.	k c+a,o,u qu+e,i	/k/	**casa** ['kasa]; **queso** ['keso]; **kilo** ['kilo] 6d + 8
25.	g+a,o,u gu+e,i	/g/	**gasa** ['gasa] **guisa** ['gisa] 6d + 8
		[γ]	**gago** ['gaγo]
26.	ch	/tʃ/	**chico** ['tʃiko] 6a & b + 5 & 7a
27.	f	/f/	**café** [ka'fe] 2 + 3.
28.	c+e,i z+a,u,o	/θ/	**caza** ['kaθa], **cine** ['θine] 6a + 3
29.	s	/s/	**casa** ['kasa] 6a + 5
30.	j g+e,i	/x/	**caja** ['kaxa] **coger** [ko'xer] 6d + 8
31.	m	/m/	**cama** ['kama] 2 + 2
32.	n	/n/	**cana** ['kana] 6a + 5
33.	ñ	/ɲ/	**caña** ['kaɲa] 6b + 7a
34.	l	/l/	**lave** ['laβe] 6a + 5
35.	ll	/ʎ/	**llave** ['ʎaβe] 6a & 6+5 & 7a
36.	-r-	/r/	**pero** ['pero] 6a + 5

37.	-rr-	/r̄/	**perro** ['pero] 6a + 5 (**trilled**)
	r-		**roca** ['r̄oka]
	-nr-		**Enrique** ['en'r̄ike]
	-lr-		**alrededor** [alr̄eðe'ðor]
38.	y	/j/	**yo** [jo]
	hi		**hierba** ['jerβa], **hierro**
			['jer̄o]

20. This sound is found in English in the p of spy. If you pronounce the p, aspirated, as in **pin**, it can be toleranted.

21. As in **labour.** /p/ and /b/ are bilabial plosives but the allophone of /b/, [β], is a bilabial fricative. The difference between /b/ and [β] is that while in the former the air stream, finding an obstacle provided by the clorure of the lips, escapes with force when the lip closure is released, in the latter the air-stream escapes between the lips causing friction.

22 & 23. In English these two phonemes are alveolar i.e. 6a + 5. In Spanish are dental. On the other hand in Spanish there is neither aspiration nor friction. [ð] allophone of /d/ is like in English. **the** [ðə].

24 & 25. As in English with the slight difference of not being aspirated. Like in **sky, gap.** [γ] allophone ef /g/. This sound is produced when the air-stream escapes through the narrow passage formed by the back of the tongue (6d) and the soft palate (8) ocurring friction.

26. As in English. **Chico** ['tʃiko] **chicken** ['tʃikin].

27. As in English. **Fama** ['fama], **fame** ['feim].

28. As in English. **Central** [θen'tral], **thanks** ['θæŋks].

29. As in English. **Sit** [sit], **sitio** ['sitio].

30. This sound does not exist in English and it is one of the most difficult sounds for English speakers. The sound of this phoneme is like the Scottish one in **loch,** and also in some parts of Lancashire (Kirkby, Nr. Liverpool) where **book** is pronounced [bux]. 6d gets near 8, no voice is produced, when the air passes through that narrow passage, friction is made and the sound is produced. It is a sound like the one we make when we see something disgusting or when we try to spit something we got at the back of the mouth.

31 & 32. As in English.

33. This sound does not exist in English. Put 6b in contact with 7a and the rest as if you were to pronounce **n.**

34. Like the English clear 1 as in **let.** Pronounce this clear 1 always, and be careful not to pronounce the dark 1 of **oil** particularly when final in Spanish as in **papel** [pa'pel].

35. This phoneme does not occur in English. The tip and blade of the tongue make contact with the upper alveolar ridge, and the rims of the tongue with the upper side teeth, the air-stream escapes by means of a narrow groove that from the centre goes to the side of the tongue. This phoneme differs from /j/ that while in /ʎ/ the air escapes on a side, in /j/ the air escapes on the centre. If you find difficulties in

284

pronouncing this sound don't bother much about it because today in vast areas of the Spanish language /ɦ/ has disappeared, taking its place /j/. When I say vast areas I include many educated speakers within these areas. The tendency of English speakers is to pronounce **lj**, tendency that must be avoided. It is better to pronounce /j/, today a correct sound within Spanish speakers. For the pronounciation of /j/ see 38.

36. The Spanish /r/ is similar to the English one (**very, red**) but in Spanish the tip of the tongue makes contact with the alveolar ridge (5). The Americans and speakers of the southwest of England must avoid the pronunciation of Spanish /r/ as their retroflexed one because it affects the vowel articulation being r-coloured vowels. The **t** of **water** is nearer to Spanish /r/ than the retroflexed **r**. The pronunciation of **very** with affected English style is similar too.

37. It is one of the most troublesome Spanish phonemes for English speakers: the articulation is as in 36 but while in 36 the tongue is rolled only once, in /r̄/ *(this phoneme being also represented by* /rr/) is rolled twice or more times. The sound is like the Scottish in **right.**

38. This phoneme is similar to the English /j/ of **yes, year,** but in the Spanish sound the tongue makes contact with the hard palate (7a & b) escaping the air by means of a groove through the center. Another way of pronouncing it is making a closure with the tongue (6a & b + 7a & b) and the hard palate and, when the

air-stream compressed behind this closure escapes with sudden separation of the tongue from the hard palate, the sound is produced. In the first case /j/ is a voiced palatal fricative, in the second, /ʝ/, a voiced palatal plosive.

NOTES

—The letter **h** has no sound at all in Spanish.

—The letters **ch** and **ll** are letters in their own. You must look, when looking for a word beginning by **ch** or **ll**, after **c** or **l** respectively.

—Remember that **v** and **w** sound like **b.**

—**x** is pronounced [ks] and [s].

—Words ending in consonant other than **n** or **s** will have the spoken accent on the last sillable without need of a written accent. So all the verbs: **amar** [a'mar].

		Bilabial	Labio-dental	Dental	Alveolar	Palato-alveolar	Palatal	Velar
MANNERS OF ARTICULATION — CONSONANTS	Plosive	p b		t d			ɟ	k g
	Affricate					tʃ		
	Nasal	m			n		ŋ	
	Roll (simple)				r			
	Roll (multiple)				r̃			
	Lateral				l			
	Fricative	[β]	f	θ [ð]	s		ɦ	x [ɣ]
	Semivowel						j [ʝ] / [j]	[w]

	Front	Central	Back
Close or High	i		u
Medium	e		o
Open or Low		a	

NOTE. The consonants on the right (b, d, l, etc.) are voiced. The others voiceless.

287

NAME OF THE SPANISH LETTERS

a	[a]	n	['ene]
b	[be]	ñ	['eɲe]
c	[θe]	o	[o]
ch	[θe'atʃe]	p	[pe]
d	[de]	q	[ku]
e	[e]	r	['eɾe]
f	[efe]	s	['ese]
g	[xe]	t	[te]
h	['atʃe]	u	[u]
i	[i]	v	['uβe]
j	['xota]	w	['uβe‚ðoble]
k	[ka]	x	['ekis]
l	['ele]	y	[i'grieɣa]
ll	['eʎe] or ['eje]	z	['θeða] or ['θeta]
m	['eme]		

a *prep.* to, at, on, by, in, up, to.

abad *m.* abbot.

abadejo *m.* codfish.

abadesa *f.* abbess.

abadía *f.* abbey.

abajo *adv.* down, under.

abalanzar *tr.* to balance; *int.* to rush on.

abanderado *m.* standard-bearer.

abanderar *tr.* & *r.* to conscript.

abandonar *tr.* to abandon, to forsake, to give up, leave, desert.

abanicar *tr.* to fan.

abanico *m.* fan.

abaratar *tr.* to cheapen.

abarcar *tr.* to embrace.

abarrotar *tr.* to stow.

abastecedor *m.* & *adj.* caterer.

abastecer *tr.* & *r.* to supply.

abate *m.* priest.

abatido *adj.* dejected; spiritless.

abatir *tr.* to bring down, knock down; to flatten; to humble; to overwhelm.

abdicar *tr.* to abdicate, renounce.

abdomen *m.* abdomen, stomach.

abeja *f.* bee.

abejorro *m.* bumble-bee.

abertura *f.* aperture, opening; cleft.

abeto *m.* (Bot.) silver-tree, fir-tree.

abierto -ta *adj.* open, clear.

abismado *adj.* defected.

abjurar *tr.* abjure.

ablandar *tr.* & *in.* to soften, mollify.

ablución *m.* ablutions.

abobado *adj.* stupid, silly.

abocar *tr.* to take or catch with the mouth.

abochornar *tr.* to overreat; (fig.) to become embarrassed.

abofetear *tr.* to slap, to box.

abogado *m.* lawyer, advocate.

abogar *in.* to advocate.

abolengo *m.* ancestry.

abollado *adj.* curled.

abombar *tr.* to give a convex.

abominar tr. to abomina-
te, to detest.

abonable adj. which can
be subscribed to.

abonar tr. to pay; to bail;
to give credit; r. to subscribe to; in. to grow
calm; to fertilize.

abono m. security, guarantee; subscription.

abordable adj. (Náut.) ac-
cessible.

abordar tr. (Náut.) to
board a ship; in. to put
into a port.

aborrecer tr. to hate, abhor; r. to hate each
other.

aborrecible adj. hateful.

abortar in. (Med.) to miscarry, to abort.

aborto m. miscarriage.

abotonar tr. to button;
r. to button up.

abovedar tr. (Arch.) to
arch.

abrasar tr. to burn; to
scorch (the sun); **abra-
sarse en deseos,** to
become full of desires.

abrazar tr. to embrace,
hug; to contain, com-
prise; r. to embrace.

abrelatas m. tin-opener.

abreviar tr. to abridge,
shorten.

abridor -ra adj. open; m.
opener.

abrigar tr. to shelter, protect, cover.

abril m. April.

abrir tr. to open, unlock,
uncover; to begin, split,
inaugurate; to; in. to
open, unfold; to extend;
r. to open, expand, crack,
yawn (mouth).

abrochar tr. to button on,
fasten.

abrumado -da adj. weary.

abrumar tr. to crush,
overwhelm.

ábside m. (Arch.) apse.

absolución adj. absolution.

absoluto -ta adj. absolute;
adv. **en absoluto,** ab-
solutely.

absorber tr. to absorb.

abstenerse r. to abstain,
refrain.

abstraer tr. to abstract;
in. **abstraer de,** to do
without; r. to concen-
trate one's mind.

abstraído -da adj. abs-
tracted, absent.

absurdo -da adj. absurd,
senseless; pointless; m.
absurdity.

abuchear tr. to scoff, boo.

abuela f. grandmother.

abuelo m. grandfather.

abultado -da adj. big,
bulky.

abultar tr. to enlarge.

abundar *in.* to abound, have plenty.

aburrir *tr.* to annoy, tire, bore, weary; *r.* to grow tired.

abusar *tr.* to abuse.

abuso *m.* abuse.

acá *adv.* here.

acabado -da *adj.* perfect, complete.

acabar *tr.* & *in.* to finish, end; **¡acabáramos!**, **¡se acabó!**, it's all up, it's all over; **acabar con**, to finish off; **acabar de,** to have just.

academia *f.* academy; school.

acalorado -da *adj.* excited.

acalorar *tr.* to warm; *r.* to grow warm.

acampanado *adj.* bell-shaped.

acampar *tr.*, *r.* & *in.* to (en) camp.

acantilado -da *adj.* bold, steep; *m.* cliff.

acaparar *tr.* to monopolize, buy up.

acariciar *tr.* to fondle.

acaso *m.* chance; *adv.* perhaps, may be, by chance, by accident; **por si acaso,** in case.

acatar *tr.* to respect, revere, conform.

acaudalar *tr.* to hoard up riches.

acceder *tr.* to accede.

accesorio *adj.* accessory, additional.

acción *f.* action; feat.

acechar *tr.* to waylay, lie in ambush.

aceite *m.* oil; **aceite de pescado,** train-oil; **aceite de linaza,** linseed-oil; **aceite de arder,** fuel oil.

aceituna *f.* olive.

acelerar *tr.* to accelerate, haste, hurry; *r.* to make haste.

acento *m.* accent; tone.

acentuar *tr.* to accentuate, emphasize.

acepción *f.* acceptation; (Gram.) meaning.

aceptable *adj.* acceptable.

aceptar *tr.* to accept, agree.

acequia *f.* canal, gutter.

acera *f.* pavement.

acero *m.* steel; (fig.) sword; **aceite fundido,** cast iron.

acertado -da *adj.* right, correct.

acertar *tr.* to hit *(the mark)*; to hit by chance.

acertijo *m.* riddle, puzzle.

acicate *m.* stimulant.

ácido -da *adj.* acid, sour.

acierto *m.* success. good hit.

aclamar *tr.* to shout, acclaim.

aclarar *tr.* to make clear; *in.* & *r.* to clear up *(weather)*.

acobardar *tr.* to daunt.

acoger *tr.* to welcome, receive; to protect.

acolchar *tr.* to quilt.

acometer *tr.* to attack, assault.

acomodado -da *adj.* convenient, fit; rich.

acomodador -ra *m.* & *f.* usher.

acomodar *tr.* to accommodate, put up; *in.* to fit suit; *r.* to condescend.

acompañar *tr.* to accompany; to lead along.

acondicionar *tr.* to dispose.

acongojar *tr.* to vex; *r.* to become vexed.

aconsejar *tr.* to advise; *r.* to take counsel of; **aconsejar mal,** to misadvise.

acontecer *in.* to happen.

acoplar *tr.* to couple; to yoke, hitch; to pair, mate; *r.* to make up matters.

acorazado *adj.* ironclad; *m.* armoured ship.

acordar *tr.* & *in.* to agree, become uniform; *r.* to remember.

acorde *adj.* agreed; *m.* (Mús.) chord.

acordonar *tr.* to make in the form of a cord or rope.

acorralar *tr.* to shut up cattle or sheep in pens.

acortar *tr.* to shorten.

acosar *tr.* to pursue closely.

acostar *tr.* to lay down; *in.* to approach; *r.* to lie down.

acostumbrar *tr.* to accustom.

acotación *f.* bounds.

acrecentar *tr.* & *r.* to increase.

acreditar *tr.* to assure, affirm; to verify; to give credit to.

acreedor -ra *adj.* deserving; *m.* creditor.

acta *m.* act or record of proceeding; certificate of election; *(pl.)* the acts.

activar *tr.* to activate.

activo -va *adj.* active, quick; *m.* (Com.) assets.

acto *m.* act; event; ceremony.

actor *m.* actor, player.

actual *adj.* present.

actualidad *f.* actuality.

actuar *tr.* to put a thing

in action; *in.* to digest;

acuarela *f.* water-colour.

acuático *adj.* aquatic.

acuciar *tr.* to stimulate.

acuchillar *tr.* to cut.

acudir *in.* to assist, attend; to go; to come.

acuerdo *m.* resolution, determination.

acumulador -ra *m.* & *f.* accumulator; (Elec.) electric storage battery.

acumular *tr.* to accumulate, heap together.

acurrucarse *r.* to huddle,

acusar *tr.* to accuse, blame, criminate, charge, prosecute; **acusar recibo,** to acknowledge the receipt.

acusativo *m.* the accusative case.

acústica *f.* acoustics.

achacar *tr.* to impute.

achaque *m.* theme.

achatar *tr.* to flatten.

achicar *tr.* to reduce.

achicharrar *tr.* to cook crisp, roast.

adagio *m.* proverb.

adaptar *tr.* to adapt, fit; to make suitable; *r.* to adapt oneself to.

adecuar *tr.* to fit, accommodate, adequate.

adelantamiento *m.* progress, advancement; growth.

adelantar *tr.* to advance, to progress; *in.* to advance, keep on; *r.* to take the lead.

adelante *adv.* ahead, forward.

adelgazado -da *adj.* made slender or thin.

adelgazamiento *m.* making slender.

adelgazar *tr.* to attenuate, to make thin, slender; *in* & *r.* to become slender or thin.

ademán *m.* gesture.

además *adv.* moreover.

adentro *adv.* within.

aderezar *tr.* to adorn, embellish, dress; to season.

adeudar *tr.* to owe; to be dutiable.

adherir *in.* to adhere, stick to; *r.* to hold (*see irr.* **sentir**).

adición *f.* addition.

adicionar *tr.* to make additions.

adiestrar *tr.* & *r.* to teach, to coach.

adiós *inj.* good-bye; (fam.) bye-bye.

adivinanza *f. con.* prediction.

adivinar *tr.* to predict.

adjetivar *tr.* (Gram.) to give adjectival value.

adjudicar *tr.* to adjudge; *r.* to appropriate.

adjunto -ta *adj.* joined, annexed.

administrador *adj. m.* & *f.* administrater.

administrar *tr.* to administer.

admirado -da *adj.* astonished.

admirador -ra *m.* & *f.* admirer; fan.

admirar *tr.* to admire, marvel; *r.* to wonder.

admitir *tr.* to admit; to concede.

admonición *f.* warning.

adobar *tr.* to dress, prepare.

adoctrinar *tr.* to instruct.

adolecer *in.* to be seized with illness.

adolescencia *f.* youth, adolescence.

adónde *adv.* where; whither?

adoptar *tr.* to adopt.

adoquinar *tr.* to pave.

adormecer *tr.* to cause drowsiness or sleep; *r.* to fall asleep.

adornar *tr.* to ornament, adorn, beautify, embellish, decorate.

adquirir *tr.* to acquire, obtain.

adrede *adv.* purposely, intentionaly.

aduana *f.* custom-house.

aducir *tr.* to adduce.

adulación *f.* flattery.

adular *tr.* to flatter, soothe, coax.

adúltero -ra *m.* & *f.* adulterer.

adulterar *tr.* to adulterate, falsify, corrupt; *in.* to commit adultery; *r.* to become corrupted.

adulto *adj.* adult, grownup.

advenedizo *adj.* & *m.* foreign, strange.

advenimiento *m.* arrival; advent.

adverbio *m.* adverb.

adversidad *f.* calamity, adversity.

advertencia *f.* warning, advice.

advertir *tr.* to take notice of, observe; *r.* to notice (*see irr.* **sentir**).

adviento *m.* advent.

adyacente *adj.* adjacent.

aéreo -rea *adj.* aerial; (fig.) airy.

aeronave *f.* airship.

aeroplano *m.* airplane.

aeropuerto *m.* airport.

afabilidad *f.* affability.

afamado *adj.* famous.

afanar *tr.* to try hard; *in.* to toil, labour; *r.* to toil too much.

afear *tr.* to deform, disfigure, deface.

afectar *tr.* to feign; *r.* to be moved.

afeitar *tr.* to shave.

afeminado -da *adj.* effeminate.

afeminar *tr.* to effeminate; *r.* to become weak.

aferrar *tr.* & *in.* to grasp, grapple, seize.

afianzado *adj.* guaranteed.

afianzar *tr.* to become bail for; to guarantee; *r.* to prop, support oneself.

aficionar *tr.* to inspire affection.

afilador -ra *adj.* sharpening.

afilar *tr.* to whet, grind; *r.* to grow thin.

afinar *tr.* to polish; to tune; *r.* to become polished.

afinidad *f.* relationship, resemblance.

afirmar *tr.* to affirm, assert; *r.* to maintain firmly.

afligir *tr.* to afflict; *r.* to grieve.

aflojar *tr.* to loosen, slacken, relax; *r.* to grow cool in fervour or zeal.

afluencia *f.* affluence.

afluente *adj.* copious; affluent; *m.* tributary.

afonía *f.* (Med.) aphonia.

afortunado -da *adj.* fortunate, happy.

aforo *m.* gauging.

afrentar *tr.* to affront, insult; *r.* to be affronted.

afrentoso -sa *adj.* outrageous.

afrontar *tr.* to confront.

afuera *adv.* away, outside.

agachar *tr.* to lower, bow down; *r. con.* to stoop.

agarrado *adj.* mean, close fisted.

agarrar *tr.* to grasp; *com.* to obtain; *r.* to clinch.

agasajar *tr.* to receive and treat kindly.

agazapar *tr. con.* to nab a person; *r. con.* to hide oneself.

agencia *f.* agency.

agenciar *tr.* & *in.* to manage.

agenda *f.* note-book.

agente *m.* agent, actor.

agigantado -da *adj.* gigantic; *con.* exaggerated;

ágil *adj.* nimble.

agitanado -da *adj.* gipsylike.

agitar *tr.* to agitate, ruffle, fret; *r.* to flutter, palpitate.

aglutinar *tr.* to glue together.

agobiar *tr.* to bend the body down.

agolpar tr. to heap; r. to crowd together.

agonía f. agony.

agonizar tr. in. to be dying.

agosto m. August.

agotación m. **agotamiento,** exhaustion, debility.

agotar tr. to drain off liquids; r. to become exhausted.

agraciar tr. to adorn.

agradar in. to please; r. to be pleased.

agradecer tr. to acknowledge (a favour).

agradecimiento m. acknowledgement.

agrado m. affability.

agrandar tr. to enlarge.

agraviar tr. to wrong, offend; r. to be aggrieved.

agravio m. offence, insult.

agredir tr. to assault, attack.

agregado -da adj. aggregate.

agregar tr. to aggregate, collect; r. to become united.

agresor -ra m. & f. aggressor, adj. aggressive, assaulting.

agriar tr. to make sour; r. to turn sour or acid.

agricultor m. farmer.

agrietar tr. & r. to crack.

agrio -a adj. sour, acid.

agrisar tr. to colour grey.

agrupar tr. to group, cluster; r. to gather in groups.

agua water; fluid; rain; **aguadulce,** fresh water; pl. mineral waters (in general).

aguacero m. heavy shower.

aguafiestas m. & f. killjoy, spoilsport.

aguanieve f. sleet, snowwater.

aguantar tr. to sustain, suffer, bear; r. to forbear.

aguar tr. to dilute with water; r. to become inundated.

aguardar tr. & r. to wait for, expect; in. to wait.

aguardiente m. spirituous liquor.

aguarrás m. oil of turpentine.

agudeza f. acuteness, subtlety.

agüero m. augury.

aguijar tr. spur, to incite.

aguijón m. sting.

aguijonear tr. to prick.

águila f. eagle.

aguja f. needle, knitting-needle.

agujerear tr. to pierce.

agujero m. hole.

agujetas *f. pl.* pins and needles.

aguzar *tr.* to whet.

ahí *adv.* there, in that place.

ahijado *m.* godson; godchild.

ahogado -da *adj.* suffocated.

ahogar *tr.* to choke, throttle; *r.* to become suffocated.

ahondar *tr.* to dig, deepen; *in.* to penetrate into a thing; *r.* to become deeper.

ahora *adv.* now, at present, just now; *conj.* whether, or.

ahorcar *tr.* to hang; *r.* to hang oneself.

ahorrar *tr.* to economize, save, spare.

ahorro *m.* frugality; *pl.* savings.

ahuecar *tr.* to excavate, make hollow; *con.* to grow haughty.

ahumar *tr.* to smoke; to cure in smoke; *in.* to fume, smoke; *r.* to become smoky, smoked.

ahuyentar *tr.* to drive away.

airado -da *adj.* angry.

aire *m.* air; wind; briskness.

airear *tr.* to give air, ventilate.

aislado -da *adj.* isolated; (Elec.) (Phys.) insulated.

aislar *tr.* to insulate; *r.* to isolate, to become isolated.

ajedrez *m.* chess.

ajeno -na *adj.* another's; foreign, strange.

ajetreo *m.* fatigue.

ajo *m.* (Bot.) garlic.

ajuar *f.* bridal apparel.

ajustado -da *adj.* exact, right.

ajustar *tr.* to adjust, regulate, fit; *r.* to settle matters.

ajusticiar *tr.* to execute, put to death.

al *art. (formed of a and el)* to the, at the.

ala *f.* (Náut.), (Bot.), (Aer.), (Arch.) wing, row; (Mil.) flank; brim *(hat)*; fin *(of a fish)*.

alabanza *f.* praise.

alabar *tr.* to praise, extol, glorify; *r.* to praise oneself.

alacena *f.* cupboard, closet.

alacrán *m.* scorpion.

alado -da *adj.* winged.

alambicado *adj.* distilled.

alambique *m.* still.

alambre *m.* wire.

alameda f. poplar grove.

álamo m. (Bot.) poplar.

alarde m. ostentation.

alardear in. to boast, to brag.

alargar tr. to lengthen, extend; r. to become prolonged.

alarido m. outcry, shout.

alarma f. (Mil.) alarm.

alarmar in. to alarm.

alba f. dawn; alb, white vestment.

albañil m. mason, bricklayer.

albarda f. pack-saddle.

albaricoque m. apricot.

albedrío m. free-will.

albergar tr. to lodge, shelter, harbour; in. & r. to lodge.

albergue m. lodging, shelter.

alborada f. dawn.

albornoz m. burnoose.

alborotador -ra adj. riotous.

alborotar tr. to disturb; in & r. to get excited.

alborozar tr. to promote mirth or gaiety; r. to become happy.

alcachofa f. (Bot.) artichoque.

alcalde m. mayor.

alcance m. poursuit; arm's length.

alcantarilla f. underground sewer.

alcantarillado f. sewerage.

alcanzar tr. overtake; reach; in. to attain.

alcázar m. castle; fortress.

alcoba f. alcove, bedroom.

alcornoque m. (Bot.) corktree.

aldaba f. knocker, clapper.

aldea f. small village.

aleación f. alloy.

aleccionar tr. to teach.

alegar tr. to allegate.

alegrar tr. to make merry, gladden; r. to rejoice, exult.

alejar tr. to remove, separate; in. to go away.

alentador -ra adj. encouraging.

alentar in. to breathe; tr. to encourage.

alero m. eaves.

alerta f. (Mil.) watchword; adv. vigilantly, carefully.

aleta f. small wing.

aletargar tr. to lethargize; r. to fall into lethargy.

alfabeto m. alphabet.

alfarería f. pottery.

alfil m. bishop (chess).

alfiler m. pin, scarf-pin.

alfombra f. carpet.

alga f. seaweed.

algo *pron.* something, anything; *adv.* somewhat, a little.

algodón *m.* cotton.

alguacil *m.* constable.

alguien *pron.* somebody, someone, anybody.

algún *adj.* some, any; *pron.* someone.

alguno -na *adj.* some person, something, anybody, some one or any one.

alhaja *f.* jewel, gem.

alianza *f.* alliance, confederacy.

aliarse *r.* to become allied.

alicates *m. pl.* pincers.

aliento *m.* breath.

aligerar *tr.* to lighten; *r.* to become lighter.

alimentación *f.* feeding.

alimentar *tr.* to feed, nourish; *r.* to feed oneself.

alimento *m.* nourishment, nutriment.

alinear *tr.* to line up.

aliñar *tr.* to arrange, adorn.

alisios *m. pl.* east winds.

alistar *tr. & r.* to enlist.

aliviar *tr.* to lighten, help; *r.* to become lighter.

alma *f.* soul, mind, spirit; strength, vigour.

almacén *m.* warehouse, shop.

almacenar *tr.* to store, deposit.

almeja *f.* mussel.

almendra *f.* almond; kernel.

almendro *m.* almond-tree.

almíbar *m.* syrup.

almidonar *tr.* to starch.

almirante *m.* admiral; commander of a fleet.

almohada *f.* pillow, bolster.

almorzar *in.* to breakfast (*or*) lunch; *tr.* to eat (*something*).

alocución *f.* allocution; speech.

alojamiento *m.* lodging.

alojar *tr. & in.* to lodge.

alondra *f.* (Zool.) lark.

alpiste *m.* canary-seed.

alquilar *tr.* to let, hire; *r.* to serve for wages.

alquiler *m.* wages, hire.

alquitrán *m.* tar.

alrededor *adv.* around.

altanería *f.* hawking.

altar *m.* stone for sacrifices; altar.

altavoz *m.* loud-speaker.

alterar *tr.* to alter, change.

alternar *tr.* to alternate, perform by turns; *in.* to happen by turns.

alteza *f.* Highness.

altibajo *m. pl.* the sinuosities of uneven ground.

altitud *f.* altitude, height.

alto -ta *adj.* high, tall;

eminent; superior; grave; loud, *(voice)*; *imp.* stop!; *adv.* loudly; highly.

altura *f.* height, loftiness.

alubia *f.* bean, French bean.

alud *m.* avalanche, snow-slip.

aludir *in.* to allude.

alumbrado *adj.* lighted; *m.* lighting.

alumbramiento *m.* childbirth.

alumbrar *tr.* to light, lighten.

alumno *m.* disciple, pupil.

alusivo -va *adj.* allusive.

alza *f.* (Com.) rise.

alzamiento *m.* uprising, revolt.

alzar *tr.* to raise; to heave, lift up.

allá *adv.* there, in that place; thither.

allanar *tr.* to level, make even; to flatten; *r.* to acquiesce, conform.

allegado -da *m. & f.* relation, intimate friend; *adj.* near.

allí *adv.* there, in that place; then.

ama *f.* mistress; landlady.

amabilidad *f.* kindliness, kindness.

amable *adj.* amiable, kind,

amado *m. & f.* beloved, loved.

amaestrar *tr.* to instruct; *r.* to train, teach oneself.

amagar *tr.* to threaten; *in.* to show a threatening attitude.

amainar *tr.* (Náut.) to lower the sails.

amanecer *in.* to dawn; to arrive at break of day.

amansar *tr.* to tame, subdue; *r.* to become tamed.

amante *m. & f.* lover; *adj.* loving.

amapola *f.* (Bot.) poppy.

amar *tr.* to love, like.

amargar *tr.* to make bitter.

amargo -ga *adj.* bitter.

amarillo -lla *adj.* yellow.

amarra *f.* (Náut.) cable; hawser.

amarrar *tr.* to tie, fasten.

amartelar *tr.* to enamour; *r.* to fall in love.

amasar *tr.* to knead.

amatista *f.* (Min.) amethyst.

ámbar *m.* amber.

ambicionar *tr.* to aspire to.

ambiente *adj.* surrounding; atmosphere.

ambigüedad *f.* ambiguity.

ambos -bas *adj. pl.* both.

ambulante adj. roving.

amenazar tr. to threaten, menace.

amenizar tr. to make pleasant or agreeable.

americana f. coat, jacket.

ametralladora f. machine-gun.

amigable adj. friendly.

amígdalas f. pl. (Med.) amygdalae; tonsils.

amigo -ga m. & f. friend, comrade; lover.

amistad f. friendship, amity.

amo m. master; propietor.

amolar tr. to grind.

amoldar tr. to figure, cast in a mould; r. to adapt, adjust oneself.

amonestar tr. to advise.

amor m. love; tenderness.

amoratado adj. livid, ghastly.

amordazar tr. to gag.

amortajar tr. to shroud.

amortiguador m. & f. softener; m. (Mech.) shock-absorber; adj. softening.

amortiguar tr. to temper, mitigate.

amotinar tr. to excite to rebelion.

amparar tr. to shelter.

amparo m. favour, aid.

ampliación f. enlargement.

ampliar tr. to amplify, enlarge.

amplificador m. & f. amplifier.

amplio -ia adj. ample.

ampolla f. blister on the skin.

amueblar tr. to furnish.

analfabeto -ta adj. m. & f. illiterate; ignorant.

analizar tr. to analyse.

anarquía f. anarchy.

anciano -na adj. m. & f. old, aged; elder, senior.

anclar tr. & in. to anchor.

ancho -cha adj. broad, wide; m. width.

anchoa f. anchovy.

anchura f. breadth, width.

andada f. track, trail.

andamio m. scaffold.

andar in. to walk, move, to go.

andariego -ga adj. restless.

andén m. sidewalk; platform.

andrajoso -sa adj. ragged.

anejo -ja adj. annexed.

anexo adj. joined.

ángel m. angel; spiritual being.

angina f. (Med.) angina; pl. tonsils.

anglosajón -na adj. m. & f. Anglo-Saxon.

angosto -ta adj. narrow.

anguila f. eel.

angular adj. angular.

ángulo m. angle; corner, nook.

angustia f. anguish, affliction.

angustiar tr. to cause anguish, afflict.

anhelar tr. & in. to long.

anidar in. to nestle.

anillo m. ring; finger ring.

ánima f. soul.

animar tr. to animate, enliven; r. to grow lively.

ánimo m. courage; thought.

aniñado -da adj. childish.

aniquilar tr. to annihilate, destroy.

anís m. (Bot.) anise.

aniversario m. anniversary.

anoche adv. last night.

anochecer in. to grow dark; r. to become dark.

anomalía f. anomaly.

anonadar tr. to annihilate; r. to humble oneself greatly.

anónimo adj. anonymous.

anormal adj. abnormal.

anotar tr. to annotate, to note, mark down.

ansiar tr. to desire anxiously.

antagonista m. & f. antagonist.

antaño adv. formerly.

ante m. (Zool.) elk; buckskin.

anteanoche adv. the night before last.

anteayer adv. the day before yesterday.

antebrazo m. fore-arm.

anteceder tr. to precede, go before.

antedicho adj. aforesaid.

antelación f. preference.

antemano adv. beforehand.

antena f. aerial.

anteojo m. spy-glass; pl. spectacles.

antepecho m. breastwork.

anteponer tr. to prefer, place before.

antes adv. before, sooner, earlier; adv. beforehand; rather.

anticipado -da adj. premature.

anticipar tr. to anticipate, forestall.

anticuario m. & f. antiquarian.

antifaz m. veil; mask.

antigüedad f. antiquity, oldness; pl. antiques.

antipatía f. antipathy, aversion.

antítesis f. antithesis, contrary.

antojarse r. to long for, fancy.

antorcha f. torch.

antropófago *m. & f.* cannibal.

anuario *m.* year-book, trade directory.

anudar *tr.* to knot; *r.* to become knotted.

anulación *f.* nullification, abrogation.

anular *tr.* to annul.

anunciar *tr.* to announce; *r.* to make oneself known.

anzuelo *m.* fishhook; bait; (fig.)

añadir *tr.* to add; join to augment.

añejo -ja *adj.* old.

año *m.* year; **año bisiesto,** leap year; **año en curso,** current year.

añorar *tr.* to pine for; to feel homesickness.

apacentar *tr.* to pasture, graze.

apacible *adj.* gentle.

apaciguar *tr.* to pacify; *r.* to be appeased.

apadrinar *tr.* to sponsor, to act as godfather for a child.

apagar *tr.* to extinguish, to put out.

apaisado -da *adj.* oblong, broader.

apalabrar *tr.* to agree to something.

apalancar *tr.* to lever.

apalear *tr.* to beat; to beat down (*fruit*).

aparato *m.* apparatus, appliance, device.

aparatoso -sa *adj.* pompous, showy.

aparcar *tr.* to park.

aparecer *in. & r.* to appear.

aparecido *m.* ghost, spectre.

aparejador *m.* architec's assistant, works manager.

aparejar *tr.* to prepare, get ready; *r.* to get.

aparejo *m.* apparel, harness.

aparentar *tr.* to feign.

apartado -da *adj.* retired, aloof; Poste Office (P. O.) letter box.

apartar *tr.* to separate, divide; *r.* to part, become separated.

apasionado -da *adj.* ardent.

apasionar *tr.* to impassion, excite strongly.

apeadero *m.* horse block.

apear *tr.* to dismount, bring down.

apedrear *tr.* to throw stones at.

apelar *in.* (Law) to appeal; call upon.

apellidar *tr.* to call, name; to proclaim; *r.* to be called.

apellido *m.* surname, family name.

apenar *tr.* to pain.

apenas *adv.* scarcely, hardly.

apendicitis *f.* (Med.) appendicitis.

aperitivo *m.* aperitif.

apertura *f.* opening.

apesadumbrar *tr.* to pain, grieve.

apestar *tr.* to infect with the plague.

apetecer *tr.* to desire; to feel an appetite for.

apetecible *adj.* desirable.

apetito *m.* appetite.

apiadar *tr.* to inspire pity; *r.* to have mercy on.

apilar *tr.* to pile.

apiñar *tr.* to pack, press together; *r.* to crowd.

aplanar *tr.* to smooth, lever; *r.* to tumble down.

aplastar *tr.* to flatten; to crush, to quash; *r.* to flatten.

aplaudir *tr.* & *in.* to applaud.

aplazar *tr.* to adjourn, put off.

aplicar *tr.* to apply; to put; *r.* to apply (*or*) devote oneself.

apócrifo -fa *adj.* apocryphal.

apodar *tr.* to nickname.

apoderar *tr.* to empower, to grant power; *r.* seize.

apodo *m.* nickname.

apogeo *m.* (fig.) height.

apolillar *tr.* to eat.

aporrear *tr.* to cudgel, club.

aportar *tr.* to bring, furnish.

aposentar *tr.* to put up, lodge; *r.* to take lodging.

apostar *tr.* & *r.* to bet, wager; *in.* to bet, place a bet; *tr.* to place station; *r.* to place oneself.

apoyar *tr.* to back, favour, support; *in.* to rest, be supported; *r.* to rest (*on*), to lean.

apreciar *tr.* to evaluate, appraise.

apremiante *adj.* urgent.

apremiar *tr.* to urge, press.

aprender *tr.* to learn.

apresar *tr.* to seize.

apresurar *tr.* to hasten, quicken, hurry; *r.* to hasten.

apretado -da *adj.* tight.

apretar *tr.* to squeeze, to hug; *r.* to crowd.

aprieto *m.* strait, difficulty.

aprisa *adv.* fast, quickly.

aprisionar *tr.* to imprison.

aprobación f. approbation.

aprobado -da adj. having passed an examination; m. pass (mark).

aprobar tr. to approve; to pass.

apropiar tr. to make (something) the possession of one; r. to appropriate.

aprovechable adj. serviceable.

aprovechado -da adj. well spent.

aprovechar tr. to utilize, make use of; in. to be useful.

aprovisionar tr. to supply.

aproximación f. nearing.

aproximar tr. to bring near (or) nearer; r. to approach.

apto -ta adj. able.

apuesto -ta adj. handsome.

apuntalar tr. to prop.

apuntar tr. to aim; level, point; in. to break, dawn.

apunte m. note.

apurar tr. to clear up; to carry to extremes; r. to grieve, worry.

apuro m. need, want.

aquejar tr. to ail, afflict.

aquel, aquella adj. dem. that.

aquellos, aquellas adj. dem. pl. those.

aquél, aquélla pron. dem. that one.

aquéllos, aquéllas pron. dem. pl. those ones.

aquello pron. dem. neuter. that, it.

aquí adv. here.

aquilatar tr. to extimate the carats of.

ara f. altar.

arado m. plough.

arancel m. tariff.

araña f. (Zool.) spider.

arañar tr. to scratch.

arbitrar tr. to arbitrate.

árbol m. (Bot.) tree.

arboleda f. grove.

arbusto m. (Bot.) shrub.

arca f. coffer, chest.

arcaico -ca adj. archaic.

arcilla f. clay.

arco m. arc; bow arch.

archivar tr. to file; record, register.

arder in. to burn.

ardilla f. squirrel.

área f. area, space.

arena f. sand, grit.

arenal m. sandy ground.

argolla f. large ring, collar.

argüir in. to argue; dispute; tr. to infer, imply.

argumento m. argument.

aridez f. drought; barrenness.

árido -da *adj.* arid, dry.

arista *f.* (Bot.) arista; edge.

aritmética *f.* arithmetic.

arma *f.* weapon; arms.

armada *f.* navy.

armador *m.* outfitter.

armadura *f.* armour.

armar *tr.* to arm; mount; *in.* to suit; *r.* to prepare oneself.

armario *m.* cupboard; wardrobe.

armazón *f.* frame.

armonizar *tr.* to harmonize; *r.* to conform.

aro *m.* hoop.

aroma *f.* scent, fragrance.

aromatizar *tr.* to aromatize.

arpillera *f.* sackcloth.

arquear *tr.* to arch.

arquitecto *m.* architect.

arrabal *m.* suburb; *pl.* environs.

arraigar *in.* to root; *r.* to settle down.

arrancar *tr.* to extirpate, root out; *in.* to start off; *con.* to leave.

arrasar *tr.* to level; to raze, demolish.

arrastrar *tr.* to drag along; to convince; *in.* to creep, crawl; *r.* to humiliate oneself vilely.

¡arre! *inj.* gee!, get up!

arrear *tr.* to drive.

arrebatar *tr.* to carry off, snatch; to attract; *r.* to develop, grow.

arrebujar *tr.* to jumble together; *r.* to wrap oneself up in the clothes.

arrecife *m.* causeway.

arreglado -da *adj.* regular, moderate.

arreglar *tr.* to guide, regulate; *r.* to conform oneself.

arremeter *tr.* to assail, attack.

arrendado -da *adj.* rented.

arrendador -ra *m.* & *f.* landlord, lessor.

arrendar *tr.* to rent, let.

arrepentido -da *m.* & *f.* penitent.

arrepentirse *r.* to repent, regret.

arresto *m.* detention.

arriar *tr.* (Náut.) to lower; to strike.

arriba *adv.* above, over; on high.

arribar *in.* to arrive; (Náut.) to put into a harbour.

arriendo *m.* letting, renting.

arriero *m.* muleteer.

arriesgar *tr.* to risk, hazard; *r.* to expose oneself to danger.

arrimar *tr.* to approach,

draw near; *r.* to lean against *(or)* upon.

arrinconar *tr.* to put in a corner.

arrizar *tr.* to reef; to stow.

arroba *f.* weight of about twentyfive pounds.

arrodillar *tr.* to make kneel down; *in.* to bend the knee; *r.* to kneel down.

arrogar *tr.* to arrogate; *r.* to appropriate to oneself.

arrojar *tr.* fling, hurl; to throw; to throw away; *r.* to launch.

arrollar *tr.* to roll up, wind.

arropar *tr.* to dress, cover, wrap; *r.* to wrap, clothe oneself.

arroyo *m.* small river.

arroz *m.* rice.

arruga *f.* wrinkle.

arrugar *tr.* to wrinkle, crumple.

arruinar *tr.* to throw, down, demolish.

arrullar *tr.* to bill.

artesa *f.* trough.

artesano *m.* artisan.

artesonado -da *adj.* (Arch.) panelled.

articular *tr.* to articulate.

artículo *m.* article, knuckle, joint.

artificio *m.* workmanship, craft.

artillería *f.* gunnery.

artimaña *f.* trap, snare.

arzobispo *m.* archbishop.

asa *f.* handle, ear of a vase.

asador *m.* spit.

asaltar *tr.* to assail, to assault.

asar *tr.* to roast; *r.* to be excessively hot.

ascender *in.* to ascend, mound; climb; *tr.* to grant promotion to.

ascendiente *m. & f.* ancestor; *m.* ascendency.

ascenso *m.* rise; promotion.

ascensor *m.* lift; (U. S.) elevator.

asco *m.* nausea, loathsomeness.

ascua *f.* red-hot coal.

asear *tr.* to set off, adorn; *r.* to make oneself clean.

asediar *tr.* to besiege, blockade.

asegurado -da *adj.* secured, fixed; *m. & f.* insured.

asegurar *tr.* to secure, fasten; to preserve; *r.* to feel secure; to make sure.

asentar *tr.* to seat; to stop at; to suppose, affirm; *in.* to fit *(at clo-*

thes) ; to sit down; *r.* to subside, clarify.

aseo *m.* cleanliness, neatness.

aserrar *tr.* to saw.

aserto *m.* assertion.

asesinar *tr.* to assassinate.

asesor -ra *m.* & *f.* counsellor, adviser; *adj.* advising.

asesorar *tr.* to advise, counsel; *r.* to take advice.

asfalto *m.* asphalt.

asfixiar *tr.* (Med.) to asphyxiate, suffocate.

así *adv.* so, thus, in this way, like this; also, therefore, so that.

asiento *m.* seat, chair, stool, bench.

asignar *tr.* to assign.

asignatura *f.* subject *(of study)* ; *pl.* curriculum.

asilo *m.* asylum, sanctuary.

asimilar *tr.* to assimilate; *in.* to resemble; *r.* to become assimilated.

asistencia *f.* attendance; actual presence.

asistenta *f.* handmaid.

asistente *m.* assistant, helper.

asistir *in.* to be present; *tr.* to accompany.

asno *m.* ass donkey.

asociación *f.* association; fellowship.

asociar *tr.* to associate, conjoin; *r.* to form a parthnership.

asomar *in.* to begin, to appear.

asombrar *tr.* to shade, darken; *r.* to take fright.

asombro *m.* dread, fear.

aspa *f.* cross; sail *(wind-mill)*.

aspecto *m.* sight, appearance, look.

aspereza *f.* asperity, acerbity.

asperjar *tr.* to sprinkle.

áspero -ra *adj.* rough, rugged.

aspiración *f.* aspiration, desire.

aspirar *tr.* to inspire the air, draw breath.

asquear *tr.* & *in.* to consider with disgust.

asqueroso -sa *adj.* nasty, filthy.

asta *f.* lance.

astilla *f.* chip, splinter.

astillero *m.* dock-yard, shipyard.

astro *m.* star, planet.

asumir *tr.* to assume, take upon.

asunto *m.* matter.

asustar *tr.* to frighten, terrify, scare; *r.* to be frightened by.

atacar *tr.* to attack.

atado -da *adj.* tied; bound; *m.* bundle.

atajar *in.* to go the shortest way; *tr.* to overtake; *r.* to be confunded with shame *(or)* fear.

atajo *m.* short-cut.

atalaya *f.* watch-tower.

atar *tr.* to tie, bind, fasten; *r.* to become embarrassed, perplexed.

atardecer *m.* dusk, sunset; *in.* to grow late.

atareado -da *adj.* busy, occupied.

atarear *tr.* to task, impose a task; *r.* to be very busy.

atascar *tr.* to stop a leak.

ataúd *m.* coffin.

ataviar *tr.* to deck out.

atemorizar *tr.*, to frighten.

atención *f.* attention.

atender *tr.* & *in.* to attend, be attentive.

atenerse *r.* to depend, rely on.

atentar *tr.* to attempt, to commit a crime.

atenuar *tr.* to attenuate, extenuate.

aterrador -ra *adj.* horrible.

aterrar *tr.* to frighten.

aterrizar *tr.* to land.

atesorar *tr.* to treasure up, hoardup.

atestar *tr.* to cram, stuff.

atestiguar *tr.* to depose, witness.

atildar *tr.* to punctuate; *r.* to dress.

atinar *in.* to hit the mark.

atizar *tr.* to stir the fire.

atolondrado -da *adj.* hare-brained, giddy.

atolondrar *tr.* to stun, stupefy, perplex; *r.* to become stupefied.

atollar *in.* & *r.* to fall into the mire.

átomo *m.* atom; mote.

atontar *tr.* to stun, stupefy; *r.* to become stupid.

atormentar *tr.* to torment; to cause pain; *r.* to become agitated.

atornillar *tr.* to screw.

atosigar *tr.* to poison; *r.* to become worried.

atracar *tr. con.* to cram with food and drink; (Náut.) to overtake, approach.

atraco *m.* highway robbery.

atraer *tr.* to atract.

atrancar *tr.* to bar a door; to block up.

atrás *adv.* backwards, be-

atrasado -da

hind; **¡atrás!**, back!, go
back!

atrasado -da *adj.* late.

atrasar *tr.* to protract,
postpone.

atreverse *r.* to be too
forward.

atribución *f.* attribution,
conferring.

atribuir *tr.* to attribute,
ascribe, impute.

atril *m.* desk, lectern, mu-
sic-stand.

atrincherar *tr.* to en-
trench, fortify with a
trench.

atropellar *tr.* to run over;
to push through; to
knock down; *r.* to hurry
overmuch.

atroz *adj.* atrocious, cruel.

atún *m.* tunny.

aturdido -da *adj.* dumb-
founded, unnerved.

aturdir *tr.* to perturb, bewilder.

audacia *f.* boldness; auda-
city.

audaz *adj.* bold.

audiencia *f.* audience,
hearing.

auditor *m.* judge.

auge *m.* apogee.

augurar *tr.* to augur, foretell.

aula *f.* class room.

aumentar *tr.* to augment,
increase; *r.* to gather.

aún *adv.* yet, even; **aun
cuando,** although.

aunque *conj.* though, although.

auricular *adj.* ear; *m.* receiver.

aurora *f.* dawn, daybreak.

auscultar *tr.* (Med.) to
auscultate.

ausencia *f.* absence.

ausente *adj.* absent.

austero -ra *adj.* austere.

auto *m.* act; judicial decree *(or)* sentence.

autobús *m. (motor)* auto-
bus; *con.* bus.

automóvil *m.* motor-car.

autopista *f.* motor way,
expressway (U. S.) spe-
edway.

autoridad *f.* authority,
credit.

autorizado -da *adj.* res-
pectable.

autorizar *tr.* to authorise;
legalize.

autorretrato *m.* self-por-
trait.

auxiliador -ra *m. & f.*
auxiliary, assistant.

auxiliar *tr.* to aid, help;
m. assistant, auxiliary.

auxilio *m.* aid, help.

aval *m.* guarantee, surety.

avalar *in.* (Com.) to gua-

azotar

rantee by endorsement.

avanzar *in.* to advance, attack, engage; *tr.* & *r.* to advance, push forward.

avasallar *tr.* to subdue, subject; *r.* to become subject.

ave *f.* bird, fowl.

avecinar *tr.* & *in.* to approach; *r.* to domicile onseself.

avellana *f.* hazel-nut.

avena *f.* (Bot.) oats.

avenir *tr.* to reconcile; *r.* to settle differences in a friendly way.

aventajar *tr.* to surpass.

aventura *f.* adventure, enterprise.

aventurar *tr.* to venture, hazard, risk; *r.* to venture oneself.

avergonzar *tr.* to shame, abash; *r.* to feel shame.

avería *f.* damage.

averiguar *tr.* to inquire, investigate.

avestruz *m.* ostrich.

avidez *f.* covetousness, avidity.

ávido -da *adj.* greedy, covetous.

avinagrar *tr.* to sour, make acid; *r.* to become sour.

avión *m.* aeroplane, airplane.

avioneta *f.* light airplane.

avisar *tr.* to inform, give notice.

aviso *m.* information, intelligence.

avispa *f.* wasp.

avivar *tr.* to quicken, enliven, encourage.

avizor -ra *adj.* watchful; *m.* spy.

¡ay! *inj.* alas!

ayer *adv.* yesterday; (fig.) formerly.

ayuda *f.* help, aid.

ayudante *m.* (Mil.) adjutant; *adj.* helping, assisting.

ayudar *tr.* to aid, help, assist; *r.* to avail oneself of help.

ayunar *in.* to fast.

ayuntamiento *m.* municipal government; **casa de Ayuntamiento,** town-hall.

azada *f.* spade, hoe.

azadón *m.* mattock, hoe.

azafata *f.* air hostess.

azafrán *m.* (Bot.) saffron.

azar *m.* chance, unforeseen disaster.

azor *m.* (Zool.) goshawk.

azotar *tr.* to whip, lash, horsewhip.

azotea *f.* flat roof of a house, housetop.

azúcar *m.* & *f.* sugar.

azucarar *tr.* to sugar, sweeten.

azucarero -ra *m.* & *f.* sugar:bowl.

azucena *f.* (Bot.) white lily.

azufre *m.* sulphur.

azul *adj.* blue.

azulejo *m.* glazed tile.

azuzar *tr.* to set dogs on to.

banda

b

baba f. drivel, slaver.
babero m. bib.
babor m. (Náut.) port, larboad.
babucha f. slipper.
baca f. top (of a stagecoach).
bacalao m. codfish.
báculo m. walking-stick, staff.
bache m. hole; pot-hole.
bachiller m. & f. bachelor.
badajo m. bell clapper.
badén m. channel made by rainwater, rain gutter.
bagage m. (Mil.) baggage; (U. S.) luggage.
bahía f. bay.
bailar tr. in. to dance.
bajada f. descent, slope.
bajar in. to descend; tr. to lower, let down; to reduce.
bajeza f. meanness.
bajo -ja adj. short, low; m. deep place.
bajo adv. below; prep. under, beneath.
bajorrelieve m. basrelief.
bala f. bullet.
balada f. ballad, song.
balance m. oscillation, swinging; (Náut.) rolling, rocking; (Com.) balance.
balandro m. (Náut.) small sloop.
balanza f. scale(s); balance.
balaustrada f. balustrade.
balbucear in. to stutter, stammer.
balcón m. balcony, open gallery.
baldar tr. to cripple; to trump.
balde m. bucket; gratis, free of charge.
baldío -día adj. untilled, uncultivated.
baldosa f. fine square tile.
balneario m. wateringplace, bathing place.
balón m. (larga) ball.
baloncesto m. basket-ball.
balsa f. pool pond.
ballena f. (Zool.) whale.
ballesta f. cross-bow.
bambú bamboo.
banca f. form, bench; washingbox.
banco m. bench, form, seat; (Com.) bank.
banda f. sash, scarf.

bandada f. covery, flock (of birds).

bandeja f. tray.

bandera f. flag, ensign, colours, banner.

banderilla f. small dart with a bannerol for baiting bulls.

bandido m. bandit, outlaw.

bando m. proclamation, edict.

banquete m. banquet.

bañador m. & f. bather.

bañar tr. to bathe; r. to bathe; to take (or.) to have a bath.

bañera f. bath-tub.

baño m. bath.

baraja f. complete pack of cards; game of cards.

barajar tr. to shuffle (cards); in. to quarrel, contend.

baranda f. railing, banister.

baratijas f. pl. trifles, toys.

barato -ta adj. cheap, low-priced.

barba f. chin; beard.

barbecho m. fallow.

barbería f. barber's shop (or) trade.

barca f. (Náut.) boat, barge.

barco m. boat, vessel, ship.

barniz m. varnish, glaze.

barnizar tr. to varnish.

barraca f. barrack, cabin.

barranco m. precipice.

barrena f. gimlet, borer.

barrenar tr. to bore, drill.

barrendero -ra m. & f. sweeper, cleaner; m. dust-man.

barreno m. large borer.

barreño earthen tub.

barrer tr. to sweep.

barriada f. city ward.

barriga f. abdomen, belly.

barril m. barrel, earthen jug.

barro m. clay, mud, mire.

barruntar tr. to foresee, conjecture.

basar tr. to base, set up.

báscula f. weighing-scale.

basílica f. royal palace.

¡basta! inj. enough!, stop that!

bastante adj. sufficient, enough; adv. rather, quite.

bastar in. to suffice, be enough.

bastidor m. easel, frame.

basto -ta adj. coarse, homespun.

bastón m. cane, stick, staff.

basura f. sweepings, filth.

bata f. morning-gown, dressing-gown.

batalla f. battle, fight, combat.

batallar in. to battle, fight.

batata *f.* (Bot.) sweet-potato.

batería *f.* (Mil., Elec.) battery.

batidor -ra *adj.* beating; *m.* beater.

batir *tr.* to beat, dash.

batuta *f.* baton.

baúl *m.* trunk, coffer.

bautismo *m.* baptism.

bautizar *tr.* to baptize, christen.

bayeta *f.* baize.

bayoneta *f.* bayonet.

bazar *m.* bazaar, emporium.

bazo *m.* spleen.

bebedor -ra *m. & f.* drinker.

beber *m.* drinking; *tr.* to drink, swallow; *in.* to pledge, toast.

bebida *f.* drink, beverage.

beca *f.* scholarship or studentship; grant; part of a collegian's dress worn over the gown.

becerro *m.* young bull, yearling calf.

bedel *m.* beadle.

bélico -ca *adj.* warlike, martial.

bellaco -ca *adj.* artful, sly.

belleza *f.* beauty, fairness, loveliness.

bello -lla *adj.* beautiful, handsome.

bellota *f.* acorn.

bendecir *tr.* praise, exalt; to bless.

beneficiar *tr.* to benefit, do good to. *r.* to make profit.

beneficio *m.* benefit; favour, kindness.

beneplácito *m.* good will, approbation.

benjamín *m.* youngest son.

berenjena *f.* (Bot.) eggplant.

berrear *in.* to bleat *(like sheep).*

berrinche *m.* con. anger, sulkiness of children.

berza *f.* (Bot.) cabbage.

besar *tr.* to kiss; con. to touch closely *(objects).*

bestia *f.* beast.

besugo *m.* (Zool.) seabream.

betún *m.* bitumen.

biberón *m.* feeding-bottle.

bibliófilo *m.* book lover.

biblioteca *f.* library; public library.

bibliotecario -ria *adj.* librarian.

bicho *m. (general name for)* small insect(s); grub, insect, vermin.

bidón *m.* drum.

biela *f.* crank.

bien *m.* good; well-being, utility, benefit; *pl.* property, fortune, land.

bienaventurado -da *adj.* blessed, happy.

bienestar *m.* well-being, confort.

bienhechor -ra benefactor, benefactress.

bienvenida *f.* wellcome.

biftec *m.* steak.

bifurcación *f.* fork.

bigote *m.* moustache, whisker.

bilis *f.* bile gall.

billar *m.* game of billiards.

billete *m.* note; ticket; lottery ticket; brief letter.

biombo *m.* folding screen.

birria *f.* ¡qué birria!, what a thing!

bis *adv.* twice.

bisabuelo *m.* great grandfather.

bisabuelo *m.* great grandfather.

bisabuela *f.* great grandmother.

bisagra *f.* hinge.

bisiesto *adj.* **año bisiesto,** a leap year.

bisturí *m.* bistoury, scalpel.

bisutería *f.* jewel(le)ry.

bizco -ca *adj.* cross-eyed; *m.* squinter.

bizcocho *m.* biscuit; hardtack.

biznieto *m.* great grandsor.

biznieta *f.* great granddaughter.

blanco -ca *adj.* white; blanck; light; *f.* white person.

blando -da *adj.* soft, pliant, smooth; bland; *con.* cowardly.

blanquear *tr.* to blanch, bleach, whiten; *in.* to show whiteness.

blasón *m.* heraldry, blazon.

blindar *tr.* (Mil.) & (Náutica) to protect with blindage.

bloque *m.* block.

blusa *f.* blouse.

bobada *f.* nonsense, stupidity.

bobina *f.* reel or bobbin, spool.

boca *f.* mouth; entrance, opening, hole; muzzle; taste, flavour *(of wine)*; (Náut.) hatchway; *pl.* outfall *(river)*.

bocadillo *m.* sandwich.

bocado *m.* mouthful.

boceto *m.* sketch.

bocina *f.* horn, *(car).*

bochorno *m.* hot, sultry weather.

boda *f.* marriage; nuptials, wedding.

bodega *f.* wine-vault.

bodegón *m.* eating-house.

bofetada *f.* slap, box.

boga f. (Zool.) kind of edible fish; (Náut.) act of rowing.

bogar in. to row.

boicotear tr. to boycott.

boina m. beret, flat round cap without peak.

bola m. ball, bowl.

boletín m. bulletin.

boleto m. ticket.

bolo m. skittle; (Med.) bolus; pl. game of ninepins.

bolsa f. purse; bag.

bolsillo m. pocket, purse.

bolso m. hand-bag.

bollo m. small loaf or roll; small biscuit.

bomba f. pump; bomb.

bombardear tr. to bombard, bomb.

bombero m. fireman.

bombilla f. (Elec.) bulb.

bombón m. bonbon, sweet stuff.

bondad f. goodness, excellence.

bonificación f. improvement; (Com.) allowance, discount.

bonito -ta adj. pretty good; pretty.

boquerón m. (Ichth.) anchovy.

boquete m. gap, narrow entrance.

boquilla f. lower opening

'of breeches; cigar (or cigarette) holder.

borda f. gunwale (ship).

bordar tr. to embroider.

borde m. border, outer edge.

borla f. tassel, tuft.

borracho -cha adj. drunk; con. inflamed by passion.

borrador m. blotter.

borrar tr. to cross out, strike out.

borrasca f. storm, tempest.

borrica f. she-ass; con. stupid (or) ignorant woman.

borrico m. ass; con. fool.

borrón m. blot of ink.

borroso -sa adj. full of dregs, thick, turbid.

bosque m. wood, forest.

bosquejo m. sketch.

bostezar in. to yawn, gape.

bota f. boot. small leather winebag.

bote m. thrust (spear); tin; rebound of a ball; jump; pot (or) jar; (Náut.) row-boat.

botella f. bottle; flask.

botica f. chemist-shop.

botijo m. round earthen jar (with spout and handle).

botín m. buskin, half-boot.

botiquín m. First aid.

botón m. (Bot.) sprout, bud; button.

bóveda f. (Arq.) arch, vault.

bozal m. muzzle.

braga f. pl. knickers; breeches.

bragueta f. fly of breeches.

bramar in. to roar; to storm.

brasa f. live coal, red-hot coal (or) wood.

brasero m. brazier; firepan.

bravo -va adj. brave, valiant, strenuous, manful, fearless.

brazalete m. armlet, bracelet.

brazo m. arm; branch.

brea f. tar, resin, pitch.

breva f. early fruit of a fig-tree.

breve adj. brief, short, concise.

brevedad f. brevity, briefness.

bribón -na m. & f., adj. vagrant.

brigada f. (Mil.) brigade.

brillante adj. brilliant, bright, shining; m. brilliant, diamond.

brillar in. to shine, sparkle.

brincar in. to jump, leap.

brindar in. to drink someone's health; tr. & in. to offer cheerfully, invite.

brindis m. health, after dinner speech.

brío m. strength, force.

brisca f. game of cards.

británico adj. British.

brocha f. (painter's) brush.

broche m. clasp, brooch.

broma f. gaiety, jollity.

bromear in. & r. to joke, make fun.

bronca f. quarrel.

broncear tr. to bronze; r. to tan.

brotar in. to bud, germinate, put forth shoots.

bruja adj. f. with, sorceress.

brujo m. sorcerer, conjurer.

brújula f. compass.

bruma f. mist; haze.

brusco -ca adj. rough, brusque.

brutal adj. brutal, brutish.

bruto -ta adj. coarse, beastly, brutish; m. brute, beast.

bucear in. (Náut.) to dive.

buenamente adv. freely, spontaneously.

buenaventura f. fortune, good luck.

bueno -na adj. good, kind; upright, virtuous; adv. very well, all right.

buey m. ox.

buzón

bufanda *f.* muffler; scarf.

bufete *m.* bureau.

bufón -na *adj.* funny, comical; *m.* pedlar.

buhardilla *f.* garret, attic.

buho *m.* owl; *con.* unsocial person.

buitre *m.* vulture.

bujía *f.* wax candlel

bulto *m.* bulk, anything which appears bulky.

bullir *in.* to boil, bubble up; *tr.* to move, stir; *r.* to stir.

buque *m.* (Náut.) vessel, ship.

burbujear *in.* to bubble.

burgués -sa *adj.* burgess; *m.* middle-class citizen.

burla *f.* scoff, flout, mockery.

burlar *tr.* to ridicule, mock; laugh; to abuse, to deceive; *r.* to jest, laugh at, make fun of.

burro *m.* ass, donkey.

buscar *tr.* to seek, search; to look for.

búsqueda *f.* search.

busto *m.* bust.

butaca *f.* arm-chair; easy-chair.

buzo *m.* diver.

buzón *m.* conduit, canal.

cabal *adj.* exact.

cabalgar *tr.* to ride horseback.

caballería *f.* riding beast.

caballero *m.* knight; gentleman, sir.

caballete *m.* painter's easel; ridge.

caballo *m.* horse; knight.

cabaña *f.* cabin, hut.

cabecear *in.* to nod.

cabecera *f.* beginning, head.

cabellera *f.* head of hair.

cabello *m.* hair.

caber *in.* to fit.

cabestrillo *m.* sling, bell-ox.

cabeza *f.* head, chief, leader.

cabida *f.* space, capacity.

cabildo *m.* cathedral chapter; municipal council.

cabina *f.* cabin.

cable *m.* cable, wire.

cabo *m.* end; handle; small bundle; thread.

cabotaje *m.* coasting trade.

cabra *f.* (she)-goat.

cabrito *m.* kid.

cacahuete *m.* peanut.

cacarear *in.* to cackle; to boast.

cacería *f.* hunt; hunting party.

caciquismo (fam.) bossism.

caco *m.* pickpocket.

cacharro *m.* crock, earthen pot.

cachear *tr.* to frisk.

cachimba *f.* tobacco-pipe.

cacho *m.* piece, slide.

cada *adj.* indef. each; every.

cadalso *m.* stand, platform.

cadáver *m.* corpse, dead body.

cadena *f.* chain.

cadera *f.* (An.) hip.

caducar *in.* to dote, to fall into disuse.

caer *in.* to fall, to fall off; to drop; *tr.* to fall, to fall down.

café *m.* coffee; café.

cafetera *f.* coffee-pot.

caída *f.* fall, downfall, drop, declination.

caja *f.* box, case; cashbox; cashiers office.

cal *f.* lime.

calabaza f. pumpkin, gourd.

calabozo m. dungeon; prison cell.

calamar m. (Zool.) squid, calamar.

calambre m. cramp; contraction el muscles.

calar tr. to pierce, permeate.

calavera f. skull.

calcaño m. heel (-bone).

calcar tr. to trace; to copy.

calceta f. stocking.

calcetín m. sock.

calcinar tr. & in. to calcine.

calcular tr. & in. to calculate to compute.

caldear tr. to heat; r. to become heated.

caldera f. boiler; kettle.

calderilla f. copper coin, copper money.

caldero m. kettle.

caldo m. broth.

calefacción f. heat, heating.

calendario m. calendar.

calentador adj. heater.

calentar tr. to heat.

calibrar tr. to calibrate.

cálido adj. warm, hot.

caliente adj. hot; heated; fiery.

calificar tr. to qualify, to certify, to mark.

caligrafía f. calligraphy, hand writting.

calmante adj. soothing; m. (Med.) sedative.

calmar tr. to calm; to mitigate, to quiet.

calor m. heat; warmth.

calva f. bald head.

calvo adj. bald; hairless.

calzada f. roadway, road.

calzado -da adj. shod, calced.

calzar tr. to shoe, put on.

calzones m. breeches; (U.S.) trousers.

calzoncillos m. pl. drawers, pants.

callar tr. to silence; to keep silence; in. to be silent, to keep silent.

calle f. street.

callo m. callus, corn. pl. tripe.

cama f. bed.

cámara f. hall, parlour; chamber; breech.

camarada m. comrade, companion.

camarera f. waitress; headmaid.

camarero m. waiter.

camarote m. cabin.

cambiar tr. to change.

camelar tr. con. to flirt with, trick.

camilla f. stretcher, litter.

caminar tr. intr. to walk.

camino *m.* road, way, path.

camión *m.* truck, van, lorry.

camisa *f.* shirt; slough.

camiseta *f.* vest.

camisón *m.* nightshirt.

campana *f.* bell; cloche.

campesino *adj.* rural. *m.* countryman.

campiña *f.* country, countryside.

campo *m.* field; country.

cana *f.* white (*or*) gray hair.

canalizar *tr.* to canalise.

canalla *m.* rascal.

canapé *m.* sofa; settee.

canasta *f.* basket.

cancelar *tr.* to annul, to cancel.

cáncer *m.* (Path.) cancer.

canciller *m.* chancellor.

canción *f.* song.

candado *m.* padlock.

candela *f.* candle, torch.

candente *adj.* candent, red-hot.

candidato -ta *m. & f.* candidate, competitor.

candil *m.* oil lamp.

candilejas *f. pl.* footlights.

canela *m.* cinnamon.

cangrejo *m.* (Zool.) crab.

canijo -ja *adj.* (fam.) sickly, infirm.

canjear *tr.* to exchange.

canoa *f.* canoe; launch.

canonizar *tr.* to canonise.

cansado -da *adj.* tired, weary.

cansar *tr.* to tire; to weary; to exhaust; *in.* to be tiresome.

cantar *m.* song; singing; *tr.* to sing, to divulge; *in.* to sing out, to squeak.

cántaro *m.* jug.

cantera *f.* quarry.

cantidad *f.* quantity, amount.

cantina *f.* tavern, pub.

cantor *adj.* singing; *m.* singer, songster.

caña *f.* cane; culm, stem; reed; glass of beer.

cáñamo *m.* (Bot.) hemp.

cañaveral *m.* canebrake.

caño *m.* tube, pipe; ditch.

cañón *m.* tube, pipe; cannon; gun; shank of key.

caoba *f.* (Bot.) mahogany.

caos *m.* chaos, confusion.

capa *f.* cape, cloak, mantle; stratum.

capacidad *f.* capacity.

capacitar *tr.* to enable, to qualify; *r.* to become enabled.

capataz *m.* overseer, foreman.

capellán *m.* chaplain.

capilla chapel; hood, cowl.

capital *adj.* capital; main, principal.

capitalizar *tr.* to capitalise.

capitán *m.* leader; captain *(of a football tram)* (Mil. Náut. & Nav.) captain.

capitanear *tr.* to head, to lead.

capitel *m.* (Arch.) capital; spire.

capítulo *m.* chapter.

capota *f.* (Aut.) top; hood *(of carriage)*.

capricho *m.* caprice, whim.

cápsula *f.* cap; (An., Bot., Phar. & Zool.) capsule.

captar *tr.* to catch; to attract.

capturar *tr.* to capture, arrest, seize, get.

capullo *m.* bud. cocoon.

cara *f.* face; appearance, look.

carabela *f.* (Náut.) caravel.

carabina *f.* carbine; rifle.

carabinero *m.* carabineer; frontier officer.

caracol *m.* (Zool.) snail.

carácter *m.* character; type.

caracterizar *tr.* to chacterise; *r.* to dress and paint for a role.

caramba *inj.* By Jove!

caramelo *m.* caramel; sweet, toffee.

carbón *m.* coal; charcoal.

carbonizar *tr.* & *r.* to carbonise.

carbono *m.* (Chm.) carbon.

carburador *m.* carburettor.

carburante *m.* fuel.

cárcel *f.* jail, prison.

carcomer *tr.* to bore; to gnaw away; *r.* to become undermined.

cardo *m.* (Bot. & Arch.) thistle.

carecer *tr.* to be in want; to be in nedd of.

carestía *f.* scarcity.

careta *f.* mask.

cargar *tr.* to load; to load up; to increase *(taxes)*.

cargo *m.* burden, weight; job, duty; charge; post, dignity.

cariar *tr.* to decay, rot.

caricia *f.* caress, pat, stroke.

caridad *f.* charity.

cariño *m.* love, affection.

cariz *m.* appearance, carmín *m.* carmine.

carne *f.* flesh; meat.

carnero *m.* mutton sheep.

carnet *m.* notebook.

carnicería *f.* butcher shop.

caro -ra *adj.* dear, expensive.

carpeta *f.* portfolio.

carpintería f. carpentry.

carraspera f. con. hoarseness.

carrera f. race; running; career; pl. horse racing.

carreta f. cart.

carrete m. spool, bobbin.

carretera f. highway; road.

carretilla f. wheelbarrow.

carro m. cart; truck; car.

carrocería f. coachwork.

carroza f. coach, carriage.

carta f. letter; chart.

cartear tr. to play low cards; r. to write to each other.

cartel m. poster, placard.

cartelera f. billboard.

cartero m. postman.

cartilla f. primer; short treatise.

cartón m. cardboard, pasteboard.

cartucho m. cartridge.

cartulina f. thin cardboard.

casa f. house; home; apartment.

casadero -ra adj. marriageable.

casamiento m. marriage; wedding.

casar m. hamlet; tr. to marry; in. to marry.

cascabel m. jingle bell.

cascanueces m. nut-cracker.

cascar in. to carck, burst.

cáscara f. rind, peel.

casco m. skull; hoof; potsherd.

caseta f. hut.

casi adv. almost, nearly.

casino m. casino; club.

caso m. case; chance; event.

caspa f. dandruff, scurf.

casquete m. skullcap.

casta f. caste, race.

castaña f. chestnut (fruit).

castaño -ña adj. chestnut-colored; m. (Bot.) chestnut tree.

castañuela adj. f. castanet; con. to be bubbling over with joy.

castellano -na adj., m. & f. Castilian; m. Castilian.

castigar tr. to punish, to castigate.

castillo m. castle.

castizo -za adj. pure-blooded; pure, correct (language).

casual adj. accidental, chance, casual.

catacumbas f. pl. catacombs.

cataclismo m. cataclysm.

catalejo m. telescope.

catálogo m. catalogue.

cataplasma f. poultice.

catar tr. to taste.

catarata f. cataract, waterfall.

catarro *m.* (Path.) catarrh; cold *(nose).*

cátedra *f.* professorship, chair *(university).*

catedrático *m.* professor; teacher.

catorce *adj.* fourteen.

cauce *m.* river bed.

caucho *m.* india-rubber.

causa *f.* cause; motive.

causar *tr.* to cause; to make.

cautivar *tr.* to take prisoner.

cavar *tr.* to dig.

cavidad *f.* cavity.

caza *f.* chase, hunt; game.

cazador -ra *adj.* hunting; *m.* hunter.

cazar *tr.* to chase; to hunt.

cazo *m.* ladle.

cazuela *f.* earthen casserole.

cebada *f.* barley.

cebar *tr.* to fatten up.

cebolla *f.* (Bot.) onion.

cecina *f.* dried beef.

ceder *tr.* to yield, give up.

cegar *tr.* to blind; to block.

ceguera *f.* blindness.

ceja *f.* eyebrow.

cejar *in.* to turn back.

celar *tr.* to see to; to watch over.

celda *f.* cell.

celebérrimo -ma *adj. sp.* very or most celebrated.

celebrante *adj.* celebrating, officiating; *m.* celebrant.

celebrar *tr.* to celebrate; to hold *(an interview, meeting)* to say *(Mass)*; *in.* to be glad; *r.* to be celebrated.

celeste *adj.* celestial; heavenly.

celestina *f.* bawd, procurer.

celo *m.* zeal; distrust, envy.

célula *f.* cell.

cementerio *m.* cemetery, church yard.

cemento *m.* cement; concrete.

cena *f.* supper.

cenagoso -sa *adj.* muddy, boggy.

cenar *tr.* to have supper; *in.* to sup.

cenicero *m.* ashtray.

ceniza *f.* ash, ashes.

censo *m.* census; tax.

censurar *tr.* to censure; to blame.

centavo -va *adj.* hundredth.

centenar *m.* hundred.

centenario -ria *adj.* centennial; *m.* centenarian.

centeno -na *adj.* rye.

centésimo -ma *adj. m. & f.* hundredth.

centígrado *adj.* centigrade.

centímetro m. centimetre.

céntimo adj. hundredth; m. cent, centime.

centinela m. & f. sentinel, sentry, guard.

central adj. central; f. main office, headquarters.

centralizar tr. & r. to centralise.

centrar tr. to center; r. to be centered.

céntrico -ca adj. central.

centro m. center, purpose.

centuria f. century.

ceñir tr. to gird; to encircle; r. to tighten one's belt.

cepillo m. brush; plane.

cepo m. branch, bough.

cera f. wax; beeswax.

cerca f. fence, wall; adv. near, close.

cercado m. fence, enclosure.

cercanía f. nearness, proximity.

cercar tr. to fence; in. to wall in.

cerco m. fence, wall; hoop.

cerdo m. (Zool.) hog, pig; pork; dirty.

cerebro m. (An.) cerebrum; (fig.) brain, mind.

cerezo m. wax chandler.

cereza f. cherry.

cerilla f. match; wax taper.

cero m. zero, naught.

cerrado adj. close; obscure.

cerrar tr. to close, to shut, to lock; to end, to finish; to seal (letter).

cerro m. hill.

cerrojo m. bolt, latch.

certificar tr. to certify; to certificate.

cervecería f. brewery; beer saloon.

cerveza f. beer, ale.

cesar in. to cease, to desist.

césped m. turf, grass.

cesta f. basket, pannier.

cetro m. scepter; perch.

cicatriz f. scar, cicatrice.

cicatrizar tr. to cicatrize, to heal.

cicuta f. (Bot.) hemlock, poison hemlock.

ciego -ga adj. blind, blocked; m. blindman; f. blind woman.

cielo m. sky; heaven; top, ceiling, roof.

cien, short form of ciento, hundred.

cieno m. mud. slime.

ciento adj. & m. hundred.

cierre m. closing, shutting.

cierva f. (Zool.) hind.

ciervo m. (Zool.) deer.

cifra f. cipher, figure, number.

cifrar *tr.* to cipher.

cigüeña *f.* (Zool.) stork.

cigüeñal *m.* crankshaft.

cilindrada *f.* piston displacement.

cilindro *m.* cylinder; roll.

cima *f.* top, summit, peak.

cimentar *tr.* to found; to lay the foundation for.

cinc *m.* (Chm.) zinc.

cincel *m.* chisel, cutter.

cincelar *tr.* to chisel, carve, engrave.

cinco *adj.* five; *m.* five.

cincuenta *adj.* fifty.

cinta *f.* ribbon; tape; film.

cintura *f.* waist.

circular *adj.* circular; *in.* to ciculate.

círculo *m.* circle; club.

circundar *tr.* to surround.

cirio *m.* big wax candle.

ciruela *f.* plum.

cirugía *f.* surgery.

cirujano *m.* surgeon.

cisma *m.* schism.

cisne *m.* (Zool.) swan.

cita *f.* date, appointtment.

citación *f.* summons.

citar *tr.* to make an appointment with.

ciudad *f.* city, town.

ciudadano -na *m.* & *f.* citizen, townsman; *adj.* urban, civic.

civil *adj.* civil; civilian.

civilizar *tr.* & *r.* to civilize.

cizaña *f.* (Bot.) darnel.

clamar *tr.* to clamour for; cry out for.

clan *m.* clan, family.

clara *f.* white of egg.

claraboya *f.* skylight.

clarear *tr.* to brighten, light up.

clarinete *m.* clarinet.

clarividencia *f.* clairvoyance.

claro -ra *adj.* clear; light *(in color)*; evident, manifest; thin *(liquid)*.

clase *f.* class; kind; quality; rank.

clasificar *tr.* to classify, arrange.

claudicar *tr.* to limp.

clausurar *tr.* to close.

clavar *tr.* to nail; to stick.

clavel *m.* (Bot.) pink, carnation.

clavícula *f.* (An.) clavicle.

clavija *f.* pin, peg.

clavo *m.* nail; corn *(on foot)*.

clero *m.* clergy.

cliché *m.* cliché.

cliente *m.* & *f.* client; customer.

clima *m.* climate, weather.

clínica *f.* clinic; surgery; dispensary.

cloquear *in.* to cluck, cackle.

cloro *m.* (Chm.) chlorine.

clorofila *f.* chlorophyll.

coacción f. coerción, coacción.

coágulo m. clot.

coartada f. alibi.

cobarde adj. coward; timid.

cobertizo m. shed, shelter.

cobertor m. bedcover, bedspread, quilt.

cobijar tr. to cover, to lodge.

cobrador m. collector; conductor (bus); teller (bank).

cobrar tr. to recover; to collect; to cash.

cobre m. copper.

cobro m. cashing, collection.

cocer tr. to cook; to boil (water); to bake (bread); to fire (bricks); in. to cook; to boil; r. to be in great sorrow.

cocina f. kitchen; cuisine.

cocinar tr. to cook; to do the cooking.

coche m. car; carriage.

cochera f. garage, coach-house.

cochinada f. piggishness.

cochino -na adj. con. piggish, dirty.

codear in. to elbow; r. to hobnob.

codiciar tr. to covet, to long, to have.

código m. code; codex.

codo m. elbow.

codorniz f. (Zool.) quail.

coexistir in. to coexist.

cofradía f. confraternity; association.

cofre m. coffer, trunk.

cogedor m. dust pan.

coger tr. to take, catch.

cogollo m. heart (of lettuce).

cogote m. back of the neck.

cohabitar in. to cohabit.

cohete m. rocket.

cohibir tr. to restrain.

coincidir in. to coincide, fall in (with).

cojear in. to limp, to halt.

cojín m. cushion.

cojo -a adj. crippled.

col f. (Bot.) cabbage.

cola f. tail; end seat.

colaborar in. to collaborate.

colada f. wash.

colador m. strainer, colander.

colar tr. to strain, filter; r. to slip through.

colcha f. bedspread.

colchón m. mattress.

colchoneta f. quilt.

coleccionar tr. to collect.

colega m. colleague.

colegial adj. collegiate; m. collegian, schoolboy.

colegio m. college; school; public school.

cólera f. (Phyl.) bile.

coleta f. pigtail.

colgadura f. hangings, drapery.

colgante adj. hanging; m. pendant, hanging ornament.

colgar tr. to hang; to fix (blame).

cólico m. (Path.) colic.

coliflor f. (Bot.) cauliflower.

colilla f. butt, stump (of cigar).

colina f. hill, slope.

colmar tr. to fill, to heap op, satisfy completely.

colmillo m. eyetooth.

colmo m. top, plenty, fill.

colocación f. placing.

colocar tr. to place.

colonizar tr. to colonise, to settle.

coloquio m. talk, conversation.

color m. colour.

colorear tr. to colo(u)r; to paint in favourable colours; in. to redden.

columpiar tr. to swing; r. to swing.

collar m. necklace.

comadrona f. midwife.

comarca f. region, province.

combate m. combat. —

combatir tr. to combat.

combinar tr. to combine; r. to combine.

comedia f. comedy; play.

comedido -da adj. courteous, polite.

comedir r. to be courteous.

comedor m. dining room.

comensal m. & f. table companion.

comentar tr. to comment, explain, gloss.

comenzar tr. & in. to begin, to start, to commence.

comer tr. to eat; to feed on; to consume.

comerciante adj. trading; m. & f. trader, merchant.

comestible adj. eatable, pl. provisions.

cometer tr. to commit.

cómico -ca adj. comic or comical.

comida f. food; meal; dinner.

comienzo m. beginning, start.

comillas f. pl. quotation marks.

comisaría f. police headquarters.

comité m. committee, assembly.

comitiva f. retinue, suit, followers.

como adv. as; so; like; cnj. as; when; if.

cómo adj. how?, why?; what?; **¿cómo así?**,

how so?; **¿cómo no?**, why not?; **¡cómo no!**, of course!

cómoda f. chest of drawers.

comodón -ona adj. con. comfortloving.

compadecer tr. y r. to pity, to feel sorry for; r. **compadecerse de**, to pity, to feel sorry for.

compaginar tr. to arrange, to put in order; r. to fit.

compañero -ra m. & f. companion; school-fellow.

comparar tr. to compare.

comparecer in. (Law.) to appear.

compartimiento m. compartment.

compartir tr. to divide; to share.

compás m. compass (Mús.) time, measure.

compatriota m. fellow-countryman.

compendiar tr. to summarize, condense.

compensar tr. to compensate; r. to be compensated for.

competir in. to compete, strive.

complacer tr. to please; r. to be pleased.

complejidad f. complexity.

complementar tr. to complement.

completar tr. to complete.

completo -ta adj. complete.

complicar tr. to complicate; r. to become complicated.

cómplice m. & f. accomplice.

complot m. plot, conspiracy.

componer tr. to compose; to compound; r. to compose oneself; con. to manage.

comportar tr. to bear; r. to behave.

compositor -ra m. & f. composer.

compra f. purchase, shopping.

comprador adj. buying.

comprar tr. to buy, to purchase.

comprender tr. to comprehend, understand.

compresa f. (Med.) compress.

comprimir tr. to press, squeeze.

comprobación f. verification.

comprobar tr. to verify.

comprometer tr. to compromise, to involve; to force; *r.* to become compromised.

compuesto *adj.* compound; composed.

computar *tr.* & *in.* to compute.

comulgar *in.* to take communion; to communicate.

comunicado *m.* announcement, dispatch.

comunicar *tr.*, *in.* & *r.* to communicate.

con *prep.* with.

conato *m.* endeavour (Law) attempt.

concebir *tr.* & *in.* to conceive.

conceder *tr.* to concede, admit.

concejal *m.* councilor.

concentrar *tr.* to concentrate.

concepto *m.* concept.

conceptuar *tr.* to be of opinion, to judge.

concernir *tr.* to concern, refer to.

concertar *tr.* to concert; to arrange; *r.* to become reconciled.

concertista *m.* & *f.* performer.

conciencia *f.* conscience.

concierto *m.* concert.

conciliar *tr.* to conciliate; to win.

concilio *m.* council.

conciso *adj.* concise, brief.

concluir *tr.* to conclude, to finish; *tr.* & *in.* to conclude.

conclusión *f.* conclusion, end.

concordar *tr.* to harmonize; to reconcile.

concretar *tr.* to concrete; *r.* to limit oneself.

concupiscencia *f.* lust.

concurrencia *f.* concurrence; crowd.

concurrir *in.* to concur; to attend, meet.

concurso *m.* crowd.

concha *f.* shell; tortoise shell.

conde *m.* earl, count.

condecorar *tr.* to decorate, confer.

condena *f.* sentence; penalty.

condenar *tr.* to condemn.

condensador *m.* condenser.

condensar *tr.* to condense.

condescender *in.* to yield, condescend.

condimentar *tr.* to season.

condiscípulo *m.* fellow student.

condoler *r.* to sympathise.

conducción *f.* conduction.

conducir *tr.* to lead, guide; *r.* to conduct oneslf.

conducto *m.* conduit, pipe.

conectar *tr.* to connect.

conejo *m.* (Zool.) rabbit.

confección *m.* making, confection.

confeccionar *f.* to make.

confederar *tr. & in.* to confederate.

conferencia *f.* conference; lecture.

conferenciar *in.* to confer.

conferir *tr.* to confer., grant.

confesar *tr.* to confess; admit.

confesor *m.* confessor.

confiar *tr.* to entrust, confide.

confidencial *adj.* confidential.

configurar *tr.* to form, to shape.

confirmar *tr.* to confirm.

confiscar *tr.* to confiscate.

confite *m.* candy, bonbon.

conflicto *m.* conflict.

confluente *adj.* confluent.

confluir *in.* to flow together, to meet.

conformar *tr.* to conform; to adjust; *r.* to conform.

confortar *tr.* to comfort, console.

confrontar *tr.* to confront; *in.* to border.

confundir *tr.* to confuse; to mix up; *r.* to become confused.

confuso -sa *adj.* confused.

congelar *tr.* to freeze, congeal.

congénito -ta *adj.* congenital.

conglomerado -da *adj.* conglomerate.

congoja *f.* anguish.

congratular *tr.* to congratulate; *r.* to congratulate oneself

congregar *tr. & r.* to congregate, assemble.

congresista *m. & f.* delegate.

congrio *m.* conger.

conjeturar *tr. & in.* to conjecture, to guess.

conjugar *tr.* to conjugate.

conjunto *adj.* conjoint, conjunct; *m.* whole, groupe.

conjurar *in.* to conspire, to plot.

conmemorar *tr.* to commemorate.

conmigo, wit me.

conminar *tr.* to threaten.

conmovedor -ra *adj.* stirring. touching.

conmover *tr.* to stir; to move; *r.* to be moved, be touched.

conmutador *m.* (Ecl.) switch; commuter.

cono *m.* (Geom.) & (Bot.) cone.

conocedor -ra *m.* & *f.* connoisseur, expert.

conocer *tr.* to know; *r.* to know oneself.

conocido -da *adj.* familiar; *m.* & *f.* acquainted.

conocimiento *m.* knowledge.

conque *adv.* and so, so then.

conquistador -ra *adj.* conquering; *m.* & *f.* conqueror.

conquistar *tr.* to conquer.

consagrar *tr.* to consecrate.

consciente *adj.* conscious, aware.

consecución *f.* adquisition.

conseguir *tr.* to get, obtain.

consejero -ra *m.* counsellor; *f.* female adviser.

consejo *m.* advice, counsel.

consentimiento *m.* consent.

consentir *tr.* to allow, to tolerate; *in.* to consent.

conserje *m.* concierge.

conserjería *f.* janitorship.

conserva *f.* conserve, perserves.

conservador -ra *adj.* preservative.

conservar *tr.* to preserve; *r.* to keep, maintain.

consigna *f.* order; (Mil.) watchword.

consignar *tr.* to consign.

consigo, whit him, with her.

consiguiente *adj.* consequent.

consistencia *f.* consistence.

consistir *in.* to consist, be composed of.

consolar *tr.* to console, comfort.

consolidar *tr.* to consolidate.

consonante *f.* consonant (letter); *adj.* consistent.

consorcio *m.* consortium.

consorte *m.* & *f.* consort.

conspirar *in.* to conspire.

constante *adj.* constant.

constar *in.* to be clear, be certain.

consternar *tr.* to consternate.

constipar *r.* to catch cold.

constituir *tr.* to constitute.

constituyente *adj.* constituent.

constreñir *tr.* to constrain.

constructor -ra *adj.* constructing, building; *m.* & *f.* constructor.

construir *tr.* to construct.

consulta *f.* consulting.

consultar *tr.* to consult.

consumado *adj.* consummate.

consumar *tr.* to consummate.

consumir *tr.* to consume; *con.* to harass; *r.* to consume.

consumo *m.* comsumption.

consuno, in accord, together.

contabilidad *f.* accountancy, bookkeeping.

contable *adj.* countable.

contado -da *adj.* scarce.

contador *m.* counter.

contagiar *tr.* to infect; *r.* to become inffected.

contaminar *tr.* to contaminate, infect.

contar *tr.* to count; to rate.

contemplar *tr.* to contemplate; *in.* to contemplate.

contemporizar *in.* to temporise.

contencioso -sa *adj.* contentious, litigious.

contener *tr.* to contain; to refrain, detain; *r.* to contain oneself.

contentar *tr.* to content; satisfy, please; *con.* to be easy to please; *r.* to be contented.

contento -ta *adj.* glad; *con.* to be bursting with joy; *m.* contentment, happiness.

contestación *f.* answer, reply.

contestar *tr.* to answer, reply.

contextura *f.* contexture, framework.

contienda *f.* fight, dispute.

contigo, with you, with thee.

contiguo -ua *adj.* contiguous, next.

continuación *f.* continuation.

continuar *tr.* to continue; *in.* to continue.

continuo -ua *adj.* endless; *m.* continuum.

contra *prep.* against; *con.* oposition.

contrabandista *adj. m. & f.* contrabandist, smuggler.

contracción *f.* contraction.

contradecir *tr.* to contradict.

contraer *tr.* to contract.

contragolpe *m.* counter coup.

contraindicar *tr.* contraindicate.

contraponer *tr.* to set in front; *r.* to be opposed.

contrariar *tr.* to oppose.

contrario -ria *adj.* con-

cordel

trary opposite; hostile; *m.* & *f.* enemy; *con.* to oppose, to disagree with.

contrarrestar *tr.* to, offset, counteract.

contraseña *f.* countersign, countermark.

contrastar *tr.* to check; *in.* to contrast.

contraste *m.* resistance.

contratación *f.* trade; deal.

contratar *tr.* to contract for.

contratiempo *m.* misfortune.

contrayente *adj.* marriage-contracting; *m.* & *f.* contracting party.

contribuir *tr.* & *in.* to contribute.

control *m.* check, control.

controlar *tr.* to check, control.

controvertir *tr.* to controvert, dispute.

contundente *adj.* bruising.

conturbar *tr.* to disquiet, perturb.

convalecer *in.* to convalesce.

convecino -na *adj.* neighbouring.

convencer *tr.* to convince; *int.* to make certain.

convención *f.* convention.

conveniente *adj.* proper.

convenio *m.* pact, agreement.

convenir *in.* to suit; to agree.

convergir *in.* to converge.

conversar *in.* to converse.

converso -sa *adj.* converted; *m.* & *f.* convert.

convertir *tr.* to convert.

convidar *tr.* to invite.

convivir *in.* to live together.

convocar *tr.* to convoke, summon, call together.

conyugal *adj.* conjugal.

cónyuge *m.* & *f.* spouse, consort.

coñac *m.* brandy.

cooperar *in.* to cooperate, work together.

coordinar *tr.* to coordinate.

copa *f.* goblet, wineglass.

copia *f.* abundance, plenty.

copiar *tr.* to copy.

copla *f.* couplet, stanza.

cópula *f.* joining, coupling.

coquetear *in.* to flirt, to coquet.

coraje *m.* anger, spirit, courage.

coraza *f.* armour plate.

corazón *m.* heart.

corbata *f.* tie, cravat.

corcel *m.* steed.

cordel *m.* cord, string.

cordero m. lamb.

cordial adj. cordial, hearty; m. refreshing drink.

cordillera f. mountain range.

cordón m. lace; string.

cordura f. prudence, wisdom.

cornada f. thrust with horns, goring.

cornamenta f. horns, antlers.

corneta f. (Mús.) bugle; cornet.

cornisa f. cornice.

coro m. chorus; choir.

corona f. crown.

coronar tr. to crown; to top.

coronilla f. crown.

corpiño m. vest.

corpúsculo m. corpuscle, particle.

corral m. corral, stockyard.

correa f. leather strap.

correaje m. belts, belting.

corregible adj. corrigible, subject to correction.

corregidor -ra adj. correcting; f. wide of a corregidor; m. magistrate.

corregir tr. to correct, amend.

correo m. courier, mail.

correr tr. to run, to race; to run (a risk).

correspondencia f. correspondence; mail.

corresponder in. to correspond; to concern.

corretear in con. to hang around.

corrido -da adj. in excess (said of a weight); cursive.

corriente adj. running (water); current; con. regular; adv. all right; m. current month.

corroborar tr. to strengthen.

corromper tr. to corrupt; to spoil; r. to become corrupted.

corrupción f. corruption.

corsé m. corset, girdle.

cortado -da adj. cut, abrupt; m. cup of coffee between black and white.

cortafuego m. fireguard.

cortante adj. cutting, sharp.

cortar tr. cut; to trim; to clip; to cut down; r. to become confused.

corte m. cut; cutting; f. court; yard.

cortejar tr. to escort, court, woo.

cortejo m. court.

cortés adj. courteous, polite.

cortesía f. courtesy, politeness.

corteza f. bark; peel, skin.

cortijo m. farmhouse, farm (in Andalucía).

cortina f. curtain.

corto -ta adj. short; shy; backward.

cosa f. thing; con. as if nothing had happened; con. something unheard-of.

cosecha f. harvest, crop.

cosechar tr. to harvest.

coser tr. to sew; to lace (a belt).

cosmopolita adj. cosmopolitan.

cosquillas f. pl. tickling; con. to try to annoy someone.

cosquilleo m. tickling.

costa f. cost, price; coast.

costado m. side; (Mil.) flank.

costar tr. & in. to cost.

costear tr. to defray the cost of; in. to sail along the coast; r. to pay for itself.

costilla f. rib; f. pl. back.

costo m. cost.

costoso -sa adj. costly, expensive.

costumbre f. custom, habit, practice, pl. habits, manners.

costura f. sewing, needlework; tailoring.

cotejar tr. to compare, confront.

cotizar tr. to quote (on Stock Exchange).

coto m. enclosed pasture.

coyuntura f. conjuncture; chance.

coz f. kick.

cráneo m. (An.) skull, cranium.

crear tr. to create.

crecer in. to grow, increase; to rise, to swell (said of stream).

crecido -da adj. large, grown.

credencial adj. & f. credential.

crédito m. credit; belief.

credo m. creed; credo.

creer tr. & in. to believe.

crema f. cream.

cremallera f. rack; zip-fastener.

crespón m. crape.

cresta f. crest, summit.

creyente adj. believing; m. & f. believer.

cría f. raising; breeding.

criadero m. nursery.

criado -da adj. bred; m. & f. servant; f. maid.

criar tr. to raise, rear.

criatura f. creature, baby.

cribar tr. to sieve, sift.

criollo -lla adj. & f. Creole; native.

cripta f. crypt.

crisma m. & f. (Ecl.) chrism; con. head, nut.

crisol m. crucible.

crispar tr. to twitch; r. to twitch.

cristal m. crystal.

cristalizar tr. & in. to crystallise.

cristiandad f. Cristendom.

criterio m. criterion.

criticar tr. to criticise, censure.

cromo m. (Chm.) chromium.

crónica f. chronicle, news columna.

cronometrar tr. to time.

cronómetro f. chronometer.

croquis m. sketch.

cruce m. crossing.

crucero m. cruiser.

crucigrama m. crossword puzzle.

crudo -da adj. raw, crude.

crujir in. to crackle.

cruz f. cross.

cruzada f. crusade.

cruzar tr. to cross; to cut across.

cuaderno m. notebook, exercise-book.

cuadra f. stable.

cuadrante m. fourth part of on inheritance.

cuadrar tr. & in. to square.

cuadro m. square; picture.

cuajar m. (Zool.) rennet bag; tr. to curd, to curdle, to coagulare; in. con. to jell; r. to curd, to curdle.

cual pr. which.

cuál pr. which, what, which one.

cualquiera pron. indef. anyone; pron. rel. whichever; m. somebody.

cuando conj. when; although.

cuándo adv. when?

cuanto -ta adv. & pron. as much as, whatever.

cuaresma f. Lent.

cuartear tr. to quarter; r. to crack, split.

cuartel m. section, ward.

cuarteto m. quatrain.

cuartilla f. quarter of large sheet of paper.

cuarto -ta adj. fourth; quarter; m. fourth; quarter; room.

cuba f. cask, barrel.

cubeta f. keg, small cask or barrel.

cubicar tr. to determine the volume of.

cubierta f. cover.

cubierto m. knife, fork, and spoon.

cubo m. bucket.

cubrir tr. to cover; r. to cover oneself.

cuchara f. spoon; ladle.

cucharilla f. small spoon.

cucharón m. ladle.

cuchilla f. knife, cutting tool.

cuchillería f. cutlery.

cuchillo m. knife.

cuello m. neck; collar.

cuenca f. wooden bowl.

cuenta f. count, calculation; account; bill.

cuentagotas m. dropper.

cuento m. story, tale; short story; con. gossip.

cuerda f. string, rope; cord; chord.

cuerdo -da adj. sane.

cuerno m. horn; (An.) cornu; (fig.) horn.

cuero m. pelt, rawhide.

cuerpo m. body; corpus (of writings, laws, etc.).

cuervo m. (Zool.) raven.

cuesta f. hill, slope.

cuestión f. question; affair, matter.

cueva f. cave; cellar.

cuidado m. care; worry.

cuidadoso -sa adj. careful, watchful.

cuidar tr. to care for.

culata f. haunch, butt (of gun).

culminar in. to culminate.

culo m. seat, behind; anus.

culpa f. blame, guilt, fault.

culpar tr. to blame, censure.

cultivar tr. to cultivate, till.

cultivo m. cultivation; farming.

culto -ta adj. cultivated, cultured; m. cult, worship.

cultura f. culture, education.

cultural adj. cultural.

cumbre f. summit.

cumpleaños m. birthday.

cumplidor -ra adj. reliable.

cumplimentar tr. to compliment.

cumplir tr. to execute, perform, fulfill.

cuna f. cradle.

cundir in. to spread.

cuneta f. ditch, gutter.

cuñada f. sister-in-law.

cuñado m. brother-in-law.

cuota f. quota.

cupón m. coupon.

cura m. priest; f. cure; remedy.

curación f. treatment.

curandero -ra m. & f. quack.

curar tr. to head; to treat.

curiosear in. con. to snoop, to pry around.

curioso -sa *adj.* curious.

cursar *tr.* to haunt, to frequent, to attend.

cursillo *m.* short course.

curso *m.* course; circulation.

curtido tanned; expert.

curtir *tr.* to tan; to harden; *r.* to become tanned.

curva *f.* bend.

cúspide *f.* peak, top, summit, (*of a mountain*).

cutis *m.* & *f.* skin.

cuyo -ya *pr. rel.* whose, of which.

ch

chabacano *adj.* awkward, clumsy.

chacal *m.* (Zool.) jackal.

chacha *f.* (con.) lass.

chafar *tr.* to flatten.

chalado -da *adj.* (con.) addlebrained, crackers.

chalar *r.* to lose one's head.

chaleco *m.* vest, waistcoat.

chalupa *f.* (Náut.) shallop, canoe.

champiñón *m.* mushroom.

champú *m.* shampoo.

chamuscar *tr.* to singe.

chanclo *m.* clog.

chantaje *m.* blackmail.

chapa *f.* plate; metal sheet.

chaparrón *m.* heavy shower.

chapista *m. & f.* tinsmith.

chapucear *tr.* to botch, bungle.

chapucero *adj.* rough, crude.

chapurrear *tr.* to jabber (a language).

chapuzar *tr.*, *in. & r.* to duck, to dive to plunge.

chaqueta *f.* jacket.

charco *m.* puddle, pool.

charla *f.* (con.) chat, chatting.

charlar *in.* (con.) to chat.

charretera *f.* epaulet; garter.

charro -rra *adj.* coarse.

chascar *tr.* to click.

chasco *m.* dissapointment, frustration.

chasis *m.* chassis, body (car).

chatarra *f.* scrap iron.

chatarrería *f.* junk yard.

chato -ta *adj.* flat; *f.* darling, pretty girl.

chaval -la *adj.* (con.) young; *m.* (con.) lad; *f.* (con.) lass.

chaveta *f.* cotter.

chelín *m.* shilling.

chepa *f.* (con.) hunch, hump.

chicle *m.* chewing-gum.

chico -ca *adj.* small, little; *m. & f.* child; *m.* lad, little fellow.

chifla *f.* hissing.

chifladura *f.* hissing.

chiflar *tr. in.* to whistle; *r.* (con.) to become unbalanced.

chillar *in.* to screech.

chillón -ona adj. (con.) shrieking, screaming.

chinche m. & f. (Zool.) bedbug.

chirigota f. (con.) joke.

chiripa f. fluke, scratch.

chirriar in. to sizzle.

chirrido m. sizzle; creak.

chisme m. gossip.

chispa f. spark.

chispazo m. spark.

chispear in. to spark.

chistar in. to speak.

chiste m. witticism; joke.

chistera f. basket; top hat.

chivato m. (Zool.) kid.

chivo -va m. & f. (Zool.) kid; m. he goat.

chocar tr. to shock; to collide.

chocolate m. chocolate.

chochear in. to dote, become childish.

chofer m. driver.

chopo m. (Bot.) black poplar.

choque m. shock; impact, collision.

chorizo m. (very big) sausage.

chorrear in. to spout; to drip.

chorro m. spurt, jet.

chubasco m. squall, shower, storm.

chufa f. (Bot.) tiger-nut.

chuleta f. chop, cutlet.

chulo -la adj. flashy, snappy.

chupar tr. to suck; to absorb; r. to lose strength.

chupete m. pacifier.

chupón -na adj. (con.) sucking; m. & f. (con.) swindler.

churruscar tr. to burn (food).

chusma f. galley slaves.

d

dactilógrafo -fa *m. & f.* typist, typewriter.

dádiva *f.* gift, present.

dado -da *adj.* given.

dador -dora *adj.* giving; *m. & f.* giver.

dama *f.* lady, dame.

damnificar *tr.* to damage, hurt.

danza *f.* dance; dancing.

danzar *tr.* to dance.

dañar *tr.* to hurt; to damage.

daño *m.* hurt, damaged, harm.

dar *tr.* to give; to cause; to hit, to strike.

dardo *m.* dart.

dársena *f.* inner harbour.

datar *tr.* to date; *in.* to date.

dato *m.* datum, fact.

de *prep.* of; from; by; with.

debajo *adv.* below, underneath.

debatir *tr.* to debate; *in.* to debate; *r.* to struggle.

debe *m.* (Com.) debit.

deber *m.* duty; *pl.* school work.

débil *adj.* weak; feeble.

debilitar *tr.* to debilitate; *r.* to weaken.

debutar *in.* to make one's debut.

decaer *in.* to decay; to fall, weaken.

decanato *m.* deanship.

decapitar *tr.* to decapitate, to behead.

decena *f.* ten.

decente *adj.* decent; dignified.

decepción *f.* disappointment.

decepcionar *tr.* to disappoint.

decidir *tr.* to decide; *in.* to decide.

décimo -ma *adj.* tenth.

decir *m.* saying; *tr.* to say, to tell; to speak, state, utter.

declamar *tr. & in.* to declaim, recite.

declarar *tr.* to declare; state; *in.* to declare; *r.* to declare oneself.

declinar *tr.* to decline, refuse; *in.* to decline.

declive *m.* declivity, slope.

decorar *tr.* to decorate.

decreciente *adj.* decreasing, diminishing.

decretar *tr.* to decree, resolve.

dedal *m.* thimble.

dedicar *tr.* to dedicate.

dedo *m.* finger; *con.* to raise one's hand.

deducir *tr.* to deduce, infer *(see irr.* **lucir***)*.

defecto *m.* defect; fault, weakness.

defender *tr.* to defend; to protect; (Law) to defend.

defensa *f.* defense; *m.* *(football)* full-back.

defensor -ra *adj.* defending; *m.* counsel for the defence.

deficiente *adj.* deficient,

déficit *m.* deficit.

definir *tr.* to define; make clear.

deformar *tr.* to deform; distort; *r.* to become deformed.

defraudar *tr.* to defraud, to cheat.

defunción *f.* death, demise.

degenerar *in.* to degenerate, decay.

degradar *tr.* to degrade.

degustar *tr.* to taste.

deificar *tr.* to deify.

dejadez *f.* laziness, negligence.

dejar *tr.* to leave; to abandon; to let; to omit; to lend.

delantal *m.* apron.

delante *adv.* before; *in.* front of.

delantero -ra *adj.* front; head.

delatar *tr.* to accuse, denounce.

delator -ra *adj.* accusing; *m. & f.* accuser.

delegar *tr.* to delegate, depute.

deleitar *tr.* to delight; *r.* to delight.

delgado -da *adj.* thin, lean, slender.

deliberar *tr.* to deliberate.

delimitar *tr.* to delimit.

delincuente *adj.* guilty, delinquent; *m. & f.* guilty person.

delineante *adj.* delineating, drafting; *m. & f.* delineator.

delinear *tr.* to delineate, to outline.

delirar *in.* to be delirious.

demanda *f.* demand; petition.

demandar *tr.* to demand; (Law.) to sue.

demarcar *tr.* to demarcate.

demás *adj. indef.* the others, the rest.

demencia *f.* insanity, madness.

demoler *tr.* to demolish, tear down.

demonio *m.* demon; devil.

demorar *tr.* to delay; *in.* to retard.

demostrar *tr.* to demonstrare, prove.

denegar *tr.* to deny, to refuse.

denigrar *tr.* to defame, revile.

denominar *tr.* to name, to denominate.

denotar *tr.* to denote, mean.

densidad *f.* density.

dentadura *f.* denture, set of teeth.

dentrífico -ca *adj.* tooth paste.

dentro *adv.* inside, within.

denunciar *tr.* to denounce.

depender *in.* to depend; to rely upon.

depilar *tr.* to depilate.

deplorar *tr.* to deplore.

deponer *tr.* to set aside.

deportar *tr.* to banish, exile.

deporte *m.* sport.

depositar *tr.* to deposit.

depósito *m.* depot, warehouse.

depravar *tr.* to deprave, vitiate.

depreciar *tr. & in.* to depreciate, undervalue.

deprimido -da *adj.* depressed, low-spirited.

deprimir *tr.* to depress.

depurar *tr.* to purify.

derecha *f.* right hand; righ hand side; *pl.* Right Wing (*politics*).

derecho -cha *adj.* right; straight; standing; *m.* law; right.

deriva *f.* drift.

derivar *in. & r.* to derive; to descend from.

derogar *tr.* to abolish, derogate.

derramar *tr.* to pour out, to spill.

derretir *tr.* to melt; *r.* to melt.

derribar *tr.* to demolish, destroy; *r.* to fall down.

derrocar *tr.* to tear down.

derrotar *tr.* to rout; to defeat.

derruir *tr.* to tear down.

derrumbamiento *m.* collapse, landslade.

derrumbar *tr.* to tumble down; *r.* to collapse.

desabrochar *tr.* to unsnap; *r.* to become unfastened.

desaconsejar *tr.* to dissuade.

desacreditar *tr.* to discredit.

desafiar *tr.* to challenge, dare.

desafinar *tr.* to put out of tune; *in.* to get out of tune.

desafío *m.* challenge, duel.

desagradable *adj.* disagreeable, unpleasant.

desagrado *m.* displeasure.

desaguar *tr.* to drain, empty; *m.* to flow.

desagüe *m.* drainage, sewerage.

desahogar *tr.* to relieve, give comfort to.

desahuciar *tr.* to deprive of hope.

desairar *tr.* to slight, snub.

desaire *m.* ungracefulness, slight.

desalar *tr.* to take the salt from.

desalentar *tr.* to discourage; *r.* to become discouraged.

desalquilar *tr.* to stop renting, to vacate.

desamparar *tr.* to forsake.

desamueblar *tr.* to remove the furniture from.

desangrar *tr.* to bleed copiously; *r.* to bleed to death.

desapacible *adj.* unpleasant, disagreeable.

desaparecer *tr.* to disappear; *in.* & *r.* to disappear.

desaprobar *tr.* to disapprove.

desarmar *tr.* to disarm; to dismount.

desarme *m.* disarmament.

desarrollar *tr.* to unroll, unfold.

desarrollo *m.* unrolling, unfolding; development.

desasosegar *tr.* to disquiet, worry; *r.* to become disquieted.

desasosiego *m.* disquiet, worry.

desastre *m.* disaster.

desatar *tr.* to untie; to solve; *r.* to break loose (*said of a storm*).

desatento -ta *adj.* inattentive, disregardful.

desatinar *r.* to be wrong.

desatornillar *tr.* to unscrew.

desautorizar *tr.* to deprive of authority (*or*) credit.

desayunar *in.* to breakfast; *r.* to breakfast.

desazón *f.* tastelessness.

desbocar *tr.* to break the mouth (*or*) spout of; *r.* to break loose.

desbordamiento *m.* overflowing.

desbordar *in.* to overflow; *r.* to overflow.

descalabrar *tr.* to hit, to hurt.

descalificar *tr.* to disqualify.

descalzar *tr.* to take off; *r.* to take off (*shoes, etc.*).

descansado -da *adj.* rested; tranquil.

descansar *tr.* to stop work.

descarado -da *adj.* impudent, cheeky.

descarga *f.* unloading; discharge, *(of a gun)*.

descargar *tr.* to unload; to ease *(conscience)*.

descargo *m.* unloading; discharge.

descarnado *adj.* lean, thin.

descaro *m.* effrontery.

descarrilar *in.* to derail.

descartar *tr.* to reject; *r.* to discard.

descendencia *f.* descent.

descender *tr.* & *in.* to descend, go down.

descenso *m.* descent.

descentralizar *tr.* to decentralise.

descifrar *tr.* to decipher.

desclavar *tr.* to remove the nails from.

descolgar *tr.* to take down; *r.* to slip down.

descolorido -da *adj.* discoloured, off colour.

descomponer *tr.* to decompose; *r.* to decompose.

descomunal *adj.* extraordinary.

desconcierto *m.* disorder.

desconectar *tr.* to disconnect.

desconfiado -da *adj.* distrustful.

desconfiar *in.* to have no confidence.

descongelar *tr.*, *in* & *r.* to defrost, to melt.

desconocer *tr.* not to know.

desconsolado-da *adj.* disconsolate.

desconsolar *tr.* to grieve; *r.* to grieve.

desconsuelo *m.* grief.

descontar *tr.* to discount.

descorchar *tr.* remove the bark *(or)* cork from.

descortés *adj.* discourteous, rude.

descortezar *tr.* to strip off the bark; *con.* to polish.

descoser *tr.* to unstitch, rip.

descoyuntar *tr.* to dislocate.

descrédito *m.* discredit, disrepute.

describir *tr.* to describe, to define.

descuartizar *tr.* to quarter.

descubrir *tr.* to discover, find out; *r.* to take off one's hat.

descuento *m.* discount.

descuidado -da *adj.* careless.

descuidar *tr.* to neglect,

overlook; *r.* to be distracted.

desde *prep.* since, from; after.

desdentado -da *adj.* toothless.

desdicha *f.* misfortune, unhappiness.

desdoblar *tr.* & *r.* to unfold, spread open.

desear *tr.* to desire, wish.

desembalar *tr.* to unpack,

desembarazar *tr.* to disembarrass; *r.* to free oneself.

desembarcadero *m.* wharf, pier.

desembarcar *tr.* & *in.* to disembark.

desembocadura *f.* mouth.

desembolsar *tr.* to disburse, pay out.

desembolso *m.* payment.

desempaquetar *tr.* to unpack.

desempeñar *tr.* to redeem, to recover.

desempleo *m.* unemployment.

desencajar *tr.* to dislocate; *r.* to get out of joint.

desenchufar *tr.* to disconnect, to switch off.

desenfado *m.* ease, freedom.

desenfreno *m.* unruliness, licentiousness.

desenganchar *tr.* to unhook, unfasten; *r.* to come unhooked.

desengrasar *tr.* to take the grease out of; *r. con.* to get thin.

desenmascarar *tr.* to unmask.

desenredar *tr.* to disentangle; *r.* to extricate oneself.

desentender *tr.* to take no part in.

desenterrar *tr.* to unearth.

desenvainar *tr.* to unsheathe.

desenvoltura *f.* ease, grace.

desenvolver *tr.* to unroll, unfold; *r.* to be forward.

deseo *m.* desire, wish.

desequilibrado -da *adj.* unbalanced.

desesperar *tr. con.* to exasperate; *in.* to despair; *con.* to be exasperated.

desestimar *in.* to underestimate.

desfallecer *tr.* to weaken, to debilitate; *in.* to fall away.

desfavorable *adj.* unfavorable.

desfigurar *tr.* to disfigurate; to disguise; *r.* to change.

desfiladero m. defile, pass.

desfile m. parade, march.

desgajar tr. to tear off, to break off.

desganado -da adj. not hungry.

desgañitar r. con. to scream.

desgarrar tr. to tear.

desgarro m. tear, rent.

desgaste m. wearing down.

desgracia f. misfortune, bad luck; disfavour.

desgraciado -da adj. unfortunate.

desgraciar tr. to spoil; r. to spoil.

desguazar tr. to roughhew.

deshabitado -da adj. uninhabited.

deshabitar tr. to move out of.

deshacer tr. to undo; to untie.

desharrapado -da adj. ragged, shabby.

deshecho -cha pp. of deshacer.

deshelar tr. & in. to defrost.

desheredar tr. to disinherit.

deshinchar tr. to deflate; r. to get down.

deshojar tr. to defoliate; to defoliate.

deshonor m. dishonour.

deshonra f. dishonour.

deshonrar tr. to dishonour.

deshora f. inopportune time.

deshuesar tr. to bone.

desidia f. laziness, indolence.

desierto -ta adj. desert; m. desert.

designar tr. to designare, to select.

desigual adj. unequal.

desilusionar tr. to desillusion; r. to be desillusioned.

desinflar tr. to deflate.

desintegrar tr. & r. to desintegrate.

desleal adj. disloyal.

desliar tr. to untie, unpack.

desligar tr. to untie, to unwind; r. to come loose.

desliz m. sliding, slipping.

deslizar tr. to slide, make slide; in. to slide; r. to slide.

deslucir tr. to tarnish.

deslumbrar tr. to dazzle.

desmangar tr. to take off the handle of. r. to come off.

desmantelar tr. to dismantle.

desmayar tr. to dishearten; r. to faint.

desmayo m. depression; faltering.

desmentir tr. to contradict.

desmenuzar tr. to pull to pieces; r. to crumb.

desmontar tr. to clear (woods); to level (ground); in. & r. to dismount.

desmoralizar tr. to demoralize.

desnatar tr. to skim.

desnivel m. unevenness.

desnudar tr. to strip, to undress.

desnudo -da adj. naked, bare; m. nude.

desnutrir r. to become undernourished.

desobedecer tr. & in. to disobey.

desodorante adj. & m. deodorant.

desoír tr. not to hear.

desolar tr. to desolate.

desollar tr. to flay, to skin.

desordenar tr. to disorder, r. to get out of order.

desorganizar tr. to disorganise.

despabilar tr. to trim, to

snuff (candle); r. to brighten up.

despacio adv. slowly; inj. easy there!

despachar tr. to despatch, to expedite.

desparpajo m. con. pertness.

despectivo -va adj. depreciatory.

despecho m. spite.

despedazar tr. to break to pieces, to tear into pieces.

despedida f. farewell, leave.

despedir tr. to throw, to hurl.

despegar tr. to loosen (sealed); r. to get loose.

despegue m. take-off.

despeinar tr. to take down the hair of; r. to take down one's hair.

despejar tr. to free, to clear; r. to be free and easy.

despensa f. pantry.

despeñar tr. to hurl over a cliff; r. to hurl oneself over a cliff.

desperdiciar tr. to waste.

despertador m. alarmclock.

despertar t. to awaken, to wake up.

despilfarro m. squandering, lavishness.

despintar *tr.* to take the paint off; *r.* to wash off, to fade.

despistar *tr.* to put off.

desplegar *tr.* to spread out, unfold; *r.* to spread out.

despojar *tr.* to strip, despoil; *r.* to undress.

desposar *tr.* to marry; *r.* to be betrothed.

despreciar *tr.* to despise, to scorn.

desprender *tr.* to loosen; *r.* to loosen.

desprendimiento *m.* landslide.

después *adv.* after, afterwards.

desquiciar *tr.* to unhinge; *r.* to come unhinged.

destacado -da *adj.* outstanding.

destacar *tr.* to emphasize; *r.* to stand out.

destajo *m.* piecework.

destapar *tr.* to uncover; *r.* to get uncovered.

destello *m.* sparkle, flash.

desteñir *tr.* to discolour.

desterrar *tr.* to exile, banish.

destierro *m.* exile, banishment.

destinar *tr.* to destine.

destituir *tr.* to deprive.

destornillador -ra *m.* screwdriver.

destreza *f.* skill, dexterity.

destrozar *tr.* to break to pieces.

destruir *tr.* to destroy, lay waste.

desunir *tr.* & *r.* to disunite.

desuso *m.* disuse.

desvalijar *tr.* to steal the contents of; to rob.

desván *m.* garret, loft.

desvanecer *tr.* to cause to disappear (*or*) vanish.

desvariar *in.* to rave, rant.

desvelar *tr.* to keep awake.

desventurado -da *adj.* unfortunate.

desvergonzado -da *adj.* unabashed.

desvestir *tr.* & *r.* to undress.

desvío *m.* deflection, deviation.

detall *m.* retail.

detallar *tr.* to detail.

detectar *tr.* to detect.

detener *tr.* to stop, to check.

detenidamente *adv.* carefully, thoroughly.

determinar *tr.* to determine.

detestar *tr.* to curse.

detrás *adv.* behind.

detrimento *m.* damage, detriment.

deudo -da *m. & f.* relative; *f.* debt.

deudor -dora *adj.* indebted; *m. & f.* debtor.

devastar *tr.* to devastate.

devolución *f.* return, restitution.

devolver *tr.* to return.

devorar *tr.* to devour.

día *m.* day; daytime; daylight; *con* when least expected.

diablo *m.* devil.

diácono *m.* deacon.

diagnosticar *tr.* to diagnose.

dialecto *m.* dialect.

dialogar *tr. & in.* to dialogue.

diapositiva *f.* transparency, slide.

diario -ria *adj.* daily.

dibujante *m. & f.* sketcher; *m.* draftsman; *f.* draftswoman.

dibujar *tr.* to draw, to design; *r.* to be outlined.

dibujo *m.* drawing; sketch.

diccionario *m.* dictionary.

diciembre *m.* December.

dictaminar *in.* to pass judgment.

dictar *tr.* to dictate.

dichoso -sa *adj.* happy, lucky.

diente *m.* tooth.

diestra *f.* right hand.

diestro *adj.* right; skiful.

diez *adj.* ten.

diferir *tr.* to defer; *in.* to differ.

difícil *adj.* difficult, hard.

dificultar *tr.* to put obstacles in the way of.

difundir *tr.* to diffuse, to spread.

difunto -ta *adj. & m.* deceased; *m.* corpse.

difusión *f.* diffusion.

digerir *tr.* (Phyl.) & (Chm.) to digest; (fig.) to digest.

digno -na *adj.* worthy.

dilatar *tr.* to expand; *r.* to be deferred.

diluir *tr. & r.* to dilute.

diluvio *m.* deluge.

diminutivo -va *adj.* diminishing.

dimisión *f.* resignation.

dimitir *tr.* to resign; *in.* to resign.

dinero *m.* money.

dintel *m.* (Arch.) lintel, doorhead.

Dios *m.* God.

diosa *f.* goddess.

diptongo *m.* diphthong.

diputado -da *m. & f.* representative; M.P.

dique *m.* dike, dam.

dirección *f.* direction; course; address.

directivo -va *adj.* directive, managing; *m. & f.* director, manager.

directo -ta *adj.* diret.

director -ra *adj.* guiding, directing; *m. & f.* director, manager; *f.* directress.

dirigente *m. & f.* leader.

dirigir *tr.* to direct, to manage; *r.* to go, to betake oneself to.

disciplina *f.* discipline, *pl.* studies.

discípulo -la *m. & f.* pupil; disciple.

disco *m.* disc; record (of phonograph).

discordia *f.* discord, disagreement.

discrepancia *f.* discrepancy.

discreto -ta *adj.* discret.

discriminar *tr.* to discriminate against.

disculpable *adj.* excusable.

disculpar *tr.* to excuse; *con.* to pardon; *r.* to excuse oneself.

discurrir *tr.* to invent, contrive; *in.* to ramble.

discutir *tr.* to discuss.

disecar *tr.* to dissect; to stuff.

disentir *in.* to disent.

disertar *in.* to discourse in detail.

disfraz *m.* disguise.

disgustar *tr.* to displease; to upset; *r.* to be displeased.

disimular *tr.* to disimulate.

disimulo *m.* disimulation.

disipar *tr.* to dissipate.

disminuir *tr., in. & r.* to diminish.

disolver *tr.* to dissolve; to separate.

disparar *tr.* to shoot; *r.* to dash away.

disparo *m.* shot, discharge.

disponer *tr.* to dispose, arrange.

disponible *adj.* available.

dispuesto -ta *pp.* of disponer.

disputa *f.* dispute; quarrel.

distar *in* to be far, be distant.

distinguir *tr.* to distinguish, *int.* to excel.

distracción *f.* distraction.

distraido -da *adj.* distracted.

distribuir *tr.* to distribute, divide.

divagación *f.* rambling.

diversidad *f.* diversity, variety.

diversificar *tr.* to diversify.

diverso -sa *adj.* diverse, different.

divertido -da amusing.

divertir tr. to amuse; r. to be amused.

dividir tr. & r. to divide.

divisa f. emblem.

divisar tr. to percieve.

divorciar tr. to divorce.

divulgar tr. to divulge, to spread.

doblar tr. to double, to fold.

doblegar tr. to fold, to bend.

doble adj. double, twofold; adv. double; m. double.

doce adj. num. twelve.

docena f. dozen.

documentado -da adj. documented; well-informed.

dolencia f. ailment, complaint.

doler in. to ache, to hurt; r. to complain.

dolor m. ache, pain.

dolorido -da adj. sore, aching.

domar tr. to tame, to break.

dominar tr. to dominate; to domineer; r. to control oneself.

domingo m. Sunday.

dominio m. dominion; domain.

don m. gift, present; talent.

donar tr. to give, donate.

donativo m. gift, donation.

doncella f. maiden, virgin.

donde cnj. where.

dónde adv. interr. where?.

dondequiera adv. anywhere.

doña f. Mrs.

dorado -da adj. golden.

dormir tr. & in. to sleep; r. to sleep.

dormitorio m. dormitory, bed room.

dorso m. back, dorsum.

dos adj. two.

dosis f. dose.

dotar tr. to endow.

dote m. & f. dowry; f. endowment.

dragar tr. to dredge.

dramaturgo m. playwriter.

droga f. drug, medicine.

ducha f. shower bath.

ducho -cha adj. skilful, expert.

duda f. doubt.

duelo m. grief, sorrow.

duende m. elf, goblin.

dueño -ña m. & f. owner, proprietor.

dulce adj. swett; m. candy, sweets.

dulzura f. sweetness.

dúo m. duet.

duplicar *tr.* to duplicate.

duracion *f.* duration, length.

durante *prep.* during.

dureza *f.* hardness.

duro -ra *adj.* hard; hard-boiled; rough; *adv.* hard; *m.* five peseta coin.

e *cnj.* and.

ebanista *m.* cabinetmaker.

ebrio -ebria *adj. m. & f.* drunk.

ebullición *f.* boiling.

eclipsar *tr.* to eclipse.

eco *m.* echo.

ecónomo *m.* supply priest.

ecuación *f.* (Math.), (Astr.) & (Chm.) equation.

echar *tr.* to throw, cast, throw away, to pour; to give out, issue, publish; *r.* to lie down.

edad *f.* age.

edicto *m.* edict, proclamation.

edificación *f.* building.

edificar *tr.* to building.

editar *tr.* to publish.

editor -tora *adj.* publishing; *m. & f.* publisher.

educar *tr.* to educate, to train.

efectivo -va *adj.* real, actual.

efecto *m.* effect, consequence; *m. pl.* effects, property.

efectuar *tr.* to effect, carry out; *r.* to be carried out.

eficaz *adj.* effective.

efusión *f.* effusion.

egoísmo *m.* egoism, egotism.

eje *m.* axis; axle.

ejecutar *tr.* to execute; (Law.) to distrain.

ejecutor -tora *adj.* executive; *m. & f.* executive.

ejemplar *adj.* exemplary.

ejemplo *m.* example, instance.

ejercer *tr.* to practice, exercise.

ejército *m.* army.

el *art. masc. sing.* the.

él *pron. pers. m.* he, him, it.

elaborar *tr.* to elaborate.

electrizar *tr.* to electrify.

elegante *adj.* elegant; stylish.

elegir *tr.* to elect.

elevación *f.* elevation, exaltation.

elevar *tr.* to elevate; *r.* to rise.

elogiar *tr.* to praise.

elogio *m.* praise, eulogy.

ella *pron. pers. f.* she, her, it.

emancipar *tr.* to emancipate; *r.* to become emancipated.

embajada *f.* embassy; message.

embalaje *m.* packing.

embalar *tr.* to pack.

embarazar *tr.* to embarrass; *r.* to be obstructed.

embarazo *m.* embarrassment.

embarcar *tr.* to embark; *in.* to entrain; *r.* to embark, to go aboard.

embarrar *tr.* to splash with mud.

embaucar *tr.* to deceive.

embeber *tr.* to absorb, to soak up; *in.* to shrink; *r.* to be enchanted.

embelesar *tr.* to charm, fascinate; *r.* to be echarmed.

embestir *tr.* to attack, to assail.

emblema *m.* emblem.

embolsar *tr.* to pocket, to take in.

emborrachar *tr.* to intotoxicate; *r.* to get drunk.

emboscada *f.* ambush.

embotellamiento *m.* bottling.

embotellar *tr.* to bottle.

embrión *m.* embryo.

embrollar *tr.* to embroil, confuse.

embrujar *tr.* to bewitch.

embudo *m.* funnel.

embuste *m.* lie, trick.

embutido -da *adj.* recessed; *m.* inlay, sausage.

emigrar *in.* to emigrate.

emisario-ria *m.* & *f.* emissary.

emisor -ra *adj.* emitting; *m.* radio transmitter.

emitir *tr.* to emit; to broadcast.

emocionar *tr.* to move, to stir.

empadronamiento *m.* census.

empadronar *tr.* to register.

empalagar *tr.* to surfeit, pall.

empalmar *tr.* to join, connect; *in.* to connect.

empañar *tr.* to get misty.

empapar *tr.* to soak, saturate; *r.* to soak.

empapelar *tr.* to wrap up in paper.

empaquetar *tr.* to pack.

empaste *m.* filling.

empatar *tr.*, *in.* & *r.* to tie.

empate *m.* draw.

empedernido -da *adj.* hardened.

empeñar *tr.* to pawn; to pledge; *r.* to bind oneself.

empeorar *tr.* to make worse; *in.* & *r.* to get worse.

emperador *m.* emperor.

emperatriz *f.* empress.

empezar *tr.* & *in.* to begin.

emplazar *tr.* to summons.

emplear *tr.* to employ; to use; *r.* to be employed.

empleo *m.* employment.

empobrecer *tr.* to impoverish; *in.* & *r.* to become poor *(or)* impoverished.

empollar *tr.* to brood; *r.* to swot.

empotrar *tr.* to plant; *in.* & *r.* to interlock.

emprender *tr.* to undertake.

empresa *f.* enterprise, undertaking.

empujar *tr.* to push.

en *prep.* in; into; at; on.

enajenar *tr.* to transport, enrapture.

enaltecer, to exalt.

enamorado -da *adj.* in love; *m.* & *f.* sweetheart; *m.* lover.

enano -na *adj.* dwarfish; *m.* & *f.*

enardecer *tr.* to inflame, to fire; *r.* to get excited.

encabezar *tr.* to draw up *(a tax list)*.

encadenar *tr.* to chain.

encajar *tr.* to put, to insert.

encallar *in.* to run aground.

encaminar *tr.* to set on the way; *r.* to go, to take the way to.

encantamiento *m.* spell; charm.

encantar *tr.* to cast a spell on; to enchant.

encapotar *tr.* to cloak; *r.* to put on one's cloak.

encarar *tr.* to aim, to point; *in.* & *r.* to come face to face.

encarcelar *tr.* to jail, incarcerate.

encarecimiento *m.* increase.

encargar *tr.* to entrust; *r.* to take charge.

encarnar *tr.* to incarnate; *in.* to become incarnate.

encarnizado -da *adj.* bloody.

encasillar *tr.* to pigeonhole.

encasquillar *tr.* to put a tip on; *r.* to stick.

encendedor -ra *adj.* lighting; *m.* lighter.

encender *tr.* to light, set fire to; *r.* to be stirred up.

encerado -da *adj.* waxy; *m.* blackboard.

encerar *tr.* to wax.

encerrar *tr.* to shut in, lock in.

encía *f.* (An.) gum.

encierro *m.* locking up, confinement.

enclavar *tr.* to nail; to pierce.

encoger *tr.* to shrink, contract; *r.* to shrink.

encolar *tr.* to glue; to size.

encolerizar *tr.* to anger, irritate; *r.* to become angry.

encontrar *tr.* to meet; *r.* to meet each other.

encorvar *tr.* to bend; *r.* to bend over.

encrucijada *f.* crossroads.

encuadernar *tr.* to bind.

encuadrar *tr.* to frame.

encubrir *tr.* to hide, conceal; *r.* to hide.

encuesta *f.* poll.

encumbrar *tr.* to raise, elevate; *r.* to rise.

enchufar *tr.* to switch on, plug in.

enchufe *m.* fitting; (Elec.) connector, plug and jack.

enderezar *tr.* to straighten; *in.* to go straight; *r.* to straighten.

endulzar *tr.* to sweeten.

endurecer *tr.* to harden; *r.* to harden.

enemigo -ga *adj.* enemy.

enemistad *f.* enmity.

energía *f.* energy.

enero *m.* January.

enfadar *tr.* to annoy, to anger; *r.* to be annoyed.

énfasis *m. & f.* emphasis.

enfermar *in.* to sicken.

enfermedad *f.* sickness, illness.

enfermería *f.* infirmary.

enfermero -ra *m. & f.* nurse.

enflaquecer *tr.* to make thin; *in.* to get thin; *r.* to get thin.

enfocar *tr. & r.* to focus.

enfrentar *tr.* to confront; *r.* to meet face to face.

enfrente *adv.* in front, opposite, facing.

enfriamiento *m.* cooling.

enfriar *tr.* to cool, *in.* to cool off, to turn cold.

enfurecer *tr.* to infuriate, enrage; *r.* to rage.

engalanar *tr.* to adorn.

enganchar *tr.* to hook; *con.* to inveigle; *in.* to be hooked.

engañar *tr.* to deceive, cheat.

engendrar *tr.* to engender, beget.

engomar *tr.* to gum, glue.

engordar *tr.* to fatten; *in.* to get fat.

engranaje *m.* gearing.

engrandecer *tr.* to enlarge, amplify.

engrasar *tr.* to grease, lubricate.

engrudo *m.* paste, glue.

enhorabuena *f.* congratulations.

enjabonar *tr.* to soap.

enjuagar *tr.* to rinse.

enjuiciar *tr.* to examine.

enlace *m.* lacing; engagement.

enlazar *tr.* to link, to connect.

enlosar *tr.* to pave with flagstone.

enmascarado -da *adj.* mask.

enmendar *tr.* to amend, to correct; *r.* to change.

enmienda *f.* emendation.

ennoblecer *tr.* to ennoble.

enojar *tr.* to anger, annoy; *r.* to become angry.

enorgullecer *tr.* to make proud; *r.* to be proud.

enorme *adj.* enormous, vast.

enrarecer *tr.* to rarefy; *in.* to become scarce.

enredar *tr.* to catch in a net; *r.* to get tangled up.

enredoso -sa *adj.* tangled.

enrejar *tr.* to put grates *(or)* grating on.

enrevesado *adj.* frisky, complicated.

enriquecer *tr.* to enrich; *in.* & *r.* to get rich.

enroscar *tr.* & *r.* to twist.

ensalada *f.* salad.

ensalzar *tr.* to extol.

ensangrentar *tr.* to stain with blood.

ensayar *tr.* to try, try on; *r.* to practice.

ensayo *m.* triying, testing.

enseñanza *f.* teaching; education.

enseñar *tr.* to teach, to train.

enseres *m. pl.* household goods.

ensillar *tr.* to saddle.

ensordecer *tr.* to deafen.

ensuciar *tr.* to dirty, stain, soil; *in.* to soil; *r.* to soil oneself.

ensueño *m.* dream.

entablar *tr.* to board, board up.

ente *m.* being.

entender *m.* opinion, understanding; *tr.* & *in.* to understand.

entendimiento *m.* understanding.

enterar *tr.* to inform, acquaint.

entero -ra *adj.* whole, entire, complete.

enterrador *m.* gravedigger.

enterrar *tr.* to inter, bury; *r.* (fig.) to be buried.

entidad *f.* entity.

entonar *tr.* to intone; *r.* to sing in tune.

entonces *adv.* then; and so.

entornar *tr.* to upset.

entrante *adj.* entering; *m.* & *f.* entrant.

entrañable *adj.* close, intimate.

entrañar *tr.* to bury deep; *r.* to be buried deep.

entrañas *f. pl.* entrails, bowels.

entrar *tr. in.* to enter, go in, come in; to fit in.

entre *prep.* between; among.

entrega *f.* delivery.

entregar *tr.* to deliver; to surrender; *r.* to give in.

entremés *m.* side dish, hors d'oeuvre.

entrenar *tr. & r. (sport)* to train, to coach.

entresuelo *m.* mezzanine.

entretela *f.* interlining.

entretener *tr.* to entertain, amuse.

entrever *tr.* to glimpse, descry.

entrevista *f.* interview.

entristecer *tr. & r.* to sadden.

entuerto *m.* wrong.

enturbiar *tr.* to stir up, to muddy; *r.* to get muddy.

enumerar *tr.* to enumerate.

enunciar *tr.* to enounce.

envasar *tr.* to pack, to package.

envase *m.* packing, bottling.

envejecer *tr.* to age, make old; *in.* to age grow old.

envenenar *tr.* to poison.

envergadura *f.* breadth.

enviar *tr.* to send.

envidia *f.* envy, grudge.

envío *m.* sending; shipment.

enviudar *in.* to become a widow or a widower.

envoltorio *m.* bundle.

envolver *tr.* to wrap, wrap up.

enyesar *tr.* to plaster.

épica *f.* epic poetry.

episodio *m.* episode, incident.

época *f.* epoch, age, time.

equilibrar *tr. & r.* to balance.

equipaje *m.* luggage; baggage.

equiparar *tr.* to compare.

equivocado -da *adj.* mistaken.

equivocación *f.* error, mistake.

equivocar *tr.* to mistake; *r.* to be mistaken.

era *f.* era; age.

erigir *tr.* to erect, build; *r.* to be elevated.

erizo *m.* (Zool.) hedgehog.

errante *adj.* wandering.

errar *tr.* to miss; *in.* to wander.

eructar *in.* to belch.

esbeltez *f.* gracefulness.

esbozo *m.* sketch.

escabeche *m.* pickle.

escabroso -sa *adj.* scabrous.

escala *f.* ladder; scale.

escalar *tr.* to escalade, to scale; *in.* to climb.

escalera *f.* staircase, stairs.

escalofrío *m.* chill.

escalón *m.* step.

escama *f.* (Zool.) & (Bot.) scale.

escandalizar *tr.* to scandalize.

escaño *m.* settle, bench.

escapar *in.* to escape, get away; *r.* to escape.

escaparate *m.* shop window.

escarabajo *m.* beetle.

escarcha *f.* frost.

escarlata *adj.* scarlet.

escarmentar *tr.* to punish severely; *in.* to learn by experience.

escarola *f.* (Bot.) endive.

escasear *tr.* to be sparing; *in.* to be scarce.

escaso -sa *adj.* short, scarce.

escena *f.* scene.

esclavitud *f.* slavery.

esclavizar *tr.* to enslave.

escoba *f.* broom.

escocer *tr.* to annoy, to displease.

escoger *tr.* to choose.

escolar *adj.* scholastic; *m.* pupil.

escolta *f.* escort.

escombro *m.* **escombros,** shambles.

esconder *tr. r.* to hide.

escondite *m.* hiding place.

escopeta *f.* shotgun.

escoria *f.* dross, refuse.

escote *m.* low neck.

escribano *m.* court clerk.

escribir *m.* writing; *tr.* & *in.* to write.

escritor -ra *m* & *f.* writer, author.

escuadra *f.* square.

escuchar *tr.* to listen to.

escudo *m.* shield; coat of arms.

escuela *f.* school.

esculpir *tr.* to carve.

escupir *tr.* & *in.* to spit.

escurrir *tr.* to drain; *in.* & *r.* to drip.

ese, esa *adj. dem.* that.

ése, ésa *pron. dem.* that one.

esforzar *tr.* to strengthen; *r.* to try to.

eslabón *m.* link.

eslora *f.* (Náut.) length.

esmaltar *tr.* to enamel.

esmerar *tr.* to polish; *r.* to take pains.

eso *pron. dem. neut.* that.

espacial *adj.* spatial.

espaciar *tr.* to space; *r.* to enlarge.

espacio *m.* space; room.

espada *f.* sword.

espalda *f.* back; *con.* to have broad shoulders.

espantapájaros *m.* scarecrow.

espantar *tr.* to scare; *r.* to become scared.

español -la *adj.* Spanish; *m. & f.* Spaniard; *f.* Spanish woman.

esparcir *tr.* to scatter, to spread.

espárrago *m.* (Bot.) asparagus.

especializar *tr. in. & r.* to specialize.

especificar *tr.* to specify.

espectador -ra *m. & f.* spectator.

especulador -ra *adj.* speculating; *m. & f.* speculator.

especular *tr.* to speculate about (*or*) on.

espera *f.* expectation.

esperanza *f.* hope.

esperar *tr.* to hope; to expect.

espesar *tr.* to thicken.

espeso -sa *adj.* thick; heavy.

espía *m. & f.* spy.

espiar *tr.* to spy on.

espina *f.* thorn; spine.

espinaca *f.* (Bot.) spinach.

espinilla *f.* (An.) shinbone.

espinoso -sa *adj.* thorny.

espionaje *m.* spying.

espirar *in.* to breathe.

espíritu *m.* spirit.

espléndido -da *adj.* splendid.

espontaneidad *f.* spontaneity.

esposo sa *m. & f.* spouse; *m.* husband; *f.* wife.

espuela *f.* spur.

espuma *f.* foam.

espumar *tr.* to skim; *in.* to foam.

esputo *m.* sputum.

esquela *f.* note.

esqueleto *m.* skeleton.

esquiar *in.* to ski.

esquilador -dora *m. & f.* sheepshearer.

esquina *f.* corner.

estabilidad *f.* stability.

estabilizar *tr.* to stabilize; *r.* to become stabilized.

estable *adj.* stable, firm.

establecer *tr.* to establish; *r.* to take up residence.

establecimiento *m.* establishment.

estación *f.* station.

estacionar *tr.* to park; to station; *r.* to station oneself.

estadio *m.* stadium.

estadística -co *adj.* statistical; *f.* statistics.

estado m. state, condition.

estafa f. trick.

estafar tr. to defraud, to swindle.

estallar in. to burst, to explode.

estampa f. print, stamp.

estampar tr. to print, to stamp.

estancar tr. to staunch.

estancia f. stay; room.

estandarte m. standard, banner.

estanque m. reservoir.

estante m. shelf.

estatua f. statue.

estatura f. stature, height.

este; esta, adj. dem. this; m. east.

éste; ésta, pron. dem. this one.

estantería f. shelving.

estaño m. (Chm.) tin.

estar, in. to be; to be in.

estepa f. steppe.

estéril adj. sterile, barren.

estiércol m. dung, manure.

estilo m. style.

estimar tr. to esteem; to estimate.

estimular tr. & in. to stimulate.

estío m. summer.

estipulación f. stipulation.

estipular tr. to stipulate, lay down.

estirar tr. to stretch; to draw (metal or wire).

estirpe f. stock.

estival adj. aestival, summer.

esto pron. dem. neut. this.

estocada f. thrust, stab.

estofado -da adj. stew.

estofar tr. to stew.

estómago m. stomach.

estorbar tr. to hinder, to obstruct.

estornudar in. to sneeze.

estrafalario -ria adj. con slovenly, sloppy.

estrangular tr. to estrangle.

estratagema f. stratagem, trick.

estrechar tr. to narrow; to tighten.

estrella f. star.

estrellar f. to fry (eggs); r. (fig.) to crash

estrenar tr. to use (or) wear for the first time; r. to make one's start.

estreno m. debut.

estreñir, to bind, restrain.

estrépito m. noise.

estribillo m. burden, chorus.

estricto -ta adj. strict, severe.

estropear tr. to abuse; to spoil, to ruin.

estruendo m. crash.

estrujar *tr.* to squeeze, to crush.

estuche *m.* box, case.

estudiante *m. & f.* student; school boy.

estudiar *tr.* & *in.* to study.

estufa *f.* stove.

estupidez *f.* stupidity.

etapa *f.* stage.

etiqueta *f.* etiquete; formality.

evacuar *tr.* to evacuate; to empty.

evadir *tr.* to avoid; *r.* to evade.

evaluar *tr.* to evaluate.

Evangelio *m.* gospel.

evaporar *tr. & r.* to evaporate; to vaporise.

evitable *adj.* avoidable.

evitar *tr.* to avoid.

evocar *tr.* to evoke.

exagerar *tr.* to exaggerate.

exaltar *tr.* to exalt.

examinar *tr.* to examine; *r.* to take an examination.

excedente *adj.* excessive; excess.

exceder *tr. & in.* to exceed; *r.* to exceed.

excelso -sa *adj.* lofty, elevated.

exceptuar *tr.* to except.

excitar *tr.* to excite; *r.* to become excited.

excluir *tr.* to exclude, eject.

excusa *f.* excuse, apology.

excusar *tr.* to excuse; to avoid; *r.* to send apologies.

exequias *f. pl.* exequies, funeral.

exhibir *tr.* to exhibit; show; *r. con.* to show oneself.

exigir *tr.* to exact, to require.

eximio -mia *adj.* famous, eminent.

eximir *tr.* to exempt.

existir *in.* to exist, be.

éxito *m.* outcome; success.

expansionarse *r.* (Am.) to open one's heart.

expedición *f.* expedition.

expedir *tr.* to send, to ship.

experiencia *f.* experience, trial.

experimentar *tr.* to test; to try out.

expiar *tr.* to expiate, purify.

explicar *tr.* to explain; to expound.

explorador -ra *adj.* exploring; *r. & f.* explorer; *m.* boy scout.

explotar *tr.* to run, to operate; *in.* to explode.

exponer *tr.* to expose; show; *r.* to risk; *r.* to expose oneself.

exportar *tr.* & *in.* to export.

expresar *tr.* to express.

expreso -sa *adj.* expressed; *m.* express.

exprimir *tr.* to express.

expropiar *tr.* to expropriate.

expulsar *tr.* to expel.

exquisito -ta *adj.* exquisite.

extender *tr.* to extend, to stretch out; *r.* to extend, to stretch out.

exteriorizar *tr.* to reveal, to make manifest.

externo -na *adj.* external; *m.* & *f.* day scholar.

extinguir *tr.* to extinguish, to put out; *r.* to be extinguished.

extintor -ra *adj.* extinguishing; *m.* fire extinguisher.

extraer *tr.* to extract, pull out.

extranjero -ra *adj.* foreing; *m.* & *f.* foreigner.

extrañar *tr.* to surprise.

extraviar *tr.* to lead astray; *r.* to go astray.

extravío *m.* misleading.

extremar *tr.* to carry far.

extremidad *f.* extremity.

extremo -ma *adj.* extreme; *m.* end; extreme.

exuberancia *f.* exuberance.

f

fábrica f. manufacture; factory.
fabricar tr. to fabricate, make.
fábula f. fable, tale.
facilitar tr. to facilitate; to supply.
factor m. commission, merchant.
factura f. form; invoice, bill.
facturar tr. (Com.) to invoice.
facultad f. faculty; power; ability.
falaz adj. deceitful; fallacious.
falda f. skirt; slope.
falsear tr. to falsify.
falsedad f. falsehood.
falsificar tr. & in. to falsify.
falta f. lack, want; **echar en falta,** to miss.
faltar tr. to offend, to insult; in. to be missing; to lack; **faltar poco para,** to be near.
fallar tr. to ruff, to trump.
fallecer in. to decease, die.
familia f. family, household.

fanfarrón -na adj. con. blustering.
fango m. mud, clime.
fardel m. bag; bundle.
fardo m. bundle.
faro m. lighthouse; headlight.
farol m. lantern.
fastidiar tr. to cloy, to sicken.
fatigar tr. to fatigue; r. to tire.
favor m. favour.
favorecer tr. to favour (see irr. **nacer**).
faz m. face; aspect.
fe f. faith; certificate.
fealdad f. ugliness.
febrero m. February.
fécula f. starch; fecula.
fecundar tr. to fecundate.
fecha f. date.
fechar tr. to date.
felicidad f. felicity, happiness.
feligrés -sa m. & f. parishioner.
feliz adj. happy.
feo -a adj. ugly.
feraz adj. feracious, fertile.
féretro m. bier, coffin.
feria f. fair; market.

ferretería f. hardware shop.

ferrocarril m. raiload, railway.

fervor m. eagerness, enthusiasm, love.

festejar tr. to fete, entertain.

festín m. feast, banquet.

fiador -ra m. & f. bail (person).

fiambre adj. cold; m. cold lunch.

fiar tr. to guarantee.

ficha f. chip; domino (piece).

fichero m. card index.

fidedigno -na adj. reliable, trustworthy.

fiel adj. faithful; honest; exact.

fiera f. wild animal; fiend (person).

fiesta f. feast; holiday; festivity.

figurar tr. to figure; to represent.

fijar tr. to fix; to fasten.

fijo -ja adj. fixed; firm, solid; sure; **de fijo,** surely.

fila f. row, line; file.

filete m. fillet; steak.

filón m. vein, seam.

filtrar tr. to filter; to filtrate.

fin m. & f. end; object, aim; **a fin de,** in order to; **a fin de cuentas,** after all; **sin fin,** endless.

finca f. land, estate.

fingir tr. to feign.

firma f. signature.

firmar tr. to sign.

firme adj. firm, steady, solid.

fisgar tr. to pry, peep; to nose into.

fisgón -na m. & f. con. busybody.

flaco -ca adj. thin, skinny.

flamante adj. bright.

flan m. caramel custard.

flaquear in. to weaken.

fleco m. fringe; bangs.

flecha f. arrow.

fletar tr. (Náut.) to charter (a ship).

flojear in. to slacken, ease up; to weaken.

flor f. flower; (fig.) bouquet; **a flor de,** at (or) near the surface of.

florín m. florin.

flota f. fleet.

flotar in. to float.

fluir in. to flow.

foca f. (Zool.) seal.

foco m. focus; center (of vice).

fogata f. blaze, bonfire.

fogón m. cooking stove.

fogoso -sa adj. fiery, spirited.

follaje m. foliage.

fomentar tr. to foment; to promote.

fonda f. in. inn; guesthouse.

fondear tr. in. (Náut.) to cast, anchor.

fondo m. bottom; (of a house); **fondos,** funds (money); **bajos fondos,** underworld.

fontanero -ra adj. m. plumber.

forastero -ra adj. outside.

forcejar, forcejear in. to struggle, struggling.

forma f. form; shape; format; **de forma que,** so that; **en debida forma,** in due form.

forro m. cover; lining.

fortalecer tr. to fortify, to strengthen.

forzar tr. to force.

forzoso -sa adj. inescapable; strong, husky.

foso m. pit; ditch.

fotómetro m. light meter.

fracasar in. to fail.

fractura f. fracture; breach.

frágil adj. fragile; breakable.

fragor m. crash, din, uproar.

fraguar tr. to forge.

fraile m. friar.

franquear tr. to exempt; to open, to clear.

franqueo m. postage; franking (of a letter).

frasco m. bottle, flask.

fregar tr. to rub, to scrub.

freir tr. to fry.

freno m. bridle; brake; check.

frente m. front; f. brow, forehead.

fresco -ca adj. fresh; light (cloth).

friccionar tr. to rub; to massage.

frío -a adj. cold, frigid.

frito -ta pp. of freir.

frondoso -sa adj. leafy; woodsy.

frontera f. frontier, boundery.

frotar tr. & r. to rub.

frustrar tr. to frustrate.

fruta f. fruit.

fuego m. fire; light.

fuente f. fountain.

fuera adv. out, outside; away.

fuero m. law; code of laws.

fuerte adj. strong; intense; rough.

fuerza f. force; strength; power.

fugaz adj. brief; fugitive.

fulano -na m. & f. so-and-so.

fulminante adj. fulminant.

fulminar tr. to strike with lightning; to fulminate.

fumar

fumar *tr.* & *in.* to smoke.
funda *f.* case, sheath.
fundador -ra *adj.* founding; *m.* & *f.* founder.
fundamentar *tr.* to lay the foundations of.
fundar *tr.* to found; to base; *r.* to be founded.

furgón *m.* van, wagon.
furgoneta *f.* light truck.
fusible *adj.* fusible; *m.* (Elec.) fuse.
fusil *m.* gun, rifle.
fusionar *tr.* & *r.* to fuse.
fútbol *m.* football.

gabán *m.* overcoat.

gabardine *f.* rain coat; gabardine.

gabinete *m.* office *(of doctor, lawyer)*; studio.

gafe *m. con.* hoodoo.

gaita *f.* bagpipe.

gaje; gajes del oficio, *m.* umbpleasant things that go with a job.

gajo *m.* branch *(tree)* section *(orange)*.

galán *m.* fine-looking fellow.

galardonar *tr.* to reward

galería *f.* gallery.

galés *adj.* Welsh.

galgo -ga *m.* & *f. m.* greyhound; *f.* greyhound bitch.

galopar *tr.* to gallop *(a horse)*; *in.* to gallop.

galvanizar *tr.* to galvanise.

gallardo -da *adj.* gracefull, elegant.

galleta *f.* ship biscuit; biscuit.

gallina *f.* hen.

gallo *m.* cock.

gamo *m.* buck, male fallow deer.

gamuza *f.* (Zool.) chamois.

gana *f.* desire.

ganadería *f.* cattle, stock.

ganado *m.* cattle; linestock.

ganador -ra *adj. m.* & *f.* winner.

ganancia *f.* gain, profit.

ganar *tr.* to earn; to gain; to win.

gancho *m.* hook.

gandul -ula *adj. m.* & *f. con.* loafer, idler.

ganga *f.* (Min.) gangue.

ganzúa *f.* false key.

garabato *m.* hook.

garantizar *tr.* to guarantee.

garbanzo *m.* (Bot.) chickpea.

garfio *m.* hook.

garganta *f.* throat.

garita *f.* watchtower; sentry box.

garra *f.* claw; catch.

garrafa *f.* carafe.

garrote *m.* club, cudgel.

gas *m.* gas.

gasolinera *f.* gas station.

gastar *tr.* to spend; to waste.

gata *f.* she-cat.

gatillo *m.* trigger.

gato *m.* (Zool.) cat; jack.

gavilán *m.* (Zool.) sparrow hawk.

gaviota *f.* (Zool.) gull, seagull.

gazpacho *m.* cold vegetable soup, gazpacho.

gemelo -la *adj. m. & f.* twin.

gemir *in.* to moan, groan.

generación *f.* generation.

generalizar *tr. & in.* to generalise; *r.* to become generalised.

género *m.* kind, sort; (Biol.) genus (Gram.) gender.

genial *adj.* inspired, genius-like; cheerful.

gente *f.* people; folks (*relatives*).

gentil *adj.* genteel, heathen; *m. & f.* gentile, heathen.

gentilhombre *m.* gentleman.

gentío *m.* crowd, throng.

gerente *m.* manager, director.

germen *m.* germ; source.

germinar *in.* to germinate, to bud.

gestión *f.* step; management.

gestionar *tr.* to pursue, prosecute.

gesto *m.* face; grimace.

gigante *adj.* giant, gigantic; *m.* giant.

gimnasia *f.* gymnastics.

gira *f.* tour; excursion.

girar *tr.* (Com.) to draw; *in.* to turn.

giro *adj. m.* turn; course.

gitano -na *adj.* gypsy.

global *adj.* total; global.

globo *m.* globe; balloon.

gloria *f.* glory.

glorieta *f.* square.

glosar *tr. & in.* to gloss, to comment.

glotón -na *adj. m. & f.* glutton.

gobernador -ra *adj.* governing; *m.* governor.

gobernante *adj. m. & f.* ruler.

gobernar *tr.* to govern; to guide; *in.* to govern (*see irr.* **acertar**).

goce *m.* enjoyment.

gol *m.* goal.

golfo -fa *m. & f.* little scoundrel; teddy boy; *m.* gulf.

golondrina *f.* (Zool.) swallow.

golosina *f.* sweet, delicacy.

golpe *m.* blow, hit, beat, knock; stroke.

golpear *tr.* to strike, hit, beat, knock; *in.* to beat.

goma *f.* gum; rubber.

gordo -da *adj.* fat, stout, corpulent.

gorra *f.* cap; busby; sponging.

gota *f.* drop.

gotear *in.* to drip, leak.

gotera *f.* drip, dripping.

gozar *tr.* to enjoy.

gozo *m.* joy, rejoicing.

grabación *f.* recording.

grabado *adj.* engraved; stamped.

grabar *tr.* to record; to engrave.

gracia *f.* grace; joke, witticism.

gracioso -sa *adj.* graceful.

grada *f.* step; row of seats.

grado *m.* grade, degree.

gráfico -ca *adj.* graphic, graphical; illustrated; *m.* diagram; *f.* graph.

gragea *f.* small colored candy; pill.

gramo *m.* gramme.

grande *adj.* big, large, great; *m.* grandee.

granel; a granel, in bulk.

granero *adj. m.* granary, barn.

granizo, *m.* hail.

granja *f.* farm, grange.

granjero -ra *m. & f.* farmer.

grano *m.* grain; grape.

grapa *f.* staple; clip.

grasa *f.* fat, grease.

gratificar *tr.* to gratify; to reward.

gratis *adv.* gratis, free.

gravar *tr.* to burden, to encumber.

grave *adj.* heavy; grave, serious.

gremio *m.* guild; union, trade union.

grey *f.* flock; congregation.

grieta *f.* crack, fissure.

grifo *adj. m.* faucet, tap.

grillo *m.* (Zool.) cricket.

gris *adj.* gray; *m.* gray.

grito *m.* cry, shout.

grosero -ra *adj.* gross, coarse, rough, rude.

grosor *m.* thickness, bulk.

grotesco -ca *adj.* grotesque.

grúa *f.* crane, derrick.

grueso -sa *adj.* thick, bulky; *m.* thickness.

gruñido *m.* grunt; growl.

grupo *m.* group.

gruta *f.* grotto, cavern.

guante *m.* glore.

guapo -pa *adj. con.* handsome, good-looking; gallant.

guarda *m. & f.* guard, keeper.

guardabarros *m.* splashboard; (Aut.) fender.

guardapolvo *m.* cover, cloth.

guardar *tr.* to guard; to keep; to preserve.

guardarropa *m. & f.* wardrober.

guardería *f.* guard, guardship; **guardería infantil,** day nursery.

guardia *f.* care, protection; guard; *m.* guard, guardsman; *m.* midshipman.

guarida *f.* den, lair *(of animals).*

guarnicionería *f.* harness shop.

guerra *f.* war; conflict, struggle.

guía *m. & f.* guide; leader; *m.* (Mil.) guide; *f.* guide.

guiar *tr.* to guide, to lead; to drive; *r.* to be guided.

guiñar *tr.* to wink *(an eye)*; *in.* to wink.

guión *m.* cross; royal standard.

guisado *m.* stew; meat stew.

guisante *m.* (Bot.) pea.

guisar *tr.* to stew, to cook.

guitarra *f.* (Mús.) guitar.

gusano *m.* worm.

gustar *tr.* to taste; to try, test; *in.* to please; to like.

gustoso -sa *adj.* tasty; pleasant.

h

¡ha! *inj.* ah!

habano -na *adj. m.* cigar.

haber *m.* credit; *sing. & pl.* property, possessions; *tr.* to have, own, possess; *aux.* to have; to have to.

habichuela *f.* (Bot.) kidney bean.

hábil *adj.* skilful, clever.

habilitar *tr.* to habilitate, qualify.

habitación *f.* dwelling; room, chamber.

habitante *m. & f.* inhabitant, dweller.

habitar *tr. & in.* to inhabit.

habituar *tr.* to habituate, accustom; *r.* to become habituated.

habla *f.* speech; speaking.

hablar *in.* to speak talk; to converse, chat; *tr.* to speak; talk; *r.* to speak to each other.

hacer *tr.* to make, create, construct, build, frame, compose, draw up, produce, bring about; to make, do *(perform, execute)*; *tr.*, *in. & r.* to act, pretend to be; *in.* to matter, signify; to suit, be relevant; *r.* to grow, develop; to turn to, change into, grow.

hacia *prep.* towards, toward, to, for.

hacienda *f.* landed property, farm; ranch; property, possessions, wealth.

hacinar *tr.* to pile sheaves; to heap, pile, stack; to pack, crowd together.

hacha *f.* ax, axe.

hado *m.* fate, destiny.

halagar *tr.* to flatter; to adulate; to please.

hálito *m.* breath; vapour.

hallar *tr.* to find, come across; to find out, discover, detect.

hambre *f.* hunger; starvation; **matar de hambre,** to starve; **matar el hambre,** to satisfy one's hunger.

hambriento *adj.* hungry.

hampa *f.* underworld.

haragán *adj.* idle, lazy; *m.*

harapiento *adj.* ragged.

harapo *m.* rag, tatter.

harina *f.* flour.

hartar *tr.* to satiate; to fill, gorge.

hasta *prep.* till, until; to, as far as, as much as, up to; **hasta ahora,** till now, up to now; **hasta aquí,** so far; **hasta la vista,** I'll see you; **hasta luego,** see you later; **que,** until; *conj.* even.

hastiar *tr.* to cloy, sate; to weary, bore; *r.* to weary *(of)*.

hatajo *m.* herd, flock.

hato *m.* outfit, belongings.

haya *f.* (Bot.) beech tree.

haz *m.* bundle; beam, pencil.

hazaña *f.* deed, feat, exploit.

hazmerreír *m.* laughingstock.

hebra *f.* needleful of thread; *(meat)*.

hechizar *tr.* to bewitch, charm, enchant; to fascinate.

hecho -cha *ad.* made.

heder *in.* to stink.

helada *f.* freeze, freezing.

helado *adj.* frozen; *m.* ice-cream.

helar *tr.* to freeze, to frostbite.

hélice *f.* (An., Arch., Geom.) helix; (Aer., Náut.) propeller.

hembra *adj.* female; *f.* female.

hendidura *adj.* cleft, crevice.

heno *m.* hay.

heredad *f.* estate.

heredar *tr.* to inherit.

heredero -ra *adj.* inheriting; *m. & f.* heir, heiress.

herida *f.* wound, stab.

herir *tr.* to wound, injure, hurt; to offend.

hermana *f.* sister.

hermano *m. & f.* brother.

hermoso -sa *adj.* beautiful, fair, fine.

héroe *m.* hero.

heroico -ca *adj.* heroic.

herrado *m.* horseshoeing.

herradura *f.* horseshoe.

herramienta *f.* tool, instrument.

herrumbre *f.* rust, iron rust.

hervir *in.* to boil; to hubble, effervesce.

híbrido -da *adj. & m.* hybrid.

hidrógeno *m.* to hydrogen.

hiedra *f.* (Bot.) ivy.

hiel *f.* bile gall; *fig.* gall, bitterness.

hielo *m.* ice; frost.

hierba *f.* herb, grass, weed.

hierro *m.* iron.

hígado *m.* liver; *pl.* (fig.) courage.

higiene *f.* hygiene, cleanliness.

higo *m.* fig.

hija *f.* daughter.

hijastro -tra *m. & f.* stepson, stepdaughter.

hijo *m. & f.* son, child; *m. pl.* sons, descendants.

hilar *tr.* to spin.

hilera *f.* file, line, row.

hilo *m.* thread.

hilván *m.* basting, tacking.

hilvanar *tr.* to baste, tack.

himno *m.* hymn, anthem.

hincar *tr.* to stick, introduce, drive.

hinchar *tr.* to inflate, puff up, blow up.

hinojo *m.* (Bot.) fennel.

hípico -ca *adj.* equine, horse.

hipo *m.* hiccuogh.

hipócrita *adj.* false; *m. & f.* hypocrite.

hipotecar *tr.* yo mortgage, hypothecate.

hispano -na *adj. & m.* Hispanic, Spanish.

historia *f.* history; tale, story.

historial *adj.* historical; *m.* account of an affair etcétera; dossier.

historieta *f.* story, tale.

hocico *m.* snout, muzzle.

hogar *m.* heart, fireplace; furnace; home (family life).

hogaza *f.* large loaf.

hoguera *f.* bonfire, fire.

hoja *f.* (Bot.) leaf (of tree), blade leaf; leaf (of a book, door, table, etc.).

hojaldre *m.* (or) *f.* puffpastry.

hojear *tr.* to scan, run through (book).

¡hola! *inj.* hallo!

holgado -da *adj.* large, ample, wide; loose (clothing).

holgazán *adj.* idle, lazy; *m. & f.* idler, loafer.

hollín *m.* soot.

hombre *m.* man; *inj.* why! well I never.

hombro *m.* (An., Zool.) shoulder.

homenaje *m.* homage.

homenajear *tr.* to pay homage to.

homicidio *m.* homicide, mans-laughter.

hondo -da *adj.* deep, profound; sincere; low (ground); *m.* depth.

honestidad *f.* purity, chastity; modesty, decency.

hongo *m.* (Bot.) fungus, mushroom.

honra *f.* honour, reputation; honour.

honrar *tr.* to honour; to do honour to; *r.* to regard as a privilege.

hora *f.* hour; time; season; *adv.* now, at this time.

horadar *tr.* to perforate, bore.

horario *adj.* hour; *m.* hour hand.

horca *f.* gallows, gibbet; pitchfork.

horchata *f.* orgeat; drink.

horma *f.* horm, mould.

hormiga *f.* ant.

hormigón *m.* concrete.

horno *m.* oven; furnace.

horror *m.* horror; atrocity.

horroroso -sa *adj.* horrible, horrid; hideous.

hortaliza *f.* vegetables.

hospedaje *m.* lodging, board.

hospedar *tr.* to lodge; to lodge and board; *r.* to lodge, have lodgings (in).

hospicio *m.* hospice, orphanage.

hostal *m.* hostelry, hotel.

hostia (Eccl.) Host; wafer.

hostil *adj.* hostile, adverse.

hoy *adv.* today; now; nowadays.

hoyo *m.* hole, pit; dent, indentation; pockmark.

hoz *f.* sickle; gorge.

hucha *f.* large chest (or) coffer; money-box.

hueco -ca *adj.* hollow; empty; vain, conceited; *m.* hollow, cavity.

huelga *f.* strike.

huelguista *m. & f.* striker.

huella *f.* track; print, foot print.

huérfano -na *adj.* fatherless; motherless; *m.* orphan.

huerta *f.* large vegetable garden (or) orchard.

hueso *m.* bone.

huésped *m. & f.* guest; lodger, boarder.

huevería *f.* egg shop.

huevo *m.* egg.

huir *in.* to flee, fly, escape, run away (time, etc.) to fly, pass rapidly; *tr.* to flee, fly, avoid; shun.

hulla *f.* coal.

humano -na *adj.* human.

humareda *f.* cloud of smoke; smoke.

humedad *f.* humidity, moisture.

humedecer *tr.* to humidify, moisten; *r.* to become humid, moist, wet.

humilde *adj.* humble; meek; plain.

humillar *tr.* to humiliate; to humble, abase; to bow (one's head); *r.* to humble oneself.

humo *m.* smoke; steam, vapour; *pl.* conceit, pride.

hurtar

hundimiento *m.* sinking; cave-in.

hundir *tr.* to sink, submerge.

huracán *m.* hurricane.

hurtar *tr.* to steal, thieve, pilfer; to cheat *(in weight (or) measure)*.

ibero -ra *adj.* & *m. f.* Iberian.

ida *f.* going *(to a place)* departure.

idea *f.* idea; notion.

idear *tr.* to imagine, plan; to project.

identificar *tr.* to identify; *r.* to be identified.

idioma *m.* idiom, language.

idiota *adj.*, *m.* & *f.* idiot, silly.

idólatra *m.* idolater; *f.* idolatress.

ídolo *m.* idol.

idóneo -a *adj.* fit, suitable, appropiate.

iglesia *f.* church.

ignorado -da *adj.* unknown.

ignorancia *f.* ignorance.

ignorar *tr.* not to know, to be ignorant of.

igual *adj.* equal; level, even; equal, commensurate; *m.* (Math.) equality sign.

ilegítimo -ma *adj.* illegitimate; spurious.

ileso -sa *adj.* unhurt, unharmed.

ilógico -ca *adj.* illogical, irrational.

iluminar *tr.* illuminate, illumine; light.

iluso -sa *adj.* deluded; dreamer.

ilustrar *tr.* to illustrate; to educate; to make illustrious; *r.* to learn, adquire knowledge.

imagen *f.* image; statue.

imaginar *tr.* to imagine; conceive; *tr.* & *r.* to imagine; to assume.

imán *m.* magnet.

imbuir *tr.* to imbue, fill *(emotion, etcétera)*.

imitar *tr.* to imitate, copy, to ape.

impacientar *tr.* to make lose patience; *r.* to lose patience.

impar *adj.* (Math.) odd.

impartir *tr.* to impart, bestow.

impedir *tr.* to impede, obstruct.

imperar *in.* to be an emperor; to rule, command.

imperdible *m.* safety pin.

imperdonable *adj.* unpardonable.

impermeabilizar *tr.* to waterproof.

impermeable *adj.* impermeable; *m.* raincoat, mac.

ímpetu *m.* impetus, impulse.

impiedad *f.* ungodliness, lack of piety.

implantar *tr.* to implant, introduce.

implicar *tr.* to imply, involve, implicate.

implorar *tr.* to implore, beg, beseech.

imponente *adj.* imposing; impresive.

imponer *tr.* to impose (a tax, obligation, silence, etcétera); to command, arouse; *r.* to get one's way.

importación *f.* (Com.) importation, import.

importar *in.* to import, be important.

importe *m.* (Com.) amount.

imposible *adj.* impossible; *m.* impossible thing.

imposición *f.* imposition, charge.

impostor -ra *m.* impostor; *f.* impostress.

imprenta *f.* printing; press.

imprescindible *adj.* essential.

impresionar *tr.* to impress; to touch; to record sounds on; *r.* to be impressed.

impreso -sa *adj.* impressed, printed; *m.* print; *pl.* printed matter.

imprevisto -ta *adj.* unforeseen, unexpected.

imprimir *tr.* to impress, imprint; (Print.) to print.

improvisar *tr.* to improvise, to extemporize.

impúdico -ca *adj.* immodest.

impuesto -ta *adj.* imposed, informed; *m.* tax, duty.

impugnar *tr.* to impugn, oppose, contradict.

impulsar *tr.* to impel, push.

imputar *tr.* to impute, ascribe, attribute.

inadecuado -da *adj.* unsuitable.

inagotable *adj.* inexhaustible, endless.

inaguantable *adj.* intolerable, unbearable.

inalterable *adj.* unalterable, stable, firm.

inaudito -ta *adj.* unheard-of, extraordinary.

inaugurar *tr.* to inaugurate, open.

incansable *adj.* indefatigable, tireless.

incapaz *adj.* incapable, unable.

incendiar *tr.* to set on fire; *r.* to catch fire.

incensario *m.* thurible.

incertidumbre *f.* uncertainty, doubt.

incesto *m.* incest.

incidente *adj.* incidental; *m.* incident, event.

incierto -ta *adj.* not certain, untrue.

incitar *tr.* to incite, instigate, goad.

inclinado -da *adj.* inclined, slanting.

inclinar *tr.* to incline, slant; bow; *in.* to take after, to resemble; *r.* to be inclined, lean, slant, slope.

incógnito -ta *adj.* unknown.

incomprendido -da *adj.* not understood; *m. & f.* person whose worth is not duly appreciated.

incomunicar *tr.* to isolated; to put in solitary confinement.

inconsciente *adj.* unconcious; unaware.

incontable *adj.* uncountable, countless.

inconveniente *adj.* inconvenient; *m.* obstacle, objection.

incorporar *tr.* to incorporate; *r.* to join *(regiment, etc.)*.

incorrecto -ta *adj.* incorrect, faulty.

increíble *adj.* incredible, unbelievable.

incremento *m.* increment, increase.

incrustar *tr.* to incrust, implay.

incubar *tr.* to incubate, brood, hatch.

inculcar *tr.* to inculcate, put into.

indagar *tr.* to investigate, inquire.

indeciso -sa *adj.* hesitant, irresolute.

indemnizar *tr.* to indemnify.

independizar *tr.* to free, emancipate; *r.* to make oneself independent.

indiano -na *adj. & m.* Spanish American; *m. & f.* one who returns rich from America.

indicación *f.* indication, sign; hint.

indicador -ra *adj.* indication; *m.* indicator.

indicar *tr.* to indicate, point out; to hint, suggest.

índice *m.* (An.) index; forefinger.

indignar *tr.* to irritate, make indignant; *r.* to become indignant.

indisponer *tr.* to indispose; *r.* to be indisposed, out of health.

indomable *adj.* untamable, indomitable.

inducir *tr.* to induce, persuade.

indultar *tr.* to pardon; to exempt.

indulto *m.* (Law) pardon; indult.

indumentaria *f.* clothing, dress.

industria *f.* industry.

inepto -ta *adj.* incompetent; inept; *m. & f.* incapable.

inerte *adj.* (Phys., Chim.) inert; inerte.

inevitable *adj.* inevitable, unavoidable.

inexacto -ta *adj.* inexact, inaccurate.

infamar *tr.* to defame.

infante *m.* male infant; king's son.

infantil *adj.* infantile, childlike.

infección *f.* infection, contagion.

infectar *tr.* to infect.

infeliz *adj.* unhappy; *m. & f.* unhappy person.

infestar *tr.* to infest; to infect.

infierno *m.* hell.

infinito *m.* infinite; endless; immense.

inflamar *tr. & r.* to inflame; set on fire.

inflar *tr.* to inflate; to exaggerate; *r.* to inflate.

influir *tr.* to influence *(see irr.* **huir***)*.

informar *tr.* to inform; *in.* to report.

infracción *f.* infraction, breach.

infringir *tr.* to infringe, break.

infundir *tr.* to infuse.

ingeniar *tr.* to think up, contrive.

ingenio *m.* talent, wit, talented person.

ingerir *tr.* to ingest.

ingle *f.* (An.) groin.

inglés -sa *adj.* English; *m.* Englishman; *f.* Englishwoman.

ingresar *in.* to enter; to become a member of.

inhábil *adj.* unable; unskilful; tactless.

inhabilitar *tr.* to disable, disqualify; *r.* to become disqualified.

iniciar *tr.* to initiate, to begin, to be initiated.

injertar *tr.* to graft.

injuriar *tr.* to offend, insult; to injure.

inmiscuir *tr.* to mix; *r.* to interfere.

inmolar *tr.* to immolate; *r.* to sacrifice oneself.

inmovilizar *tr.* to inmovilise; *r.* to become immobilized.

inmundicia *f.* dirt, filth, filthiness.

inmundo -da *adj.* dirty, filthy; unclean.

inmutar *tr.* to change, alter.

innovar *tr.* to innovate.

inocente *adj. & m.* innocent, not guilty.

inquietar *tr.* to disquiet, disturb; *r.* to worry, be anxious.

inquietud *f.* inquietude; anxiety; worry.

inquilino -na *m. & f.* tenant.

inscribir *tr.* to inscribe; to register *(on a record)*; *r.* to inscribe oneself.

insertar *tr.* to insert.

insigne *adj.* illustrious, eminent.

insinuar *tr.* to insinuate, hint, suggest.

insistir *in.* to insist.

insólito -ta *adj.* unusual.

insomnio *m.* insomnia, sleeplessness.

inspeccionar *tr.* to inspect, oversee.

inspirar *tr.* to inspire, inhale, breathe in; to inspire; *r.* to become inspired.

instalar *tr.* to install, induct; to install, lay; *r.* to install oneself.

instante *m.* instant, moment.

instaurar *tr.* to restore, reestablish.

instinto *m.* instinct.

institución *f.* institution; *pl.* institutes.

instituir *tr.* to institute, establish.

instruir *tr.* to instruct, teach; (Mil.) to drill; to instruct, inform; *r.* to learn.

insular *adj.* insular.

insultar *tr.* to insult.

intachable *adj.* blameless, faultless.

integrar *tr.* to integrate, compose, form.

integridad *f.* integrity, wholeness; integrity, honesty.

íntegro -gra *adj.* integral, whole, entire; honest, upright.

inteligencia *f.* intelligence, intellect, mind.

inteligente *adj.* intelligent, clever.

intensificar *tr.* to intensify.

intentar *tr.* to try; attempt; to intend, mean.

intentona *f.* rash attempt.

interceder *in.* to intercede.

interceptar *tr.* to intercept.

interés *m.* interest.

interesante *adj.* interesting.

interesar *tr.* to interest; to concern; *in.* to be interesting; to be advantageous; to be interested.

interino -na *adj.* provisional, temporary; *m.* & *f.* holder of a temporary job.

intermediar *in.* to be in the middle; to mediate.

internar *tr.* to intern; *r.* to penetrate; to go deeply into.

interno -na *adj.* internal, interior; *m.* & *f.* boarding student; *m.* intern.

interponer *tr.* to interpose, place between; *r.* to interpose.

interrogar *tr.* to interrogate.

interrumpir *tr.* to interrupt, suspend; *r.* to be interrupted.

intimar *tr.* to intimate, notify; *in.* & *r.* to become intimate.

intimidar *tr.* to intimida-

te, daunt; *r.* to become intimidated.

intoxicar *tr.* to poison; *r.* (Med.) to be poisoned.

intrigar *in.* to intrigue, plot, scheme.

intrincado -da *adj.* intricate.

introducción *f.* introduction; preliminary step.

introducir *tr.* to introduce; to insert; *r.* to introduce oneself.

inundar *tr.* to inundate flood, overflow; *r.* to be flooded.

inusitado -da *adj.* unusual.

inútil *adj.* useless, unserviceable.

inutilizar *tr.* to render useless; *r.* to become useless.

invadir *tr.* to invade.

invalidar *tr.* to invalidate.

inventar *tr.* to invent, contrive.

inverosímil *adj.* improbable, unbelievable.

invertir *tr.* to invert.

investigar *tr.* to investigate, inquire into.

invierno *m.* winter.

invitar *tr.* to invite.

invocar *tr.* to invoke, call upon.

inyección *f.* injection.

ir *in.* to go proceed.

ira f. anger, wrath.

iris m. iris; **arco iris,** rainbow.

irreal adj. unreal.

irreflexión f. lack of reflexion.

irritar tr. to irritate, anger, annoy; to exasperate; r. to become irritated.

isla f. island, isle.

itinerario adj. & m. itinerary, route; timetable, programme.

izar tr. to hoist.

izquierda f. left hand; Left (politics).

izquierdo -da adj. left.

j

jabalí *m.* (Zool.) wild boar.

jabón *m.* soap.

jabonar *tr.* to soap.

jaca *f.* cob, jennet.

jactar *r.* to boast; to brag.

jaleo *m.* noise; trouble; work.

jamás *adv.* never, ever.

jamón *m.* ham.

jaque *m.* check.

jaqueca *f.* headache.

jarabe *m.* syrup.

jarana *f. con.* fun.

jardín *m.* garden; park.

jarra *f.* jar; jug.

jarro *m.* pitcher; jug.

jarrón *m.* vase.

jaula *f.* cage; crate.

jazmín *m.* (Bot.) jasmine.

jefatura *f.* chieftaincy; chieftainship.

jefe *m.* chief, leader.

jerarquía *f.* hierarchy.

jerez *m.* sherry.

jeringuilla *f.* syringe.

jeroglífico -ca *adj.* hieroglyphic (*or*) hieroglyphical; *m.* hieroglyphic.

jersey *m.* jersey, pullover, cardigan.

jilguero *m.* (Zool.) linnet.

jinete *m.* horse man; rider.

jirafa *f.* (Zool.) giraffe.

jornada *f.* day's journey; journey; workday.

jornal *m.* salary, wage.

joroba *f.* hump.

jota *f.* jota (*Spanish dance*).

joven *adj.* young; *m.* youth; *f.* girl.

jovial *adj.* jovial, cheery.

joya *f.* jewel; piece of jewelry.

jubilación *f.* retirement.

jubilar *adj.* jubilee; *tr.* to retire, to pension; *in.* to rejoice; to retire; *r.* to rejoice; to retire.

judicial *adj.* judicial, legal.

judío -a *adj.* Jewish; *m.* Jew; *f.* Jewess; (Bot.) bean, kidney bean.

juego *m.* play, playing; game; cards; set.

juerga *f. con.* carousal, spree.

jueves *m.* Thursday.

juez *m.* judge.

jugada *f.* play.

jugar *tr.* to play; to gamble; to stake; *in.* to gamble, to risk.

jugo *m.* juice; gravy.

juguete *m.* toy, plaything.

juicio *m.* judgment; opinion.

julio *m.* July.

jumento *m.* ass, donkey.

junio *m.* June.

juntar *tr.* to join, unite; to gather; *in.* to gather, to associate closely; to copulate.

jurado -da *adj.* sworn; *m.* jury; juror.

juramento *m.* oath; curse.

jurar *r. tr.* & *in.* to swear.

justificar *tr.* to justify.

juventud *f.* youth.

juzgado *adj.* judged; *m.* court of justice.

juzgar *tr.* & *in.* to judge; to give an opinion.

k

kilo *m.* kilogramme, kilo, *(about 2lb 3oz)*.

kilogramo *m.* kilogram *(or)* kilogramme.

kilométrico *adj.* kilometric; railway ticket.

kilómetro *m.* kilometer.

kilovatio *m.* kilowatt.

kiosko *m.* kiosk.

l

la *art. def. f.* the; *pron. per. f.* her, it.

labio *m.* lip; (An., Bot. & Zool.) labium.

labor *f.* labour, work; farm work, farming; needlework.

laborar *tr.* to work.

laborista *adj.* Labour *(party)*.

labrado -da *adj.* worked, wrought; *m.* working, carving.

labrar *tr.* to work; to carve; to plough.

laca *f.* lac.

lacra *f.* mark.

lacrar *tr.* to seal *(with wax)*.

lácteo -tea *adj.* lacteous, milky.

ladera *f.* slope; hillside.

lado *m.* side, direction.

ladrar *tr.* & *in.* to bark.

ladrillo *m.* brick.

ladrón -na *adj. m.* thief, burglar.

lago *m.* lake.

lágrima *f.* tear; drop.

laguna *f.* lagoon, pond; gap, lacuna.

lamentar *tr. in.* & *r.* to lament, to mourn.

lámpara *f.* lamp, light; grease spot, oil spot.

lana *f.* wool.

lancha *f.* barge, gig (Náut.) longboat.

langosta f. (Zool.) locust; (Zool.) lobster.

lanza f. lance, pike; spear.

lanzar tr. to launch; to hurl, to throw; to cast (a glace).

lapicero m. pencil.

lápida f. tablet; tombstone.

lápiz m. pencil; **lápiz de labios,** lipstick.

largo -ga adj. long; generous; abundant; adv. abundantly; m. length.

laringe f. (An.) larynx.

las def. art. pl. the.

lástima f. pity.

lata f. tin plate; tin can.

latido m. beating.

latigazo m. lash; stroke.

latir tr. to beat, palpitate.

latón m. brass.

laurel m. (Bot.) laurel.

lava f. lava.

lavable adj. washable.

lavabo m. washstand; washroom, lavatory.

lavandera f. laundress, laundrywoman.

lavaplatos m. con. dishwasher.

lavar tr. & r. to wash.

lanzada f. bowknot.

lazo m. knot, bow, tie; trap; lasso; con. to fall into the trap.

le pron. pers. (to) him, (to) her, (to) it.

lección f. lesson.

lector -ra adj. reading; m. & f. reader; lector.

lectura f. reading.

lechazo m. sucking lamb.

leche f. milk.

lecho m. bed; couch; (Min.) floor.

lechuga f. (Bot.) lettuce.

leer in. & tr. to read.

legaña f. (Path.) bleareye.

legua f. league.

legumbre f. legume.

lejanía f. distance; remoteness.

lejía f. lye; bleaching.

lejos adv. far; **a lo lejos,** in the distance.

lencería f. linen goods.

lengua f. (An.) tongue; language.

lenguado m. (Zool.) sole.

lenguaje m. language.

lente m. & f. lens; pl. spectacles, glasses.

lenteja f. (Bot.) lentil.

lento -ta adj. slow, heavy.

leña f. firewood; con. beating.

león m. (Zool.) lion.

lepra f. (Path.) leprosy.

les pron. pers. (to) them, (to) you.

lesionar tr. to hurt, injure.

letra f. letter; handwriting; con. draft.

letrado -da adj. learned m. lawyer.

letrero m. label; sign, placard.

levadura f. yeast; ferment.

levantar tr. to raise; to lift; to clear (the table); to weigh (anchor).

léxico m. lexicon, vocabulary.

ley f. law; loyalty; norm, standard.

leyenda f. legend; inscription.

liar tr. to tie, bind; to tie up; to roll (a cigaret); r. to join together, be associated.

liberal adj. & m. liberal, generous.

liberar tr. to free.

libertad f. liberty, freedom.

libertar tr. to liberate, to set free.

libra f. pound.

libranza f. (Com.) draft, bill of exchange.

librar tr. to free; to save, spare; to join (battle).

libre adj. free; vacant.

librería f. bookstore, bookshop.

libreta f. notebook; loaf of bread.

libro m. book.

licenciado -da m. graduated; B.A.

licenciar tr. to license;

(Mil.) to discharge; r. to receive the master's degree.

liceo m. lyceum.

licor m. liquor, spirits.

líder m. leader.

lidiar tr. to fight (bulls); to face up.

liebre f. (Zool.) hare.

lienzo m. linen; linen cloth.

ligar tr. to tie, bind; to alloy; to join.

ligereza f. lightness; fickleness.

ligero -ra m. & f. light; fast; slight; simply.

lijar tr. to sand.

lila f. lilac.

lima f. file (tool.).

limar tr. to file; to polish.

limitar tr. to limit; to restrict; int. to border on.

limón m. lemon.

limosna f. alms.

limpiabotas m. bootblak.

limpiaparabrisas m. windshield wiper.

limpiar tr. to clean; to cleanse.

limpio -pia adj. clean; neat; chaste; clear, free.

linaje m. lineage; class.

lindar tr. to border on.

lindo -da adj. pretty, nice.

lino m. (Bot.) flax; flax fiber.

linterna f. lantern; torch.

lío m. bundle, package.

liquidar tr. & r. to liquefy; to liquidate.

lirio m. (Bot.) lily.

lisiar tr. to hurt, cripple; r. to become crippled.

liso -sa adj. smooth; even; plain, unadorned.

listo -ta adj. ready, prepared.

listón m. tape, ribbon; strip (of wood).

litera f. litter; berth (in train).

litigio m. lawsuit, litigation.

litro m. litre.

lívido -da adj. livid.

lo art. def. neut. the; him, it.

loba f. she-wolf.

lobo m. (Zool.) wolf.

local adj. local; m. rooms, quarters.

localidad f. locality; seat (in cinema).

localizar tr. to localise; to locate; r. to be (or) become localized.

loción f. wash; lotion.

loco -ca adj. mad; crazy; insane; wild; loose (pulley).

locura f. madness, insanity.

locutor -tora m. & f. announcer; speaker.

lodo m. mud.

logar tr. to get, obtain; to produce.

loma f. down, hillock.

lombriz f. (Zool.) worm; earthworm.

lomo m. back.

lona f. canvas.

loncha f. slab; slice.

longaniza f. pork sausage.

longitud f. lenght; longitude.

lonja f. exchange, market.

loro m. (Zool.) parrot.

losa f. slab, flagstone.

lote m. lot, share.

lotería f. lottery.

loza f. earthenware; crockery.

lubricar tr. to lubricate.

lucidez f. lucidity, clarity.

lucir tr. to illuminate, light up; to show; to plaster; in. to shine; r. to dress up; to come off well.

lucrar r. to profit, to get money.

lucha f. fight; struggle; quarrel.

luchar in. to fight; to struggle, to quarrel.

luego adv. soon; at once; **desde luego**, of course; right away; **hasta luego**, see you.

lugar m. place, position; spot; seat.

lúgubre adj. dismal, gloomy, dark.

lujo m. luxury.
lumbre f. fire, light.
luna f. moon; mirror.
lunar adj. lunar; m. mole.
lunes m. Monday.

lupa f. magnifying glass.
lúpulo m. (Bot.) hop.
luto m. mourning; sorrow.
luz f. light; opening; pl. enlightenment.

llaga f. ulcer; sore.
llama f. flame, blaze.
llamada f. call; sign, signal.
llamar tr. to call; to summon; in. to knock, to ring; r. to be called.
llamarada f. flare-up.
llano -na adj. smooth, even, level; plain; clear, evident.
llanta f. tyre.
llanto m. weeping, crying.
llanura f. smoothness, evenness; plain.
llave f. key; wrench; tap; faucet.
llavero m. keeper of the keys; key ring.
llavín m. latchkey.
llegada f. arrival, coming.
llegar in. to arrive; to happen; to reach; to amount to.

llenar tr. to fill; to fulfill; to satisfy; fill up, become full.
llevadero -ra adj. bearable, tolerable.
llevar tr. to carry, to take, to lead; to yield; to keep (accounts); to be in charge of; to lead (a certain life); to bear, to suffer (punishment); to take off; in. to lead; r. to carry away; to seize.
llorar tr. to weep; in. to weep, cry.
lloro m. weeping.
llorón -na adj. weeping, whining; (Bot.) weeping willow.
llover tr. to rain; r. to leak (said of a roof).
lloviznar in. to drizzle.
lluvia f. rain.
lluvioso -sa adj. rainy.

m

macabro -bra adj. macabre.

macarrón m. macaroni; macaroon.

maceta f. plant pot.

macizo -za adj. solid, massive, close; m. a wall space between two openings; range (mountain).

machacar tr. to pound, crush, bruise, drum; in. to importune.

machete m. cutlass.

madeja f. hank (or) skein; lock of hair.

madera f. wood, timber.

madrastra f. step-mother.

madre f. mother; generatrix; nun.

madrina f. godmother; sponsor.

madrugada f. dawn, prime.

madrugar in. to rise early, to get up early.

madurar tr. to ripen, mature; to season.

maestra f. teacher, instructress.

maestro -tra adj. masterly, main; m. master, teacher.

magnetofón m. tape recorder.

magno -na adj. great.

mago -ga m. magician.

magulladura f. bruising; contusion.

magullar tr. to bruise, to mangle.

mahonesa f. mayonnaise.

maíz m. (Bot.) maize.

majo adj. showy; m. dandy.

mal adj. m. evil, harm, wrong, injury, sickness, ache.

maldecir tr. to damn, curse, accurse.

malear tr. to pervert, corrupt, to forge.

malestar m. uneasiness, discomfort.

maleta f. valise. suit-case.

malgastar tr. to misspend, waste, squander.

maligno -na adj. malign (ant.) perverse, ill-minded.

malo -la adj. bad, evil, vicious; sick, unwell; pernicious; m. villain.

malograr tr. to lose, waste, miss; r. to fall through.

maravillar

malparado -da *adj.* damaged.

malsonante *adj.* ill-sounding.

maltratar *tr.* to mishandle, abuse; to spoil.

malva *f.* (Bot.) mallow.

malla *f.* mesh (*of a net*); meshwork; mail (*coat of*).

mamá *f.* mother, ma(m)-ma.

mamar *tr.* to suck(le).

manada *f.* flock, herd, pack.

manantial *adj.* flowing; *m.* waterspring, fountain.

manar *in.* to spring from, flow.

mancha *f.* stain, spot.

manchar *tr.* to stain, spot, dirty.

mandar *tr.* & *in.* to command, order; to govern, boss, dictate; lead.

mandíbula *f.* jawbone.

mandil *m.* apron.

manejar *tr.* to manage, handle; to drive; *tr.* & *r.* to conduct, govern, to go about.

manga *f.* sleeve; waterspout; breath of ship's beam.

manía *f.* mania, frenzy.

manicomio *m.* madhouse.

manifestación *f.* demonstration; declaration.

manifestar *tr.* to state, declare, manifest, express; show (*forth*), set out, represent, signify; *tr.* to become apparent.

maniobra *f.* handiwork; stratagem.

manipular *tr.* to manipulate, handle.

manivela *f.* crank-handle, lever.

manjar *m.* food; delicacy.

mano *f.* hand; side.

manojo *m.* handful; parcel.

mansión *f.* residence.

manso -sa *adj.* tame; domestic.

manta *f.* blanket.

mantel *m.* (*table*) cloth.

mantequilla *f.* butter.

manutención *f.* maintaining; maintenance.

manzana *f.* (Bot.) apple, block.

mañana *f.* morning; tomorrow; **pasado mañana,** the day after tomorrow.

mapa *m.* map, chart.

mar *m.* & *f.* sea; ocean.

maravilla *f.* wonder, marvel.

maravillar *tr.* to admire; *tr.* to wonder (*at*).

marca *f.* mark, stamp; sign; character.

marchar *in.* & *r.* to go; get away, walk away, depart, leave; (Mil.) to march.

marchitar *tr.* to wither, fade.

marea *f.* tide.

marear *tr.* to navigate a ship; to turn; *r.* to be seasick.

marejada *f.* swell.

marfil *m.* ivory.

margen *m.* & *f.* margin (*river*) side; border; edge.

María *f.* Mary.

marido *m.* husband.

marioneta *f.* puppet.

mariposa *f.* butterfly.

marisco *m.* shell-fish.

mármol *m.* marble.

marrón *adj.* brown.

martes *m.* Tuesday.

martillo *m.* hammer; (An.) hammer, malleus.

marzo *m.* March.

más *adv.* more; most; plus; longer; rather.

mas *cnj.* but.

masa *f.* mass; dough.

masaje *m.* massage.

mascar *tr.* to chew; *con.* to mumble, to mutter.

masilla *f.* putty.

matador *m.* killer; matador.

matar *tr.* to kill; to butcher (*animals for food*); to spot (*a card*); to play a card higher than; (fig.) to kill (*time, etc.*); *in.* to kill; *r.* to kill oneself; to be killed.

materia *f.* matter; stuff, material; subject.

maternidad *f.* maternity; hospital for expectant mothers.

matinal *adj.* morning.

matiz *m.* hue; shade.

matrícula *f.* register, roll; matriculation.

matrimonio *m.* matrimony; marriage.

matriz *adj.* main, mother; *f.* womb.

mayo *m.* May.

mayor *adj.* greater; larger; older, elder; greatest; oldest, eldest; *m.* superior, chief; *m. pl.* elders; ancestors.

mazmorra *f.* dungeon.

mazo *m.* mallet, maul; bunch.

mear *tr.* to urinate on; *in.* & *r.* to urinate.

mecanizar *tr.* to mechanise.

mecanografía *f.* typewriting.

mecer *tr.* to stir, to shake; to swing, to rock; *r.* to swing, to rock.

mecha *f.* wick; fuse; match; tinder.

mechero *m.* burner; lighter.

medalla *m.* medal.

media *f.* stocking.

medianoche *f.* midnight.

mediar *in.* to be or get halfway; to be half over; to mediate.

medicina *f.* medicine.

medición *f.* measuring, measurement.

médico -ca *adj.* medical; *m.* doctor.

medida *f.* measurement; measure; step.

medio -dia *adj.* half; middle; medium; mean average; *m.* middle; medium; step, measure; means; *con.* to get out.

mediodía *m.* noon, midday; south.

medir *tr.* to measure; to scan (*verse*); *in.* to be moderate.

médula *f.* marrow.

mejilla *f.* cheek.

mejor *adj.* better; best; *adv.* better; best; rather.

mejorar *tr.* to make better, to improve; to mend; *in. & r.* to get better, to recover.

melena *f.* long lock of hair; long hair; loose hair.

melocotón *m.* (Bot.) peach.

mella *f.* nick; dent; gap, hollow; harm.

mellizo -za *adj. & m. f.* twin.

membrete *m.* letterhead; heading.

membrillo *m.* (Bot.) quince.

mencionar *tr.* to mention.

menear *tr.* to stir; to shake; to wag; *r.* to shake; to wag; to wiggle.

menguar *tr.* to lessen, diminish, to wane; to fall.

menor *adj.* lesse; smaller; younger; least; smallest; youngest.

menos *adv.* less; fewer; least; lowest.

mensaje *m.* message.

mensual *adj.* monthly.

menta *f.* (Bot.) mint.

mente *f.* mind.

mentir *in.* to lie; to be false.

mentira *f.* lie.

mentiroso -sa *adj.* lying; *m. & f.* liar.

menudillo *m. pl.* giblets.

menudo -da *adj.* small, slight; minute.

meñique *adj.* little; *m.* little finger.

meollo *m.* marrow, essence.

mercancía f. trade, dealing; merchandise; pl. goods, merchandise.

merecer tr. to deserve, to merit; to be worth.

merendar tr. to lunch, to have afternoon tea; in. to lunch.

merienda f. lunch, snack, afternoon tea, picnic.

merluza f. (Zool.) hake; con. drunkenness.

mermelada f. marmalade, jam.

mero -ra adj. mere.

mes m. month.

mesa f. table; desk.

meta f. goal, limit, purpose.

metal m. metal; brass, latten.

meter tr. to put in, to place, to insert; to take in; to smuggle; to get involved, mixed; to poke one's nose.

método m. method; system.

metralla f. grapeshot; shrapnel balls.

metro m. metre; underground.

mezclar tr. to mix; r. to mix; to mingle.

mezquita f. mosque.

mi adj. my; m. mi (mús).

mí pron. per. me, myself.

miedo m. fear; dread.

miedoso -sa adj. con. afraid; fearful.

miel f. honey.

miembro m. member; limb.

mientras adj. & cnj. while.

miércoles m. Wednesday.

mies f. grain, cereal; harvest time.

miga f. bit; crumb.

milla f. mile.

millar m. thousand.

millón m. million.

mimar tr. to pet, fondle.

mimbre m. & f. osier, wicker.

minar tr. to mine; to undermine; to consume; in. to mine.

minimizar tr. to diminish.

mínimo adj. least, slightest m. minimum; tiny bit.

minuto m. minute.

mío, mía adj. poss. mine, of mine; pron. poss. mine.

miope adj. myopic, shortsighted; m. myope.

mirar tr. to look at; to watch; to contemplate; to consider carefully.

misa f. (Ecl.) mass.

miserable adj. wretched; vile; wicked; wretch.

misericordia f. mercy, compassion.

mísero -ra *adj.* wretched, vile.

mismo -ma *adj.* & *pron. indef.* same; own, very; self.

mitad *f.* half; middle.

mitigar *tr.* & *r.* to mitigate.

mito *m.* myth.

mobiliario -ria *m.* & *f.* set of furniture.

moco *m.* mocus; snuff (*of candlewick*).

mochila *f.* (Mil.) knapsak, haversack.

moda *f.* fashion, style.

modelar *tr.* to model; to form, shape; *r.* to model.

modificar *tr.* & *r.* to modify, alter.

modismo *m.* idiom.

modista *f.* dressmaker, modiste.

modo *m.* mode, manner, way, method.

mofar *in.* & *r.* to scoff, jeer, mock.

mojado -da *adj.* wet; *m.* & *f.* wetting.

mojar *tr.* to wet; to drench; to moisten.

moldear *tr.* to mould, to cast.

moler *tr.* to grind, to mill; to tire out.

molido -da *adj.* worn out, exhausted; milled.

molino *m.* mill.

molleja *f.* gizzard; sweetbread.

momia *f.* mummy.

mondar *tr.* to clean; to prune; to peel, to hull.

moneda *f.* money; coin.

monedero *m.* moneybag.

monja *f.* nun.

monje *m.* monk; anchorite.

montacargas *m.* freight elevator, lift.

montaje *m.* mounting, assembly.

montaña *f.* mountain.

montar *tr.* to mount; to get on; to ride; to set up, establish; to set; to cover; (Mil.) to mount (*guard*); *in.* to mount; to get on top; to ride; *r.* to mount; to get on top.

monte *m.* mount, mountain.

montón *m.* pile, heap; crowd.

monumento *m.* monument.

morado -a *adj.* mouve, dark violet.

moral *adj.* moral; morals.

morar *in.* to live, dwell.

morder *tr.* to bite; to eat away; to gossip about; *in.* to bite.

moreno -na *adj.* brown.

morfinómano -a *m.* drug addict.

morir *in.* to die; *r.* to die; to be dying.

morro *m.* knob; knol.

mortadela *f.* luncheon meat.

mortero *m.* mortar.

mosca *f.* (Zool.) fly; *con.* money.

mostaza *f.* (Bot.) mustard.

mosto *m.* grape-juice.

mostrador -ra *adj.* showing, pointing.

mostrar *tr. & r.* to show, prove.

mote *m.* nickname.

motivar *tr.* to motivate, cause.

moto *m.* motorcycle.

motor *m.* motor; engine.

mover *tr.* to move; to stir.

movilizar *tr. in. & r.* to mobilise.

mozo -za *adj.* young, youthful; single; *m.* youth, lad; *f.* girl.

muchacha *f.* girl, wench.

mucho -cha *adj. & pron.* much, a lot of, a great deal of; a long *(time)*; *adj. & pron. pl.* many; *adv.* much, a lot, a great deal.

muda *f.* change of clothes.

mudar *tr.* to change; to move; *r.* to change clothing *(or)* underclothing; to move; to move away.

mudo *adj.* dumb, silent.

mueble *m.* piece of furniture; *pl.* furniture.

muela *f.* millstone; grindstone; back tooth.

muelle *adj.* soft; easy; *m.* spring; pier.

muerte *f.* death; murder.

muestra *f.* sample; specimen.

mujer *f.* woman; wife.

mula *f.* mule, she-mule

muleta *f.* cruth; red cloth.

mulo *m.* mule *(or)* hinny.

multa *f.* fine.

mullir *tr.* to fluff, to soften; to beat up, to shake up *(a bed)*.

mundo *m.* world.

muñeco -a *m.* (An.) wrist; doll; puppet; *m.* *(fig)* puppet.

muralla *f.* wall, rampart.

murmurar *in.* to murmur, to mutter; to whisper, to speak ill of.

muro *m.* wall.

músculo *m.* (An.) muscle.

museo *m.* museum.

muslo *m.* (An.) thigh.

mutilar *tr.* to mutilate; to cripple.

muy *adv.* very; very much.

n

nácar *m.* nacre.

nacer *in.* to be born; to arise.

nacimiento *m.* birth; origin; crib.

nación *f.* nation, country.

nada *f.* nothingness; *pron. indef.* nothing.

nadar *in.* to swim.

nadie *m.* nobody.

nalga *f.* buttock, rump.

nana *f.* lullaby.

naranja *f.* orange.

nariz *f.* nose.

narrar *tr.* to narrate, tell.

nata *f.* cream; élite.

natillas *f. pl.* custard.

natividad *f.* birth, nativity.

naturaleza *f.* nature, disposition.

naufragar *in.* to be wrecked to sink, to be shipwrecked.

navaja *f.* folding knife; **navaja de afeitar,** razor.

nave *f.* ship; vessel; (Arch.) nave.

navegar *tr.* to navigate; to sail.

Navidad *f.* Christmas.

navío *m.* ship, vessel.

neblina *f.* mist, haze.

necesitar *tr.* to require; to need.

nefasto -ta *adj.* ominous, fatal.

negación *f.* negation, denial.

negar *tr.* to deny; to refuse; *in.* to deny.

negociado *m.* department, bureau.

negociar *tr.* to negociate; to trade.

negro -gra *adj.* black; dark, negro.

nena *f. con* baby, child.

nene *m. con.* baby, child.

nervio *m.* nerve; vigour, strength.

neto -ta *adj.* pure, neat.

neumático -ca *adj.* pneumatic.

neutralizar *tr.* to neutralise.

nevado -da *adj.* snow-covered; *f.* snow fall.

nevar *in.* to snow.

nevera *f.* refrigerator, ice-box.

ni *conj.* neither, nor.

nido *m.* nest; home.

niebla *f.* fog, mist.

nieto -ta *m. & f.* grandchild; *m.* grandson; *f.* granddaughter.

nieve *f.* snow.

ninguno -na *adj. indef.* no not any.

niño -ña *adj. m. & f.* child.

niquelar *tr.* to nickel-plate.

nitidez *f.* brightness, clearness, brilliance.

nivel *m.* level.

nivelar *tr.* to level; to grade; *r.* to become level.

no *adv.* not; no.

noche *f.* night, nighttime; **buenas noches,** good evening; good night.

nochebuena *f.* Christmas Eve.

nómada *adj. m. & f.* nomad.

nombrar *tr.* to name; to appoint, to mention.

nombre *m.* name; reputation; (Gram.) noun; **nombre y apellido,** full name.

nómina *f.* list; pay roll.

nono -na *adj. & m.* ninth.

noria *f.* chain pump, water-wheel.

norma *f.* norm, standard.

norte *m.* north.

nos *pron. pers. & reflex.* us, to us; each other, to each other; *pron. pers.* us, we.

nosotros -tras *pron. pers.* we; us.

nota *f.* note; mark; bill.

notar *tr.* to note, to notice; to criticise.

notaría *f.* notary's office.

noticia *f.* news; notion.

notificar *tr.* to notify, inform.

novato -ta *adj. m. & f.* beginner.

novedad *f.* novelty.

novela *f.* novel.

novia *f.* fiancée; bride; girl friend.

novicio -cia *adj.* inexperienced; *m. & f.* novice.

noviembre *m.* November.

novio *m.* bridegroom; fiancé; boyfriend; **novios,** *m. pl.* bride and groom.

nublar, *to* cloud; to wither; *r.* to become cloudy; to be withered.

nudo *m.* knot; tie.

nuera *f.* daughter-in-law.

nuestro -tra *adj. poss.* ours.

nuevo -va *adj.* new.

nulo -la *adj.* null, void.

numeral *adj.* numeral..

numerar *tr.* to numerate; to number.

número *m.* number.

nunca *adv.* never.

nupcias *f. pl.* nuptials, marriage.

nutrir *tr.* to nourish, to feed; *r.* to be enriched.

o, *cnj.* either, or.

obedecer *tr. & in.* to obey.

obelisco *m.* obelisk.

obertura *f.* (Mús.) overture.

obispado *m.* bishopric.

obispo *m.* bishop.

objeto *m.* object, purpose, aim.

obligar *tr.* to obligate; to oblige; to force; to compel.

obra *f.* work, building.

obrar *tr.* to build; to work; *in.* to behave.

obrero -ra *m.* workman.

obscurecer *tr.* to darken; to dim; to discredit; to cloud; *in.* to grow dark; *r.* to grow cloudy, to cloud over.

obsequiar *tr.* to give presents, flatter; to present; to court.

observar *tr.* to observe; to notice; to obey.

obsesionar *tr.* to obsess.

obstruir *tr.* to obstruct, block.

obtener *tr.* to obtain, get acquire.

oca *f.* (Zool.) goose.

ocasión *f.* opportunity, occasion, chance.

ocasionar *tr.* to cause, arouse.

ocho *adj.* eight.

ocio *m.* idleness.

octubre *m.* October.

ocular *adj.* ocular.

ocultar *tr.* to hide, conceal; *r.* to hide.

ocupar *tr.* to occupy; to busy; to employ; *r.* to become occupied; to be busy.

ocurrir *in.* to occur, to happen.

odiar *tr.* to hate, detest.

oeste *m.* west.

ofender *tr. & in.* to offend; *r.* to take offense.

oferta *f.* offer.

oficina *f.* office.

oficio *m.* office, occupation.

ofrecer *tr. in. & r.* to offer, promise.

oído *m.* hearing *(sense)*; (An.) ear.

oír *tr.* to hear; to listen to; *in.* to hear; to listen; *r.* to like; to hear oneself talk.

ojear *tr.* to eye, stare at.

ojival adj. ogival, gothic.

ojo m. (An.) eye; key-hole; span, bay (of bridge).

ola f. wave.

óleo m. holy oil; oil-painting.

oler tr. to smell; to sniff; in. to smell.

oliva f. (Bot.) olive.

olmo m. (Bot.) elm-tree.

olor m. odour, smell.

olvidar tr. to forget.

olla f. pot, kettle; stew.

ombligo m. umbilicus; (fig.) center.

omitir tr. to omit.

once adj. eleven.

onda f. wave.

ondear tr. to wave; to ripple; r. to wave, to sway.

ondular tr. to wave; in. to undulate.

onza f. ounce.

operar tr. to operate on; in. to cause.

opinar in. to opine; to judge, consider.

oponer tr. to oppose, resist.

oposición f. opposition; examination (for professorship, etc.).

oprimir tr. to oppress; to press.

optar tr. to choose, to select.

opuesto -ta pp. of oponer; adj. adverse.

oración f. oration; speech; prayer; (Gram.) sentence.

orar in. to pray.

ordenar tr. to arrange; to order; (Ecl.) to ordain; r. (Ecl.) to become ordained.

ordeñar tr. to milk.

oreja f. (An.) eat, outer ear; con. to dress someone down; con. crestfallen.

orfebre m. goldsmith, silversmith.

orfeón m. choral society, choir.

organizar tr. & r. to organise.

orgullo m. haughtiness; pride.

orientar tr. direct, guide; r. to find one's bearings.

oriente m. east; orient.

orificio m. orifice, hole.

originar tr. & r. to originate; to start.

orilla f. border, edge; margin; shore.

orina f. urine.

orinar tr. in. & r. to urinate.

orla f. border, edge.

oro m. gold.

ortografía f. (Gram. & Geom.) orthography spelling.

orzuelo *m.* (Path.) sty.

osa *f.* (Zool.) she-bear.

oscilar *in.* to oscillate, swing, sway.

oso *m.* (Zool.) bear.

ostentar *tr.* to show; to boast, *r.* to show off.

ostra *f.* (Zool.) oyster.

otoño *m.* autumn.

otorgar *tr.* to agree to; to grant.

otro -tra *adj. indef.* other, another; other one, another one.

ovario *m.* (An. & Bot.) ovary.

oveja *f.* ewe; sheep.

oxidar *tr.* & *r.* to oxidize, get rusty.

oxígeno *m.* (Chm.) oxygen.

paciencia *f.* patience.
pacificar *tr.* to pacify.
pactar *tr.* to pact, stipulate.
padecer *tr.* to suffer, to endure.
padrastro *m.* stepfather.
padre *m.* father; **padres,** *m. pl.* parents; **padre político,** fatherin-law.
padrino *m.* godfather.
padrón *m.* poll, census.
pagar *tr.* to pay; to pay for.
página *f.* page.
país *m.* country, land, nation.
paisaje *m.* landscape, countryside.
paja *f.* straw; padding (*in writing*).
pájaro *m.* bird; crafty fellow.
pala *f.* shovel; racket.
palabra *f.* word.
paladear *tr.* to taste, to relish.
palanca *f.* lever; pole, bar.
palancana *f.* washbowl.
palco *m.* box (*theatre*).
paleta *f.* small shovel; fire shovel.
paliar *tr.* to palliate.

pálido -da *adj.* pale.
palillo *m.* toothpick.
paliza *f.* beating.
palmada *f.* slap.
palmo *m.* span, palm.
palo *m.* stick; (Náut.) mast.
paloma *f.* (Zool.) pigeon.
palpar *tr.* to touch, to feel.
palpitar *in.* to palpitate.
pamplina *f. con.* nonsense, trifle.
pan *m.* bread.
panadería *f.* bakery; baker's shop.
panal *m.* honeycomb.
panera *f.* granary; bread basket.
pantalón *m.* trousers.
pantalla *f.* lamp shade; screen.
pantano *m.* dam.
pantorrilla *f.* calf.
panza *f.* paunch; belly.
pañal, pañales, *m. pl.* swaddling clothes.
paño *m.* cloth.
pañuelo *m.* handkerchief, kerchief.
papel *m.* paper; part, role; *pl.* documents.
papeleo *m.* Red tape.

papeleta *f.* slip of paper; pawn ticket.

paquete -ta *m.* parcel, packet.

par *adj.* like, similar; pair, couple; peer; **a pares,** in twos.

para *prep.* to, for; towards.

parabién *m.* congratulation.

parabrisa *m.* windshield.

parachoques *m.* bumper.

paradero *m.* end; whereabouts.

paraguas *m.* umbrella.

paralizar *tr.* to paralyse.

páramo *m.* high barren plain, moor.

parangón *m.* comparison.

paraninfo *m.* assembly hall, auditorium.

parar *tr.* to stop; to fix (attention).

pararrayo *m.* lightning-rod.

parcela *f.* plot, piece of ground, lot.

parco -ca *adj.* frugal, sparing.

pardal *adj. m.* sparrow.

pardo -da *adj.* brown; dark; cloudy.

parecer *m.* opinion; look.

parecido -da *adj.* like, similar; **parecidos -das,** *adj. pl.* alike.

pared *f.* wall.

pareja *f.* pair, couple.

parentela *f.* kinsfolk, relations.

parir *tr.* to give birth.

parlamentar *in.* to talk, chat.

parlanchín -na *adj. con.* chattering.

paro *m.* shutdown, work stoppage.

parpadear *in.* to blink, to wink

párpado *m.* eyelid.

parrafada *f. con.* talk, chat.

parrilla *f.* grill; grate, grating.

parroquia *f.* parish; clientele, customers.

parte *f.* part; share; side.

participante *adj. m. & f.* notifier.

participar *tr.* to communicate; to inform; *in.* to participate.

partícula *f.* particle.

partidario -ria *adj. m. & f.* partisan, follower.

partido -da *adj.* broken; *m.* party; decision.

partir *tr.* to divide; to distribute; *in.* to start, depart.

partitura *f.* (Mús.) score.

parto *adj. m. & f.* child-birth.

párvulo *adj. m. & f.* child.

pasa *adj.* dried.

pasaje *m.* passage.

pasaporte m. passport.

pasar tr. to pass; to cross; r. to pass; to go; to go too far; to become overripe, become overcooked.

pasarela f. footbridge cat-walk.

pascua f. Easter; **¡Felices Pascuas!,** Merry Christmas!

pase m. pass.

pasear tr. to walk; in. & r. to take a walk.

paseo m. walk, stroll.

pasillo m. passage, corridor.

pasmo m. astonishment; wonder.

paso m. step, pace; passing, measure.

pasta f. paste, dough, pie crust.

pastel m. cake.

pastelería f. cake-shop.

pastilla f. tablet.

pasto m. pasture; grass.

pastor m. shepherd.

pata f. foot, leg; (Zool.) duck.

patada f. hick.

patalear in. to hick, to stamp.

patán adj. m. con. churlish, simpleton.

patata f. (Bot.) potato.

patear tr. con. to trample on, tread on.

patente adj. patent, clear.

paternidad f. paternity.

patíbulo m. scaffold.

patinar in. to skate; to skid.

patio m. patio, court, yard; pit.

pato m. (Zool.) duck, drake; **pagar el pato,** con. to be the goat.

patria f. country; mother country, fatherland.

patrocinar tr. to sponsor, patronise.

patrón -na m. & f. sponsor, protector; patron saint; m. patron.

patronato m. employers' association; patronage.

patrono -na m. & f. sponsor, protector; landlord.

pausa f. pause, slowness.

pauta f. guide lines.

pavimentar tr. to pave.

pavo m. (Zool.) turkey.

pavor m. fear, terror.

paz f. peace; **dejar en paz,** to leave alone; **estar en paz,** to be even.

peaje m. toll.

peatón m. pedestrian.

pecar in. to sin.

pecera f. fish globe, fish bowl.

pecuario -a adj. pertaining to cattle.

pecho m. (An.) chest; breast; **tomar a pecho,** to take to heart.

pedal *m.* pedal, treadle.

pedernal *m.* flint.

pedir *tr.* to ask, to ask for; to demand, require; to ask for the hand of; to order *(merchandise)*; **pedir prestado a,** to borrow from; *in.* to ask; to beg; **a pedir de boca,** as one would like *(see irr.* **gemir**).

pedrada *f.* stoning; hit *(or)* blow with a stone.

pedregal *m.* stony ground.

pedrisco *m.* shower of stones; hailstones; hailstorm.

pegar *tr.* to stick, to paste; to fasten; to hit, beat; to set *(fire)*; to transmit, communicate *(a disease)*; to take a *(jump)*; *in.* to stick, to cath; to take root, take hold; *r.* to stick, to catch; to take root, take bold.

peinar *tr.* to comb; *r.* to comb one's hair.

pelado -da *adj.* bare; bald; barren.

pelar *tr.* to cut *(hair)*; to pluck *(hair, feathers)*; to peel, skin; *r.* to peel off; to lose one's hair.

peldaño *m.* step.

pelear *in.* to fight; to quarrel; to struggle.

peletería *f.* furriery.

peliagudo -da *adj.* con. arduous, ticklish.

peligro *m.* danger, risk; **correr peligro,** to be in danger.

pelirrojo -ja *adj.* red-haired, redheaded.

pelma *m.* & *f.* con. lump, poke, sluggard.

pelo *m.* hair; down; filament; **con todos sus pelos y señales,** chapter and verse; **no tener pelos en la lengua,** con. to say what one feels; **tomar el pelo a,** con. to pull the leg, to tease.

pelota *f.* ball; **en pelota,** stripped, naked; **pelotas,** con. person who butters-up.

pelotera *f.* con. brawl, row.

pelotón *m.* (Mil.) platoon; main body.

peluca *f.* wig.

pelusa *f.* down; con. jealousy.

pellejo *m.* skin; hide; **hallarse en el pellejo de otro,** to be in somebody else's shoes.

pellizcar *tr.* to pinch; to nip.

pena *f.* pity, grief; fine, punishment; **vale la pena,** it is worthwhile.

penar *tr.* to punish; *in.* to suffer.

pendencia *f.* dispute, quarrel.

penetrar *tr.* to penetrate; to break into; to see through (*someone's intentions*).

penitenciaría *f.* penitentiary, prison.

penoso -sa *adj.* arduous, difficult.

pensar *tr.* to think; to think over; *in.* to think (*see irr.* **acertar**).

pensativo -va *adj.* thoughtful.

pensionista *m.* & *f.* pensioner; boarder; **medio pensionista,** day boarder.

penúltimo -ma *adj.* penultimate, last but one.

penumbra *f.* penumbra, shade.

peón *m.* worker, labourer, pawn (*chess*).

peor *adj.* & *adv.* worse; worst.

pepita *f.* pip; melon seed.

pequeño -ña *adj.* little, small.

percance *m.* mischance.

percatar *in.* & *r.* to think, to be aware of.

perchero *m.* rack.

perder *tr.* to lose; to waste; to miss (*a train*); *in.* to lose, to fade; *r.* to lose one's way, get lost; to miscarry.

perdonar *tr.* to pardon, forgive; to excuse.

perdurar *in.* to last a long time.

perecer *in.* to perish (*see irr.* **nacer**).

peregrino -na *adj.* rare, strange; singular; *m.* & *f.* pilgrim.

pereza *f.* laziness; sloth.

perfeccionar *tr.* to perfect, improve.

perfilar *tr.* to profile, to outline.

perforar *tr.* to perforate, drill.

perfume *m.* perfume.

pericia *f.* skill, expertness.

perillán -llana *adj.* rascally; *m.*

periodista *m.* & *f.* journalist.

periquete *m. con.* **en un periquete,** in the twinkling of an eye.

perito -ta *adj.* skilled, skilful; *m.* expert.

perjudicar *tr.* to harm, damage.

perjurar *in.* to commit perjury; to swear.

perla *f.* pearl; **de perlas,** pat.

permanecer *in.* to stay, remain; to last.

permiso *m.* permission;

permiso de conducir, driver's license.

permitir *tr.* to permit, to allow; *r.* to be permitted; to allow oneself.

permutar *tr.* to interchange; to barter; to permute.

pernera *f.* leg (*of trousers*).

pernoctar *in.* to spend the night.

pero *conj.* but.

perro -rra *m.* dog; **a otro perro con ese hueso,** tell that to the marines.

perseguir *tr.* to pursue; to persecute.

perseverar *in.* to persevere; to insist.

persiana *f.* window-blinds.

persignar *r.* to cross oneself, make the sign of the cross.

persistir *in.* to persist.

persona *f.* person.

perspectivo -va *adj.* perspective; *f.* perspective; outlook.

persuadir *tr.* to persuade; *r.* to become persuaded, to get convinced.

pertenecer *in.* to belong; to pertain.

perturbar *tr.* to perturb; to disturb; to confuse.

pervertir *tr.* to pervert; *r.* to become perverted (*see irr.* **sentir**).

pesa *f.* weight.

pesadilla *f.* nightmare.

pesado -da *adj.* heavy; clumsy.

pésame *m.* condolence.

pesar *m.* sorrow, regret; **a pesar de,** in spite of; *tr.* to weigh; *in.* weigh; to have weight; to regret, to be sorry; **a pesar de,** in spite of.

pescado *m.* fish.

pescador -ra *adj. m. & f.* fisher.

pescar *tr.* to fish; to catch; to angle.

pescuezo *m.* neck.

pésimo -ma *adj.* super. very bad.

peso *m.* weight; burden, load; **caerse de su peso,** to be self-evident.

pesquisa *f.* inquiry, search.

pestaña *f.* eyelash.

pestañear *in.* to wink; **sin pestañear,** without batting an eye.

pestillo *m.* bolt; door latch.

petardo *m.* bomb; fraud.

peto *m.* breastplate.

petrificar *tr. & r.* to petrify.

petrolero *m.* oil tanker.

pez *m.* fish; **pez espada,** swordfish.

pezuña *f.* hoof.

piar *in.* to peep.

pica *f.* pike.

picante *adj.* biting, pricking; hot; *m.* piquancy.

picar *tr.* to prick, pierce; to sting; to mince; to goad; to punch (*a ticket*); to perforate; to itch; to be stung.

picardía *f.* knavery, crookedness.

picazón *m.* itch, itching.

pico *m.* beak; **cerrar el pico,** *con.* to shut up.

picudo -da *adj.* beaked; pointed.

pie *m.* foot; base, stand; sediment; foundation; **al pie de,** near; about; **al pie de la letra,** literally; **de pie,** standing; firm.

piedra *f.* stone; rock; **piedra angular,** cornerstone; keystone; **piedra de afilar,** grindstone.

piel *f.* skin, pelt; leather.

pienso *m.* feed.

pierna *f.* leg.

pijama *m.* pyjamas.

pila *f.* basin; trough; sink; pile, heap.

pilar *m.* basin, bowl; pillar.

píldora *f.* pill.

pillaje *m.* pillage, plunder.

pillar *tr.* to pillage, plunder.

pimentón *m.* red pepper powder; paprika.

pimiento (Bot.) red-pepper.

pinar *m.* pine wood.

pincel *m.* brush.

pinchar *tr.* to prick; puncture; to stir up, provoke.

pingüe *adj.* oily, greasy; rich, abundant.

pino -na *adj. m.* (Bot.) pine-tree.

pintar *tr.* to paint; to picture, depict; *in.* to paint; to paint oneself, make-up.

pintor -ra *m. & f.* painter.

piña *f.* pine cone; (Bot.) pineapple.

piojo *m.* (Zool.) louse.

pipa *f.* pipe; wine cask.

piquete *m.* sharp jab; stake, picket; (Mil.) picket.

piragua *f.* pirogue, canoe.

pirámide *f.* pyramid.

piropo *m.* *con.* compliment, flattering sentence.

pisapapeles *m.* paperweight.

pisar *tr.* to tread on; step on; to press with the feet; *fig.* to abuse.

piscina *f.* swimming pool.

piso *m.* floor, story; flat, apartment.

pisotón *m.* heavy tread on someone's foot.

pista *f.* track; trace; clue.

pistola *f.* pistol; gun.

pitillo *m.* cigarette.

pito *m.* whistle; horn.

pizarra *f.* slate; blackboard.

placa *f.* plate, insignia.

placer *m.* pleasure; *tr.* to please.

plaga *f.* plague; pest.

plagar *tr.* to plague, infest; *r.* to become plagued.

plan *m.* plan; scheme.

planchar *tr.* to iron, to press.

planeta *m.* planet.

plano -na *adj.* plane; level; , *m.* plan; map.

planta *f.* (Bot.) plant; sole; floor.

plantar *tr.* to plant; *con.* to throw *(into the street)*; *r.* to stand.

plata *f.* (Chm.) silver; wealth; money.

plátano *m.* banana.

plática *f.* talk, chat, homily.

plato *m.* dish; plate; course *(at meals)*.

playa *f.* beach, shore.

plaza *f.* square; market; office, employment.

plazo *m.* term; time, limit.

plegar *tr.* to fold; to plait; to fold over.

pliego *m.* sheet; folder.

plomo *m.* lead.

pluma *f.* feather; pen, nib; fountain pen.

población *f.* population; village town.

poblar *tr.* to people, populate; to found, settle; *in.* to settle, colonize.

pobre *adj.* poor; *m. & f.* beggar.

poco -ca *adj.* little; *adj. pl.* few; a few.

podar *tr.* to prune, to trim.

poder *m.* power; might; proxy.

poderoso -sa *adj.* powerful, mighty; wealthy.

podrido -da *adj.* rotten, putrid.

poema *m.* poem.

poesía *f.* poetry; poem.

policía *f.* police.

polilla *f.* (Zool.) moth; (Zool.) carpet moth.

póliza *f.* check, draft; contract; tax stamp.

polo *m.* support; pole.

polvo *m.* dust; powder; *m. pl.* dust.

pólvora *f.* powder, gunpowder.

pollo *m.* chicken.

pómulo m. (Am.) cheek-bone.

ponderar tr. to weigh; to ponder; to exaggerate.

ponencia f. paper, report.

poner tr. to put, place, lay; to put in; to put on; to set (a table); to impose (a law, tax, etc.); to lay (eggs).

popularizar tr. to popularize; r. to become popular.

por prep. by; through; for the sake of; in place of; out of.

porcelana f. porcelain.

porcentaje m. percentage.

pordiosero -ra m. & f. beggar.

porque cnj. because.

porqué m. con. why, reason

porrazo m. blow.

portaaviones m. aircraft carrier.

portada f. front, façade; titlepage.

portaequipajes m. baggage rack.

portal m. vestibule, entrance hall; porch.

portalámparas m. socket.

portamonedas m. purse.

portavoz m. spokesman.

pórtico m. portico, porch.

porvenir m. future.

pos after, behind.

posada f. inn; boarding house.

poseer tr. to own, to posses, to hold.

poso m. sediment; dregs.

postal adj. postal, f. postcard.

poste m. post, pole, pillar.

posterior adj. posterior, back, rear.

postigo m. wicket, shutter.

postizo -za adj. false, artificial; m. switch.

postrar tr. to postrate; r. to postrate oneself.

postre adj. last, final; m. dessert; m. pl. dessert.

póstumo -ma adj. posthumous.

potable adj. potable, drinkable.

potaje m. stew, medley.

potestad f. power; dominion.

potro -tra m. & f. colt; young horse; rack.

pozo m. well; pool; (Min.) shaft.

practicar tr. in. & r. to practice, perform, exorcise.

pradera f. meadow; prairie; field.

precaver tr. to try, to prevent; to be on one's guard.

preceder tr. & in. to precede, go before.

preces f. pl. prayers.

precio m. price; value; cost.

preciosidad f. preciousness; beauty.

precipitar tr. to precipitate; to rush; r. to rush.

precisar tr. to state precisely, to specify; to need; in. to be necessary.

precoz adj. precocious, premature.

predecir tr. to predict, foretell.

predicado m. predicate.

predicador -ra adj. preaching; m. & f. preacher.

predicar tr. & in. to preach; to predicate.

predominar tr. to predominate; to over-rule.

prefabricar tr. to prefabricate.

preferir tr. to prefer, like.

pregonar tr. to proclaim; to bring to public notice.

preguntar tr. to ask; in. to ask, to inquire; r. to wonder.

prematuro -ra adj. premature.

premiar tr. to reward.

prender tr. to seize, grasp; to catch; in. to catch; to take root, to set fire.

preocupar tr. to preoccupy; r. to become preoccupied, to take interest.

preparar tr. to prepare.

presa f. dike, dam; seizure.

prescribir tr. & in. to prescribe.

presencia f. presence.

presenciar tr. to witness; to be present at.

presentar tr. to present; to introduce; to display; in. to present oneself; to appear.

preservar tr. to preserve, keep.

presidente m. president; chairman.

presidiario m. convict.

presidir tr. to preside over; in. to preside.

presión f. pressure.

preso -sa adj. imprisoned; m. & f. prisoner; f. seizure, capture; catch; booty, spoils.

préstamo m. loan.

prestar tr. to lend, to loan; to give (ear; help); to pay (attention); to render (a service); r. to lend oneself, to lend itself.

presumir tr. to presume; in. to be conceited; to boast.

presupuesto -ta adj. presupposed; m. reason; suposition; budget.

pretender tr. to pretend to; to try; to aspire.

prevalecer in. to prevail.

prevenir *tr.* to prepare; to forestall, prevent; *r.* to get prepared.

prever *tr.* to foresee.

primario -ria *adj.* primary; chief.

primavera *f.* spring.

primer *adj.* apocopated form of primero.

primero -ra *adj.* first; former.

primo -ma *m.* & *f.* cousin.

primogénito -ta *adj. m.* & *f.* firstborn.

principio *m.* star, beginning; source; (Chm.) principle.

prior *m.* prior.

prisa *f.* hurry, haste; urgency.

privar *tr.* to deprive; *in* to be in vogue; to be in favour.

privilegio *m.* privilege.

pro *m.* & *f.* profit, advantage.

proa *f.* (Náut.) prow.

probar *tr.* to prove; to test; to try; to taste; to fit; to try.

problema *m.* problem.

procedencia *f.* origin, source.

proceder *m.* conduct, behaviour, *in.* to proceed; to originate; to behave.

procesar *tr.* to sue; to indict.

procrear *tr.* to procreate, breed.

procurador *m.* solicitor, attorney.

procurar *tr.* to try; to get.

pródigo -ga *adj. m.* & *f.* prodigal.

producir *tr.* to produce; to yield; to cause.

proferir *tr.* to utter, to say, to express.

profesar *tr.* & *in.* to profess, to take religious vows.

profesor -ra *m.* & *f.* teacher; professor.

profetizar *tr.* & *in.* to prophesy, foretell.

prófugo -ga *adj. m.* & *f.* fugitive; *m.* (Mil.) slacker.

profundizar *tr.* to deepen; *in.* to go deep into.

prohibir *tr.* to prohibit, to forbid.

prójimo *m.* fellow man; *con.* fellow.

proletario -ria *adj.* & *m.* proletarian.

prolongar *tr.* to prolong, to extend; *r.* to extend.

promesa *f.* promise.

prometer *tr.* to promise; to give promise; *r.* to become engaged.

promotor -ra *adj.* m. & f. promoter.

promover *tr.* to promote, raise, cause.

promulgar *tr.* to promulgate issue.

pronto -ta *adj.* quick; prompt; ready.

pronunciar *tr.* to pronounce; *r.* to rebel, revolt.

propaganda *f.* advertisment: propaganda.

propagar *tr.* to propagate; to spread.

propiedad *f.* property; ownership; **propiedad literaria,** copyright.

propina *f.* tip, fee.

propio -pia *adj.* proper, suitable; peculiar; himself, herself, etc.

proporcionar *tr.* to proportion; to provide, supply.

prorrogar *tr.* to prorogue.

prosa *f.* prose.

proseguir *tr.* to continue, carry on; *in.* to continue, go on.

prosperar *tr.* to prosper.

protagonista *m.* & *f.* protagonist.

protector -ra *adj.* protective; *m.* protector; *f.* protectress.

proteger *tr.* to protect; to shelter.

protestar *tr.* & *in.* to protest.

provecho *m.* advantage, benefit; profit, gain.

proveedor -ra *m.* & *f.* supplier; provider, purveyor.

proveer *tr.* to provide, furnish; *r.* to provide oneself, make provisions.

provenir *in.* to come, originate.

provocar *tr.* to provoke; to incite, to tempt.

próximo -ma *adj.* next; near.

proyectar *tr.* to project; to plan.

prueba *f.* proof; trial; test, examination.

púa *f.* sharp point, barb; quill.

publicar *tr.* to publish.

público -ca *adj.* public; *m.* public.

puchero *m.* pot, kettle.

pudrir *tr.* to rot, putrefy.

pueblo *m.* town, village.

puente *m.* bridge; (Náut.) deck.

puerta *f.* door; gate.

puerto *m.* port, harbour, pass; (fig.) haven.

pues *adv.* then, well; yes.

pujar *tr.* to push; to raise; *in.* to struggle.

pulga *f.* flea.

pulgada *f.* inch.
pulgar *m.* thumb.
pulido -da *adj.* pretty; neat.
pulimentar *tr.* to polish.
pulir *tr.* to polish; to beautify; *r.* to polish.
pulmón *m.* (An.) lung.
pulmonía *f.* (Path.) pneumonia.
pulpo *m.* (Zool.) octopus.
pulsar *tr.* to feel (*or*) take the pulse of.
pulsera *f.* bracelet.
pulso *m.* pulse; tact, care.
pulverizar *tr.* to pulverise; to spray.
puntería *f.* aim.

puntilla *f.* brad, finishing nail.
punto *m.* point, dot; loop; jot, mote; *fig.* point.
puntual *adj.* punctual.
puntualizar *tr.* to fix in the memory; to enumerate.
puñado *m.* handful.
puñal *m.* dagger.
puñetazo *m.* punch.
puño *m.* fist; blow; cuff; handle (*of umbrella*).
pupitre *m.* desk.
purgar *tr.* to purge; to purify, refine; to expiate; *r.* to take a purge.
pus *m.* pus.
puta *f.* whore, bitch.

que *adj.* & *pron. rel.* that, which; who; *adv.* than; *conj.* that; for, because.

qué *adj.* & *pron. interr.* what, which; what a!

quebrantar *tr.* to break; to violate; *r.* to become broken.

quebrar *tr.* to break; to twist; to crush; *in.* to fail.

quedar *in.* to remain; to stay; to be left; agree on.

quehacer *m.* work, task.

quejar *tr.* to complain, lament; to whine.

quema *f.* fire, burning.

quemadura *f.* burn, scald.

quemar *tr.* to burn; to scald; to parch; *in.* to burn, be hot; *r.* to burn; to be burning up.

querella *f.* complaint; quarrel, dispute.

querer *m.* love, affection; will; *tr.* to wish, want; desire; to like; to love.

querido -da *adj.* dear; beloved; mistress; *m.* lover.

queso *m.* cheese.

quicio *m.* pivot hole; hinge.

quien *pron. rel.* who; whom

quién *pron. int.* & *rel.* who; whom.

quienquiera *pron. indef.* anyone, anybody; *pron. ref.* whoever. whichever.

quilate *m.* carat.

quilla *f.* (Náut. & Bot.) keel.

químico -ca *adj.* chemical; *m.* chemist; *f.* chemistry.

quincalla *f.* hardware; costume jewelry.

quince *adj.* fifteen.

quincena *f.* fortnight.

quinqué *m.* oil lamp.

quinto -ta *adj.* fifth; *f.* villa, country house.

quiosco *m.* kiosk.

quirófano *m.* operating room, operating theatre.

quitanieve *m.* snowplow.

quitar *tr.* to remove; to take away; to take; to rob; *r.* to take off (hat, cloth, etc.); to give up (a vice).

quitasol *m.* parasol.

quizá (or) **quizás** *adv* maybe, perhaps.

r

rábano m. (Bot.) radish.

rabí m. rabbi.

rabia f. anger, rage.

rabiar in. to rage, to get mad.

rabo m. tail.

racimo m. bunch; cluster.

raciocinio m. argument, reasoning.

racha f. squall; con. streak.

radiador -ra adj. radiating; m. radiator.

radiar tr. to radio; to broadcast; in. to radiate.

radio m. edge, outskirt; spoke, rung (of wheel); radium; f. radio, wireless.

radiodifusión f. broadcasting.

ráfaga f. gust, puff; burst.

raíl m. rail.

raíz f. root; origin.

rajar tr. to split, to cleave; to crack; to slice; con. give up.

rallar tr. to grate; con. to grate on.

rama f. branch, department.

ramal m. strand; branch line.

rambla f. dry ravine; tenter; boulevard.

ramera f. whore, strumpet.

ramificar tr. & r. to ramify, to spread out.

ramo m. branch; cluster, bough; bouquet.

rampa f. ramp, gradient.

rana f. (Zool.) frog.

rancio adj. rank, rancid. old-fashioned.

rancho m. mess; ranch.

ranura f. groove; slot.

rape m. **al rape,** crew cut.

rapidez f. rapidity, speed.

raposo m. male fox; con. fox.

raptar tr. to abduct; to kidnap.

raqueta f. racket.

raro -ra adj. rare; odd; uncommon; querer.

ras, a ras de, m. even with.

rascacielos m. skyscraper.

rascar tr. to scrape; to scuff; to scratch.

rasgar tr. to tear; to rip r. to become torn.

rasguño m. scratch.

raspar *tr.* to scrape, scrape off; to scratch.

rastrear *tr.* to trail, to track, to trace; *in.* to rake, to drag.

rastrillo *m.* rake.

rasurar *tr. & r.* to shave.

rata *f.* (Zool.) rat.

ratificar *tr.* to ratify.

ratón *m.* (Zool.) mouse.

raya *f.* stripe; stroke; dash; parting *(hair)*; rayfish; boundary.

rayar *tr.* to rule, to line; to stripe; to scratch, score; *in.* to border; to begin, arise.

rayo *m.* ray, beam; lightning (fig.) thunderbolt.

raza *f.* race; breed; quality.

razón *f.* reason; right; account, story.

razonable *adj.* reasonable, fair.

razonar *tr. & in.* to reason, to think.

reaccionar *in.* to react.

reacio -cia *adj.* obstinate, stubborn.

reactor *m.* (Elec. & Phys.) reactor; jet plane.

realce *m.* splendour.

realizar *tr.* to fulfill; to perform; to make; *r.* to become fulfilled.

realzar *tr.* to raise, elevate; to emboss; to heighten, set off.

reanimar *tr. & r.* to reanimate, revive.

rebaja *f.* rebate, reduction.

rebajar *tr.* to lower; to diminish, reduce; to rebate; to deflate; *r.* to stoop; to humble oneself; to become deflated.

rebanada *f.* slice, piece.

rebaño *m.* flock, herd.

rebosar *in.* to overflow, run over; to overflow with, burst with.

rebozar *tr.* to muffle up; to cover with batter; *r.* to muffle up.

rebuznar *in.* to bray.

recadero -ra *m.* messenger; *m.* errand boy; errand girl.

recaer *in.* to fall again; to relapse.

recalentar *tr.* to heat up; to warm up.

recambio *tr.* spare part.

recargar *tr.* to overload; to overcharge; to increase; to overwork.

recaudación *f.* tax collecting; sum collected.

recaudar *tr.* to gather, collect.

recepción *f.* reception admission.

receptor -ra *adj.* receiving; *m.* receiver, radio set.

recetar *tr.* & *in.* to prescribe.

recibir *tr.* to receive; to welcome; *r.* to be recieved, be admitted.

recibo *m.* receipt.

recién *adv.* recently, just, newly.

recipiente *m.* container, vessel.

recitar *tr.* to recite, declaim.

reclamar *tr.* to claim, demand; to complaint.

reclinar *tr.* & *r.* to recline, to lean.

recluir *tr.* to seclude, shut in; to imprison; *r.* to go into seclusion.

recluta *f.* recruiting; levy *m.* recruit.

recobrar *tr.* & *r.* to recover.

recoger *tr.* to pick up; to gather; to harvest; to collect, fetch; *r.* to take shelter, take refuge; to go home.

recomendar *tr.* to recommend.

recompensar *tr.* to recompense, reward.

reconciliar *tr.* to reconcile.

reconocer *tr.* to recog-

nise; to admit; to inspect.

reconstruir *tr.* to rebuild, to reconstruct.

recopilar *tr.* to compile.

record *m.* record.

recordar *tr.* to remember; to remind.

recordatorio *m.* reminder.

recorrer *tr.* to cross, to traverse, to go over (*or*) through; to run over.

recortar *tr.* to trim, cut off, to cut out.

recostar *tr.* & *r.* to recline, to lean against.

recrear *tr.* & *r.* to amuse, enjoy.

rectificación *f.* rectification, correction.

rectificar *tr.* to rectify, amend.

recto -ta *adj.* straight, right.

rector -ra *adj.* governing; managing; *m.* principal, superior; director; Vice-Chancellor.

recubrir *tr.* to cover.

recuento *m.* re-count.

recuerdo *m.* memory, remembrance; souvenir.

recuperar *tr.* & *r.* to recuperate, recover, regain.

recurrir *in.* to resort, have recourse.

rechazar tr. to repel, repulse, reject, refuse.

red f. net.

redacción f. writing; editing.

redactar tr. to write up, to word; to edit.

redada f. catch.

redil m. sheepfold.

redimir tr. to redeem.

redondel m. con. circle; arena.

redondo -da adj. round.

reducir tr. & r. to reduce, abridge, confine.

reembolso m. reimbursement; **contra reembolso,** cash on delivery.

reemplazar tr. to replace, to act as substitute.

referir tr. & r. to refer.

refinar tr. to refine, purify.

reflexionar tr. to reflect; to think over.

reformar tr. to reform.

reforzar tr. to reinforce; to strengthen.

refrán m. proverb, saying.

refrenar tr. to rein; curb; to check; to restrain.

refrescar tr. to refresh; to cool; in. to cool off, get cooler.

refrigerador -ra adj. refrigerating; m. refrigerator.

refrigerar tr. to cool; to refrigerate; to refresh; r. to cool off.

refugiar tr. to shelter; r. to take refuge.

refutar tr. to refute.

regadío m. irrigated land.

regalar tr. to give, to present; to regale.

regalo m. gift, present; joy.

regar tr. to water, sprinkle; to irrigate.

regata f. regatta, boat race.

regenerar tr. & in. to regenerate; to revive.

regentar tr. to direct, to manage.

regir tr. to rule, govern; to control; in. to prevail, be in force.

registrar tr. to examine, to inspect; to register.

regla f. rule; ruler.

reglamento m. regulation; constitution.

regocijar tr. to cheer; r. to rejoice.

regresar in. to return.

rehén m. hostage.

rehuir tr. to shrink from; in. to avoid.

rehusar tr. to refuse, turn down.

reina f. queen; queen bee.

reino m. kingdom, reign.

reintegrar tr. to restore;

r. to redintegrate; to recover.

reír tr. to laugh at (or) over; in. to laugh; r. to laugh at.

reja f. grate, grating; plowshare; rail.

relacionar tr. & r. to relate; to connect.

rebajar tr. to relax; to become relaxed.

relatar tr. to relate; (Law) to report.

relevo m. (Mil.) relief; pl. relay race.

relicario m. reliquary, shrien.

relieve m. relief; prominence.

reliquia f. relic; trace, vestige.

reloj m. watch; clock.

relucir in. to shine, glow.

relumbrar in. to shine brightly, sparkle.

rellenar tr. to refill, to fill up (bricks); to stuff.

remar in. to row.

remedio m. remedy; help; recourse.

remendar tr. to mend, patch.

remesa f. remittance; shipment.

remisión f. remission; pardon.

remitente adj. remittent; m. sender.

remitir tr. to remit; to forward.

remo m. oar.

remojar tr. to soak, to steep.

remolacha f. (Bot.) beet.

remolcar tr. to tow.

remolque m. towing.

remover tr. to remove; to disturb; move away.

renacer in. to be reborn; to bloom again.

rendir tr. to conquer; to subdue; to exhaust, wear out; to return; in. to yield; r. to surrender.

renglón m. line.

renovar tr. to renovate; . r. to renew.

renta f. rent; annuity; income.

renunciar tr. to renounce; to resign.

reñir tr. to scold; in quarrel; wrangle.

reorganizar tr. & r. to reorganise.

reparar tr. to repair, to mend; to notice.

repasar tr. to repass; to retrace; to revise; to mend.

repeler tr. to repel.

repercusión f. repercussion.

repercutir in. to rebound.

repetir tr. & in. to repeat.

tripular *tr.* to man *(ship)*.

triste *adj.* sad; sorrowful.

triturar *tr.* to triturate; to mash, grind.

trofeo *m.* trophy.

tromba *f.* column; avalanche; water-sport.

trompo *m.* top.

tronco *m.* trunk; stalk.

tronchar *tr.* to chop off; to break off.

tropa *f.* troop, flock; (Mil.) troops.

tropezar *tr.* to hit; to strike; *in.* to stumble;

trozo *m.* piece, bit, fragment.

trucha *f.* trout.

trueno *m.* thunder.

tú *pron. pers.* you.

tubería *f.* piping, pipes.

tubo *m.* tube; pipe.

tuerca *f.* (Mach.) nut.

tuerto -ta *adj.* one-eyed person.

tufo *m.* fume, vapour.

tullir *tr.* to cripple, paralyze; *r.* to become crippled or paralyzed.

tumba *f.* grave, tomb.

tumbar *tr.* to knock down; *r. con.* to lie down.

tuna *f.* group of students that play guitars.

tundir *tr.* to shear *(cloth)*; *con.* to beat.

túnel *m.* tunnel.

turbar *tr.* to disturb, upset, trouble.

turnar *in.* to alternate.

turno *m.* turn, shift.

turrón *m.* nougat, almond sweetmeat.

tutor -ra *m. & f.* guardian, protector, tuter.

tuyo -ya *adj. pron. poss.* yours.

u *cn. (used instead of o before words beginning by o).*

ubicación *f.* location, situation.

ubicar *tr.* (Am.) to place, locate; *in.* & *r.* to be located.

ubre *f.* udder, teat.

úlcera *f.* ulcer.

ultimar *tr.* to end, finish.

último -ma *adj.* last. latest.

ultrajar *tr.* to outrage.

ultramar *m.* country overseas.

ultranza; a ultranza, to the death.

umbral *m.* threshold.

un, una *art. indef.* a, an; *adj.* one *(numeral).*

unción *f.* unction.

ungir *tr.* to anoint, consacrate.

únicamente *adv.* only, solely.

único -ca *adj.* only, sole, unique.

unidad *f.* unit, unity.

unificar *tr.* to unify.

uniforme *adj.* & *m.* uniform.

unir *tr.* & *r.* to unite, join.

universo -sa *adj.* universal; *m.* universe, earth.

uno -una *adj.* & *pron. indef.* one, someone; *m.* one *(numeral).*

untar *tr.* to anoint; to smear, grease; *con.* to slap; *r.* to get smeared.

unto *m.* grease, fat.

uña *f.* nail, fingernail, toenail.

uralita *f.* asbestos.

uranio *in* (Chm.) uranium.

urbano -na *adj.* urban, urbane.

urbe *f.* big city, metropolis.

urgencia *f.* urgency; emergency.

urgir *in* to be urgent.

urinario toilet; public conveniencies.

urna *f.* urn; ballot box.

usado -da *adj.* used.

usar *tr.* to use, make use of.

uso *m.* use; custom; habit, practice.

usted *prom. pers.* you.

usurpar *tr.* usurp.

útil *adj.* useful; *m.* use.

utilizar *tr.* to utilise.

uva *f.* grape.

vaca *f.* cow; beef.
vacación *f.* vacation. holidays.
vaciar *tr.* to drain, to empty.
vacilar *in.* to vacillate.
vacuna *f.* vaccination.
vacunar *tr.* to vaccinate.
vado *m.* ford.
vagabundear *in.* to wander.
vagón *m.* wagon.
vaguedad *f.* vagueness, ambiguity.
vaho *m.* vapour, fume.
vaivén *m.* coming and going.
vajilla *f.* set of dishes.
vale *m.* bond; receipt.
valer *m.* worth, merit.
validez *f.* validity.
válido -da *adj.* valid; strong.
valiente *adj.* brave, courageous.
valija *f.* valise, bag.
valor *m.* value, worth.
valoración *f.* valuation.
valorar *tr.* to value.
válvula *f.* valve.
valla *f.* fence, barricade.
valle *m.* valley, vale.

vanagloriar *r.* to boast.
vanidoso -sa vain, conceited.
vapor *m.* steam, vapour.
vaquero *m.* cowboy.
vara *f.* twig, stick.
variable *adj.* variable.
variar *tr.* & *in.* to vary, to change.
varilla *f.* rod, twig; wand.
varón *m.* man, male.
vasija *f.* vessel, container.
vaso *m.* glass; vessel.
vaticinar *tr.* to prophesy,
vatio *m.* (Elec.) watt.
vecindad *f.* neighbourhood.
vecindario *m.* inhabitants.
vecino -na *adj.* neighbouring, near; *m.* & *f.* neighbour.
veda *f.* prohibition.
vedar *tr.* to forbid, prohibit.
vega *f.* fertile plain.
végetal *adj.* vegetal; *m.* plant.
vehículo *m.* vehicle.
veinte *adj.* twenty.
vejez *f.* old age.
vejiga *f.* bladder.

vela f. wakefulness; candle.

velar tr. to watch; in. to stay awake.

velero m. sailmaker.

veleta f. weathercock; m. & f. fickle person.

velo m. veil; humeral veil.

velocidad f. velocity; speed.

vello m. down.

vena f. vein.

venablo m. javelin, dart.

vencedor -ra adj., m. & f. conqueror; winner.

vendaje m. bandage.

vendar tr. to bandage; to blind.

vendaval m. strong wind.

vendedor -ra adj. selling, vending; m. salesman; f. saleslady.

vender tr. to sell; in. to sell; r. to sell oneself.

vendimia f. vintage.

vendimiar tr. to gather (grapes).

veneno m. poison.

vengar tr. to avenge; r. to take revenge.

venidero -ra adj. coming, future.

venir in. to come.

venta f. sale; inn.

ventaja f. advantage, profit.

ventana f. window.

ventilador m. ventilator.

ventilar tr. to ventilate; to do.

ventoso -sa adj. windy.

ventura f. happiness; luck.

ver m. sight; appearance; tr. to see; r. to be seen; to be obvious.

veraneante m. & f. holidaymaker.

veranear in. to spend the summer holidays.

veraneo m. summer holidays.

verano m. summer.

veras f. pl. truth; **de veras**, in truth.

verbena f. (Bot.) verbena. night festival.

verbo m. (Gram.) verb; teh word.

verdad f. truth.

verdadero -ra adj true.

verde adj. green; unripe.

verdor m. verdure, greenness.

verdura f. verdure; vegetables.

vergel m. flower and fruit garden.

vergonzoso -sa adj. shy; embarrasing; m. & f. bashful, shy person.

vergüenza f. shame; bashfulness, shyness.

verificar tr. to verify.

verja f. grate, iron.

versar *in.* to turn around.

verter *tr.* to pour; *in.* to flow; *r.* to run.

vertical *adj.* vertical.

vértice *m.* (Math. & An.) vertex.

vértigo *m.* vertigo, dizziness.

vespertino -na *adj.* vespertine; *m.* evening sermon; *f.* evening discourse.

vestíbulo *m.* vestibule hall.

vestido *m.* clothing; costume; dress.

vestir *tr.* to clothe, to dress; to wear; *r.* to dress, to dress oneself.

vetar *tr.* to veto.

veto *m.* veto.

vez *f.* time; turn.

vía *f.* road, route, way; rail, track.

viajante *adj.* travelling; *m.* & *f.* traveller, comercial traveller.

viajar *in.* to travell.

vianda *f.* viand, food.

víbora *f.* (Zool.) viper.

vibrar *tr.* to vibrate; to roll *(the voice)*.

viciado -da *adj.* foul, vitiated.

viciar *tr.* to vitiate, to pervert; *r.* to become vitiated.

víctima *f.* víctima.

vid *f.* (Bot.) grapevine, vine.

vida *f.* life; living.

vidente *adj.* seeing; *m.* prophet, seer.

vidriera *f.* glass window; stain glass.

vidrio *m.* glass.

viejo -ja *adj.* old, ancient; *m.* old man.

viento *m.* wind; air.

vientre *m.* belly; bowels.

viernes *m.* Friday.

viga *f.* beam, girder.

vigilar *tr.* to watch over; *in.* to watch.

vigor *m.* vigour.

vil *adj.*. vile, base; mean, low.

villa *f.* town.

villancico *m.* carol. Christmas carol.

vinagre *m.* vinegar.

vinajera *f.* (Ecl.) burette, cruel.

vincular *tr.* to entail.

vino *m.* wine.

viña *f.* vineyard.

violar *tr.* to violate; to trespass (Law).

violentar *tr.* to force open; to do violence to.

viraje *m.* turn, change of direction.

virar *tr.* (Náut.) to wind.

virgen f. virgin.

virilidad f. virility, manliness.

virtud f. virtue.

viruela f. (Path.) smallpox.

virus m. virus.

viruta f. shaving, (wood).

visado m. visa.

visar tr. to visa, to visé.

visera f. eye-shade; peak.

visillo m. window curtain.

vision f. vision.

visita f. visit; visitor.

visitar tr. & r. to visit; to call.

vislumbrar tr. to glimpse.

visón m. (Zool.) mink.

víspera f. eve.

visto -ta adj. evident, obvious.

vital adj. vital.

vitalicio -cia adj. lifetime.

vitalidad f. vitality; health.

vitrina f. showcase.

viudez f. widowhood.

viudo -da adj. widowed; m. wid ower; f. widow.

vivencia f. experience.

víveres m. pl. food, victuals.

vivienda f. dwelling; housing.

vivificar tr. to vivify.

vivir m. life; living; tr. to live; to live in.

vocablo m. word, term.

vocación f. vocation, calling.

volandas (en) adv. in the air.

volante adj. flying; m. shuttlecock.

volar tr. to blow up; in. to fly; to fly away.

volcar tr. to upset.

voltaje m. (Elec.) voltage.

voltear tr. to upset, to roll over.

voltio m. (Elec.) volt.

volumen m. volume, bulk, amount.

voluntad f. will; determination.

volver tr. to turn; to turn over.

vomitar tr. to vomit, throw up.

vos pron. pers. you.

vosotros -tras pron. pers. you.

votación f. voting.

votante adj. voting; m. & f. voter.

votar tr. to vow; to vote.

voz f. voice; word; f. pl. outcry.

vuelco m. upset, overturning.

vuelo m. flight; flying.

vuelto -ta *pp.* of **volver;** turn, rotation; change.
vulcanizar *tr.* to vulcanise.
vulgar *adj.* vernacular; common.

vulgarizar *tr.* to vulgarize; to popularize; *r.* to become common.
vulnerar *tr.* to harm, injure.

y

yacer *in* to lie; to rest.
yacimiento *m.* bed, deposit.
yanqui *adj., m. & f.* Yankee.
yarda *f.* yard.
yate *m.* yacht.
yegua *f.* mare.

yelmo *m.* helmet.
yema *f.* yolk *(of egg)*; bud.
yerno *m.* son-in-law.
yerro *m.* error, mistake.
yesca *f.* tinder.
yeso *m.* gypsum.
yo *pron. pers.* I.
yunque *m.* anvil.

Z

zafiro m. sapphire.

zagal m. youth; shepherd's helper.

zagala f. shepherdess.

zaguán m. vestibule, entrance.

zalamero -ra adj., m. & f. flatterer.

zamarra f. shepherd's sheepskin jacket.

zambullir tr. to duck, give a ducking to; r. to dive, plunge.

zanahoria f. (Bot.) carrot.

zanca f. long leg.

zanco m. stilt.

zángano m. (Zool.) drone.

zanja f. ditch, trench.

zanjar tr. to dig a ditch (or) ditches in.

zapata f. half boot.

zapatear tr. to hit with the shoe; in. to tap-dance.

zapatería f. shoe's shop.

zapatilla f. slipper.

zarandear tr. to sift, to screen.

zarpar tr. to weigh.

zarza f. (Bot.) blackberry bush.

zarzal m. blackberry patch.

zarzuela f. zarzuela, musical comedy.

¡zas! inj. bang!

¡zis, zas! inj. con. bing, bang!

zócalo m. (Arch.) socle, pediment.

zona f. zone.

zoológico -ca adj. zoological.

zoquete m. block, chunk.

zorra f. (Zool.) fox; con. prostitute, bitch.

zorro m. (Zool.) male fox.

zozobrar tr. to sink; in. to capsize, founder.

zueco m. wooden shoe.

zumbar in. to buzz, to hum.

zumbido m. buzz, hum.

zumbón -na adj. waggish; m. & f. wag.

zumo m. juice.

zurcir tr. to darn.

zurrar tr. to curry; con. to drub, to thrash.

zurrón m. shepherd's leather bag.

zutano -na m. & f. con. so-and-so.